A EPOPÉIA
DO PENSAMENTO OCIDENTAL

A Epopéia do Pensamento Ocidental

Para compreender as idéias que moldaram nossa visão de mundo

Richard Tarnas

4ª EDIÇÃO

Tradução de
Beatriz Sidou

BERTRAND BRASIL

Capa: Rodrigo Rodrigues

Editoração: Art Line

2001
Impresso no Brasil
Printed in Brazil

CIP-BRASIL. CATALOGAÇÃO-NA-FONTE
SINDICATO NACIONAL DOS EDITORES DE LIVROS, RJ.

T195e
4ª ed.

Tarnas, Richard
A epopéia do pensamento ocidental: para compreender as idéias que moldaram nossa visão de mundo / Richard Tarnas; tradução de Beatriz Sidou. – 4ª ed. – Rio de Janeiro; Bertrand Brasil, 2001.
588p.

Tradução de: The passion of the western mind
Inclui bibliografia
ISBN 85-286-0725-9

1. Filosofia – História. 2. Civilização ocidental. 3. Religião e ciência – História. 4. Consciência – História. I. Título.

99-1054

CDD – 109
CDU – 1(091)

BCD UNIÃO DE EDITORAS S.A.
Av. Rio Branco, 99 – 20º andar – Centro
20040-004 – Rio de Janeiro – RJ
Tel.: (021) 263-2082 – Fax: (021) 263-6112

Atendemos pelo Reembolso Postal.

Sumário

Para Heather

e o surgimento da Cristandade, a Igreja Católica e a Idade Média, o Renascimento, a Reforma e a Revolução Científica, o Iluminismo e o Romantismo e tudo o que veio depois, até chegar a este irresistível momento atual. Arrebatamento e grandiosidade, conflitos notáveis e soluções espantosas marcaram a permanente tentativa da cultura ocidental em compreender a natureza da realidade — de Tales e Pitágoras, a Platão e Aristóteles; de Clemente e Boécio a Tomás de Aquino e Guilherme de Ockham; de Eudócio e Ptolomeu a Copérnico e Newton; de Bacon e Descartes a Kant e Hegel, e de todos esses a Darwin, Einstein, Freud e muito além. Essa longa batalha de idéias, chamada de "tradição ocidental", tem sido uma estimulante aventura cuja essência e conseqüência todos trazemos dentro de nós. Desde as lutas pessoais de Sócrates, Paulo e Agostinho, Lutero e Galileu — e em toda a luta cultural mais ampla levada adiante por estes e por outros incontáveis protagonistas menos visíveis — transparece um heroísmo épico que tem impelido o Ocidente em seu extraordinário rumo. Há uma grande tragédia aqui. E algo que ultrapassa a tragédia.

A narrativa que se segue remonta às origens do desenvolvimento das grandes visões de mundo por parte da cultura erudita mais tradicional do Ocidente, com enfoque na esfera decisiva da interação entre a Filosofia, a Religião e a Ciência. Talvez também se possa dizer das grandes visões de mundo, o que Virginia Woolf disse das grandes obras da literatura: "O sucesso das obras-primas parece não consistir tanto no fato de estarem livres de equívocos — nelas realmente toleramos os erros mais grosseiros — mas na imensa capacidade de persuasão do pensamento que dominou completamente sua perspectiva." Meu objetivo, nestas páginas, é dar voz a cada perspectiva dominada pela cultura ocidental no curso de sua evolução, tomando cada uma em seus próprios termos. Não estabeleço nenhuma prioridade especial para qualquer concepção particular da realidade, inclusive a atual (que em si é múltipla e fluente em profundidade). Em vez disso, abordei cada visão de mundo sob o mesmo espírito com que demonstraria em uma obra de arte excepcional: procurando compreender e avaliar, sentir suas conseqüências numanas, deixar desdobrar-se o seu significado.

O pensamento ocidental parece estar hoje passando por uma transformação épica, cuja magnitude talvez não seja compativel a nenhuma outra na história de nossa civilização. Acredito, porém, que podemos participar de maneira inteligente dessa transformação, na medida em que estejamos historicamente informados. Toda época deve lembrar sua história sob novo ângulo. Cada geração deve examinar e repensar, sob uma perspectiva privilegiada própria, as idéias que moldaram sua compreensão do mundo. Nossa incumbência é fazer isto a partir da extraordinária e complexa perspectiva deste final do século XX.

Espero que o livro venha a contribuir para este esforço.

R. T.

O mundo é profundo:
mais profundo do que o dia pode abranger.

Friedrich Nietzsche
Assim falou Zaratustra

Introdução

Um livro que percorre a evolução do pensamento ocidental impõe exigências especiais tanto ao leitor como ao autor, pois evoca quadros de referências por vezes radicalmente diferentes dos nossos. Um livro desse gênero requer certa flexibilidade intelectual — afinidade na imaginação metafísica; capacidade para ver o mundo através dos olhos dos homens e das mulheres de outros tempos. De certo modo, deve-se deixar a lousa perfeitamente limpa, por assim dizer, e procurar enxergar as coisas sem o benefício, ou o peso, de uma concepção preconceituosa. Naturalmente, pode-se lutar para obter esse tipo de mentalidade primitiva e maleável, que jamais é atingido; aspirar a esse ideal, no entanto, talvez seja o pré-requisito mais importante para tal empreendimento. Não conseguiremos compreender as bases intelectuais e culturais de nosso próprio pensamento se não formos capazes de perceber e articular em seus próprios termos e sem condescendência determinadas crenças e hipóteses que já não consideramos válidas ou defensáveis (por exemplo, a convicção outrora universal de que a Terra é o centro fixo do Cosmo, ou a tendência ainda mais duradoura entre os pensadores ocidentais de conceber e personificar a espécie humana em termos predominantemente masculinos). Nossa maior dificuldade será permanecer fiel ao material histórico, permitindo que nosso ponto de vista atual enriqueça, sem distorcer, as diversas idéias e visões de mundo que examinamos. Embora não se deva subestimar essa dificuldade, acredito que estamos hoje em melhor posição para nos envolvermos na tarefa — com a necessária flexibilidade intelectual e criativa — do que talvez em qualquer outro momento do passado, por motivos que se tornarão claros nos capítulos finais do livro.

A narrativa que se segue está cronologicamente organizada segundo três visões de mundo associadas às três eras mais importantes e tradicionalmente diferenciadas na história cultural do Ocidente: a Clássica, a Medieval e a Moderna. Desnecessário dizer que qualquer divisão da história em "eras" e "visões de mundo" não é em si suficiente e adequada à real complexidade e diversidade do pensamento ocidental nesses séculos. Contudo, para discutir proveitosamente tamanho volume de material, deve-se começar pela apresentação de alguns princípios elementares de organização. Dentro dessas generalidades abrangentes, poderemos então resolver melhor as complicações e ambigüidades, os conflitos internos e as mudanças imprevistas que jamais deixaram de marcar a história da cultura ocidental.

Comecemos pelos gregos. Há vinte e cinco séculos aproximadamente, o mundo helênico produziu aquele extraordinário florescimento cultural que marcou a aurora da Civilização Ocidental. Dotados de lucidez e criatividade aparentemente originais, os gregos antigos proporcionaram ao pensamento ocidental o que já se provou ser uma fonte perene de discernimento, inspiração e renovação. Toda a Ciência Moderna, a Teologia Medieval e todo o Humanismo Clássico devem muito de suas raízes e sua evolução a eles. O pensamento grego foi tão fundamental para Copérnico, Kepler, Santo Agostinho e São Tomás de Aquino quanto a Cícero e Petrarca. Antes de começarmos a apreender as características inerentes a nosso pensamento — que tem uma lógica subjacente profundamente helênica — devemos primeiro examinar de perto o dos gregos. Fundamentais para nós sob outros aspectos — curiosos, inovadores, críticos; intensamente envolvidos com a vida e com a morte; buscando ordem e significado (ainda que céticos em relação às verdades convencionais) —, os gregos foram os criadores de valores intelectuais tão relevantes hoje quanto o eram no século V a.C. Relembremos, então, esses primeiros protagonistas da tradição intelectual do Ocidente.

Nota: Uma detalhada *Cronologia* dos acontecimentos discutidos neste livro aparece no final do texto (página 473); as datas de nascimento e morte de cada personalidade histórica citada podem ser encontradas ao lado de seu nome no índice. Há uma discussão sobre gênero e linguagem no início das *Notas* (página 499).

I

A Visão de Mundo dos Gregos

A abordagem do que havia de mais peculiar numa visão de mundo tão complexa e multiforme como a dos gregos deve começar pelo exame de uma de suas qualidades mais impressionantes: a tendência constante e muito diversificada de interpretar o mundo em termos de princípios arquetípicos — evidente em toda a cultura grega a partir da épica de Homero, ainda que só tenha surgido em forma filosoficamente elaborada no cadinho intelectual de Atenas entre o final do século V e meados do século IV a.C. Ligada à personalidade de Sócrates, recebeu sua formulação inicial e, em determinados aspectos, definitiva, nos diálogos de Platão. Em sua base, havia uma visão do Cosmo como expressão ordenada de determinadas concepções primordiais ou de primeiros princípios transcendentais, diversamente concebidos como Formas, Idéias, universos, absolutos imutáveis, divindades imortais, *archai* divinos e arquétipos. Embora essa perspectiva tenha englobado uma série de inflexões distintas e houvesse importantes correntes contrárias a ela, pode-se dizer que Sócrates, Platão, Aristóteles, Pitágoras (antes deles), Plotino (depois), Homero, Hesíodo, Ésquilo e Sófocles, todos expressaram uma espécie de visão comum, que refletia a propensão tipicamente grega de encontrar decodificadores universais para o caos da vida.

As Formas Arquetípicas

O que é comumente entendido como platonismo gira em torno de sua doutrina fundamental, a comprovada existência de Idéias ou Formas arquetípicas. Essa afirmação, no entanto, exige mudança parcial, ainda que profunda, do que se tornou nossa abordagem habitual da realidade. Para compreender essa mudança, devemos primeiro perguntar: *qual é a relação exata entre as Formas ou Idéias platônicas e o mundo empírico da realidade cotidiana?* Toda a concepção gira em torno desta pergunta. (Platão intercambiava as palavras gregas *idea* e *eidos*. *Idea* foi apropriada pelo latim, que traduziu *eidos* como *forma*.)

A compreensão do platônico exige saber que essas Formas são primordiais, ao passo que os objetivos visíveis da realidade convencional estão sendo seus derivados diretos. As Formas platônicas não existem nas abstrações conceituais que a mente humana cria pela generalização de uma classe de particulares; ao contrário, elas possuem uma qualidade de ser, um grau de realidade superior ao do mundo concreto. Os arquétipos platônicos formam o mundo e também se sustentam além dele. Manifestam-se no tempo e atemporais; estes constituem a essência intrínseca das coisas.

Platão também ensinou que um determinado objeto, assim definido no mundo, pode ser melhor compreendido como expressão de uma idéia mais fundamental, um arquétipo que dá ao objeto sua estrutura e condição especial. Um determinado objeto é o que é em virtude da Idéia que a define. Uma pessoa é "bela" até o ponto exato em que o arquétipo da Beleza está presente nela. Quando alguém se apaixona, é a Beleza (ou Afrodite) que a pessoa identifica e a ela se submete: o objeto amado é o instrumento da Beleza. O fator essencial passa a ser o arquétipo e nisso está contido seu significado mais profundo.

Seria possível objetar que não é assim que experimentamos um fato desse gênero. O que realmente atrai não é um arquétipo, mas uma determinada pessoa, algum trabalho concreto ou qualquer outro objeto bonito. A Beleza é apenas um atributo do particular, não sua essência. No entanto, o adepto do platonismo argumenta que essa objeção se baseia numa percepção limitada do fato. É verdade, responde ele, que a pessoa comum não tem a consciência direta de um nível arquetípico, apesar de sua realidade. Mas Platão descreveu a maneira como um filósofo, que observou muitos objetos de beleza e que há muito refletia sobre a questão, poderia subitamente vislumbrar a beleza absoluta — a própria Beleza, suprema, pura, eterna e não relativa a qualquer pessoa ou coisa específica. O filósofo assim reconhece a Forma ou Idéia subjacente a todos os fenômenos belos. Ele desvenda a realidade autêntica atrás da aparência. Se algo é belo, é porque "participa" da Forma absoluta da Beleza.

Sócrates, o mentor de Platão, buscara conhecer o que havia de comum a todos os atos virtuosos para poder avaliar como se deveria guiar a própria conduta na vida. Sócrates argumentava que se alguém desejava optar pelas boas ações, deveria saber o que é "bom" — fora de quaisquer circunstâncias específicas. Avaliar uma coisa como "melhor" do que outra pressupõe a existência de um bom absoluto donde poderão ser comparados. De outro modo, "bom" seria apenas uma palavra cujo significado não teria base estável na realidade, e a moral humana seria desprovida de fundamento seguro. De modo semelhante, a menos que houvesse alguma base absoluta para avaliar os atos como justo ou injusto, todos os atos chamados de "justos" seriam uma relativa questão de virtude incerta. Quando os que se envolviam em diálogos com Sócrates adotavam noções convencionais de justiça e injustiça, ou de bem e mal, ele as submetia a uma análise cuidadosa e mostrava que eram arbitrárias, cheias de contradições internas e sem qualquer base substancial. Porque Sócrates e Platão acreditavam que o conhecimento da virtude era necessário para que uma pessoa vivesse uma vida virtuosa, os conceitos objetivos universais de justiça e benevolência pareciam imperativos para uma ética legítima. Sem essas constantes imutáveis que transcendiam os caprichos das instituições políticas e as convenções humanas, os seres humanos não possuiriam uma base firme para apurar os valores verdadeiros e estariam, assim, sujeitos aos riscos de um relativismo amoral.

A partir da discussão socrática dos termos éticos e da busca pelas definições absolutas, Platão terminava propondo uma teoria abrangente da realidade. Da mesma forma que o homem como agente moral requer Idéias de justiça e bondade para bem conduzir sua vida, o homem como cientista depende de outras Idéias absolutas para compreender o mundo, outros universos pelos quais o caos, o fluxo e a variedade de seres sensíveis podem ser unificados e tornados inteligíveis. A tarefa do filósofo tanto abrange a dimensão moral quanto a científica e as Idéias servem de base para ambas.

Parecia evidente a Platão que, se muitos objetos compartilham de uma propriedade comum (assim como todos os seres humanos compar-

Já que as Formas permanecem, enquanto suas expressões concretas vão e vêm, pode-se dizer que as Formas são imortais e, portanto, semelhantes a deuses. Embora uma determinada encarnação de momento possa morrer, a Forma que foi temporariamente incorporada naquele particular continua a se manifestar em outras coisas ou seres concretos. A beleza de uma pessoa passa, mas Afrodite continua viva — a Beleza arquetípica é eterna, não é vulnerável à passagem do tempo nem tocada pela transitoriedade de cada uma de suas manifestações. Cada árvore do mundo natural um dia cai e apodrece, mas a árvore arquetípica continua a expressar-se nas outras árvores e através delas. Uma pessoa boa poderá decair e realizar más ações, mas a Idéia do Bem permanece para sempre. A Idéia arquetípica aparece e desaparece em múltiplas formas concretas, mas simultaneamente permanece transcendental como essência unitária.

O uso que Platão fazia da palavra "idéia" (que em grego denotava a forma, o padrão, a qualidade essencial ou a natureza de alguma coisa ou de algum Ser) difere claramente do conceito contemporâneo. No entendimento moderno mais comum, as idéias são construções mentais peculiares a cada mente. Platão, ao contrário, fala de algo que não existe apenas na consciência humana, mas também é exterior a ela. As idéias platônicas são objetivas, não dependem do pensamento humano, mas existem inteiramente por si mesmas. São modelos perfeitos, incrustados na própria natureza das coisas. A Idéia platônica, por assim dizer, não é meramente uma idéia humana, mas a idéia do Universo, uma entidade ideal que pode expressar-se externamente em forma concreta tangível ou internamente, como um conceito na mente humana. É uma imagem primordial ou uma essência formal que pode manifestar-se de maneiras diversas e em diversos níveis: é a base da própria realidade.

Assim, as Idéias são os elementos fundamentais ao mesmo tempo de uma ontologia (uma teoria da existência) e de uma epistemologia (uma teoria do conhecimento); elas constituem a essência básica e a mais profunda realidade das coisas e dos seres, e também os meios pelos quais determinado conhecimento humano é possível. Um pássaro é um pássaro em virtude de sua participação na Idéia arquetípica de Pássaro. A mente humana pode saber o que é um pássaro em virtude de sua própria participação nesta mesma Idéia de Pássaro. A cor vermelha de um objeto é vermelha porque participa de uma vermelhidão arquetípica e a percepção humana registra o vermelho em virtude da participação da mente nesta mesma idéia. A mente humana e o Universo são ordenados segundo as mesmas estruturas ou essências arquetípicas, devido às quais — e apenas por causa delas — a verdadeira compreensão das coisas é possível para a inteligência humana.

Para Platão, o exemplo paradigmático das Idéias era a Matemática. Inspirado nos pitagóricos, com cuja filosofia parece ter estabelecido verdadeira intimidade, Platão compreendeu que o universo físico se organizava conforme as Idéias matemáticas de Aritmética e Geometria. Essas Idéias são invisíveis e só podem ser apreendidas pela inteligência, mas é possível descobrir que as causas formativas e os reguladores de todos os objetos e processos são empiricamente visíveis. Mais uma vez, a concepção platônica e pitagórica dos princípios matemáticos ordenadores na Natureza era essencialmente diferente do convencional ponto de vista moderno. Para Platão, os círculos, os triângulos e os números não são simplesmente estruturas formais ou quantitativas impostas pela mente humana aos fenômenos naturais, nem estão apenas mecanicamente presentes nos fenômenos como um fato inanimado de sua existência concreta. Eles são, antes, entidades numéricas e transcendentais, que existem independentemente dos fenômenos que originam e da mente humana que as percebe. Embora transitórios e imperfeitos, os fenômenos concretos são oriundos de Idéias matemáticas perfeitas, eternas e imutáveis. Por esta razão, a crença platônica básica — de que existe uma ordem mais profunda e atemporal dos absolutos por trás da confusão e do acaso superficial do mundo temporal — como se pensava, encontrava na Matemática uma demonstração especialmente gráfica. Assim, Platão considerava o aprendizado da Matemática essencial para a aventura filosófica; reza a tradição de que no alto da porta de sua Academia viam-se as palavras: "Que o desconhecedor da Geometria aqui não ingresse."

A proposição até aqui descrita representa uma razoável aproximação dos pontos de vista mais característicos de Platão a respeito das Idéias, inclusive os expostos em seus diálogos mais conhecidos — *A República; O Banquete; Fédon; Fedro* e o *Timeu* — além da *Sétima Carta,* provavelmente a única autêntica ainda existente. No entanto, uma série de ambigüidades e discrepâncias permaneceram sem solução no *corpus* da obra de Platão. Em certos momentos, ele parece exaltar o ideal sobre o empírico, a ponto de todas as particularidades serem, por assim dizer, consideradas apenas uma série de notas de rodapé em relação à idéia transcendente. Em outros, parece enfatizar a nobreza intrínseca das coisas e seres criados, precisamente porque são expressões materializadas do divino e do eterno. O grau exato em que as Idéias são mais transcendentes do que imanentes não pode ser determinado a partir das inúmeras referências nos diferentes diálogos — estejam elas inteiramente isoladas ou presentes nos seres sensíveis considerados estes apenas como imitações imperfeitas, compartilhando essencialmente a natureza das Idéias. De modo geral, parece que o pensamento de Platão, conforme amadurecia, passava para uma interpretação mais transcendental. Ainda assim, no *Parmênides*, provavelmente escrito depois da maioria dos diálogos mencionados anteriormente, Platão apresentou inúmeros argumentos muito convincentes contra a sua própria teoria, indicando questões a respeito da natureza das Idéias — quantas espécies existem, quais as relações entre si e em relação ao mundo sensível, qual o preciso significado de "participação", como é possível conhecê-las — e cujas respostas levantavam problemas e inconsistências aparentemente insolúveis. Algumas dessas questões, que Platão talvez colocasse tanto por vigor dialético quanto por autocrítica, tornaram-se a base para objeções à teoria das Idéias de filósofos posteriores.

No *Teteto*, Platão igualmente analisou a natureza do conhecimento com extraordinária argúcia e sem conclusões firmes, jamais mencionando a teoria das Idéias para sair do impasse epistemológico que descrevia. No *Sofista*, circunscreveu a realidade não apenas às Idéias, mas também à mudança, à vida, à alma e ao entendimento. Em outro texto, Platão indicou a existência de uma classe intermediária de objetos matemáticos entre as Idéias e as particularidades sensíveis. Em diversas ocasiões, postulou uma hierarquia das Idéias, ainda que os diferentes diálogos sugerissem hierarquias diferentes, em que o Bem, o Uno, a Existência, a Verdade ou a Beleza ocupassem alternadamente as posições supremas, muitas vezes de modo simultâneo e sobreposto. Claro está que Platão jamais construiu um sistema completo e plenamente coerente de Idéias. No entanto, também é evidente que, apesar de questões não resolvidas a respeito de sua doutrina central, Platão considerava verdadeira a teoria e acreditava que sem ela o conhecimento humano e a atividade moral não poderiam ter nenhum fundamento. Foi esta convicção que formou a base da tradição platônica.

Resumindo: do ponto de vista platônico, os elementos essenciais da existência são as Idéias arquetípicas, que constituem o substrato intangível de tudo o que é tangível. A verdadeira estrutura do mundo não é revelada só pelos sentidos, mas pelo intelecto, que em seu estado mais elevado tem acesso direto às Idéias que regem a realidade. Todo o conhecimento pressupõe a existência de Idéias. O reino dos arquétipos, longe de ser abstração irreal ou metáfora imaginária para o mundo concreto, é aqui considerado a própria base da realidade, que determina sua ordem e torna-a possível de ser conhecida. Para isto, Platão declarou que a experiência direta das Idéias transcendentais seria a meta primordial e o destino final do filósofo.

Idéias e Deuses

Todas as coisas estão realmente "cheias de deuses", afirmou Platão em sua última obra, *As Leis*. Devemos aqui atentar para uma ambigüidade peculiar na natureza dos arquétipos — na verdade, uma ambigüidade inerente ao âmago do conjunto da visão de mundo dos gregos — que sugeria a existência de uma conexão subjacente entre os princípios regentes e os seres míticos. Por vezes Platão optou por uma formulação mais abstrata dos arquétipos — como no caso das Idéias matemáticas — mas em outros casos falou em termos de divindades, personalidades míticas de estatura elevada. Em muitas ocasiões, a maneira como Sócrates cita os diálogos platônicos tem uma nuance eminentemente homérica e trata as diversas questões filosóficas e históricas na forma de personagens e narrativas mitológicas.

Uma certa dose de ironia tensa e uma seriedade algo sarcástica dão vida ao uso que Platão faz do mito, de modo que não se consegue apreender exatamente em que nível ele deseja ser entendido. Muitas vezes ele prefaciava suas excursões míticas com um estratagema ambíguo, ao mesmo tempo afirmando e mantendo-se à distância ao declarar que tratava-se de uma "narrativa provável" ou que "isto ou algo muito parecido é verdade". Dependendo do contexto específico de um diálogo, Zeus, Apolo, Hera, Ares, Afrodite e os demais poderiam significar verdadeiras divindades, personagens alegóricos, tipos característicos, atitudes psicológicas, modos de experiência, princípios filosóficos, essências transcendentes, fontes de inspiração poética ou comunicações divinas, objetos de devoção convencional, entidades incognoscíveis, artefatos imperecíveis do criador supremo, corpos celestiais, fundamentos da ordem universal ou governantes e mestres da humanidade. Mais do que simples metáforas de caráter literário, os deuses de Platão desafiam a definição restrita — num diálogo, servem como personagens fantasiosos em fábula didática; em outro impõem uma indubitável realidade ontológica. Com certa freqüência, esses arquétipos personificados são usados em seus momentos mais filosoficamente perspicazes, como se a linguagem despersonalizada da abstração metafísica já não mais servisse quando enfrenta diretamente a essência numinal das coisas.

Vemos tudo isso memoravelmente ilustrado no *Banquete*, onde Eros é discutido como a força proeminente das motivações humanas.

Numa bela seqüência de falas elegantemente dialéticas, os diversos participantes da orgia filosófica de Platão descrevem Eros como um arquétipo complexo e multidimensional que se expressa fisicamente no instinto sexual e a níveis elevados impele a paixão do filósofo pela sabedoria e beleza intelectual, culminando na visão mítica do eterno, essência última de toda beleza. No entanto, por todo o diálogo este princípio é representado em termos personificados e míticos. Eros é considerado uma divindade, o deus do amor e o princípio da Beleza tem Afrodite como referência, além de inúmeras alusões a outros personagens míticos, como Dioniso, Cronos, Orfeu e Apolo. De modo semelhante, Platão expõe no *Timeu* idéias sobre a criação e a estrutura do universo em termos quase totalmente mitológicos; o mesmo ocorre em suas discussões sobre a natureza e o destino da alma (*Fédon*; *Górgias*; *Fedro*; *A República*; *As Leis*). Determinadas qualidades da personalidade são em geral atribuídas a divindades específicas, como acontece em *Fedro*, onde o filósofo que procura a sabedoria é chamado de seguidor de Zeus, enquanto o guerreiro que por sua causa derrama sangue é considerado parte do séquito de Ares. Muitas vezes, não há dúvidas de que Platão esteja empregando o mito como alegoria pura — como acontece no *Protágoras*, onde ele faz o professor sofista usar o velho mito de Prometeu apenas para expor uma tese antropológica. Ao roubar o fogo dos céus, entregando-o à Humanidade com outras artes da civilização, Prometeu simbolizava o homem racional que emergia de um estado mais primitivo. Entretanto, em outros momentos, o próprio Platão parece arrebatado à dimensão mítica; no *Filebus*, ele faz Sócrates descrever seu método dialético de analisar o mundo das Idéias como "um dom celestial que, segundo a minha concepção, os deuses lançavam entre os homens pelas mãos de um novo Prometeu e, junto, uma labareda".

Filosofando dessa maneira, Platão expressava uma singular confluência do emergente racionalismo da filosofia helênica com a prolífera imaginação mitológica da antiga psique grega — aquela visão religiosa primordial, de raízes ao mesmo tempo indo-européias e levantinas estendendo-se por todo o segundo milênio, antes de Cristo até as eras neolíticas, que proporcionou a base politeísta do Olimpo para a arte, a poesia e o teatro da cultura clássica da Grécia. Entre as mitologias antigas, a grega era singularmente complexa, ricamente elaborada e sistemática. Assim sendo, fornecia uma profícua fundamentação para a evolução da própria filosofia helênica, portadora de traços distintos de sua ancestralidade mítica — não apenas em seu ciclo inicial, mas também em seu apogeu platônico. Contudo, não foi apenas a linguagem do mito em seus diálogos, mas antes a subjacente equivalência funcional de divindades e Idéias, implícita em boa parte de seu pensamento, o que tornou Platão tão centralizado para o desenvolvimento do pensamento grego. O classicista John Finley observou: "Assim como os deuses gregos, por mais variável que tenha sido o culto a eles, abrangem em seu conjunto uma análise do mundo (Atenas, a mente; Apolo, a iluminação imprevisível e fortuita; Afrodite, a sexualidade; Dioniso, a transformação e a emoção; Ártemis, a inalterabilidade; Hera, a acomodação e o casamento; Zeus, a ordem dominante sobre todos), as formas platônicas existem por si mesmas, cristalinas e eternas, acima de qualquer participação humana transitória... (Como as formas, os deuses) eram essências da vida, cuja contemplação proporcionava significado e substância à vida de qualquer um."[1]

Muitas vezes Platão criticou os poetas por apresentarem os deuses antropomorfizados, ainda que não deixasse de ensinar seu próprio sistema filosófico em notáveis formulações mitológicas e com intenção religiosa implícita. Apesar do grande valor que conferia ao rigor intelectual e não obstante suas censuras dogmáticas em relação à Poesia e à Arte em suas doutrinações políticas, em muitos trechos dos diálogos está eminentemente implícito o fato de que a faculdade criativa, tanto poética como religiosa, era tão útil na busca do conhecimento da natureza essencial do mundo como qualquer abordagem puramente lógica, para não dizer empírica. Todavia, de especial importância para essa nossa investigação é o significado do quadro formulado por Platão sobre a condição instável e problemática da visão de mundo dos gregos: ao falar de Idéias em uma página e de deuses em outra, em termos tão análogos, de maneira sutil — mas trazendo conseqüências de peso e resistentes ao tempo —, Platão resolveu a tensão central entre mito e razão na mentalidade clássica da Grécia.

A Evolução do Pensamento Grego, de Homero a Platão

A Visão Mítica

Os antecedentes religiosos e mitológicos do pensamento grego tinham caráter profundamente pluralista. Quando sucessivas ondas de guerreiros indo-europeus de língua grega começaram a se espalhar pelas terras do Egeu, na virada do segundo milênio antes de Cristo, trouxeram consigo sua mitologia patriarcal heróica, presidida pelo grande Zeus, o deus dos céus. Embora as antigas mitologias matriarcais das sociedades autóctones pré-helênicas (inclusive a muito desenvolvida civilização minoana que venerava deusas, em Creta) terminassem subordinadas à religião dos conquistadores, elas não foram totalmente suprimidas. As divindades masculinas do norte uniam-se e casavam-se com as antigas deusas do sul, como Zeus e Hera; este complexo amálgama — que veio a constituir o panteão do Olimpo — muito contribuiu para assegurar o dinamismo e a vitalidade do mito clássico da Grécia. Além do mais, esse pluralismo no legado helênico expressou-se mais adiante na ininterrupta dicotomia entre, de um lado, a religião pública da Grécia, com os rituais cívicos e festivais dedicados às grandes divindades do Olimpo na *pólis* e, de outro, as religiões de mistério amplamente populares — a órfica, a dionisíaca, a eleusiana — cujos ritos esotéricos continham elementos das tradições religiosas orientais e pré-gregas: as iniciações de morte e renascimento, os cultos agrícolas da fertilidade e a veneração da Deusa Grande Mãe.

Dado o segredo atado por juramento das religiões de mistério, de nosso ponto de vista é difícil ter qualquer opinião sobre o relativo significado das diversas formas que as crenças religiosas helênicas assumiam para os gregos. Entretanto, é evidente a ressonância arquetípica difusa da visão de mundo arcaica da Grécia expressa, acima de tudo, nos poemas épicos fundadores da cultura grega que chegaram até nós — a *Ilíada* e a *Odisséia*, de Homero. Aqui, na luminosa aurora da tradição literária ocidental, foi captada a sensibilidade mitológica primordial, onde os eventos da existência humana eram percebidos como intimamente relacionados ao reino eterno dos deuses e deusas e, dessa forma, por ele influenciados. A visão arcaica de mundo da Grécia refletia uma unidade intrínseca de imediata percepção dos sentidos e significado atemporal, de circunstância particular e drama universal, de atividade humana e motivação divina. As personalidades históricas viviam um mítico heroísmo na guerra e em suas perambulações, ao passo que os deuses olímpicos observavam e intervinham na planície de Tróia. O jogo dos sentidos num extenso mundo iluminado de cor e ação jamais se encontrava distinto de uma compreensão do significado do mundo, ao mesmo tempo ordenado e mítico. Um arguta apreensão do mundo físico — mares, montanhas, auroras, banquetes e batalhas, arcos, elmos e carruagens — era permeada pela presença de deuses na Natureza e no destino dos seres humanos. O cunho imediatista e exuberante da visão de mundo de Homero era paradoxalmente ligado a um conceito que via o mundo virtualmente governado por uma venerável mitologia antiga.

Mesmo a imponente figura do próprio Homero sugeria uma síntese curiosamente indivisível do individual e do universal. Os monumentais poemas épicos vinham de uma maior psique coletiva; as criações da imaginação racial helênica passavam, desenvolviam-se e eram refinadas geração após geração, bardo após bardo. Contudo, dentro dos padrões mais comuns da tradição oral que regia a composição dessas epopéias, também subsistia uma particularidade inequivocamente pessoal, um individualismo e uma espontaneidade flexíveis de estilo e de visão. Assim, Homero era ambíguo e simultaneamente um poeta humano e uma personificação coletiva de toda a memória grega antiga.

Os valores expressos nos poemas épicos de Homero, compostos por volta do século VIII a.C., continuaram a inspirar sucessivas gerações de gregos por toda a Antigüidade; as muitas personalidades do panteão do Olimpo, mais tarde sistematicamente delineadas na *Teogonia* de Hesíodo, formavam e impregnavam a visão cultural grega. Nas diversas divindades e seus poderes, há um sentido do universo como um todo ordenado, mais um Cosmo do que um Caos. O mundo natural e o mundo humano não eram domínios distintos no universo arcaico grego, pois uma única ordem fundamental estruturava ao mesmo tempo a Natureza e a Sociedade, englobando a justiça divina que conferia os poderes a Zeus, o regente dos deuses. Embora a ordem universal estivesse especialmente representada em Zeus, mesmo ele estava em última análise ligado por um destino impessoal (*moira*) que a todos regia e mantinha determinada harmonia de forças. Os deuses eram em geral muito inconstantes em suas ações, mantendo os destinos humanos em equilíbrio. Não obstante, o conjunto permanecia unido e as forças da ordem prevaleciam sobre as do caos — assim como os deuses do Olimpo liderados por Zeus derrotaram os Gigantes na luta primitiva pelo governo do mundo e assim como Odisseu, depois de suas demoradas e arriscadas perambulações, por fim chegou triunfante de volta ao lar.[2]

No século V a.C., os grandes trágicos gregos, Ésquilo, Sófocles e Eurípides, empregavam os mitos antigos para explorar os mais profundos temas da condição humana. A coragem, a esperteza e a força, a nobreza e a competição pela glória imortal eram as virtudes características dos heróis épicos. Contudo, por maior que fosse o homem, seu quinhão estava circunscrito pelo destino e por sua mortalidade. Acima de tudo, o homem era superior, e suas ações podiam atrair a ira destrutiva dos deuses, muitas vezes por sua arrogância e outras vezes aparentemente por injustiça. Contra o pano de fundo da oposição entre o esforço humano e a censura divina, entre o livre-arbítrio e o destino, desdobrava-se a luta moral do protagonista. Nas mãos dos trágicos, os conflitos e sofrimentos que haviam sido retratados direta e irrefletidamente por Homero e Hesíodo agora estavam sujeitos ao escrutínio psicológico e existencial de um temperamento posterior mais crítico. Os conceitos absolutos há muito aceitos eram agora procurados, questionados, vivenciados através de uma nova consciência da condição humana. No palco dos dionisíacos festivais religiosos em Atenas, o pronunciado sentido grego do heróico, equilibrado e em integral relação com uma igualmente perspicaz consciência da dor, da morte e do destino, era descarregado no contexto do drama mítico. Assim como Homero foi denominado o educador da Grécia, os trágicos — ao expressarem o espírito da cultura que se aprofundava — moldavam seu caráter moral com as representações teatrais, quer como sacramento religioso comunal, quer como evento artístico.

Para o poeta arcaico e para o trágico clássico, o mundo do mito dotava a experiência humana de enobrecedora clareza de visão, uma ordem superior que expiava a patética instabilidade da vida. O universal permitia a compreensão do concreto. Se, na visão do trágico, o caráter determinava o destino, ambos eram percebidos miticamente. Comparada aos poemas épicos de Homero, a tragédia ateniense refletia um sentido mais consciente do significado metafórico dos deuses e uma apreciação mais lancinante do autoconhecimento e do sofrimento humanos. No entanto, através do sofrimento profundo vinha o aprendizado mais profundo — a história e o drama da existência humana, com todo seu áspero conflito e sua sofrida contradição, mantinha ainda um significado e um sublime objetivo. Os mitos eram o corpo vivo deste significado, constituindo uma linguagem que refletia e iluminava os processos essenciais da vida.

O Nascimento da Filosofia

Com sua ordem inspirada no Olimpo, o mundo mítico de Homero e Sófocles era dotado de uma inteligibilidade complexa; no entanto, com o crescente humanismo visível nas tragédias, esse persistente desejo de sistematização e de clareza na visão de mundo grega começava a tomar novas formas. A grande mudança já fora iniciada no princípio do século VI a.C., na vasta e próspera cidade jônica de Mileto, situada na parte oriental do mundo grego, na costa da Ásia Menor. Ali, Tales e seus sucessores, Anaximandro e Anaximenes, dispondo de tempo de lazer e munidos de curiosidade, iniciaram um processo de reflexão para a compreensão do mundo radicalmente inovador, com conseqüências extraordinárias. Talvez inspirados por sua localização junto ao Mar Jônico, onde avizinhavam civilizações dotadas de mitologias que diferiam entre si e se distinguiam das gregas; talvez também influenciados pela organização social da *pólis* grega, governada por leis impessoais e uniformes, mais do que pelos atos arbitrários de um déspota. Contudo, fosse qual fosse sua inspiração imediata, esses protótipos de cientistas aventaram a notável hipótese de existirem unidade e ordem racional subjacentes no fluxo e na diversidade do mundo, assumindo a tarefa de descobrir um princípio fundamental simples, ou *arché*, regendo a Natureza e ao mesmo tempo compondo sua substância básica. Com isso, começaram a complementar seu entendimento mitológico tradicional com explicações mais conceituais e impessoais, baseadas em observações dos fenômenos naturais.

Nessa fase — importante sob todos os aspectos — houve uma superposição do modo mítico e do científico, visível na principal declaração atribuída a Tales de Mileto, onde este afirmava a existência de uma substância primária unificadora e a onipresença divina: "Tudo é água e o mundo está cheio de deuses." Tales e seus sucessores especulavam que a Natureza teria surgido de uma substância com animação própria, que continuara a se movimentar e a transformar-se em formas variadas.[3] Porque era autora de suas próprias transmutações e movimentos ordenados e, por ser eterna, essa substância primária não era apenas considerada material, mas também viva e divina. Muito ao estilo de Homero, esses primeiros filósofos percebiam a Natureza e a divindade entrelaçadas. Mantinham também algo da tradicional concepção homérica de uma ordem moral regente do Cosmo, um destino impessoal que preservava o equilíbrio do mundo em meio a todas as suas mudanças.

O passo decisivo fora dado. O pensamento grego empenhava-se agora em descobrir uma explicação natural para o Cosmo por meio da observação e do raciocínio; em pouco tempo, essas explicações começavam a desfazer-se de seus residuais componentes mitológicos. Levantavam-se questões universais e buscavam-se respostas a partir de novos horizontes — enfim, a análise crítica da mente humana com relação aos fenômenos materiais. A Natureza deveria ser explicada em seus próprios termos, não por algo fundamentalmente além dela; tudo isso de forma impessoal, e não através de deuses personalizados. O universo primitivo regido por divindades antropomórficas passou a dar lugar a um mundo cuja fonte e substância seriam elementos naturais primordiais como a água, o ar ou o fogo. Com o tempo, essas substâncias primárias deixariam de ser dotadas de divindade ou inteligência, passando a ser compreendidas como entidades puramente materiais, mecanicamente movidas pelo acaso ou pela necessidade cega. Contudo, a esta altura já nascia um rudimentar empirismo naturalista — e, conforme aumentava a inteligência autônoma do Homem, enfraquecia o poder soberano dos velhos deuses.

O passo seguinte nessa revolução filosófica — não menos conseqüente do que o de Tales um século antes — foi dado na porção ocidental do mundo grego ao sul da Itália (a Magna Grécia), quando Parmênides de Eléia abordou o problema do que era legitimamente real utilizando uma lógica racional puramente abstrata. Mais uma vez, como acontecera com os jônicos primitivos, o pensamento de Parmênides era dotado da singular combinação entre elementos tradicionais religiosos e novos elementos leigos. Do que ele descreveu como revelação divina surgiu sua façanha, seu feito maior: uma lógica dedutiva de rigor sem precedentes. Na busca de simplicidade para explicar a Natureza, os filósofos jônicos haviam afirmado que o mundo era inicialmente uma coisa, mas se tornara muitas. Contudo, na luta pioneira de Parmênides com a linguagem e a lógica, "ser" alguma coisa tornava impossível sua transformação em algo que não é, pois o que "não é" não pode ser dito de maneira alguma que exista. De modo semelhante, ele argumentava que o "que é" jamais pode ser ou desaparecer, já que uma coisa não pode vir do nada ou se transformar em nada, se o nada não pode existir de forma alguma. As coisas não podem ser como aparecem para os sentidos: o conhecido mundo da mutação, do movimento e da multiplicidade passa a ser simples opinião, pois a verdadeira realidade pela necessidade lógica é imutável e unitária.

Essas novidades rudimentares, mas básicas, na lógica obrigavam a pensar pela primeira vez questões como a diferença entre o real e o apa-

ção dessas primeiras incursões filosóficas, não apenas os deuses, mas a imediata evidência dos próprios sentidos da pessoa poderia ser uma ilusão; era preciso confiar apenas na mente humana para descobrir racionalmente o que é real.

Havia porém uma relevante exceção nesse progresso intelectual entre os gregos, uma exceção distanciada do mítico e voltada para o natural: Pitágoras. A dicotomia entre Religião e Razão não parece ter pressionado Pitágoras — sob o prisma ético — para longe de uma em favor da outra, mas antes proporcionou-lhe o impulso para a síntese. Sua reputação entre os antigos era a de um homem de espírito religioso e ao mesmo tempo científico. No entanto, pouco se pode afirmar de definitivo sobre Pitágoras. Sua escola mantinha uma regra de estrito segredo; uma aura de lenda a rodeava desde o início. Vindo da ilha jônica de Samos, Pitágoras provavelmente viajou e estudou no Egito e na Mesopotâmia antes de imigrar para leste, para a colônia grega de Croton, no sul da Itália. Ali estabeleceu uma escola filosófica e uma fraternidade religiosa centradas no culto a Apolo e às Musas, dedicadas à busca da purificação moral, da salvação espiritual e ao conhecimento intelectual da Natureza — e tudo isso considerado intimamente interligado.

Enquanto os físicos jônicos se interessavam pela substância material dos fenômenos, os pitagóricos se concentravam nas formas, especialmente as matemáticas, que regiam e ordenavam esses fenômenos. A principal corrente do pensamento grego escapava da base mitológica e religiosa da cultura arcaica. Mas Pitágoras e seus seguidores conduziam a Filosofia e a Ciência num quadro de referências permeado pelas crenças das religiões do mistério, especialmente o orfismo. Compreender cientificamente a ordem do universo natural era a *via regia* pitagórica para a iluminação espiritual. Para os pitagóricos, as formas da Matemática, as harmonias da Música, os movimentos dos planetas e os deuses dos mistérios estavam todos essencialmente relacionados; o significado desse relacionamento era revelado numa educação que culminava na assimilação da alma humana à alma do mundo, e daí à divina mente criativa do Universo. Devido ao compromisso pitagórico com o segredo do culto, as especificidades deste significado e do processo pelo qual o segredo era revelado permanecem de modo geral desconhecidas. É certo que a escola pitagórica mapeou seu caminho filosófico independente segundo um sistema de crenças que decididamente mantinha as antigas estruturas do mito e das religiões do mistério, enquanto fazia progressos em descobertas científicas que vieram a gerar imensas conseqüências no pensamento ocidental.

Contudo, a seqüência geral da evolução intelectual grega tomou outro rumo, conforme amadurecia uma ciência naturalista a par de um racionalismo cada vez mais cético, de Tales e Anaximandro a Leucipo e Demócrito. Embora nenhum desses filósofos dominasse universalmente a influência cultural, e apesar de a maioria dos gregos jamais ter duvidado seriamente dos deuses olímpicos, a paulatina ascensão dessas diferentes correntes da Filosofia Primitiva — a física jônica, o racionalismo eleático, o atomismo democritiano — expressava o vanguardismo fecundo do pensamento grego que emergia da era da crença tradicional para a era da razão. Com exceção dos pitagóricos relativamente autônomos, a cultura helênica anterior a Sófocles seguia uma direção definida, embora às vezes ambígua, distanciando-se do sobrenatural e voltando-se cada vez mais para o natural — do divino ao mundano, do mítico ao conceitual, da poesia e da história para a prosa e a análise. Para os intelectos mais críticos dessa era posterior, os deuses das histórias dos antigos poetas pareciam humanos demais, feitos à própria imagem do homem, e tornavam-se cada vez mais duvidosos como verdadeiras entidades divinas. Já próximo ao início do século V a.C., o poeta-filósofo Xenófanes depreciara a aceitação popular da mitologia homérica, com seus deuses antropomórficos envolvidos em atividades imorais: se os bois, os leões ou os cavalos tivessem mãos com que desenhar imagens, sem a menor dúvida criariam deuses com corpos e formas iguais às suas. Uma geração depois, Anaxágoras declarou que o sol não era o deus Hélio, mas uma pedra incandescente maior do que o Peloponeso, e a lua era composta de uma substância térrea que recebia sua luz do sol. Demócrito pensava que a crença dos seres humanos em deuses não passava de tentativa de explicar eventos extraordinários, como as tempestades ou os terremotos, através de forças sobrenaturais imaginárias. Um ceticismo em linguagem ambígua em relação aos mitos antigos ainda podia ser visto em Eurípides, o último dos grandes trágicos; o dramaturgo cômico Aristófanes parodiava-os abertamente. Diante de especulações tão divergentes, a cosmologia glorificada pelo tempo já não era mais tão evidente.

Quanto mais os gregos desenvolviam um sentido de julgamento crítico individualizado e emergiam de uma visão de mundo primordialmente coletiva mantida pelas gerações precedentes, mais conjectural tornava-se sua interpretação, mais estreitos os limites do conhecimento infalível. "A verdade certa, homem nenhum conheceu, nem conhecerá", afirmou Xenófanes. Em geral, contribuições filosóficas, como os paradoxos lógicos insolúveis de Zeno de Eléia ou a doutrina de Heráclito do mundo como fluxo constante, só serviam para exacerbar as novas incertezas. Com o advento da razão, tudo parecia aberto à dúvida, cada filósofo subseqüente oferecia soluções diferentes das de seu predecessor. Se o mundo era regido exclusivamente por forças mecânicas naturais, não restava então nenhuma base evidente sobre a qual apoiar firmes julgamentos morais. A verdadeira realidade era inteiramente separada da experiência comum porque estavam sendo questionados os próprios alicerces do conhecimento humano. Aparentemente, quanto mais o homem se tornava livre e capaz de uma autodeterminação consciente, menos seguro era seu chão. Mesmo assim, esse preço parecia valer a pena, se os seres humanos se emancipassem das crenças e temores supersticiosos da fé convencional, permitindo uma compreensão, ainda que provisória, da legítima ordem das coisas. Apesar do constante surgimento de novos problemas e das novas soluções tentadas, uma alentada sensação de progresso e avanço parecia dominar as várias dúvidas que vinham com isso. Assim, Xenófanes podia afirmar: "Os deuses não revelaram desde o início todas as coisas para nós; mas com o passar do tempo, procurando, os homens descobrem o que é melhor..."[4]

O Iluminismo Grego

Esse desenvolvimento intelectual atingiu o clímax em Atenas, que aglutinou as diversas correntes da arte e do pensamento grego durante o século V a.C. A época de Péricles e a construção do Partenão viram Atenas no auge de sua criatividade cultural e de sua influência política sobre a Grécia; o ateniense afirmava-se em seu mundo com um novo sentido de poder e inteligência. Depois do triunfo sobre os invasores persas e de se consolidar como líder dos estados gregos, Atenas emergiu rapidamente como cidade comercial e marítima em expansão, com ambições imperialistas. As atividades que se desenvolviam na cidade proporcionavam aos cidadãos atenienses um contato cada vez maior com outras culturas, outras perspectivas e uma nova sofisticação urbana. Com isso, Atenas tornava-se a primeira metrópole grega. O desenvolvimento do autogoverno democrático e dos avanços técnicos na agricultura e na navegação expressavam e estimulavam o novo espírito humanista. Os primeiros filósofos estavam relativamente isolados, com poucos discípulos para levar adiante sua obra, mas agora suas especulações coadunavam-se mais com a vida intelectual da cidade, que movia-se de encontro ao pensamento conceitual, à análise crítica, à reflexão e à dialética.

Durante o século V, a cultura helênica chegou a um equilíbrio tênue, porém fértil, entre a tradição mitológica antiga e o moderno racionalismo. Erigiam-se templos para os deuses com um zelo sem precedentes, para apreender uma grandiosidade olímpica atemporal — manifesta nos monumentais edifícios, esculturas e pinturas do Partenão, nas criações artísticas de Fídia e Policlito — que era obtida através da meticulosa análise e teoria, com um vigoroso esforço para aliar, de forma concreta, a racionalidade humana à ordem mítica. Os templos dedicados a Zeus, Atenas e Apolo pareciam tanto celebrar o triunfo da clareza racional e a elegância matemática do homem quanto homenagear a divindade. Da mesma forma, os artistas gregos faziam representações de deuses e deusas à imagem e semelhança de homens e mulheres gregos — idealizados, espiritualizados, porém manifestamente humanos e individualizados. No entanto, os deuses continuavam sendo o objeto e o modelo primordiais da aspiração artística: permanecia, assim, o sentido dos limites adequados do Homem no plano universal. O novo tratamento criativo do mito conferido por Ésquilo e Sófocles, ou pelas odes de Píndaro, o grande poeta coral — que via sinal dos deuses nas proezas atléticas dos jogos olímpicos — sugeriam que as habilidades humanas, agora em desenvolvimento, poderiam aperfeiçoar e dar expressão aos poderes divinos. Por enquanto, as tragédias e os hinos corais mantinham os limites da ambição humana, além dos quais estavam o perigo e a impossibilidade.

Conforme avançava o século V, o equilíbrio continuava a mudar a favor do Homem. O trabalho embrionário de Hipócrates na Medicina, as perspicazes histórias e descrições de viagens de Heródoto, o novo calendário de Meton, as impressionantes análises históricas de Tucídides, as audaciosas especulações científicas de Anaxágoras e Demócrito — tudo isso ampliou os horizontes do pensamento helênico e fomentou sua compreensão das coisas em termos de causas naturais racionalmente inteligíveis. O próprio Péricles conhecia intimamente o físico e filósofo racionalista Anaxágoras; daí, disseminava-se um novo rigor intelectual, cético em relação às antigas explicações sobrenaturais. O Homem contemporâneo via agora a si mesmo como um produto civilizado do progresso desde a barbárie e não a degeneração de uma dourada era mítica.[5] A ascensão comercial e política de uma classe média ativa ia contra a hierarquia aristocrática dos velhos deuses e heróis. A sociedade há muito estável, celebrada por Píndaro em função de seus patronos aristocráticos, dava lugar a uma nova ordem mais fluidamente igualitária e mais agressivamente competitiva. Essa mudança deixava para trás a conservadora concepção de Píndaro para os antigos valores religiosos e as sanções contra o desenfreado empenho humano. A crença nas divindades tradicionais da *pólis* ateniense era solapada; ascendia, com enorme força, um espírito mais crítico e secular.

A fase mais crucial dessa evolução foi atingida no final da metade do século V, com a chegada dos sofistas. Principais protagonistas do novo meio intelectual, eram docentes profissionais itinerantes, humanistas leigos de espírito liberal que ofereciam ao mesmo tempo instrução intelectual e orientação para o sucesso na vida prática. Com maiores possibilidades de participação política na *pólis* democrática, seus serviços eram muito procurados. O pensamento dos sofistas era marcado em geral pelo mesmo racionalismo e naturalismo que havia caracterizado o desenvolvimento da filosofia anterior, que refletia cada vez o espírito do momento. Não obstante, introduziram no pensamento grego um novo elemento de pragmatismo cético, afastando a Filosofia de suas preocupações iniciais, mais especulativas e cosmológicas. Segundo sofistas como Protágoras, o Homem era a medida de todas as coisas; seu julgamento pessoal a respeito da vida cotidiana deveria constituir a base de sua conduta e de suas crenças pessoais — não o conformismo ingênuo à religião tradicional, nem a entrega às grandes especulações abstratas. A verdade era relativa, não absoluta, diferia de uma cultura para outra, de pessoa para pessoa e de situação para situação. Alegações contrárias, fossem religiosas ou filosóficas, não suportavam a argumentação crítica. O valor máximo de qualquer crença ou religião só poderia entrar em julgamento por sua utilidade prática para atender às necessidades pessoais na vida.

Essa metamorfose decisiva na essência do pensamento grego, estimulada pela situação política e social contemporânea, devia-se tanto à situação problemática da filosofia natural na época quanto ao declínio da crença religiosa tradicional. Não apenas as velhas mitologias perdiam seu apoio na cultura helênica: a explicação científica também atingia um ponto da crise. Os extremos da lógica parmenidiana — com seus paradoxos obscuros — e os da física atomista — com seus átomos hipotéticos —, contestando a realidade tangível da experiência humana, começavam a tornar descabida toda a prática da filosofia teórica. Para os sofistas, as cosmologias especulativas não falavam às necessidades práticas do homem nem pareciam plausíveis ao bom senso. De Tales em diante, cada filósofo havia proposto sua teoria particular em relação à verdadeira natureza do mundo e cada teoria contradizia as outras, com uma tendência crescente a rejeitar a realidade de cada vez mais coisas do mundo fenomenal revelado pelos sentidos. O resultado era um caos de idéias conflitantes, sem base alguma que assegurasse a certeza de uma sobre as outras. Além do mais, os filósofos naturais pareciam ter construído suas teorias sobre o mundo exterior, sem levar em conta devidamente a observação humana, elemento subjetivo. Em compensação, os sofistas admitiam que cada pessoa tinha sua própria experiência e, portanto, sua própria realidade. Afinal, argumentavam eles, todo entendimento era opinião subjetiva. Seria impossível a autêntica objetividade. Tudo o que uma pessoa poderia reivindicar conhecer com legitimidade seriam as probabilidades, não a verdade absoluta.

No entanto, segundo os sofistas, não era importante o Homem não compreender perfeitamente o mundo à sua volta. Ele podia conhecer apenas o conteúdo de sua própria mente — mais as aparências do que as essências — e essas constituíam a única realidade que poderia ser uma preocupação válida. Ao contrário das aparências, não era possível conhecer uma realidade estável mais profunda — não apenas por causa das faculdades limitadas do Homem, mas, fundamentalmente, porque não se poderia dizer que essa realidade existisse fora das conjeturas humanas. Ainda assim, o verdadeiro objetivo do pensamento humano era atender às necessidades humanas; somente a experiência pessoal poderia fornecer uma base para atingi-lo. Cada pessoa deveria confiar em sua própria cabeça para transitar pelo mundo. Reconhecer as limitações intelectuais seria portanto uma libertação, pois somente assim o Homem poderia tentar fazer seu pensamento sustentar-se, soberano, servindo a si próprio, em vez de confiarem absolutos ilusórios arbitrariamente definidos por fontes não confiáveis, exteriores ao seu próprio discernimento.

Os sofistas propunham que o racionalismo crítico, anteriormente dirigido ao mundo físico, poderia agora ser mais proveitosamente aplicado às questões humanas, à Ética e à Política. O testemunho das narrativas dos viajantes, por exemplo, sugeria que as práticas sociais e as crenças religiosas não eram absolutas, mas simples convenções humanas localizadas, cujas devoções variavam segundo os costumes de cada nação, sem nenhuma relação fundamental com a Natureza ou as ordens divinas. As recentes teorias físicas sugeriam a mesma conclusão: se a experiência do quente e do frio não tinha nenhuma função objetiva na Natureza, mas era apenas uma impressão subjetiva de cada um, criada pelo arranjo temporário de uma interação entre os átomos, então os critérios do certo e do errado também seriam igualmente desprovidos de substâncias, seriam convencionais e subjetivamente determinados.

Da mesma forma, a existência dos deuses poderia ser admitida como pressuposto impossível de demonstrar. Pitágoras dizia: "Não tenho meios de saber se os deuses existem ou não, nem que forma têm; há muitos obstáculos para esse conhecimento, inclusive a obscuridade do sujeito e a brevidade da vida humana." Crítias, outro sofista, dizia que os deuses haviam sido inventados para instilar o temor naqueles que, de outra maneira, agiriam mal. De modo muito semelhante aos físicos e seu naturalismo mecanicista, os sofistas consideravam a Natureza um fenômeno impessoal, cujas leis de acaso e necessidade pouco tinham a ver com as questões humanas. Os princípios do bom senso, sem distorções, diziam que o mundo era constituído de matéria visível e não por divindades invisíveis. Portanto, o mundo seria melhor se visto sem os preconceitos religiosos.

Daí os sofistas concluíam a favor de um agnosticismo ou ateísmo flexível na Metafísica e uma moral situacionista na Ética. Como as crenças religiosas, as estruturas políticas e as regras da conduta moral agora eram consideradas convenções criadas pelo Homem, estavam abertas ao questionamento fundamental e portanto à transformação. Depois de séculos de obediência cega a tradicionais posturas restritivas, o Homem podia então libertar-se para descobrir novos conceitos iluminado por si mesmo. Determinar por meios racionais o que era mais útil para a condição humana parecia uma estratégia mais inteligente do que fundamentar as ações da pessoa na crença em divindades mitológicas ou nos pressupostos absolutistas de uma metafísica de comprovação prática impossível. Já que era inútil buscar a verdade absoluta, os sofistas recomendavam que os jovens aprendessem com eles as artes da persuasão retórica e a destreza na Lógica, além de um vasto espectro de outros assuntos, que iam da História Social e da Ética à Matemática e à Música. O cidadão estaria mais preparado para ser eficiente na democracia da *pólis* e, de maneira geral, garantir por si uma vida de sucesso no mundo. Como as habilidades para ter uma existência melhor podiam ser ensinadas e aprendidas, o Homem era livre para expandir suas oportunidades através da instrução. Ele não se encontrava limitado por pressupostos tradicionais, como a crença convencional de que as capacidades de uma pessoa eram fixadas para sempre por dote do acaso ou por seu *status* ao nascer. Através de um programa, como o oferecido pelos sofistas, o Indivíduo e a Sociedade poderiam melhorar.

Os sofistas mediavam assim a transição de uma era do mito para uma da razão pragmática. O Homem e a Sociedade deviam ser metódica e empiricamente estudados, sem prévias concepções teológicas. Os mitos deviam ser entendidos como fábulas alegóricas e não como revelações de uma realidade divina. A acuidade racional, a precisão gramatical e a maestria na oratória eram as virtudes mais importantes do novo Homem ideal. A formação adequada da personalidade de um homem para uma boa participação na vida da *pólis* exigia uma excelente formação nas diversas artes e ciências, e assim foi criada a *paideia* — o clássico sistema grego de instrução e educação, que incluía Ginástica, Gramática, Retórica, Poesia, Música, Matemática, Geografia, História Natural, Astronomia e Ciências Físicas, História da Sociedade, Ética e Filosofia — enfim, todo um curso pedagógico necessário para produzir o cidadão completo, plenamente instruído.

A sistemática dúvida nos credos humanos dos sofistas — fosse a tradicional crença nos deuses ou a mais recente e igualmente ingênua, pensavam eles, fé na capacidade da razão humana de legitimamente conhecer a natureza de algo tão imenso e indeterminado como o Cosmo — libertava o pensamento para tomar novas vias ainda inexploradas. O *status* do Homem era maior do que nunca: ele era cada vez mais livre e capaz de se determinar, consciente de um mundo maior contendo culturas e crenças outras além das suas, consciente da relatividade e plasticidade de seus próprios valores e costumes, consciente de seu papel na criação da realidade. Já não era, contudo, tão significativo no plano cósmico — que, afinal, se existia mesmo, tinha sua lógica própria, não importando o Homem e os valores culturais gregos.

Havia outras questões nas concepções dos sofistas. Apesar dos resultados positivos de sua educação intelectual e do estabelecimento de uma educação liberal como base para a boa formação do caráter, um ceticismo radical em relação a todos os valores levou algumas pessoas à defesa de um oportunismo explicitamente amoral. Os alunos eram instruídos no sentido de saber criar argumentos ostensivamente plausíveis para sustentar virtualmente qualquer reivindicação ou declaração. Mais concretamente perturbadora era a deterioração da situação ética e política em Atenas, que chegou à crise: a democracia que se tornara instável e corrupta, a conseqüente tomada de poder por uma oligarquia implacável; a liderança ateniense na Grécia tornava-se tirânica, guerras começavam na arrogância e terminavam em desastre. No cotidiano de Atenas, os mínimos padrões éticos eram violados sem o menor escrúpulo — o que era visível na rotina da cidadania exclusivamente masculina e na cruel exploração de mulheres, escravos e estrangeiros. Todos esses fatos tinham suas próprias origens e motivos, mal poderiam ser atribuídos aos sofistas. No entanto, em circunstâncias tão críticas, a negação filosófica de valores absolutos e os louvores sofísticos do puro oportunismo pareciam ao mesmo tempo refletir e exacerbar o espírito problemático da época.

O humanismo relativista dos sofistas, com todo seu caráter progressista e liberal, não se mostrava inteiramente benigno. O mundo maior aberto pelos triunfos precedentes dos atenienses desestabilizara suas antigas certezas e agora parecia exigir uma ordem maior — universal, ainda que conceitual — que pudesse abranger os eventos. Os ensinamentos dos sofistas não proporcionavam essa ordem, mas antes um método para o sucesso. A maneira como se deveria definir o sucesso permanecia em discussão. A corajosa asserção da soberania intelectual humana — segundo a qual através de sua própria força o pensamento do Homem poderia proporcionar-lhe sabedoria suficiente para viver bem e que a mente humana poderia, de modo antônomo, produzir a força do equilíbrio — parecia agora exigir uma reavaliação. Para as suscetibilidades mais conservadoras, as bases do tradicional sistema de crença helênico e seus valores anteriormente atemporais estavam sendo perigosamente erodidos, enquanto a razão e a habilidade verbal começavam a ter uma reputação menos impecável. Na verdade, todo o desenvolvimento da Razão parecia agora ter escavado sua própria base e ao espírito humano negava-se a capacidade a um autêntico conhecimento do mundo.

Sócrates

Foi nessa atmosfera cultural altamente carregada que Sócrates começou sua busca filosófica, munido do ceticismo e do individualismo de qualquer sofista. Contemporâneo mais jovem de Péricles, Eurípides, Heródoto e Protágoras, Sócrates cresceu numa época em que pôde ver a construção, do início ao fim, do Partenão na Acrópole e entrou na arena da Filosofia no auge da tensão entre a tradição emanada do Olimpo e o vigoroso novo intelectualismo. Em virtude do extraordinário em sua vida e em sua morte, deixaria a cultura grega radicalmente transformada, criando não apenas um novo método e novo ideal para a busca da verdade, mas também, em sua pessoa, um modelo e uma inspiração duradoura para todo o pensamento filosófico posterior.

Apesar da magnitude de sua influência, pouco se sabe com certeza de sua vida. O próprio Sócrates não escreveu nada. Seu retrato mais vívido e coerente está nos *Diálogos* de Platão, mas exatamente até que ponto as palavras e idéias ali atribuídas a Sócrates refletem a subseqüente evolução do pensamento do próprio Platão é algo que permanece obscuro (uma questão que trataremos no final do capítulo). Embora ajudem, os registros existentes de outros contemporâneos e seguidores (Xenofonte, Ésquines, Aristófanes, Aristóteles e, mais tarde, os platonistas) são em geral de segunda linha ou fragmentários, muitas vezes ambíguos e até contraditórios em certos casos. Entretanto, partes dos primeiros diálogos platônicos combinadas com extratos de outras fontes podem resultar num retrato razoavelmente confiável de Sócrates.

Desses extratos, percebe-se que Sócrates teria sido um homem de caráter e inteligência singulares, imbuído de paixão pela honestidade intelectual e de rara integridade moral, em sua época ou em qualquer outra. Com insistência, buscava respostas para perguntas que jamais haviam sido feitas, procurava derrubar pressupostos e crenças convencionais para provocar uma reflexão mais cuidadosa sobre as questões éticas; incansavelmente, forçava a si próprio e a seus interlocutores a buscar um entendimento mais profundo sobre o que constituísse uma vida boa. Suas palavras e feitos incorporavam a permanente convicção de que a autocrítica libertaria a mente humana das cadeias da falsa opinião. Por sua dedicação à tarefa de descobrir a sabedoria e extraí-la de outros, Sócrates deixou de lado a vida pessoal, passando todo o tempo em apaixonada discussão com os concidadãos. Ao contrário dos sofistas, não cobrava pelos ensinamentos. Embora íntimo da elite de Atenas, era totalmente indiferente à riqueza material e às medidas convencionais do sucesso. Sócrates dava a impressão de ser um homem em harmonia consigo mesmo, embora sua personalidade estivesse cheia de contradições. Desarmava por sua humildade, mas era presunçosamente confiante, de uma inteligência diabólica e moralmente constrangedora, envolvente e gregário, mas solitário e contemplativo; era acima de tudo um homem consumido pela paixão da verdade.

Quando jovem, Sócrates estudara a ciência natural de seu tempo com algum entusiasmo, examinando as diversas filosofias preocupadas com a análise especulativa do mundo físico. Mais tarde, considerou-as insatisfatórias. A convivência de teorias conflitantes trazia mais confusão do que clareza; pareciam-lhe inadequadas as explicações do Universo unicamente em termos de causas materiais, que deixavam de lado as evidências de haver no mundo um tipo de inteligência ao mesmo tempo lúcida e útil. Essas teorias, pensava ele, não tinham coerência conceitual, nem eram moralmente proveitosas. Assim, abandonou a Física e a Cosmologia, voltando-se para a Ética e a Lógica. Sua preocupação dominante passou a ser a maneira como se deve levar a vida e como pensar com clareza sobre a maneira de viver. Cícero diria três séculos mais tarde que Sócrates "atraiu a filosofia dos céus e a implantou nas cidades e nas casas do Homem".

Na verdade, essa mudança já se refletia nas idéias dos sofistas, que também se pareciam com Sócrates em sua preocupação com a educação, a língua, a retórica e a argumentação. No entanto, a natureza das aspirações morais e intelectuais de Sócrates era muito diferente. Os sofistas ofereciam-se para ensinar aos outros como levar uma vida de sucesso, num mundo em que todos os padrões morais eram convenções e todo o conhecimento humano era relativo. Sócrates acreditava que esse tipo de filosofia educacional estivesse intelectualmente equivocada e fosse moralmente prejudicial. Em oposição à visão dos sofistas, ele considerava sua tarefa descobrir o caminho para um conhecimento que transcendesse a mera opinião, definir uma moral que fosse além da simples convenção.

Logo no início da vida do jovem filósofo, o oráculo de Apolo em Delfos dissera que não haveria nenhum homem mais sábio do que Sócrates. Para comprovar a falsidade do oráculo, como disse mais tarde com sua típica ironia, Sócrates examinava com assiduidade as crenças e o pensamento de todos os que se consideravam sábios — concluindo que era realmente o mais sábio de todos, pois somente ele admitia sua própria ignorância. Contudo, enquanto os sofistas sustentavam que o conhecimento autêntico era inatingível, Sócrates preferia argumentar que o conhecimento legítimo ainda não havia sido alcançado. Suas repetidas demonstrações da ignorância humana — dele próprio e dos outros — visavam trazer à tona a humildade e não o desespero intelectual. A descoberta da ignorância foi para Sócrates o começo e não o fim de sua obra filosófica, pois somente através dela seria possível superar os pressupostos recebidos, que obscureciam a verdadeira característica de sermos humanos. Sócrates acreditava que sua missão pessoal era convencer os outros da própria ignorância, para assim buscarem o conhecimento de uma vida melhor.

Na visão do filósofo, qualquer tentativa de promover o verdadeiro sucesso e a excelência na vida humana teria de levar em conta a realidade mais interior de um ser humano: sua alma, ou psique. Baseado talvez em seu próprio individualismo e autocontrole bastante desenvolvidos, Sócrates trouxe para o pensamento grego uma nova consciência do significado essencial da alma, determinando pela primeira vez que ela fosse a sede da consciência alerta do indivíduo e de sua personalidade moral e intelectual. Ele reafirmava a máxima délfica — "conhece-te a ti mesmo" — porque acreditava que somente através do autoconhecimento e da compreensão da psique poder-se-ia encontrar a verdadeira felicidade. Por sua própria natureza, todos os seres humanos buscam a felicidade — que era alcançada, ensinava ele, quando se vive o tipo de vida que melhor atende à natureza da alma. A felicidade não seria a conseqüência de circunstâncias físicas ou externas, da riqueza, do poder ou da reputação, mas de uma vida boa para a alma.

No entanto, para se viver uma vida autenticamente boa, seria necessário saber qual a natureza e a essência do Bem. Do contrário, a pessoa estaria agindo às cegas, com base na simples convenção ou conveniência, denominando as coisas de boas ou virtuosas conforme a opinião comum ou o prazer do momento. Mas, dizia Sócrates, se um homem soubesse o que era realmente bom — benéfico para si no sentido mais profundo —, agiria natural e inevitavelmente de boa maneira. Sabendo o que fosse bom, necessariamente a pessoa agiria bem, pois ninguém escolheria deliberadamente aquilo que soubesse ser-lhe prejudicial. Somente quando se enganasse, trocando um bem ilusório por um autêntico, o ser humano cairia em conduta errônea. Ninguém jamais faria o mal conscientemente, pois a própria natureza do bem diz que ele é desejado, quando é conhecido. Neste sentido, sustentava Sócrates, a virtude seria o conhecimento. Uma vida realmente feliz seria uma vida de ação correta, dirigida segundo a Razão. Portanto, a chave da felicidade humana estaria no desenvolvimento de um caráter moral racional.

Todavia, para a pessoa descobrir a virtude autêntica, deveria haver um questionamento rigoroso. Para conhecer a virtude, o ser humano teria de descobrir o elemento comum em todos os atos virtuosos — ou seja, a essência da virtude. Devia-se separar, analisar, testar o mérito de toda afirmação sobre a natureza da virtude para encontrar seu verdadeiro caráter. Não seria suficiente citar exemplos de diversas espécies de ações virtuosas e dizer ser isto a própria virtude, já que essa resposta não revelaria a qualidade essencial singular em todos os exemplos, que os faria legítimos exemplos de virtude — o mesmo em relação à bondade, justiça, coragem, lealdade, beleza. Sócrates criticava a crença sofista de que esses termos eram apenas palavras, afinal, simples nomes para convenções humanas estabelecidas na época. As palavras poderiam realmente distorcer e iludir, dar impressão de verdade quando de fato eram desprovidas de uma base sólida. No entanto, as palavras também podiam apontar, como a um precioso mistério invisível, para algo genuíno e permanente. Encontrar o caminho para esta realidade genuína era a tarefa que se apresentava para o filósofo.

Enquanto levava adiante essa tarefa, Sócrates criou sua famosa argumentação dialética, que se tornaria fundamental para a natureza e a evolução do pensamento ocidental: o raciocínio através do diálogo rigoroso como um método de investigação intelectual que visava expor falsas crenças e fazer a verdade aparecer. A estratégia característica de Sócrates, quando em discussão com outra pessoa, era recolher uma seqüência de perguntas, analisando incansavelmente — uma por uma — as implicações das respostas, de tal maneira que expusesse as falhas e inconsistências numa determinada crença ou afirmação. As tentativas de definir a essência de qualquer coisa eram rejeitadas uma após outra por serem amplas ou estreitas demais, ou por estarem completamente equivocadas. Muitas vezes acontecia que essa análise terminasse em total perplexidade; os interlocutores sentiam-se como que paralisados pelo ataque de uma arraia. Não obstante, nesses momentos era claro que, para Sócrates, a Filosofia preocupava-se menos em conhecer as respostas certas do que em tentar descobri-las. A Filosofia era um processo, uma disciplina, uma busca da vida inteira. Praticar a Filosofia à moda de Sócrates era sujeitar constantemente os pensamentos à crítica da razão num diálogo sério com os outros. O conhecimento autêntico não era algo que simplesmente se pudesse receber de segunda mão como um bem adquirido, como acontecia com os sofistas; era antes uma realização pessoal, conquistada apenas à custa do esforço intelectual permanente da reflexão autocrítica. "A vida sem o teste da crítica não vale a pena ser vivida", declarou Sócrates.

Entretanto, exatamente por força desse incessante questionamento dos outros, Sócrates não era universalmente apreciado; algumas pessoas consideravam seu eficaz estímulo de um ceticismo crítico entre os discípulos uma influência perigosamente desestabilizadora, que minava a autoridade moral da tradição e do Estado. Em seu esforço cuidadoso para descobrir o conhecimento exato, Sócrates passara boa parte da vida derrotando os sofistas em seu próprio jogo; ironicamente, foi equiparado aos sofistas quando, em um período politicamente instável em Atenas logo depois da desastrosa guerra do Peloponeso, dois cidadãos o acusaram de irreverência e de corromper os jovens. Era um momento de grande reação a uma série de personalidades políticas, algumas delas de seu círculo, e Sócrates foi condenado à morte. Em tal situação, era costume propor a punição alternativa do exílio — provavelmente o que os acusadores desejavam. Porém, mesmo no cenário do julgamento Sócrates recusou transigir em seus princípios e rejeitou todos os esforços para escapar ou modificar as conseqüências do veredicto. Reafirmou a correção de sua vida, mesmo que sua missão de despertar os outros agora o levasse à morte — que não temia, mas recebia de braços abertos, como um portal para a eternidade. Bebendo alegremente a cicuta venosa, Sócrates tornou-se um mártir resoluto do ideal da filosofia que tanto defendera.

O Herói Platônico

Os amigos e discípulos reunidos em volta de Sócrates nos seus últimos dias sentiam-se atraídos por um homem que havia encarnado seu ideal até um ponto bastante raro. A filosofia de Sócrates parece ter sido expressão direta de sua personalidade, com uma excepcional síntese de *eros* e *logos* — paixão e mente, amizade e discussão, desejo e verdade. Cada idéia socrática e sua articulação trazia sua marca e parecia ter emanado do próprio âmago de seu caráter pessoal. E, como foi retratado por todos os diálogos de Platão, este mesmo fato — de que Sócrates falava e pensava com uma confiança moral e intelectual baseada em profundo conhecimento de si, enraizado, por assim dizer, nas profundezas de sua psique — dava-lhe a capacidade de expressar uma verdade em certo sentido universal, fundamentada na própria verdade divina.

Contudo, Platão não enfatizou apenas essa carismática profundidade da mente e da alma em seu retrato do mestre. O Sócrates celebrado por Platão também desenvolvera e apresentara uma posição epistemológica específica, que realmente levou sua estratégia dialética à realização metafísica. Devemos aqui estender nossa discussão dessa figura central usando a interpretação mais elaborada de Sócrates — mais decididamente "platônica" — contida nos grandes diálogos intermediários de Platão. Começando pelo *Fédon*, e de forma plenamente desenvolvida no *Banquete* e na *República*, a personalidade de Sócrates cada vez mais expressava outras conotações, além das que lhe foram atribuídas nos primeiros diálogos e por outras fontes, como Xenofonte e Aristóteles. Embora essa evidência seja interpretada de diversas maneiras, pode-se dizer que Platão, ao refletir sobre o legado do mestre na trajetória de sua própria evolução intelectual, aos poucos foi explicitando nessas posições mais desenvolvidas o que entendia estar implícito tanto na vida como nas argumentações de Sócrates.

Conforme avançam os diálogos (e sua ordem exata não está totalmente esclarecida), a primeira narrativa de Sócrates — inculcando fortemente suas exigências de coerência lógica e definições significativas, criticando todas as supostas certezas da crença humana — passa para um novo nível de discussão filosófica. Depois de haver investigado todos os sistemas de pensamento da época, das filosofias científicas inerentes à Natureza até as sutis discussões dos sofistas, Sócrates concluíra que faltava a todos um bom método crítico. Para esclarecer seu enfoque, decidiu preocupar-se não com os fatos, mas com as afirmações sobre os fatos. Ele analisaria essas proposições tratando cada uma como hipótese, deduzindo suas conseqüências e daí julgando seu valor. Uma hipótese cujas conseqüências fossem consideradas verdadeiras e consistentes seria provisoriamente afirmada, embora não comprovada, já que, por sua vez, ela só poderia ser certificada se atraísse uma hipótese mais definitivamente aceitável.

Finalmente, segundo os diálogos intermediários de Platão, depois da exaustiva argumentação e meditação sobre essas questões, Sócrates apresentava seu postulado fundamental para servir de última base para o conhecimento e os padrões morais: algo seria bom ou bonito porque partilharia uma essência arquetípica absoluta e perfeita da bondade ou da beleza existindo em um nível atemporal que transcenderia sua efêmera manifestação particular e, finalmente, só seria acessível ao intelecto, não aos sentidos. Esses universais teriam uma natureza real que ultrapassaria a simples convenção ou opinião humanas e uma existência independente, além dos fenômenos que a definiam. O espírito humano pode descobrir e conhecer esses universais atemporais através da suprema disciplina da Filosofia.

Conforme descrita por Platão, essa hipótese das "Formas" ou "Idéias", embora jamais comprovada, parece haver representado algo mais do que um resultado plausível de discussão lógica, permanecendo antes como uma realidade apodíctica — absolutamente evidente e necessária — e além de todas as conjecturas, obscuridades e ilusões da experiência humana. Sua justificativa filosófica era enfim epifânica, em si evidente para o amante da verdade que houvesse atingido o raro nível da iluminação. Aparentemente, Platão deixava implícito que a própria ordem do mundo fora contatada e revelada na resoluta atenção de Sócrates à sua própria mente e alma, à virtude moral e à verdade intelectual. No Sócrates de Platão, o pensamento humano já não se mantinha precariamente por si mesmo, mas encontrara uma confiança e uma certeza baseadas em algo mais fundamental. Assim, como Platão expõe de modo notável, o paradoxal desenlace da busca cética de Sócrates pela verdade foi exatamente o que o levou à concepção (ou visão) das Idéias eternas — o Bem, a Verdade, a Beleza e todos os demais absolutos — em cuja contemplação ele sedimentava e encerrava sua longa busca filosófica.

Para o ateniense urbano de então, a era dos deuses e heróis míticos parecia há muito passada, mas no Sócrates de Platão o herói homérico havia renascido, agora como herói da busca intelectual e espiritual pelos absolutos, num reino colocado em risco pela Cila do sofisma e a Caribdes do tradicionalismo. Foi uma nova forma de glória imortal que Sócrates revelou ao enfrentar a morte; foi neste ato de heroísmo filosófico que o ideal homérico assumiu novo significado para Platão e seus seguidores. Através do laborioso trabalho intelectual de Sócrates nascera uma realidade espiritual aparentemente tão fundamental e abrangente que nem a morte ensombreceu sua existência — mas, ao contrário, serviu-lhe de portal. O mundo transcendente desvendado nos diálogos de Platão — em si, grandes obras da literatura, como os dramas e poemas épicos que já abrilhantavam a cultura helênica — anunciava um novo reino olímpico, que refletia o novo sentido de ordem racional e ao mesmo tempo revivia a grandiosidade exaltada das antigas divindades míticas. O Sócrates da narrativa de Platão permanecera verdadeiro para o desenvolvimento da Razão e do Humanismo Individualista grego. Não obstante, em sua odisséia intelectual, utilizando de modo crítico e sintetizando as intuições e percepções de seus predecessores, ele forjara uma nova conexão para uma realidade atemporal, agora dotada de significado filosófico, assim como de numinosidade mítica. Em Sócrates, o pensamento era convictamente adotado como força vital e instrumento indispensável ao espírito. O intelecto não era apenas um recurso lucrativo de sofistas e políticos, nem simplesmente prerrogativa remota da especulação física e paradoxo obscuro — mas, antes, uma faculdade divina com a qual a alma humana poderia descobrir sua própria essência e o significado do mundo. Esta faculdade só precisava ser despertada. Por mais árduo que fosse o caminho para o despertar, um tal poder divino residiria potencial e igualmente nos humildes e nos grandes.

Assim erguia-se a figura de Sócrates para Platão — a solução e o clímax da busca pela verdade, o restaurador dos alicerces divinos do mundo, aquele que despertou o intelecto humano. O que para Homero e a cultura arcaica fora uma ligação inseparável entre o empírico e o arquetípico — uma conexão a que o naturalismo dos físicos jônicos e o racionalismo dos eleáticos cada vez mais objetavam, inteiramente eliminada no materialismo dos atomistas e no ceticismo dos sofistas — estava agora reformulado e recolocado em novo nível por Sócrates e Platão. Ao contrário da visão arcaica não-diferenciada, a relação percebida entre o arquetípico e o empírico tornara-se agora mais problemática, dicotomizada e dualista. Era um passo decisivo. No entanto, o subjacente ponto em comum redescoberto, relativo à visão mítica primitiva, era igualmente decisivo. Para os platônicos, o mundo estava mais uma vez iluminado pelos temas e personagens universais. Os absolutos divinos outra vez regiam os céus e proporcionavam uma base para o comportamento dos seres humanos. A existência estava novamente dotada de um propósito transcendental. O rigor intelectual não mais se opunha à inspiração olímpica. Os valores humanos novamente se enraizavam na ordem da Natureza, ambos eram determinados pela inteligência divina.

Com Sócrates e Platão, a busca que os gregos empreendiam pela clareza, pela ordem e pelo significado no desdobrar da experiência humana dera a volta completa, trazendo uma restauração intelectual da realidade do Nume conhecida durante a distante infância homérica da cultura helênica. Platão reuniu, assim, sua concepção, dando significado e vida nova à visão arquetípica da antiga sensibilidade dos gregos.

* * *

Sócrates é o personagem paradigmático da filosofia grega — ou melhor, de toda a filosofia ocidental —, embora não tenhamos nada escrito por ele que possa expressar diretamente suas idéias. Foi em grande parte através do vigoroso prisma do discernimento de Platão que sua vida e pensamento foram transmitidos à posteridade. A influência de Sócrates no jovem Platão foi suficientemente forte para que os diálogos platônicos parecessem trazer a marca socrática em quase todas as páginas, abrigando em sua própria forma o espírito dialético da filosofia socrática e tornando virtualmente impossível qualquer distinção definitiva entre o pensamento dos dois filósofos. O pensamento de Sócrates tem o papel fundamental e se manifesta nos temas centrais da maioria dos diálogos importantes, fazendo-o inclusive em grau tão amplo que parece ter sido uma idiossincrasia pessoal fielmente retratada. O ponto em que termina o Sócrates histórico e começa o Sócrates platônico é notoriamente ambíguo. Nisso, sua modesta reivindicação de ignorância aparentemente contrasta com o conhecimento platônico dos absolutos; mas estes talvez sejam diretamente provenientes da primeira, como se uma humildade intelectual incondicional fosse uma pequena abertura a dar passagem à sabedoria universal. Certamente, a busca da verdade e da ordem que Sócrates perseguiu a vida inteira parece ter dependido implicitamente de uma fé imensa na existência dessa verdade e dessa ordem.[6] Além do mais, a natureza e a direção de seus argumentos, não apenas como foram representados nos primeiros diálogos platônicos, mas também em outros relatos, sugerem que Sócrates estaria no mínimo comprometido com o que talvez tenha sido uma teoria dos universais.

O julgamento e execução de Sócrates pela democracia ateniense deixaram profunda impressão em Platão, persuadindo-o da não-confiabilidade de uma democracia implacável e uma filosofia sem padrão: daí a necessidade de uma base absoluta para os valores, na medida em que qualquer sistema político ou filosófico pretenda ser correto e sábio. Com base nas evidências, pareceria que a busca pessoal de Sócrates pelas definições absolutas e pela certeza moral e, muito possivelmente, sua sugestão de alguma forma elementar da doutrina das Idéias, foi desenvolvida e ampliada pela sensibilidade mais abrangente de Platão para um sistema mais vasto e abrangente. Novas percepções foram acrescentadas por Platão a partir dos diversos pré-socráticos, especialmente Parmênides (a natureza imutável e unitária da realidade inteligível), Heráclito (o fluxo constante do mundo sensível) e, acima de todos, os pitagóricos (a inteligibilidade da realidade pelas formas matemáticas). As preocupações e as estratégias mais concentradas de Sócrates tornaram-se, assim, a base para o mais amplo enunciado de Platão sobre as principais linhas e problemas para a Filosofia Ocidental subseqüente em todas as suas diversas áreas: Lógica, Ética, Política, Epistemologia, Ontologia, Estética, Psicologia, Cosmologia.

Platão expressava esse aprofundamento e expansão, utilizando a figura de Sócrates para articular a filosofia que acreditava ter a própria vida de Sócrates nobremente exemplificando. Sócrates parecia ser a encarnação da bondade e da sabedoria, as mesmas qualidades que Platão considerava os princípios fundadores do mundo e as mais elevadas metas da aspiração. Sócrates tornou-se, portanto, não apenas a inspiração, mas também a própria personificação da filosofia platônica. Da arte de Platão surgiu o Sócrates arquetípico, o avatar do platonismo.

Sob tal ponto de vista, Platão não forneceu um documentário literal do pensamento de Sócrates; no extremo oposto, também não fez do filósofo um simples porta-voz para suas idéias totalmente independentes. O relacionamento de Platão com Sócrates parece ter sido bem mais complicado, mais misterioso, mais interpretativo e criativo, à medida que elaborava e transformava as idéias de seu mestre para levá-las aqui e que ele entendia ser suas conclusões inerentes, sistematicamente discutidas e metafisicamente articuladas. Sócrates muitas vezes referia-se a si mesmo como uma espécie de parteira intelectual, usando sua habilidade para trazer à luz a verdade latente na mente do outro. Talvez a própria filosofia platônica tenha sido o fruto final e mais completo desse parto.

A Busca do Filósofo e o Pensamento Universal

Com toda sua dedicação pela precisão dialética e pelo rigor intelectual, a filosofia de Platão era permeada por uma espécie de romantismo religioso que tanto afetava suas categorias ontológicas quanto suas estratégias epistemológicas. Em sua discussão de Eros no *Banquete*, Platão descreveu as Idéias nem tanto como objetos neutros de apreensão racional desapaixonada, mas como essências transcendentes que, se diretamente percebidas pelo filósofo, evocariam intensa impressão emocional e até mesmo o êxtase místico. O filósofo seria literalmente um "amante da sabedoria" e abordaria sua tarefa intelectual como busca romântica do significado universal. Para Platão, a realidade última não teria natureza apenas racional e ética, mas também estética: o Bem, a Verdade e o Belo estariam realmente unidos no supremo princípio criativo, impondo ao mesmo tempo afirmação moral, fidelidade intelectual e rendição estética. A Beleza — a mais acessível das Formas, em parte visível mesmo ao olho físico — abriria a consciência humana para a existência das outras Formas, atraindo o filósofo para a beatífica visão e conhecimento do Verdadeiro e Bom. Com isso, Platão mostrava que a visão filosófica mais elevada só seria possível a quem tivesse o temperamento de um amante. O filósofo deveria se permitir ser agarrado pela mais sublime forma de Eros: aquela paixão universal de reconstituir a unidade anterior, de superar a separação do divino e tornar-se uno com ele.

Platão descreveu o conhecimento do divino como algo implícito em todas as almas, embora esquecido. A alma, imortal, sentiria o contato direto e íntimo com as realidades anteriores ao nascimento, mas a condição pós-natal do aprisionamento corporal faria a alma esquecer a verdadeira situação. A meta da filosofia seria libertar a alma dessa condição ilusória na qual ela é enganada pela finita imitação e encobrimento do eterno. A tarefa do filósofo seria "resgatar" as Idéias transcendentes, trazer de volta um conhecimento das verdadeiras causas e origens de todas as coisas.

Na *República*, Platão ilustrava a diferença entre o conhecimento autêntico da realidade e a ilusão das aparências com uma imagem impressionante: os seres humanos são prisioneiros acorrentados à parede de uma escura caverna subterrânea, onde jamais podem voltar-se e ver a luz de um fogo, mais acima e a uma certa distância atrás deles. Quando objetos de fora da caverna passam na frente da luz, os prisioneiros imaginam ser reais o que são meras sombras criadas na parede. Somente quem se livra de suas cadeias e abandona a caverna para ingressar no mundo além dela pode vislumbrar a pura realidade, ainda que ao se expor à luz pela primeira ver talvez seja dominado por sua luminosidade deslumbrante e torne-se incapaz de identificar seu caráter real. Contudo, ao se habituar à luz e reconhecer as verdadeiras causas das coisas, passaria a considerar preciosa a claridade de sua nova compreensão. Lembrando o destino anterior entre outros prisioneiros, ele preferiria, como Homero, tolerar qualquer coisa no mundo real a ser obrigado a viver no submundo das sombras. Se lhe fosse exigido voltar à caverna e, desacostumado à escuridão, discutir com os outros em sua atividade habitual de "entender" as sombras, provavelmente só iria incitar-lhes a zombaria e seria incapaz de persuadi-los de que aquilo que estivessem percebendo era apenas um pálido reflexo da realidade.

Portanto, para Platão a grande tarefa que o filósofo tinha diante de si era sair da caverna das sombras efêmeras e trazer sua mente obscurecida de volta à luz arquetípica, a verdadeira origem da existência. Ao falar dessa realidade superior, Platão repetidamente unia luz, verdade e bondade. Na *República*, descreve a Idéia do Bem como algo que estava para o reino do inteligível como o sol para o mundo real: da mesma maneira que o sol permite que os objetos do mundo visível se desenvolvam e se tornem visíveis, o Bem concede a todos os objetos da razão sua existência e sua inteligibilidade. Para o filósofo, atingir a virtude consistiria em descobrir aquele conhecimento luminoso que traz a harmonia entre a alma humana e a ordem cósmica dos arquétipos, ordem essa regida e iluminada pela Idéia suprema do Bem.

Entretanto, a libertação do estado de ignorância seria algo a requerer um esforço intelectual e moral extraordinariamente sustentado, de modo que o intelecto — para Platão, a parte superior da alma — pudesse ascender acima do meramente consciente e físico para retomar o conhecimento perdido das Idéias. Em alguns diálogos (como na *República*), Platão enfatiza o poder da dialética, ou de uma lógica rigorosamente autocrítica, para atingir esse objetivo; em outros textos (como no *Banquete* e na *Sétima carta*), fala mais de um reconhecimento espontâneo pelo intelecto intuitivo — uma crise ou, por assim dizer, um momento de graça depois de uma longa disciplina. Em qualquer caso, a memória das Idéias seria o recurso e a meta do verdadeiro conhecimento.

Assim, a diretriz essencial de Platão para a filosofia concentrava-se no desenvolvimento exaustivo do intelecto e da vontade, motivado por um desejo incessante de reatar a união perdida com o eterno. Através do trabalho duro da recuperação filosófica, a mente humana poderia trazer à luz a sabedoria divina, antes em seu poder. A educação estaria a serviço da alma e não, como para os sofistas, apenas do secular e humano. Além do mais, a educação seria um processo através do qual a verdade não seria introduzida de fora para dentro da mente, mas "levada para fora", de dentro dela. A mente descobriria assim, revelado dentro de si, um conhecimento de sua própria natureza e da natureza do Universo, conhecimento este que de outro modo estaria ensombrecido pelas obscuridades da existência mundana. Sob a orientação de Platão, a *paideia* clássica ganhava as dimensões metafísicas e espirituais mais profundas da Academia, instituição que era tanto monastério como universidade, pregando o ideal da perfeição interior realizada através da educação disciplinada.

A iluminação filosófica seria então um redespertar e uma rememoração do conhecimento esquecido, o restabelecimento da feliz intimidade da alma com as Idéias transcendentais inerentes a todas as coisas. Platão afirmava aqui o aspecto redentor da Filosofia, pois é o encontro direto da alma com as Idéias eternas que revelaria à alma sua própria eternidade. Ao narrar as horas finais de Sócrates, Platão deixava claro que o filósofo tanto valorizava essa consciência arquetípica que transcende a existência física, que expressou a serenidade, e até certa ansiedade, em antecipação à morte pela cicuta. Toda a sua vida fora dirigida a este momento de abraçar a morte, quando a alma podia finalmente voltar à glória de seu estado imortal, declarou ele. Essa confiança apaixonadamente afirmada na realidade do eterno, acompanhada de freqüentes referências ao mito e aos mistérios sacros, sugere que Sócrates e Platão talvez também participassem seriamente das religiões de mistério gregas. Na visão platônica, não existia apenas o divino, como na religião pública tradicional da Grécia, mas pela via filosófica a alma humana poderia obter o conhecimento de sua imortalidade divina. Essa crença afastou Platão da tradição homérica, que mantivera limites relativamente estritos entre os seres humanos mortais e os deuses eternos, aproximando-o das religiões de mistério, em que a iniciação trazia uma revelação da imortalidade, e para o lado dos pitagóricos, para quem a própria Filosofia proporcionava a via superior para a iluminação mística e assimilação do divino. A afinidade de Platão com esses grupos refletia-se também em sua crença de que as verdades sublimes não deveriam ser comunicadas a todos, para que não fossem mal utilizadas. Por isso, ele não gostava do tratado direto, preferindo o diálogo mais ambíguo, que poderia ocultar — e, para aqueles adequadamente preparados, revelar — as verdades mais profundas de sua filosofia.

Poder-se-ia dizer que o dualismo dos valores platônicos característicos — o filósofo *versus* o homem comum; espírito e alma *versus* matéria; as Formas ideais preexistentes *versus* o mundo fenomenal; o absoluto *versus* o relativo; a vida espiritual póstuma *versus* a vida física presente — refletia a reação de Platão à crise política, moral e espiritual de Atenas ao tempo em que viveu. Enquanto em seu auge, no século V era de Péricles, adotara a noção da realização autônoma de progresso partindo da ignorância primitiva até à sofisticação civilizada, Platão muitas vezes tendia à visão primeira da Grécia, apresentada por Hesíodo: a situação da Humanidade havia degenerado gradualmente desde uma antiga era de ouro. Platão não via somente o progresso técnico do Homem contemporâneo, mas também seu declínio moral a partir da inocência dos homens de antigamente, "que eram melhores do que nós e viviam mais perto dos deuses". A realização do ser humano era relativa e precária. Somente uma sociedade baseada em princípios divinos e regida por filósofos divinamente informados poderia salvar a Humanidade de sua irracionalidade destrutiva; uma vida orientada para o mundo das Idéias eternas, afastada da vida mundana, era a melhor. O imutável reino espiritual precedia e seria para sempre superior a qualquer coisa que os seres humanos tentassem realizar no mundo temporal. Somente o espiritual continha verdade e valor genuíno.

Todavia, com todo este aparente pessimismo contra o mundano, a perspectiva de Platão era marcada por certo otimismo cósmico, pois atrás do obscuro fluxo dos acontecimentos ele postulava o desígnio providencial da sabedoria divina. Ainda que sob arroubos do êxtase místico, a filosofia de Platão tinha um caráter essencialmente racionalista — embora esse racionalismo repousasse no que ele considerava mais como fundamentação universal e divina do que simplesmente a lógica humana. No âmago da concepção de Platão estava a noção de uma inteligência transcendente que rege e ordena todas as coisas: a Razão divina é a "soberana do céu e da terra". Enfim, o Universo não é regido pelo acaso, material ou mecânico, ou pela necessidade cega, mas por uma "inteligência reguladora maravilhosa".

Platão também reconhecia na composição do mundo um elemento irredutível de irracionalidade e erro, a que se referia como *ananke*, ou Necessidade. No entendimento platônico, o irracional estava associado à matéria, ao mundo sensível e ao desejo instintivo: o racional ligava-se à mente, ao transcendental e ao desejo espiritual.[7] *Ananke*, a contumaz irracionalidade sem objetivo e casual, resistiria em pleno conformismo à razão criativa, ofuscando a perfeição arquetípica, obscurecendo sua expressão pura no mundo concreto. A Razão regeria a Necessidade na maior parte do mundo, de modo a que esta se adaptasse ao bom propósito; contudo, em certos aspectos a Razão não poderia superar a causa errônea. Daí a existência do mal e da desordem no mundo — que, como criação finita, seria necessariamente imperfeito. No entanto, precisamente por causa dessa natureza problemática, *ananke* serviria como impulso para a ascensão do visível ao transcendental. Embora o acaso inconstante e a necessidade irracional fossem reais e tivessem seu lugar, eles existiriam dentro de uma estrutura maior, informada e regida pela inteligência universal — a Razão — que moveria todas as coisas segundo uma sabedoria primordial, a Idéia do Bem.

Aqui Platão articula plenamente o princípio vislumbrado na Filosofia grega antiga, que teria um papel central em seu desenvolvimento subseqüente. Na Atenas de Péricles, Anaxágoras propusera a hipótese de que o *Nous*, ou Mente, seria a origem transcendental da ordem cósmica. Sócrates e Platão sentiram-se atraídos pelo primeiro princípio de Anaxágoras, com sugestão de uma teologia racional como base da existência do universo. No entanto, decepcionaram-se, como Aristóteles mais tarde, porque Anaxágoras não havia elaborado mais o princípio em sua filosofia (predominantemente materialista, como a dos atomistas) e, em especial, porque não deixara explícita a bondade intencional da mente universal. Aproximadamente meio século antes de Anaxágoras, o poeta-filósofo Xenófanes, depois de criticar as divindades antropomórficas da tradição popular mais singela, postulara um supremo Deus único, uma divindade universal que, identificada com o próprio mundo, o influenciava. Pouco depois, outro filósofo pré-socrático, o solitário e enigmático Heráclito, introduziu uma concepção igualmente imanente da inteligência divina, utilizando a expressão *Logos* (que originalmente significava *palavra*, *fala* ou *pensamento*) para exprimir o princípio racional que rege o Caos: todas as coisas estariam em fluxo constante, mas fundamentalmente relacionadas e ordenadas por meio do *Logos* universal, que também se manifestaria na força da razão do ser humano. Heráclito associava o *Logos* ao elemento fogo que, como todo o conjunto do mundo heraclitiano, surgira da luta, estaria em consumo perpétuo e em constante movimento. Para a lei do *Logos* universal tudo seria definido, tenderia em direção a seu oposto, seria afinal equilibrado por ele e, em última análise, por todos os opostos que constituiriam uma unidade. A mais refinada harmonia se comporia de elementos em tensão entre si. Heráclito afirmara que a maioria dos seres humanos, por não compreender o *Logos*, viveria como se estivesse adormecida num sonho falso do mundo e, conseqüentemente, em estado de constante desarmonia. Os seres humanos deveriam procurar compreender o *Logos* da vida e assim despertar para a cooperação inteligente com a ordem mais profunda do Universo.

Não obstante, talvez mais do que todas as outras escolas filosóficas, foram os pitagóricos que deram ênfase à inteligibilidade do mundo e em especial ensinaram o valor espiritual de penetrar cientificamente em seus mistérios para obter a união extática entre a alma humana e o cosmo divino. Para os pitagóricos, como posteriormente aconteceu com os platonistas, os padrões matemáticos encontráveis no mundo natural ocultavam, por assim dizer, um significado mais profundo, que transportava o filósofo para além do nível da realidade material. Desvendar as matemáticas formas reguladoras da Natureza seria revelar a própria inteligência divina governando sua criação com perfeição e ordem transcendentais. A descoberta pitagórica de que as harmonias da música eram matemáticas, de que esses tons harmônicos eram produzidos por cordas cujas medidas eram determinadas por singelas proporções numéricas, foi considerada uma revelação divina. Essas harmonias matemáticas mantinham uma existência atemporal como exemplos espirituais, de que derivavam todas as tonalidades musicais audíveis. Os pitagóricos acreditavam que o Universo em sua inteireza, em especial os céus, era ordenado segundo princípios esotéricos de harmonia, configurações matemáticas que expressavam uma música celestial. Compreender a Matemática era encontrar a chave para a divina sabedoria criativa.

Os pitagóricos também ensinavam que essas formas seriam trazidas à luz primeiro na mente humana e depois no Cosmo. As leis matemáticas de números e cifras seriam identificadas no mundo exterior apenas depois de terem sido estabelecidas pela inteligência humana. Por esse meio, a alma humana descobriria sua essência e sua inteligência serem iguais àquelas ocultas na Natureza. Somente então o significado do Cosmo assomaria na alma. Através da disciplina moral e intelectual, a mente humana poderia chegar à existência e às propriedades das Formas matemáticas e começar a desvendar os mistérios da Natureza e da alma humanas. Segundo a tradição, Pitágoras teria sido o primeiro a aplicar ao mundo a palavra *kosmos*, que expressava uma combinação singularmente grega de ordem, perfeição estrutural e beleza. Desde então, passou a ser compreendida nesse sentido pitagórico. Platão voltou a utilizá-la, afirmando que descobrir o *kosmos* no mundo seria revelar o *kosmos* na própria alma. Na vida mental do homem, revelava-se o espírito do mundo. Aqui, o dito socrático "conhece-te a ti mesmo" não era visto como o credo de um subjetivista introspectivo, mas como diretriz para a compreensão universal.

A crença de que o Universo possui e é governado segundo uma inteligência reguladora abrangente — e que essa inteligência reflete-se na mente humana, tornando-a capaz de conhecer a ordem cósmica — era um dos princípios mais característicos e mais recorrentes na tradição central do pensamento helênico. Depois de Platão, os termos *logos* e *nous* passaram a ser normalmente associados aos conceitos filosóficos do conhecimento humano e da ordem universal; através de Aristóteles, dos estóicos e dos platonistas posteriores, seus significados foram sendo cada vez mais elaborados. Conforme progredia a Filosofia Antiga, *logos* e *nous* eram distintamente empregados no sentido de espírito, razão, intelecto, princípio organizador, pensamento, palavra, discurso, sabedoria e significado — relativo, em cada caso, tanto à razão humana quanto a uma inteligência universal. Mais tarde, os dois termos vieram a denotar a origem transcendente de todos os arquétipos, além do providencial princípio da ordem cósmica que, por meio dos arquétipos, permeava constantemente o mundo criado. O *Logos* era um princípio revelador divino, que funcionava simultaneamente na mente humana e no mundo natural, pelo qual a inteligência humana podia chegar à compreensão universal. A busca mais sublime do filósofo era atingir a percepção interior dessa Razão de mundo arquetípica, apreender e ser apreendido por este princípio racional e espiritual supremo que ordenava e ao mesmo tempo revelava.

O Problema dos Planetas

Entre os inúmeros temas e conceitos significativos discutidos nos diálogos platônicos, especialmente um requer a nossa atenção neste momento. Exatamente esse aspecto do pensamento de Platão teria excepcionais conseqüências na evolução da visão de mundo ocidental, não apenas constituindo uma base para a Cosmologia Clássica, mas emergindo novamente como força decisiva no nascimento do Pensamento Ocidental. Talvez tenha sido este o fator mais importante que deu dinamismo e continuidade à tentativa da cultura ocidental de compreender o Cosmo físico.

Platão repetidamente recomendava uma área de estudo, a Astronomia, especialmente importante para alcançar-se a sabedoria filosófica, inclusive realçando um problema — como explicar matematicamente os movimentos erráticos dos planetas — que considerava de extrema relevância. Tão significativo que Platão descreveu a necessidade de solucioná-lo como questão de urgência religiosa. A natureza do problema — sua simples existência, na verdade — ilumina claramente a essência da visão de mundo de Platão, sublinhando suas tensões internas e sua posição central, entre o antigo Cosmo Mitológico e o universo da Ciência. O enigma dos planetas, segundo a formulação platônica, e a longa e árdua luta intelectual para resolvê-lo culminariam dois mil anos depois no trabalho de Copérnico e Kepler, que deram início à Revolução Científica.

Em todo caso, para seguir essa notável linha de pensamento de Platão a Kepler, devemos primeiro procurar reconstruir em breves traços a visão antiga do céu, anterior a Platão — especificamente, aquela associada aos primeiros astrônomos-astrólogos do antigo reino da Babilônia, na Mesopotâmia. Foi dessas origens distantes, de quase dois milênios antes de Cristo, que emergiria pela primeira vez a Cosmologia do Ocidente.

Tudo indica que, desde eras muito primitivas, antigos observadores perceberam uma distinção fundamental entre o reino celeste e o terrestre. Enquanto a vida na Terra era marcada, em toda parte, pela mudança, imprevisibilidade, geração e decadência, o céu parecia dotado de uma regularidade eterna e de luminosa beleza que o faria reino de uma ordem inteiramente diferente e superior. As observações do céu continuaram a desvendar essa imutável regularidade e inalterabilidade noite após noite, século após século; em compensação as observações da existência mundana revelavam a mudança incessante: plantas e animais, mares e clima passavam pela alteração contínua, os seres humanos nasciam e morriam, civilizações inteiras surgiam e desapareciam. Os céus aparentemente possuíam uma ordem de tempo que sugeria a própria eternidade. Também era evidente que os movimentos dos corpos celestiais influenciavam a existência terrestre de maneiras diversas: trazendo a aurora depois da noite, por exemplo, ou a primavera depois de cada inverno, com infalível constância. Determinadas flutuações sazonais nas condições climáticas, como as secas, a inundações e marés, pareciam coincidir com específicos fenômenos celestiais. Enquanto os céus pareciam ser um vasto espaço distante, além do alcance humano, povoados por pontos de luz clara que pareciam jóias, o ambiente terrestre era imediato, tangível e composto de materiais evidentemente grosseiros, como as pedras e o pó. O reino celeste parecia expressar — na verdade, parecia mesmo *ser* — a própria imagem da transcendência. Talvez porque os céus se distinguissem por essas qualidades extraordinárias — aparência luminosa, ordem atemporal, localização transcendental, influências sobre a Terra e majestade que a tudo abrangia — os antigos consideravam o reino celestial a morada dos deuses. O céu estrelado reinava acima da Humanidade como se fosse uma ilustração das divindades míticas girando eternamente: era, por assim dizer, sua encarnação visível. Sob esse ponto de vista, o céu não era tanto a metáfora do divino, mas sua própria materialização.

O caráter divino dos céus atraía a atenção humana para os padrões e movimentos das estrelas; os eventos mais significativos no reino celestial eram considerados indicadores de eventos paralelos na vida terrena. Nas cidades imperiais da Babilônia, séculos de observações ininterruptas e cada vez mais precisas, em busca de presságios e também para cálculos do calendário, deram origem a um imenso volume de registros astronômicos sistemáticos. No entanto, quando essas observações e suas correspondentes mitologias chegaram ao ambiente cultural dos primeiros filósofos gregos e ali encontraram a exigência helênica de explicação natural e racional coerente, criou-se uma dimensão essencialmente nova na especulação cosmológica. Enquanto para outras culturas contemporâneas os céus, como também a visão de mundo global, constituíam principalmente fenômenos mitológicos, para os gregos os céus associavam-se tanto às construções geométricas como às explicações físicas — que, por sua vez, tornaram-se os componentes básicos de sua cosmologia em expansão. Desse modo, os gregos legaram ao Ocidente uma tradição que exigia uma cosmologia que deveria não apenas satisfazer a necessidade humana de existir em um universo dotado de significado — necessidade essa já resolvida nos sistemas mitológicos arcaicos — mas, também, delinear uma estrutura física e matemática coerente do universo que justificasse as observações sistemáticas dos céus.[8]

Segundo esse novo panorama naturalista, antigos filósofos gregos, como os jônicos e os atomistas, começaram a considerar o céu composto de diversas substâncias materiais, cujos movimentos eram mecanicamente determinados. A evidência de que os movimentos celestiais mantinham uma ordem estável em perfeita conformidade em relação a padrões matemáticos era para muitos gregos um fato pleno de significado. Em especial para Platão, essa ordem matemática revelava os céus como expressão da Razão divina e encarnação da *anima mundi*, a alma viva do universo. No *Timeu*, seu diálogo cosmológico, Platão descrevia as estrelas e os planetas como imagens visíveis de divindades imortais, cujos movimentos perfeitamente regulados eram paradigmas da ordem transcendental. Deus, o artista e artífice primordial (o Demiurgo) que formara o mundo de um caos da matéria primordial, criara o céu como a imagem da eternidade em movimento, girando precisamente segundo perfeitas Idéias matemáticas que, por sua vez, criavam e determinavam os padrões do tempo. Platão acreditava que o encontro do Homem com os movimentos dera origem ao raciocínio humano sobre a natureza das coisas, sobre as divisões do dia e do ano, os números, a Matemática e mesmo a própria Filosofia, o mais libertador dos dotes que os deuses concederam à Humanidade. O Universo era a manifestação viva da Razão divina; em nenhum outro lugar a Razão se manifestava mais plenamente do que nos céus. Se os primeiros filósofos haviam pensado que este último não abrangia nada mais do que objetos materiais no espaço, para Platão sua evidente ordem matemática provava ser diferente — longe de ser meramente um domínio onde se movimentavam estrelas e poeira, os céus continham as próprias fontes da ordem do mundo.

Platão enfatizava assim a importância do estudo dos movimentos do céu, porque a simetria harmoniosa das revoluções celestiais constituía uma perfeição espiritual diretamente acessível à compreensão humana. Ao dedicar-se ao divino, o filósofo podia despertar a divindade em si mesmo e levar a própria vida à harmonia inteligente com a ordem celestial. No espírito de seus ancestrais pitagóricos, Platão elevou a Astronomia a uma posição superior entre os estudos para ele necessários à educação ideal do filósofo-governante, porque essa disciplina revelava as Formas e divindades eternas que regiam o Cosmo. Somente a pessoa que se houvesse aplicado por inteiro a esses estudos, através de laboriosa e longa educação, compreenderia a divina ordenação das coisas no céu e na Terra e seria capaz de se tornar o justo guardião de um estado político. Uma impensável crença tradicional na existência dos deuses era aceitável para as massas, mas esperava-se que um futuro governante dominasse todas as possíveis provas da divindade do universo; deveria ser capaz de olhar os muitos e perceber o uno, a divina unidade do plano inteligente que existiria por trás de toda a aparente diversidade. O campo paradigmático para esse imperativo filosófico era a Astronomia, porque acima de todos os fenômenos efêmeros do mundo permaneceria a perfeição atemporal do céu, cuja inteligência manifesta podia informar a vida do filósofo e despertar a sabedoria em sua alma.

***

A começar por Tales (renomado por haver previsto o eclipse) e Pitágoras (creditado por ter sido o primeiro a concluir que a Terra era uma esfera e não um disco circular achatado, como para Homero e Hesíodo), cada um dos grandes filósofos gregos trouxera novas intuições e novos entendimentos sobre a estrutura aparente e o caráter do Cosmo. Na época de Platão, as ininterruptas observações do céu haviam revelado um Cosmo que a muitos observadores ponderados parecia estruturar-se em duas esferas concêntricas; a esfera exterior das estrelas girava diurnamente para o Ocidente em torno da muito menor esfera da Terra, estacionada no centro exato do Universo. O Sol, a Lua e os planetas giravam em sincronia aproximada com a esfera exterior estrelada, movendo-se num espaço entre a Terra e as estrelas. A clareza conceitual desse plano de duas esferas, que prontamente explicava o movimento diurno global dos céus, permitiu que os astrônomos gregos aos poucos discernissem o que os babilônios já haviam observado — mas que para aqueles, com sua paixão pela compreensão geométrica lúcida, era um fenômeno perturbador, que chegava a desafiar toda a ciência da Astronomia e a colocar em risco o plano divino dos céus. Tornara-se evidente que diversos corpos celestiais não se moviam com a mesma regularidade eterna como o restante, mas "perambulavam" (a raiz grega da palavra "planeta" — *planetes* — queria dizer "perambulador" e significava o Sol, a Lua e os cinco planetas visíveis: Mercúrio, Vênus, Marte, Júpiter e Saturno). Não eram apenas o Sol (durante um ano) e a Lua (em um mês) que moviam-se gradualmente para o leste atravessando a esfera estrelada na direção oposta ao movimento para oeste de todo o céu. Mais intrigante ainda era o fato de terem os outros cinco planetas ciclos deslumbrantemente discordantes, em que realizavam essas órbitas para leste, aparecendo periodicamente para apressar ou reduzir o movimento em relação às estrelas fixas e às vezes parar de todo e inverter a direção emitindo graus variados de luminosidade. Os planetas inexplicavelmente desafiavam a perfeita simetria e a uniformidade circular dos movimentos celestes.

Por causa de sua equação da divindade com a ordem, da inteligência e da alma com a perfeita regularidade matemática, o paradoxo dos movimentos planetários parece ter sido sentido mais seriamente por Platão, o primeiro a articular o problema e a fornecer orientações para sua solução. Para Platão, a prova da divindade no Universo era da máxima importância, pois somente com tal certeza a atividade ética e política humana têm uma base firme. Nas *Leis*, ele citava duas razões para a crença na divindade: sua teoria da alma (todo o ser e o movimento seriam causados pela alma, imortal e superior às coisas físicas que anima) e sua concepção dos céus como corpos divinos regidos por uma inteligência suprema que seria a alma do mundo. As irregularidades e as múltiplas perambulações planetárias contradiziam aquela perfeita ordem divina, colocando assim em risco a fé dos seres humanos na divindade do Universo. Aí reside o significado do problema. Parte do baluarte religioso da filosofia platônica estava em jogo. Platão realmente considerava uma blasfêmia chamar quaisquer corpos celestiais de "perambulantes".

Platão, entretanto, não apenas isolou o problema e definiu seu significado. Propôs também, com notável confiança, uma hipótese específica — e, a longo prazo, fecundíssima: os planetas, em aparente contradição para a evidência empírica, na verdade moviam-se em órbitas uniformes de regularidade perfeita. Embora pudesse parecer que pouco mais do que sua fé na Matemática e na divindade dos céus alicerçaria essa crença, Platão recomendou que os filósofos do futuro se agarrassem aos dados planetários para descobrir "quais seriam os movimentos uniformes e ordenados cuja hipótese poderia justificar os movimentos aparentes dos planetas" — ou seja, descobrir a forma matemática ideal que resolveria as discrepâncias empíricas e revelaria os verdadeiros movimentos.[9] A

Astronomia e a Matemática teriam de ser dominadas para decifrar o enigma dos céus e compreender sua inteligência divina. Empirismo sem afetação, que tomou a aparência de movimentos planetários erráticos e múltiplos sem propósito, a ser superado pelo raciocínio matemático crítico, revelando então a essência simples, uniforme e transcendente da movimentação celestial. A tarefa do filósofo seria "salvar os fenômenos" — redimir a aparente desordem do céu empírico pela compreensão teórica e o poder da Matemática.

Naturalmente, "salvar os fenômenos" era, em certo sentido, o objetivo de toda a filosofia platônica: descobrir o eterno atrás do temporal, conhecer a verdade oculta no aparente, vislumbrar as Idéias que reinam supremas atrás e dentro do fluxo do mundo empírico. Mas aqui a filosofia de Platão foi posta em risco, por assim dizer, enfrentando abertamente um problema empírico específico, sob o olhar das gerações futuras. O problema por si só era significativo devido aos pressupostos dos gregos, especialmente os de Platão, sobre a Geometria e a divindade: ambas estariam intrinsecamente associadas uma com a outra e com o céu. A longo prazo, as conseqüências desses pressupostos — conseqüências essas que se desenvolveriam diretamente a partir da luta de séculos com os movimentos planetários — estariam em singular incompatibilidade em relação à sua base platônica.

Aqui encontramos, então, muitos dos elementos mais característicos da filosofia platônica: a busca e a crença no absoluto e unitário acima do relativo e diverso, a divinização da ordem e a rejeição da desordem, a tensão entre a observação empírica e as Formas ideais, a conseqüente atitude ambivalente em relação ao empirismo como algo a ser empregado apenas para ser superado, a justaposição das divindades míticas primordiais às Formas racionais e matemáticas, a maior justaposição dos muitos deuses (as divindades celestiais) ao Deus único (Criador e Inteligência suprema), o significado religioso da pesquisa científica e, finalmente, as conseqüências complexas e até incompatíveis que o pensamento de Platão sustentaria nos desenvolvimentos posteriores da cultura ocidental.

***

Antes de encerrar Platão e seguirmos adiante, façamos uma breve revisão dos diversos métodos para aquisição do conhecimento sugeridos nos diálogos platônicos. O conhecimento das Idéias transcendentes, princípios que regiam a inteligência divina, era a base da filosofia platônica; dizia-se que o acesso a esse conhecimento arquetípico era mediado por inúmeros (e normalmente sobrepostos) modos cognitivos diferentes, que envolviam graus distintos de diretrizes baseadas na experiência. As idéias poderiam ser conhecidas de maneira mais direta, com um salto intuitivo de apreensão imediata, também considerada uma reminiscência do conhecimento anterior da alma imortal. A necessidade lógica das Idéias também podia ser descoberta através de meticulosa análise intelectual da experiência empírica, tanto pela Dialética quanto pela Matemática. Além do mais, podia-se deparar a realidade transcendental na contemplação astronômica e na compreensão dos céus, que apresentavam a geometria móvel dos deuses visíveis. Podia-se ainda abordar o transcendental através do mito e da imaginação poética ou assistindo a uma espécie de ressonância estética na psique tocada pela presença do arquétipo sob forma velada no mundo fenomenal. Assim, a Intuição, a Memória, a Estética, a Imaginação, a Lógica, a Matemática e a observação empírica desempenhavam, cada uma, um papel específico na epistemologia de Platão, como o desejo espiritual e a virtude moral. No entanto, de todos esses, o empírico era especificamente depreciado e, pelo menos em sua utilização sem questionamento, considerado mais obstáculo do que ajuda no empreendimento filosófico. Foi este o legado que Platão transmitiu a seu discípulo mais brilhante, Aristóteles, que estudou durante vinte anos em sua Academia antes de apresentar uma própria filosofia muito bem definida.

Aristóteles e a Harmonia dos Gregos

Com Aristóteles, Platão teve de pôr os pés no chão, por assim dizer. Examinado sob sua própria ótica, o universo platônico baseado nas Idéias transcendentais teve, de um lado, sua luminosidade reduzida, mas de outro gerou um decisivo enriquecimento na compreensão do mundo descrita por Aristóteles — o que alguns considerariam uma necessária modificação do idealismo de Platão. Compreender o teor básico da filosofia e cosmologia de Aristóteles é um pré-requisito para entender o movimento seguinte do pensamento ocidental e suas conseqüentes visões de mundo. Aristóteles forneceu uma linguagem e uma lógica, uma base e uma estrutura e, não menos importante, uma contrapartida formidável — a princípio, contra o platonismo e, mais tarde, contra a cultura moderna dos primeiros tempos — sem a qual a Filosofia, a Teologia e a Ciência do Ocidente não teriam se desenvolvido na direção em que enveredaram.

Descobrir o exato caráter e o desdobramento do pensamento de Aristóteles é tarefa que apresenta um conjunto de dificuldades diferente das enfrentadas pelo intérprete de Platão. Basicamente, Aristóteles não pretendia fazer publicar nenhuma de suas obras: aquelas que ele mesmo tornou públicas — hoje perdidas — continham uma doutrina bastante platônica, por assim dizer, e foram redigidas numa linguagem literária popular; as obras que sobrevivem são tratados densos, usados somente nas escolas em forma de anotações para palestras em cursos específicos e como textos destinados a estudantes. Esses manuscritos sobreviventes foram compilados, editados e intitulados por aristotélicos muitos séculos depois da morte do filósofo. A tentativa moderna de estudar o desenvolvimento do pensamento de Aristóteles, a partir desse conjunto de material bastante alterado, não produziu resultados inteiramente claros; sua opinião sobre determinadas questões permanece obscura. Não obstante, o caráter global de sua filosofia é evidente; e pode-se inferir uma teoria geral de sua evolução.

Aparentemente, depois de um período inicial em que seu pensamento ainda refletia uma influência mais irrestritamente platônica, Aristóteles começou a exigir uma postura filosófica bastante distinta da de seu mestre. O ponto essencial da diferença entre os dois dizia respeito à natureza precisa das Formas e sua relação com o mundo empírico — o qual era assumido, segundo o temperamento intelectual de Aristóteles em seus próprios termos, como plenamente real. Ele não podia aceitar a conclusão de Platão, segundo a qual a base da realidade existia num reino inteiramente transcendente e imaterial de entidades ideais. A verdadeira realidade, acreditava ele, era o mundo perceptível dos objetos concretos, não um mundo imperceptível de Idéias eternas. A teoria das Idéias parecia-lhe de constatação impossível e carregada de dificuldades lógicas.

Para refutar essa teoria, Aristóteles apresentou sua doutrina das categorias. Pode-se dizer que as coisas "são" de muitas maneiras. Um cavalo branco é "alto" em um sentido, "branco" em outro e, em outro ainda, é um "cavalo". Contudo, essas diferentes maneiras de ser não se equivalem em *status* ontológico, pois, para existir, a altura e a brancura do cavalo dependem inteiramente da realidade primordial daquele determinado cavalo. O cavalo é substancial em sua realidade, de tal modo que os adjetivos que o descrevem não são. Para distinguir entre essas diferentes maneiras de ser, Aristóteles introduziu a noção das categorias: esse determinado cavalo é uma substância, o que constitui uma categoria; sua brancura é uma qualidade, o que constitui outra categoria muito diferente. A substância é a realidade primária, da qual depende a qualidade para existir. Entre as dez categorias estabelecidas por Aristóteles, somente a substância ("este cavalo") significa uma existência concreta independente; as demais — a qualidade ("branco"), a quantidade ("alto"), a relação ("mais rápido") — são maneiras de ser derivativas pelo fato de existirem unicamente em relação a uma determinada substância. Uma substância é ontologicamente primária; as diversas outras maneiras, que dela podem ser predicados, derivativas. As substâncias são a base e os sujeitos de tudo o mais. Se as substâncias não existissem, nada existiria.

Para Aristóteles, o mundo real é constituído de substâncias distintas e separadas umas das outras, embora caracterizadas por qualidades e outros tipos de existência comuns com outras substâncias. Essa identidade, no entanto, não significa a existência de uma Idéia transcendente da qual derive a qualidade comum, a qual é uma universalidade que o intelecto pode reconhecer nas coisas sensíveis, mas não uma entidade que subsiste por si. O universal pode ser conceitualmente distinguido do indivíduo concreto, mas não é ontologicamente independente. Em si, não é uma substância. Platão ensinara que coisas como a "brancura" e a "altura" possuíam uma existência independente de quaisquer coisas reais em que pudessem aparecer; para Aristóteles esta doutrina era insustentável. O erro, para ele, estava na confusão que Platão fazia com as categorias onde, por exemplo, tratava uma qualidade como substância. Muitas coisas podem ser bonitas, mas isto não quer dizer que exista uma Idéia transcendente de Belo. A Beleza só existe se uma substância concreta é bonita até algum ponto. O homem Sócrates é a base, ao passo que sua "humanidade" ou sua "bondade" só existem até onde são encontradas no Sócrates particular e concreto. Ao contrário da realidade básica de uma substância, a qualidade é apenas uma abstração — não meramente mental, pois baseia-se num aspecto real da substância em que reside.

Ao substituir as Idéias de Platão pelas universalidades — qualidades comuns que a mente pode apreender no mundo empírico, mas que não existiam independentemente desse mundo —, Aristóteles virou a ontologia platônica de cabeça para baixo. Para Platão, o particular era menos real, um derivativo do particular. As universalidades necessárias para o conhecimento, não existiam como entidades auto-subsistentes por si num reino transcendental. As Idéias de Platão eram para Aristóteles uma duplicação idealista, desnecessária do mundo real, da experiência cotidiana, um erro lógico.

Contudo, uma análise maior do mundo, em especial da mutação e do movimento, sugeriu a Aristóteles a necessidade de introduzir uma descrição mais complexa das coisas — o que paradoxalmente aproximou em tese sua filosofia da de Platão, ainda que também tenha conferido a ela seu caráter distintivo. Uma substância, concluía Aristóteles, não é simplesmente uma unidade de matéria, mas uma forma (*eidos*) ou estrutura inteligível incorporada na matéria. Embora seja inteiramente imanente e não exista independente de sua encarnação material, a forma dá à substância sua essência distintiva. Assim, uma substância não é apenas "este homem" ou "este cavalo" em simples oposição a suas qualidades e outras categorias, pois o que as faz substâncias é a sua composição específica de matéria e forma: ou seja, o fato de seu substrato material haver sido estruturado pela forma de um homem ou um cavalo. Mas para Aristóteles, a forma não era estática — e especialmente nisso manteve certos elementos da filosofia de Platão, acrescentando ao mesmo tempo uma nova dimensão fundamental.

Na visão de Aristóteles, a forma confere a uma substância não apenas sua estrutura essencial, mas também a dinâmica de seu desenvolvimento. A ciência que melhor o caracterizava era menos a Matemática abstrata do que a Biologia orgânica — e, com isso, em lugar da realidade ideal estática de Platão, Aristóteles trouxe um reconhecimento mais pronunciado dos processos de crescimento e desenvolvimento da Natureza, onde cada organismo se esforçava para sair da imperfeição e chegar à perfeição: de um estado de potencialidade para um estado de realidade, ou de completitude de sua forma. Enquanto Platão enfatizava a imperfeição de todas as coisas naturais em relação às Formas que imitavam, Aristóteles ensinava que um organismo passava num desenvolvimento teleológico de uma condição imperfeita ou imatura para a plena maturidade em que sua forma inerente se completa: a semente é transformada em planta, o embrião torna-se uma criança, a criança passa a ser adulta e assim por diante. A forma é um princípio intrínseco de funcionamento, implícito no organismo a partir de sua concepção, assim como a forma do carvalho está implícita em seu fruto. O organismo é levado da potencialidade à realidade pela forma. Depois que essa realização formal é atingida, instala-se a decadência e aos poucos a forma "perde sua garra". A forma aristotélica confere um impulso interior residente em cada organismo e motiva seu desenvolvimento.

A essência de algo é a forma que esse algo assumiu. A natureza de algo é tornar real sua forma inerente. No entanto, para Aristóteles "forma" e "matéria" são termos relativos, pois a materialização de uma forma pode, por sua vez, levar a que esta se torne a matéria originária de uma forma superior. Assim, o adulto é a forma da qual a criança foi a matéria, a criança a forma de que o embrião foi a matéria, o embrião a forma de que o óvulo foi a matéria. Cada substância é composta daquilo que muda (a matéria) e daquilo em que é mudado (a forma). Aqui "matéria" não significa simplesmente um corpo físico, que de fato já possui algum grau de forma — é antes uma abertura indeterminada nas coisas em relação à formação estrutural e dinâmica. A matéria é antes o substrato não qualificado do ser, a possibilidade da forma, aquilo que a forma modela, impele, traz da potencialidade à realidade. A matéria só se realiza por causa de sua composição com a forma. A forma é a realidade da matéria, sua figuração propositalmente completada. Toda a natureza está no processo — é, em si, o processo — desta conquista da matéria pela forma.

Ainda que uma forma não seja em si uma substância, como Platão concebia, toda substância *tem* uma forma, uma estrutura inteligível, aquilo que faz com que a substância seja o que é. Além do mais, toda substância não apenas possui uma forma, mas é também possuída por uma forma, pois naturalmente luta para tornar real sua forma inerente, para tornar-se um espécime perfeito de sua espécie. Toda substância procura tornar real o que já é potencialmente.

Na concepção de Aristóteles, a distinção ser-vir a ser, desenvolvida por Platão a partir das diferentes visões da realidade formuladas por Parmênides e Heráclito, estava agora inteiramente situada no contexto do mundo natural, onde é vista como realidade e potencialidade. A dicotomia platônica, onde o "ser" é objeto do verdadeiro conhecimento e o "vir a ser" o objeto da opinião percebida pelos sentidos, havia refletido esta elevação das Formas reais acima das particularidades concretas relativamente irreais. Aristóteles, ao contrário, conferiu ao processo do "vir a ser" a sua própria realidade, assertando que a forma dominante é realizada nesse processo. A mutação e o movimento não são indícios de uma irrealidade obscura, mas a expressão de um esforço teleológico pela realização.

Essa compreensão foi obtida através da idéia aristotélica de "potencialidade" — idéia essa excepcionalmente capaz de proporcionar uma base conceitual para a mutação e para a continuidade, ao mesmo tempo. Parmênides não permitira a possibilidade racional de mudança real, porque algo que "é" não pode se transformar em algo que não é, porque "não é" não pode existir, por definição. Platão, também atento ao ensinamento de Heráclito de que o mundo natural está em fluxo constante, havia por conseguinte localizado a realidade nas Formas imutáveis que transcendiam o mundo empírico. Mostrou, no entanto, uma distinção verbal que lançou luz no problema de Parmênides. Este não fazia distinção entre dois significados claramente diferentes da palavra "é" — de um lado, pode-se dizer que uma coisa "é" no sentido de que ela existe, enquanto de outro, pode-se dizer que "é quente" ou "é um homem" no sentido afirmável de um predicativo. Baseado nessa importante distinção, Aristóteles afirmou que uma coisa pode mudar e tornar-se outra se houver uma substância sucessora que sofra a mudança de um estado real determinado pela forma inerente a essa substância. Desse modo, Aristóteles movia-se para a reconciliação com as Formas platônicas através de fatos empíricos de processos dinâmicos naturais e sublinhava mais profundamente a capacidade do intelecto humano em reconhecer esses padrões formais no mundo sensível.

Enquanto Platão desconfiava do conhecimento obtido pela percepção dos sentidos, Aristóteles tomava a sério essa informação, afirmando que o conhecimento do mundo natural deriva em primeiro lugar da percepção de particularidades concretas onde se pode reconhecer padrões regulares e formular princípios gerais. Todos os seres vivos se nutrem de energias específicas para sobreviver e crescer (as plantas, os animais, o homem), mas alguns também requerem a capacidade da sensação — vale dizer, não podem abdicar do sensorial — para estar conscientes dos objetos e distinguir-se entre si (os animais, o homem). Sendo o homem, além disso, dotado de razão, tais forças o capacitam a armazenar sua experiência, a fazer comparações e oposições, a calcular, refletir e tirar conclusões — e tudo isso torna possível o conhecimento do mundo. Assim, o entendimento humano do mundo começa com a percepção dos sentidos. Antes de qualquer experiência sensorial, a mente humana é como uma tábua limpa, sobre a qual não há nada escrito. Ela tem potencialidade em relação às coisas inteligíveis. E o homem precisa da experiência sensorial para, com a ajuda de imagens mentais, levar sua mente do conhecimento potencial ao conhecimento real. Nesse sentido, o empirismo, talvez mais humilde do que a intuição direta das Idéias absolutas de Platão, é fidedignamente tangível.

No entanto, a razão do homem permite que a experiência dos sentidos seja a base do conhecimento útil; acima de tudo, Aristóteles foi o filósofo que articulou a estrutura do discurso racional de modo a que a mente humana pudesse apreender o mundo com o maior grau de precisão e eficácia conceitual, através de regras sistemáticas para o adequado uso da lógica e da linguagem. Firmou princípios já encontrados por Sócrates e Platão, com mais clareza e coerência. A dedução e a indução; o silogismo; a análise da causação em coisas e fatos materiais, eficazes, formais e finais; distinções básicas como a de sujeito-predicado, essencial-acidental, matéria-forma, potencial-real, universal-particular, gênero-espécie-indivíduo; as dez categorias da substância, quantidade, qualidade, relação, lugar, tempo, posição, estado, ação e afeição — tudo isso foi definido por Aristóteles e posteriormente estabelecido como instrumentos indispensáveis de análise para a mente ocidental. Onde Platão havia colocado a intuição direta das Idéias transcendentais, Aristóteles agora inseria o empirismo e a lógica.

Não obstante, Aristóteles acreditava que o maior poder de cognição da mente era derivado de algo que ultrapassava o empirismo e a elaboração racional da experiência sensorial. Embora seja difícil discernir seu significado preciso a partir das afirmações breves e um tanto obscuras feitas por ele a respeito da questão, Aristóteles aparentemente não considerava que a mente fosse apenas o que era ativado pela experiência sensorial, mas também algo eternamente ativo e, na verdade, divino e imortal. Isoladamente, por si só, esse aspecto da mente, o intelecto ativo (o *nous)*, proporcionava ao homem a capacidade de apreender verdades finais e universais. O empirismo interpreta os dados particulares dos quais podem derivar as teorias e generalizações, mas estas são falíveis: o homem só pode chegar ao conhecimento universal e necessário através da presença de outra faculdade cognitiva, o intelecto ativo. Assim como a luz transforma cores potenciais em cores reais, o intelecto ativo torna real o conhecimento potencial das formas e proporciona ao homem conhecimento racional. Ele ilumina os processos de cognição, mas permanece eterno e completo além deles. Somente por compartilhar o *nous* divino o homem pode apreender a verdade infalível: o *nous* constitui a única parte do homem que "vem de fora". Para Aristóteles, a alma do homem pode deixar de existir com a morte, pois mantém ligação vital com o corpo físico que anima. A alma é a forma do corpo, assim como o corpo é a matéria da alma. O intelecto divino — do qual cada homem tem uma parcela potencial, que o distingue dos outros animais — é imortal e transcendental. A maior felicidade do homem consiste na contemplação filosófica da verdade eterna.

Aristóteles finalmente concordou com a avaliação de Platão que definia o intelecto humano como divino, apesar da nova atenção conferida à percepção dos sentidos. Da mesma maneira, apesar de haver reduzido o *status* ontológico das Formas, ele ainda sustentava sua existência objetiva e seu papel decisivo na economia da natureza e nos processos do conhecimento humano. Como Platão, ele preconizava que uma filosofia como o atomismo de Demócrito, baseado unicamente em partículas materiais e sem um conceito decisivo da forma, era incapaz de explicar o fato de a Natureza, apesar da constante mutação, conter uma ordem visível com qualidades formais distintas e estáveis. Também como Platão, Aristóteles acreditava que a causa mais profunda das coisas devia ser procurada não em seu começo, mas em seu fim — seu *télos*, seu propósito e realidade final, aquilo a que as coisas e os seres aspiram. Embora as formas aristotélicas (com uma exceção) sejam totalmente imanentes na Natureza e não transcendentais, elas são essencialmente imutáveis e, assim, passíveis de reconhecimento pelo intelecto humano em meio ao fluxo do desenvolvimento e decadência orgânicos. A cognição ocorre quando a mente recebe a forma específica de uma substância dentro de si, mesmo que no mundo aquela forma jamais exista separada de sua particular incorporação material. A mente conceitualmente separa, ou *abstrai*, o que não está separado na realidade. Mas, exatamente porque a realidade possui estrutura inerente, é possível a cognição. Uma abordagem empírica da Natureza tem significado devido à abertura intrínseca da Natureza para a descrição racional, através da qual ela pode ser cognitivamente organizada segundo as formas, categorias, causas, gêneros, espécies e afins. Assim, Aristóteles deu continuidade e formulou uma nova definição para a concepção platônica de um Cosmo ordenado e passível de ser conhecido pelo ser humano.

Em essência, Aristóteles realinhou a perspectiva arquetípica de Platão de um enfoque transcendental num mundo físico com seus padrões e processos empiricamente observáveis. Ao enfatizar a transcendência das Formas, Platão encontrara dificuldade em explicar como as particularidades participavam das Formas, dificuldade essa enraizada em seu dualismo ontológico que, em suas formulações mais extremas, acarretava uma virtual ruptura das Formas em relação à matéria. Aristóteles, ao contrário, apontava para uma entidade vital composta que era produzida pela união da Forma com a matéria numa substância. A menos que uma Forma esteja incorporada numa substância — como a forma de um homem é encontrada na pessoa de Sócrates —, não se pode dizer que ela exista. As Formas não são seres, pois não possuem nenhuma existência independente, ou melhor: os seres existem *através* das Formas. Assim, a forma de Aristóteles assumia diversos papéis — como padrão intrínseco, estrutura inteligível, dinâmica dominante e como finalidade ou propósito. Ele eliminou a numinosidade e a independência das Formas de Platão, embora lhes tenha atribuído novas funções para tornar possível uma análise racional do mundo e aperfeiçoar a explanação científica.

Os primeiros alicerces da Ciência já haviam sido estabelecidos pelas filosofias jônica e atomista da matéria, de um lado, e, do outro, pelas filosofias pitagórica e platônica da Forma e da Matemática. Todavia, ao voltar sua atenção platonicamente educada para o mundo empírico, Aristóteles deu nova e fecunda importância ao valor da observação e da classificação dentro de um quadro platônico de forma e objetivo. Mais enfaticamente do que Platão, Aristóteles levou em conta, a respeito das causas formais necessárias para um pleno entendimento da Natureza, tanto o enfoque jônico quanto o pitagórico sobre as causas materiais. Essa singular abrangência distinguia boa parte do feito de Aristóteles. O conceito grego — iniciado com Tales — de crença na força do pensamento humano, para compreender racionalmente o mundo, agora encontrava em Aristóteles seu clímax e sua mais completa expressão.

***

O universo de Aristóteles possuía uma notável consistência lógica em toda sua complexa estrutura multifacetada. Todo movimento e todo processo no mundo eram explicáveis por sua teleologia formal: *todo ser passa da potencialidade à realidade segundo uma dinâmica interior ditada por uma forma específica.* Nenhuma potencialidade é trazida à realidade a menos que ali exista um ser já real, um ser que já tenha realizado a sua forma: uma semente deve ter sido produzida por uma planta madura, assim como uma criança deve ter pais. Por isso, o dinamismo e o desenvolvimento estruturado de qualquer entidade requer uma causa externa — um ser que simultaneamente serve como causa eficiente (iniciando o movimento), causa formal (dando forma à entidade) e uma causa final (servindo como objetivo do desenvolvimento da entidade). Portanto, para explicar toda a ordem e movimento do Universo — especialmente o grande movimento dos céus (e aqui ele criticava Demócrito e os atomistas por não tratarem devidamente a causa primeira do movimento) —, Aristóteles postulou uma Forma suprema, uma realidade já existente, absoluta em sua perfeição, a forma única existindo inteiramente separada da matéria. Como o maior movimento universal é o dos céus e como o movimento circular é eterno, esse primeiro motor também deve ser eterno.

A lógica de Aristóteles poderia ser representada da seguinte maneira: (a) todo movimento é o resultado do dinamismo que impele a potencialidade para a realização formal; (b) já que o Universo em seu conjunto está envolvido no movimento e como nada se move sem um impulso para a forma, o Universo deve ser movimentado por uma forma suprema, universal; (c) como a forma mais elevada já deve estar perfeitamente realizada — ou seja, não mais em estado potencial — e como por definição a matéria é o estado de potencialidade, a forma superior é ao mesmo tempo inteiramente imaterial e desprovida de movimento. Conseqüentemente, o Motor Imóvel, o supremo Ser perfeito que é forma pura: Deus.

Este Ser absoluto, aqui postulado mais por necessidade lógica do que por convicção religiosa, é a causa primeira do Universo. Não obstante, este Ser está totalmente absorvido em si mesmo, pois conferir-lhe qualquer característica de natureza física diminuiria seu perfeito caráter sereno e o imergiria no fluxo das potencialidades. Como realidade perfeita, o Motor Imóvel é caracterizado por um estado de permanente atividade autônoma — não o processo da luta (*kinesis*) de mover-se do potencial ao real, mas a atividade para sempre agradável (*energeia*) tornada possível somente no estado de realização formal completa. Para a

Forma suprema, essa atividade é o pensamento, a eterna contemplação de seu próprio ser, não qualificada pela mutação e imperfeição do mundo físico que ela motiva em última análise. O Deus de Aristóteles é o Espírito puro, sem nenhum componente material. Sua atividade e prazer é simplesmente a eterna consciência de si mesmo.

Em sua perfeição absoluta, a Forma primária movimenta o universo físico atraindo a Natureza para si. Deus é a meta das aspirações e do movimento do Universo — um objetivo mais consciente para o homem, um dinamismo instintivo menos consciente para as outras formas da Natureza. Cada ser no Universo, cada um em sua específica maneira limitada, esforça-se por imitar a perfeição do Ser supremo. Cada um procura cumprir sua finalidade, crescer e amadurecer, chegar à sua forma realizada. Deus se "move como o objeto do desejo". Contudo, de todos os seres vivos, só o homem compartilha a natureza de Deus, porque possui a inteligência, o *nous*. Como a Forma suprema está muito afastada do mundo, há uma considerável distância entre o homem e Deus. Mas, porque o intelecto, faculdade superior do homem, é divino, cultivando este intelecto — ou seja, imitando a Forma suprema da maneira mais adequada para si —, o homem pode entrar numa espécie de comunhão com Deus. O primeiro Motor não é o criador do mundo (que Aristóteles considerava eterno e contemporâneo a Deus). Em seu movimento para imitar essa suprema Forma imaterial, é antes a Natureza que está envolvida na eterna recriação de si mesma. Embora não haja começo ou fim para esse processo, Aristóteles sugeria a existência de ciclos regulares dependentes do movimento do céu — que, assim como Platão, considerava divino.

Com Aristóteles a Cosmologia grega atingiu seu desenvolvimento mais abrangente e sistemático. Sua visão do Cosmo era uma síntese das intuições de seus inúmeros predecessores, das idéias dos jônicos e de Empédocles relacionadas aos elementos naturais, à Astronomia e o problema dos planetas de Platão. A Terra era o centro estático do Universo, em torno do qual giravam os corpos celestiais. Todo o Cosmo era finito e circunscrito por uma esfera perfeita, dentro da qual estavam fixadas as estrelas. Para Aristóteles, a singularidade, a situação centralizada e a imobilidade da Terra não se baseavam apenas no bom senso e no óbvio, mas também em sua teoria dos elementos. Os elementos mais pesados — terra e água — moviam-se conforme sua natureza intrínseca em direção ao centro do Universo (a Terra), ao passo que os elementos mais leves — o ar e o fogo — movimentam-se intrinsecamente para cima, distanciando-se do centro. O elemento mais leve era o éter — mais puro que o fogo, transparente e divino — substância da qual se compunham os céus; seu movimento natural, ao contrário dos elementos terrestres, era circular.

Um dos discípulos de Platão e contemporâneo de Aristóteles, o matemático Eudoxus, percebera o problema dos movimentos planetários e forneceu a primeira resposta. Para preservar o ideal da circularidade perfeita e ao mesmo tempo salvaguardar as aparências dos movimentos erráticos, Eudoxus criou um complexo plano geométrico onde cada planeta estava situado na esfera interior de um grupo de esferas rotativas interligadas e as estrelas, fixas na periferia do universo, constituíam a esfera mais externa de todas. Embora todas as esferas estivessem centradas na Terra, cada uma tinha velocidade e eixo de rotação diferentes; Eudoxus conseguiu construir — usando três esferas para o Sol, três para a Lua e outras quatro para os movimentos dos planetas, que eram mais complexos — uma engenhosa solução matemática que explicava os movimentos planetários, inclusive seus períodos retrógrados. Deste modo, Eudoxus obteve a primeira explicação científica dos movimentos irregulares dos planetas, fornecendo um modelo inicial influente para a subseqüente história da Astronomia.

Foi esta solução, um pouco mais elaborada por Calipo, o sucessor de Eudoxus, que Aristóteles integrou em sua cosmologia. Cada uma das esferas etéreas, a começar pela mais exterior, comunicava seu movimento à próxima por meio de um impulso de fricção, de modo que as esferas interiores eram um produto combinado da esfera periférica e das vizinhas pertinentes. (Aristóteles também acrescentou esferas neutralizadoras para separar adequadamente os movimentos planetários entre si, mas ao mesmo tempo mantendo o movimento global dos céus.) Uma de cada vez, as esferas celestiais afetavam os outros elementos sublunares — fogo, ar, água e terra — que, por causa desses movimentos, não permaneciam totalmente separados no que seria seu estado natural em sucessivas esferas em torno da Terra, mas eram empurrados em mesclas variadas, criando assim a grande multiplicidade de substâncias naturais na Terra. O movimento ordenado dos céus era, em última análise, causado pelo Motor Imóvel essencial, e os outros movimentos das esferas planetárias, de Saturno à Lua, por sua vez, eram causados por outros intelectos atemporais, imateriais e *self-thinking*. Aristóteles considerava deuses esses corpos celestiais, fato este que pensava haver sido transmitido com muita precisão pelos antigos mitos (embora em outras questões pensasse que os mitos não constituíssem fontes confiáveis de conhecimento).

Todos os processos e mutações terrestres, portanto, eram causados pelos movimentos celestiais, que em última análise eram causados pela causa formal superior e final, Deus.

Foi especialmente em consideração a suas teorias a respeito da Astronomia e da forma suprema que Aristóteles abordou um tipo de idealismo platônico e, em certos aspectos, foi até mais longe do que Platão. Ao enfatizar tanto a qualidade transcendente das Formas matemáticas, Platão ocasionalmente descrevera até mesmo os céus como simples reflexo aproximado da perfeita geometria divina — opinião essa que também refletia a noção de *ananke,* a irracionalidade imperfeita que obscurecia a criação física. Mas para Aristóteles, em certo sentido o Espírito possuía uma natureza mais plenamente onipotente e imanente; em seus primeiros anos, concluiu que a perfeição matemática dos céus e a existência de divindades astrais afirmavam os próprios céus como a materialização visível do divino. Com isso, ele ligava mais explicitamente o enfoque platônico sobre o eterno e o matemático ao mundo tangível da realidade física em que se encontrava o Homem. Aristóteles sustentava que o mundo natural seria meritória expressão do divino e não, como insinuava Platão muitas vezes, algo que apenas devia ser visto — ou deixado para trás completamente — como impedimento ao conhecimento absoluto. Apesar da formação secular de seu pensamento, Aristóteles definiu o papel da filosofia em sua obra influente *De philosophia* (hoje existente apenas em fragmentos), que moldaria a antiga concepção da profissão do filósofo: passar das causas materiais das coisas, como na Filosofia natural, às causas formais e finais, como na filosofia divina, e assim descobrir a essência inteligível do Universo e o propósito atrás de toda a mutação.

***

Bastante distinta do idealismo de Platão em sua ênfase na necessidade de intuições imediatas de uma realidade espiritual, a maior parte da filosofia de Aristóteles era nitidamente naturalista e empirista. O mundo da Natureza era o interesse primordial para Aristóteles, filho de médico, que desde cedo teve contato com a ciência biológica e a prática da Medicina. Neste sentido, pode-se dizer que seu pensamento refletia a percepção homérica e jônica da vida, característica do tempo heróico, em que a existência presente era o domínio preferido (em contraposição ao sombrio Hades, onde a alma desencarnada estava virtualmente desprovida de qualquer vitalidade), e o envolvimento do corpo físico no amor, na guerra e nos festejos considerado a essência da boa-vida. Em questões como o mérito do corpo físico, a imortalidade da alma e a relação do homem com Deus, a sensibilidade de Platão era menos homérica e jônica e refletia mais as religiões de mistério e os pitagóricos. Por sua vez, a atenção e o grande valor que Aristóteles dava ao corpo refletiam mais diretamente a apreciação generalizada dos gregos clássicos pelo corpo humano, expressa nas proezas atléticas, na beleza pessoal ou na criação artística. Neste ponto, a atitude de Platão, embora de legítima admiração, era claramente ambivalente — e, no final, permanecia leal ao arquétipo transcendental.

A renúncia de Aristóteles às Idéias que subsistiam por si também teve grandes implicações em sua teoria ética. Para Platão, uma pessoa só poderia orientar devidamente suas ações se conhecesse a base transcendental de qualquer virtude, e somente o filósofo que houvesse atingido o conhecimento daquela realidade absoluta seria capaz de julgar a virtude de qualquer ação. Sem a existência de um Deus absoluto, a moral não teria uma base confiável e assim, para Platão, a Ética se originava da Metafísica. Contudo, para Aristóteles, os dois campos tinham caráter essencialmente diverso. O que realmente existia não era uma Idéia de Bem pertinente em todas as situações, mas apenas pessoas boas e boas ações em muitos contextos variados. Não se podia atingir o conhecimento absoluto em questões éticas como era possível na Filosofia Científica. A Moral permanecia no reino da contingência. O melhor que se podia fazer era adaptar empiricamente as regras para a conduta ética que mantivessem um valor provável na satisfação das complexidades da existência humana.

O objetivo adequado na Ética não era determinar a natureza da virtude absoluta, mas ser uma pessoa virtuosa. Era uma tarefa necessariamente complexa e ambígua, que escapava a uma definição final e exigia mais soluções práticas para problemas específicos do que princípios absolutos que fossem universalmente verdadeiros. Para Aristóteles, a meta era a felicidade, cuja necessária pré-condição era a virtude. No entanto, a própria virtude teria de ser definida em termos de uma escolha racional em uma situação concreta — onde a virtude permanecia no meio, entre dois extremos. O Bem é sempre um equilíbrio entre dois males opostos, o ponto intermediário entre o excesso e a falta: a temperança é o meio entre a austeridade e a entrega total ao prazer; a coragem, um meio entre a covardia e a temeridade; a altivez, um meio entre a arrogância e a humilhação — e assim por diante. Esse meio só pode ser encontrado na prática, em cada caso segundo as devidas circunstâncias.

Em cada conceito de Aristóteles contraposto aos de Platão — mas sempre dentro do quadro platônico de forma e objetivo — havia uma nova ênfase neste mundo e nesta vida, no visível, tangível e no particular. Embora tanto a ética de Aristóteles quanto sua política estivessem fundamentadas em definições e metas, elas permaneciam ligadas ao empírico, ao contingencial e ao individual. Ainda que seu universo fosse teleológico e não fortuitamente mecânico, sua teleologia era em geral natural e inconsciente, baseada na percepção empírica de que a Natureza atrai cada ser para sua realização formal, "nada fazendo em vão". A Forma ainda era o princípio determinante no universo de Aristóteles, mas era essencialmente um princípio natural. De modo semelhante, o Deus de Aristóteles era basicamente uma conseqüência lógica de sua cosmologia, uma necessidade que existia fisicamente e não o supremo Deus misticamente intuído do pensamento platônico. Aristóteles pressupunha o poder da razão elaboradamente forjado por Sócrates e Platão e o aplicava de maneira sistemática a muitos tipos de fenômenos que existiam no mundo. No entanto, se Platão empregava a razão para superar o mundo empírico e descobrir uma ordem transcendental, Aristóteles empregava a razão para descobrir uma ordem imanente no próprio mundo empírico.

Assim, no legado aristotélico predominava a lógica, o empirismo e a ciência natural. O Liceu, escola fundada por Aristóteles em Atenas, na qual mantinha suas discussões peripatéticas, refletia esse legado; era mais um centro para a pesquisa científica e reunião de informações que uma escola filosófica semi-religiosa, como a Academia de Platão. Embora nos tempos antigos Platão geralmente fosse considerado o maior mestre, esta avaliação seria compensada de modo impressionante na Alta Idade Média; em muitos aspectos, o temperamento filosófico de Aristóteles viria a definir a orientação dominante na cultura ocidental. Seu sistema enciclopédico de pensamento era tão grande, que a maior parte da atividade científica no Ocidente, até o século XVII, baseava-se em seus textos escritos no século IV a.C.; além disso, mesmo quando o ultrapassava, a Ciência Moderna continuaria usando sua orientação e seus instrumentos conceituais. Todavia, em última análise, foi no espírito de seu mestre Platão, embora em direção incisivamente nova, que Aristóteles proclamou o poder do intelecto humano desenvolvido para compreender a ordem do mundo.

Portanto, em Aristóteles e Platão juntos encontramos uma certa harmonia elegante e uma tensão entre a análise empírica e a intuição espiritual, dinâmica, esta exemplarmente expressa em *A escola de Atenas* de Rafael, obra-prima do Renascimento. Ali, no centro dos muitos filósofos e cientistas gregos reunidos em viva discussão, encontram-se o velho Platão e o jovem Aristóteles; o primeiro apontando para cima, para os céus, para o invisível e transcendental, enquanto Aristóteles movimenta sua mão para fora e para baixo, para a terra, para o visível e imanente.

O Duplo Legado

Esta foi a grande façanha do pensamento grego clássico: um reflexo da consciência mitológica arcaica de onde emergiu, lastreado nas obras artísticas que dele se originaram e nele se inspiraram; influenciado pelas religiões de mistério de que era contemporâneo; forjado por uma dialética com o ceticismo, o naturalismo e o humanismo secular; e, em seu compromisso com a Razão, integrado ao empirismo e à matemática propícios ao desenvolvimento das ciências nos séculos subseqüentes. O pensamento dos grandes filósofos gregos foi a culminância intelectual de todas as mais importantes expressões culturais da era helênica. Foi uma perspectiva metafísica global, concentrada em abranger o conjunto da realidade e os múltiplos aspectos da sensibilidade humana.

Era, acima de tudo, uma busca do saber. Os gregos teriam sido os primeiros a ver o mundo como uma pergunta a ser respondida. Estavam singularmente absorvidos pela paixão de entender, de penetrar no fluxo incerto dos fenômenos e captar uma verdade mais profunda. E estabeleceram uma tradição dinâmica de pensamento crítico para aquela busca. Com o nascimento daquela tradição e daquela busca, nasceu a cultura ocidental.

Experimentemos agora distinguir alguns dos principais elementos na concepção grega da realidade, especialmente aqueles que influenciaram o pensamento ocidental desde a Antigüidade, passando pelo Renascimento e a Revolução Científica. Para nossos objetivos, podemos descrever dois conjuntos de pressupostos ou princípios que o Ocidente herdou dos gregos. O primeiro conjunto de princípios representa aquela notável síntese do racionalismo e da religião dos gregos que desempenhou papel tão significativo no pensamento helênico de Pitágoras até Aristóteles, mais intensamente incorporado no pensamento de Platão:

(1) O mundo é um caos ordenado, cuja organização se assemelha a um ordenamento dentro da mente humana. Portanto, é possível uma análise racional do mundo empírico.

(2) O Cosmo em seu conjunto expressa uma inteligência que permeia e dá à Natureza seu propósito e desígnio, inteligência essa direta-

mente acessível à consciência humana se esta estiver desenvolvida e concentrada num grau muito alto.

(3) A análise intelectual em sua maior intensidade revela uma ordem atemporal que transcende sua manifestação concreta e temporal. O mundo visível contém dentro de si um significado mais profundo, com um caráter ao mesmo tempo racional e mítico, refletido na ordem empírica, mas emanado de uma dimensão eterna, que é concomitantemente a origem e meta de toda a existência.

(4) O conhecimento do significado e da estrutura subjacente do mundo acarreta o exercício de uma pluralidade de faculdades cognitivas humanas — racionais, empíricas, intuitivas, estéticas, imaginativas, mnemônicas e morais.

(5) A apreensão direta da realidade mais profunda do mundo satisfaz não apenas à mente, mas também à alma: é, em essência, uma visão redentora, uma compreensão estimulante da verdadeira natureza das coisas, ao mesmo tempo intelectualmente decisiva e espiritualmente libertadora.

Não se pode deixar de realçar a grande influência dessas notáveis convicções de caráter ao mesmo tempo idealistas e racionalistas na subseqüente evolução do pensamento ocidental. Todavia, o legado helênico foi dual, pois a cultura grega também gerou um conjunto muito diferente e igualmente atuante de pressupostos e tendências intelectuais sobrepostos, em certo grau, ao primeiro conjunto, mas que por uma — no caso, determinante — extensão, atuou como tenso contraponto em relação a ele. Este segundo grupo de princípios pode ser, em linhas gerais, assim resumido:

(1) O legítimo conhecimento humano só pode ser adquirido através do rigoroso emprego da razão humana e da observação empírica.

(2) O alicerce da verdade deve ser procurado no mundo atual da experiência humana, não na realidade indemonstrável de outro mundo. A única verdade humanamente acessível e útil é mais imanente do que transcendental.

(3) As causas dos fenômenos naturais são impessoais e físicas e devem ser buscadas no reino da natureza observável. Todos os elementos mitológicos e sobrenaturais devem ser excluídos das explicações causais como projeções antropomórficas.

(4) Quaisquer requisitos para um entendimento teórico abrangente deve ser medido em relação à realidade empírica de particularidades concretas em toda sua diversidade, mutabilidade e individualidade.

(5) Nenhum sistema de pensamento é conclusivo; a busca da verdade deve ser ao mesmo tempo crítica e autocrítica. O conhecimento

humano é relativo e deve ser constantemente revisado à luz de novas evidências e análises.

De modo mais genérico, a evolução e o legado do pensamento grego resultaram da complexa interação desses dois conjuntos de pressupostos e impulsos. O primeiro estava especialmente nítido na síntese platônica; o segundo evoluiu gradativamente do ousado desenvolvimento intelectual multifacetado que impulsionou dialeticamente um processo oriundo da tradição filosófica pré-socrática do empirismo naturalista de Tales, do racionalismo de Parmênides, do materialismo mecanicista de Demócrito e do ceticismo, individualismo e humanismo secular dos sofistas. Esses conjuntos de tendências no pensamento helênico tinham profundas raízes não-filosóficas nas tradições literárias e religiosas dos gregos, desde Homero e os mistérios até Sófocles e Eurípides, cada um deles utilizando diferentes aspectos dessas tradições. Além do mais, esses dois impulsos, em sua afirmação singularmente grega, partilhavam uma base comum muitas vezes apenas implícita, de que a medida final da verdade não era encontrada na tradição consagrada, nem na convenção contemporânea, mas sim na mente humana individual autônoma. Conseqüentemente, os dois impulsos encontraram sua personificação paradigmática na extremamente ambígua figura de Sócrates, ambos encontraram um compromisso brilhante e criativo na filosofia de Aristóteles.

O permanente jogo entre esses dois conjuntos de princípios, em parte complementares, em parte opostos, determinou uma profunda tensão interior no legado grego, que propiciou a base intelectual para a cultura ocidental, ao mesmo tempo instável e altamente criativa — o que se tornaria uma evolução bastante dinâmica perdurando por dois milênios e meio. O ceticismo laico de uma corrente e o idealismo metafísico da outra proporcionaram um recíproco contrapeso decisivo, uma minando a tendência da outra a cristalizar-se no dogmatismo, e ambas trazendo à tona, em conjunto, novas e férteis possibilidades intelectuais. A busca e o reconhecimento dos arquétipos universais, no caos das particularidades dos gregos, eram fundamentalmente contra-atacados por um impulso igualmente firme de valorizar o particular concreto em si e por si mesmo — combinação essa que resultou na tendência essencialmente helênica de perceber o individual empírico em toda sua excepcionalidade concreta como algo que poderia revelar novas formas de realidade e novos princípios de verdade. Daí emergiu uma polarização em geral problemática, mas imensamente produtiva na percepção de que a cultura ocidental obtinha da realidade uma divisão de lealdade entre dois tipos radicalmente diferentes de visão de mundo: por um lado, a de um Cosmo soberanamente ordenado; por outro, a de um Universo imprevisivelmente aberto. Foi com esta dicotomia não-resolvida em sua própria base, com a tensão e complexidade criativas que a acompanhavam, que o pensamento grego floresceu e permaneceu.

O Ocidente jamais deixou de admirar a extraordinária vitalidade e profundidade da cultura grega, mesmo quando os subseqüentes desdobramentos intelectuais questionavam algum aspecto do pensamento helênico. Os gregos eram sumamente articulados no processo de evolução de suas conceituações: o que talvez tenha sido considerado durante muito tempo uma confusão ou um estranho desvio em seu pensamento, à luz de novas informações, descobriu-se mais tarde ter sido, em incontáveis casos, uma intuição espantosamente exata. No limiar da aurora de nossa civilização, talvez os gregos percebessem o mundo com certa clareza inata que refletia legitimamente a ordem universal que buscavam. Com certeza, o Ocidente continua a voltar-se repetidamente para seus antigos progenitores, como se estivesse atrás de uma fonte de compreensão e percepção imortal. Finley observou: "Quer tivessem uma visão original das coisas porque chegaram primeiro, quer fosse por acaso que, chegando primeiro, reagissem à vida com uma perspicácia sem paralelo, os gregos de qualquer forma mantiveram um brilho perene, como se o mundo fosse iluminado por aquela espécie de luminosidade das seis da manhã sobre o orvalho indelével na grama. A cultura dos gregos permanece em nós, porque esse frescor puro torna-a nosso modelo como a própria juventude."[10]

É como se, para os gregos, o céu e a terra ainda não estivessem totalmente separados. Mas, em vez de estarmos hoje tentando selecionar o que era substancial e definitivamente válido e o que era mais complexo na visão helênica, deixemos a História empenhar-se nessa tarefa enquanto a cultura ocidental, iniciada na Grécia, segue em frente — baseada no legado grego, transformando-o, criticando-o, amplificando-o, menosprezando-o, reintegrando-o, negando-o até... mas sem jamais abandoná-lo, no final das contas.

II

A Transformação da Era Clássica

Exatamente quando os gregos atingiam o clímax em suas realizações intelectuais durante o século IV a.C., Alexandre Magno, vindo da Macedônia, atravessou impetuosamente a Grécia em direção à Pérsia, conquistando terras e povos do Egito à Índia e criando um império que abrangeria a maior parte do mundo então conhecido. As mesmas qualidades que haviam servido à brilhante evolução da Grécia — individualismo inquieto, humanismo soberbo, racionalismo crítico — agora ajudavam a precipitar sua queda, pois a capacidade de criar a dissensão, a arrogância e o oportunismo que no decorrer do tempo vieram a toldar suas características mais nobres os deixou míopes e fatalmente despreparados para a ameaça que vinha da Macedônia. Contudo, a proeza dos gregos não estava destinada à extinção. Orientado por Aristóteles quando jovem, na corte de seu pai, e inspirado pelos épicos homéricos e pelos ideais atenienses, Alexandre levou consigo a cultura e a língua helênicas, que disseminou em todo o vasto mundo por ele conquistado. Assim, a Grécia caiu no momento em que chegava ao apogeu — e tornou-se conhecida justamente no momento em que foi subjugada.

Conforme planejado por Alexandre, as grandes cidades cosmopolitas do império — acima de todas, Alexandria, fundada no Egito — passaram a ser agitados centros de aprendizado, em cujas bibliotecas e academias sobrevivia e florescia o legado clássico dos gregos. Alexandre parece ter sido também inspirado pelo conceito da fraternidade universal da espécie humana, muito além de todas as divisões políticas, e tentou provocar essa unidade com sua imensa ambição militar, patrocinando uma fusão cultural em massa. Todavia, com sua morte prematura, o império não se manteve unido: após longo período de lutas dinásticas e supremacias que se alteravam, Roma emergiu como eixo principal de um novo império cujo centro e regiões adjacentes estavam agora mais a oeste.

Apesar da ascensão romana, a cultura grega continuava dominando todas as classes elevadas do mundo mediterrâneo mais nobre — tanto que foi rapidamente absorvida pelos romanos. Os cientistas e filósofos mais importantes continuavam trabalhando dentro do quadro referencial da intelectualidade grega. Os romanos moldavam suas obras em latim, mas tendo como base as obras-primas dos gregos, desenvolvendo e expandindo uma sofisticada civilização na qual seu espírito bem mais pragmático pairava sobre o reino da legislação, da administração política e da estratégia militar. Na Filosofia, Literatura, Ciência, Arte e Educação, a Grécia permaneceu a força cultural mais vigorosa e atraente no mundo antigo. Horácio, poeta romano, observou: *cativos, os gregos cativaram os vencedores.*

As Contracorrentes da Matriz Helenística

Declínio e Preservação do Pensamento Grego

Embora a força cultural da Grécia permanecesse atuante depois da conquista de Alexandre e durante todo o período da hegemonia romana, o molde original do pensamento grego clássico não se manteve intacto sob o impacto de tantas forças novas. O mundo helênico estendeu-se do Mediterrâneo ocidental ao centro da Ásia; com isso, o indivíduo reflexivo do final da era clássica foi exposto a uma enorme diversidade de pontos de vista. Com o tempo, a expansão inicial da cultura grega foi complementada pelo movimento de leste para oeste do Mediterrâneo das correntes políticas e religiosas orientais. Em aspectos importantes, a cultura grega foi tão saturada com esse novo influxo quanto as culturas não-gregas pela expansão helênica. Em outros aspectos, entretanto, a cultura grega voltada para a *pólis* perdeu alguma coisa de sua antiga e sólida lucidez e de sua corajosa originalidade. Assim como o individualismo crítico da Grécia clássica produzira arte e pensamento magnificentes — embora tenha também contribuído para a desintegração de sua ordem social, tornando-a vulnerável à subjugação macedônia —, a vitalidade "centrifugadora" da cultura grega proporcionou não apenas sua intensa propagação, mas também a diluição e fragmentação posteriores, quando a *pólis* clássica abriu-se para as contrastantes influências de um ambiente cultural bem mais amplo e muito mais heterogêneo. O cosmopolitismo sem precedentes da nova civilização, o rompimento da velha ordem de pequenas cidades-estados e os sucessivos séculos de incessantes convulsões sociais e políticas foram profundamente diluidores. A liberdade individual e os ditames de responsabilidade coletiva em relação à *pólis* estavam enfraquecidos pela dimensão e confusão do novo mundo político. Cada um parecia ter seu destino muito mais determinado por grandes forças impessoais do que pela vontade individual; a antiga lucidez já não existia e muitos sentiam haver perdido o rumo.

A Filosofia refletiu e tentou solucionar essas mudanças. Platão e Aristóteles continuavam sendo estudados e seguidos, mas as duas escolas filosóficas originadas no período helenista, a estóica e a epicurista, tinham um caráter diferente. Ainda que devessem muito aos gregos mais antigos, essas novas escolas eram basicamente éticas e discursivas, como nobres defesas filosóficas a resistir aos tempos perturbados e incertos. A mudança na natureza e na função da Filosofia era em parte conseqüência de uma nova especialização intelectual, na esteira da expansão e classificação das ciências de Aristóteles — especialização que aos poucos separou a Ciência da Filosofia, levando esta a um estreitamento de posturas morais sustentadas por doutrinas físicas ou metafísicas pertinentes. Contudo, além desse isolamento em relação a preocupações intelectuais mais amplas, o impulso filosófico típico das escolas helênicas vinha menos da paixão por compreender o mundo em seu mistério e grandeza do que da necessidade de proporcionar aos seres humanos algum sistema de crenças estável e paz interior diante de um ambiente hostil e caótico. O resultado desse novo impulso foi o surgimento de filosofias de escopo mais limitado, mais inclinadas ao fatalismo que suas predecessoras clássicas. A libertação do mundo ou das próprias paixões era a principal opção; em qualquer caso, a Filosofia assumiu um tom mais dogmático.

Entretanto, o estoicismo — a mais amplamente representativa das filosofias helenísticas — era dotado de majestosa visão e têmpera moral, que por muito tempo deixaria sua marca no espírito ocidental. Fundado em Atenas no início do século III a.C. por Zeno de Cítia, que estudara na Academia platônica, e mais tarde sistematizado por Crisipo, o estoicismo teria especial influência no mundo romano de Cícero, Sêneca, Epicteto e Marco Aurélio. Para os estóicos, toda realidade era permeada por uma força divina inteligente, o *Logos* ou razão universal que ordenava todas as coisas. O homem só poderia obter a legítima felicidade harmonizando sua vida e sua personalidade com esta providencial sabedoria onipotente. Ser livre era viver em conformidade com a vontade de Deus; o importante era o estado virtuoso da alma, não as circunstâncias da vida exterior. O sábio estóico, marcado por uma serenidade interior, pela austeridade na autodisciplina e pelo cumprimento consciente do dever, era indiferente aos caprichos dos fatos exteriores. A existência de uma razão que regia o mundo tinha uma outra conseqüência importante para o estóico: como todos os seres humanos compartilhavam do *Logos* divino, eram membros de uma comunidade humana universal, uma fraternidade da espécie que constituía a Cidade do Mundo, ou Cosmópolis; cada indivíduo era intimado a uma participação mais atuante nas questões do mundo, cumprindo assim seu dever para essa grande comunidade.

No fundo, o estoicismo era uma elaboração em maior grau de elementos centrais da filosofia socrática e heracliteana, transpostos ao período helênico — menos circunscrito e mais ecumênico. Em compensação, o epicurismo, seu rival contemporâneo, distinguia-se da dedicação estóica à virtude moral e ao *Logos* regente do mundo, bem como das noções religiosas tradicionais, reafirmando o valor primordial do prazer humano, definido como liberdade em relação à dor e ao medo. A Humanidade deve superar a crença supersticiosa nos instáveis deuses antropomórficos da tradição popular, ensinava Epicuro, pois acima de tudo essa crença e a ansiedade pela retribuição divina após a morte eram as causadoras da infelicidade humana. Não é preciso temer os deuses, que não estão preocupados com o mundo dos homens. Também não é preciso temer a morte, que é apenas a extinção da consciência e não prelúdio para um castigo penoso. Para melhor atingir a felicidade nesta vida, basta que nos retiremos do mundo dos afazeres para cultivar uma tranqüila existência de simples prazer na companhia de amigos. A cosmologia física em que se baseava o sistema epicurista era o atomismo de Demócrito, onde partículas materiais formavam a substância do mundo, inclusive a alma humana e mortal. Essa cosmogonia e a experiência humana contemporânea não deixavam de estar relacionadas; os cidadãos da era helenística, desprovidos do mundo definido, centrado e organicamente ordenado da *pólis* — cuja natureza genérica não diferia muito do cosmo aristotélico — talvez tenham mesmo percebido um certo paralelo entre seu próprio destino e os dos átomos democriteanos, que se movimentam ao acaso sob as ordens de forças impessoais no vazio descentralizado de um universo anarquicamente expandido.

Uma reflexão mais radical da mudança intelectual dessa época foi o ceticismo sistemático, representado por pensadores como Pirro de Élis e Sextus Empiricus — para quem nenhum tipo de verdade poderia ser considerada certa; a única postura filosófica adequada era a completa suspensão de qualquer julgamento. Criando bons argumentos para refutar todas as reivindicações dogmáticas ao conhecimento filosófico, os céticos mostravam que qualquer conflito entre duas verdades aparentes só poderia ser resolvido a partir de algum critério; mas mesmo este critério só poderia ser justificado com a utilização de algum outro critério — exigindo assim uma infinita regressão a tais critérios, nenhum dos quais seria fundamental. "Nada é certo, nem mesmo isto", disse Arcesilau, membro da Academia platônica (que, significativamente, também adotou o ceticismo nesse momento, renovando um aspecto fundamental de suas origens socráticas). Na filosofia helênica, a lógica era muitas vezes habilmente empregada para demonstrar a futilidade de boa parte dos empreendimentos humanos, em especial a busca da verdade metafísica. Mesmo assim, os céticos, como Sextus, diziam que as pessoas que acreditassem poder conhecer a realidade estavam sujeitas a constante frustrações e infelicidades na vida. Se conseguissem realmente interromper o julgamento, admitindo que suas crenças sobre a realidade não eram necessariamente válidas, obteriam a paz da mente. Sem afirmar ou negar a possibilidade do conhecimento, deveriam permanecer em um estado de abertura mental equânime, simplesmente aguardando o que emergiria.

Embora importantes e atraentes em suas diferentes maneiras, essas diversas filosofias não satisfaziam inteiramente o espírito helenista. A divina realidade era considerada insensível e irrelevante para as questões humanas (epicurismo), implacavelmente determinista, se não providencial (estoicismo), ou inteiramente além da cognição humana (ceticismo). A Ciência tornou-se também mais minuciosamente racionalista, despojando-se do ímpeto virtualmente religioso e da meta de chegar a compreendeı o divino, formalmente visível em Pitágoras, Platão e até mesmo em Aristóteles. Assim, as exigências emocionais e religiosas da cultura eram correspondidas de modo mais direto pelas inúmeras religiões de mistério — gregas, egípcias, orientais — que ofereciam salvação ao "aprisionamento" do mundo e floresceram por todo o império com uma popularidade crescente. No entanto, com seus festivais e ritos secretos dedicados a diferentes divindades, essas religiões não suscitavam a obediência de boa parte das classes instruídas, para as quais os antigos mitos morriam, vindo a servir no máximo de instrumentos alegóricos para um discurso razoável e plausível. O austero racionalismo das filosofias dominantes deixava certa fome espiritual. Aquela unidade de intelecto e de sentimento singularmente criativa de épocas anteriores agora se bifurcava. No novo meio cultural extraordinariamente sofisticado, ocupado, urbanizado, refinado, cosmopolita, o indivíduo reflexivo sentia-se muitas vezes desprovido de uma boa motivação. A síntese clássica da Grécia pré-alexandrina se dividira, esgotara suas forças no processo da difusão.

Contudo, a era helenista foi excepcionalmente rica, tendo a seu crédito inúmeras realizações culturais notáveis e — sob a perspectiva ocidental moderna — indispensáveis. O reconhecimento das realizações dos gregos precedentes e a conseqüente preservação dos clássicos, de Homero a Aristóteles, não era um fato desprezível. Os textos estavam agora reunidos, eram sistematicamente examinados e cuidadosamente editados de modo a preparar um cânone definitivo das obras mais importantes. A erudição humanista havia sido fundada. Desenvolveram-se as novas disciplinas de crítica literária e textual, foram produzidas análises e comentários interpretativos; as grandes obras eram apresentadas de maneira clara e organizada, para serem reverenciadas como ideais culturais destinados ao engrandecimento das gerações futuras. Em Alexandria, a tradução grega da Bíblia hebraica, a *Septuaginta*, foi igualmente compilada, editada e canonizada com a mesma erudição meticulosa atribuída aos épicos homéricos e aos diálogos platônicos.

A própria educação foi sistematizada e disseminada. Estabeleceram-se grandes instituições acadêmicas criteriosamente organizadas para pesquisa e estudos profundos nas cidades mais importantes — Alexandria com seu museu, Pérgamo com sua biblioteca e Atenas com suas ainda florescentes academias filosóficas. Os governantes reais dos grandes impérios-Estados helênicos subsidiavam as instituições públicas de aprendizado, empregando cientistas e sábios como funcionários assalariados do Estado. Existiam sistemas de educação pública em quase todas as cidades helênicas, além de uma abundância de ginásios e teatros, e havia possibilidade de instrução avançada em filosofia, literatura e retórica gregas por toda parte. A *paideia* grega florescia. Assim, a antiga realização helênica foi escolasticamente consolidada, estendeu-se geograficamente e sustentou-se com vitalidade pelo restante da era clássica.

A Astronomia

As contribuições mais originais do período helenístico deram-se especialmente na área de Ciências Naturais. O geômetra Euclides, o geômetra-astrônomo Apolônio, o matemático e físico Arquimedes, o astrônomo Hiparco, o geógrafo Estrabão, o físico Galeno e o geógrafo-astrônomo Ptolomeu produziram codificações e avanços científicos que permaneceriam paradigmáticos por muitos e muitos séculos. A criação e desenvolvimento da Astronomia matemática, por sua vez, teve conseqüências especiais. O problema dos planetas encontrara sua primeira solução nas esferas homocêntricas interconectadas de Eudoxus, que explicavam o movimento retrógrado e ao mesmo tempo permitiam previsões de exatidão bastante aproximadas. Entretanto, não explicavam as variações de luminosidade quando os planetas faziam o movimento de retração, já que as esferas em rotação necessariamente os mantinham a uma distância constante da Terra. Esta falha teórica fez com que matemáticos e astrônomos que vieram a seguir passassem a investigar outros modelos de sistemas geométricos.

Poucos, como os pitagóricos, propuseram a idéia radical de que a Terra se movia. Heráclides, membro da Academia de Platão, sugeriu a hipótese de que o movimento dos céus ao longo do dia seria na verdade causado pela Terra em rotação sobre seu eixo; Mercúrio e Vênus sempre apareciam próximos ao Sol porque giravam à sua volta, não em volta da Terra. Um século depois, Aristarco foi mais longe, aventando a hipótese de que a Terra e todos os planetas girassem em torno do Sol — que, a exemplo das estrelas da esfera exterior, permanecia estacionário.[1]

Em geral, esses diversos modelos foram rejeitados, por plausíveis razões matemáticas e físicas. Nenhuma paralaxe estelar anual foi jamais observada; tal mudança ocorreria se a Terra girasse em torno do Sol, viajando assim por enormes distâncias em relação às estrelas (a menos que, segundo a proposição de Aristarco, a esfera exterior de estrelas fosse incomensuravelmente grande). Além do mais, a Terra em movimento quebraria totalmente a coerência inteligente da cosmogonia aristotélica. Aristóteles tratara definitivamente da física dos corpos em queda, demonstrando que objetos pesados moviam-se em direção à Terra, porque ela é o centro fixo do Universo. Se a Terra se movesse, essa explicação ponderada e virtualmente óbvia dos corpos em queda teria alguma falha, sem que houvesse nenhuma outra teoria de peso para substituí-la. Talvez, de forma mais taxativa, a Terra integrada ao movimento planetário seria uma contradição à antiga, e também muito evidente, dicotomia celestial baseada na transcendente majestade dos céus. Por fim, à parte questões religiosas e teóricas, o bom senso ditava que a Terra em movimento faria com que objetos e pessoas que estivessem sobre ela fossem atirados "para lá e para cá", nuvens e pássaros seriam deixados para trás e assim por diante. A evidência dos sentidos, desprovida de qualquer ambigüidade, era o argumento definitivo a favor da mobilidade da Terra

Com base em tais considerações, a maioria dos astrônomos helênicos decidiu a favor de um Universo centrado na Terra e pelo prosseguimento de pesquisas com diversos modelos geométricos para explicar as posições planetárias. O resultado cumulativo desses trabalhos foi codificado no século II por Ptolomeu, cuja síntese estabeleceu o paradigma que funcionou para os astrônomos desde aquela época até o Renascimento. A dificuldade essencial que se apresentava a Ptolomeu permanecia como antes: como resolver as inúmeras discrepâncias entre, de um lado, a estrutura básica da cosmogonia aristotélica — que exigia que os planetas se movimentassem uniformemente em círculos perfeitos em torno da Terra central e imóvel — e, de outro, as observações reais que os astrônomos faziam dos planetas, que pareciam movimentar-se em diferentes velocidades, direções e graus de luminosidade. Baseados nos recentes avanços da geometria grega, nas ininterruptas observações e técnicas de cálculo dos babilônios e nos trabalhos dos astrônomos gregos Apolônio e Hiparco, Ptolomeu esboçou o seguinte plano: a esfera mais exterior das estrelas fixas carregava o céu inteiro para oeste em volta da Terra. Contudo, nessa esfera todos os planetas, inclusive o Sol e a Lua, giravam para leste em velocidades variadas e cada vez mais lentas, cada um em seu próprio grande círculo, chamado *deferente*. Para os movimentos mais complexos de outros planetas, que não o Sol e a Lua, foi introduzido um círculo menor, chamado *epiciclo*, que fazia uma rotação uniforme em torno de um ponto que continuava em rotação em torno do *deferente*. O *epiciclo* resolveu o que as esferas de Eudoxus não conseguiram, pois sua rotação automaticamente trazia o planeta para mais perto da Terra sempre que estivesse em movimento de retroação; assim, fazia o planeta parecer mais luminoso. Ajustando as diferentes velocidades de revolução para cada *deferente* e cada *epiciclo*, os astrônomos podiam aproximar os movimentos variáveis de cada planeta. A simplicidade do esquema *deferente-epiciclo*, além de sua explicação da luminosidade variável, tornaram-no vitorioso na busca por um modelo astronômico viável.

Todavia, quando aplicado, esse esquema revelou outras irregularidades de menor importância. Para explicá-las, Ptolomeu utilizou-se de outros artifícios geométricos: *excêntricos* (círculos cujos centros estavam deslocados do centro da Terra), *epiciclos* menores (outros círculos menores que giravam em torno de um *epiciclo* ou *deferente* maior) e *equantes* (que explicavam melhor as velocidades variáveis, postulando um outro ponto fora do centro do círculo, em torno do qual o movimento era uniforme). O complicado modelo de círculos combinados de Ptolomeu foi a primeira descrição sistemática de todos os movimentos celestiais. Mais do que isso, destacava sua versatilidade, que permitia resolver novas observações conflitantes acrescentando novas modificações geométricas (p. ex.: adicionando outro *epiciclo* a um *epiciclo* ou um *excêntrico* a outro *excêntrico*), dando ao modelo uma flexibilidade que sustentou sua vigência por todo o período clássico e durante a era medieval. A cosmogonia aristotélica, com sua Terra central e fixa, suas esferas etéreas e sua física elemental, proporcionara o quadro de referências básico para que os astrônomos helênicos forjassem esse esquema; por sua vez, o Universo ptolomaico-aristotélico sintetizado tornou-se a concepção fundamental do mundo que informou a visão científica, religiosa e filosófica do Ocidente por boa parte dos quinze séculos que se sucederam.

A Astrologia

Entretanto, no mundo clássico a Astronomia matemática não era uma disciplina totalmente leiga. A antiga idéia dos céus como lugar dos deuses estava indissoluvelmente ligada à Astronomia, que se desenvolvia com rapidez e formou a denominada ciência da Astrologia: Ptolomeu foi seu mais importante sistematizador durante a era clássica. Na verdade, grande parte do impulso para o desenvolvimento da Astronomia derivou diretamente de seus laços com a Astrologia, que empregou esses avanços técnicos para aperfeiçoar seu próprio poder de previsão. Por sua vez, a necessidade generalizada de compreender a Astrologia — nas cortes imperiais, nos mercados públicos ou no gabinete do filósofo — estimulou a evolução da Astronomia e manteve seu significado social; as duas disciplinas formavam essencialmente um só campo científico de estudo, da era clássica em diante, atravessando todo o Renascimento.

Com a precisão dos cálculos astronômicos acentuadamente aumentada, a antiga concepção mesopotâmica dos eventos celestiais como indicadores dos eventos terrestres — a doutrina da correspondência universal: *assim na Terra, como no Céu* — agora situava-se num referencial grego mais sofisticado e sistematizado de princípios matemáticos e qualitativos. Esse sistema foi então aplicado por astrólogos helênicos para fazer previsões não apenas sobre as grandes coletividades, como nações e impérios, mas também com relação a pessoas. Através de cálculos das posições exatas dos planetas no momento do nascimento da pessoa, baseados nos princípios arquetípicos da correspondência observada entre divindades míticas específicas e planetas determinados, os astrólogos tiravam conclusões a respeito do caráter e destino do indivíduo. Essa compreensão foi aperfeiçoada com o emprego de diversos princípios pitagóricos e babilônicos relativos à estrutura do Cosmo e sua relação intrínseca com o microcosmo, vale dizer, o Homem. Os platonistas desenvolveram os meios pelos quais alinhamentos planetários específicos poderiam causar uma assimilação do caráter do planeta com o indivíduo, uma unidade arquetípica entre agente e receptor. Por sua vez, a física aristotélica, com uma terminologia impessoal e explicação mecânica da influência celeste sobre os fenômenos terrestres, através das esferas elementais, forneceu um referencial científico adequado para a disciplina que se desenvolvia. Os elementos acumulados na teoria clássica da Astrologia foram levados por Ptolomeu a uma síntese unificada, na qual ele catalogou o significado dos planetas, suas posições e aspectos geométricos, além de seus diversos efeitos sobre as questões humanas.

Com o surgimento da perspectiva astrológica, acreditava-se amplamente que a vida humana não era regida por um caprichoso acaso, mas por um destino determinado pelas divindades celestiais, segundo o movimento dos planetas que a Humanidade poderia conhecer. Através desse conhecimento, pensava-se que o Homem poderia entender seu destino e agir sob um novo conceito de segurança cósmica. A concepção astrológica do mundo refletia muito de perto o conceito grego essencial do próprio *kosmos*, o padrão inteligível ordenado e a coerência interconectada do Universo, onde o homem integrava o todo. Durante a era helenista, a Astrologia tornou-se o único sistema que transcendia os limites da Ciência, da Filosofia e da Religião, formando por sua vez um elemento peculiarmente unificador no panorama fragmentado da época. Irradiada a partir do centro cultural de Alexandria, a crença na Astrologia penetrou o mundo helênico e foi adotada igualmente por filósofos estóicos, platonistas e aristotélicos, por astrônomos matemáticos, físicos-médicos, esotéricos herméticos e membros das diversas religiões de mistério.

No entanto, a base central da compreensão astrológica era interpretada de maneiras diferentes pelos diversos grupos, cada um segundo sua própria visão de mundo. Ptolomeu e seus contemporâneos parecem ter considerado a Astrologia primordialmente como uma ciência útil — um estudo direto e objetivo de como posições e combinações planetárias específicas coincidiam com eventos específicos e qualidades pessoais. Ptolomeu observou que a Astrologia não poderia reivindicar ser uma ciência exata como a Astronomia, a qual tratava exclusivamente da Matemática abstrata dos perfeitos movimentos celestiais, enquanto a Astrologia aplicava esse conhecimento à fatalmente menos previsível arena das atividades humana e terrestre. Embora vulnerável à crítica por força da inexatidão e suscetibilidade ao erro, a Astrologia era considerada por Ptolomeu e sua época como absolutamente funcional. Para ele, este saber partilhava com a Astronomia o mesmo enfoque nos movimentos ordenados dos céus: devido às forças de causalidade exercidas pelas esferas celestiais, a Astrologia possuía um fundamento racional, e firmes princípios de funcionamento, que Ptolomeu intentou definir.

Com espírito mais filosófico, os estóicos gregos e romanos interpretavam as correspondências astrológicas como emblemáticas do determinismo fundamental da vida humana pelos corpos celestes. Assim, a Astrologia era considerada o melhor método para interpretar a vontade cósmica e alinhar a vida da pessoa à razão divina. Convencidos de que um destino cósmico regia todas as coisas e acreditando em uma correspondência ou lei universal unificadora de todas as partes do Cosmo, os estóicos descobriram que a Astrologia era muito compatível com sua visão de mundo. As religiões de mistério expressavam semelhante entendimento do domínio dos planetas sobre a vida humana, mas percebiam também uma promessa de libertação: para além do último planeta, Saturno (divindade do destino, da limitação e da morte), presidia a esfera abrangente de uma Divindade maior, cuja onipotência podia livrar a alma humana do obstáculo que era o determinismo da existência mortal, concedendo-lhe a eterna liberdade.[2] Esse deus mais alto regia todas as divindades planetárias e podia sustar as leis do destino e liberar o devoto da teia do determinismo. Os platonistas igualmente sustentavam que os planetas estariam sob o domínio do Bem supremo, mas tendiam a considerar as configurações celestes mais como indicadoras do que como causas — e não absolutamente determinantes — para o indivíduo evoluído. Uma visão menos fatalista estava implícita também na interpretação de Ptolomeu, que sublinhava o valor estratégico desse tipo de estudos, afirmando que o Homem poderia ter um papel ativo no plano cósmico. Entretanto, qualquer que fosse a interpretação, a crença de que os movimentos planetários possuíam um significado inteligível para a vida humana exercia imensa influência no *ethos* cultural da era clássica.

O Neoplatonismo

Um outro campo do pensamento procurou servir de ponte no cisma helenista entre as filosofias racionais e as religiões de mistério. Durante os vários séculos que se seguiram à morte de Platão, em meados do século IV a.C., uma corrente contínua de filósofos desenvolvera seu pensamento concentrando-se em seus aspectos metafísicos e religiosos e amplificando-os. Em meio a esse desenvolvimento, o princípio transcendente superior começou a ser chamado de "o Um"; dera-se nova ênfase ao "vôo do corpo" considerado necessário para a ascensão filosófica da alma à realidade divina; as Formas começaram a ser localizadas na mente divina; manifestava-se uma preocupação crescente em relação ao problema do Mal e sua relação com a matéria. Essa corrente culminou, durante o século III d.C., na obra de Plotino que, integrando um elemento mais explicitamente místico ao plano platônico e ao mesmo tempo incorporando alguns aspectos do pensamento aristotélico, formulou uma filosofia "neoplatônica" de grande força intelectual e escopo universal. Em Plotino, a filosofia racional dos gregos chegou ao ponto final e passou a outro nível de misticismo, supra-racional e dotado de um espírito mais integralmente religioso. Tornava-se aparente a natureza de uma nova era, de sensibilidade psicológica e religiosa essencialmente diferente do helenismo clássico.

No pensamento de Plotino, a racionalidade do mundo e da busca do filósofo não era mais do que o prelúdio para uma existência mais transcendental, além da Razão. O Cosmo neoplatônico resulta de uma divina emanação do Supremo Um, infinito em seu ser, que está muito além de todas as descrições ou categorias. O Um, também chamado o Bem, num transbordamento de absoluta perfeição produz o "outro" — o Cosmo criado em toda sua diversidade — numa série hierárquica de gradações, afastando-se do centro ontológico em direção aos limites extremos do possível. O primeiro ato criativo é a emanação do Um a partir do intelecto divino ou *Nous*, a sabedoria difusa do Universo, na qual estão contidas as Formas ou Idéias arquetípicas que causam e ordenam o mundo. Do *Nous* vem a Alma do Mundo, que o contém e anima, é a fonte das almas de todos os seres vivos e constitui a realidade intermediária entre o Intelecto espiritual e o mundo da matéria. A emanação da divindade do Um é um processo ontológico que Plotino comparou à luz que sai gradualmente de uma vela até por fim desaparecer na escuridão. Entretanto, as diversas gradações não são reinos separados num sentido temporal ou espacial, mas distintos níveis de existência presentes em todos os seres e coisas. As três "hipóstases" — Um, Intelecto e Alma — não são entidades literais, mas disposições espirituais, assim como as Idéias não são objetos distintos, mas diferentes estados de ser da Mente divina.

O mundo material, existindo no tempo e no espaço e perceptível para todos os sentidos, é o nível de realidade mais distante da divindade unitária. Como limite final da criação, caracteriza-se em termos negativos como o reino da multiplicidade, da restrição e da escuridão, o mais baixo em estatura ontológica (no mais ínfimo grau de existência real) e constitui o princípio do Mal. Mas, em contrapartida, apesar de sua profunda imperfeição, é caracterizado também como uma criação de beleza, um todo orgânico produzido e unido pela Alma do Mundo em harmonia universal. Ainda que de forma imperfeita, reflete no nível espaço-temporal a gloriosa unidade diversificada existente sob uma conceituação superior no mundo de Formas espirituais do Intelecto: o perceptível é uma nobre imagem do inteligível. Embora o Mal exista nessa harmonia, a realidade negativa desempenha um papel necessário num plano maior e, em última análise, não afeta a perfeição do Um nem o bem-estar do eu superior do filósofo.

O Homem, cuja natureza abriga uma alma num corpo, tem o potencial acesso aos reinos superiores do intelectual e do espiritual, embora dependa da libertação da materialidade. O Homem pode ascender à consciência da Alma do Mundo — tornando-se assim em realidade o que já é em potencial — e daí ao Intelecto universal; ou pode permanecer ligado aos reinos inferiores. Porque todas as coisas emanam do Um, através do Intelecto e da Alma do Mundo, e porque a imaginação humana em sua instância mais elevada participa dessa divindade primordial, a alma racional do Homem pode refletir criativamente as Formas transcendentais e assim, por meio dessa percepção da ordem final das coisas, movimentar-se em direção à emancipação espiritual. O Universo inteiro existe num fluxo contínuo do Um — processo de emanação e retorno, sempre movido pela riqueza de perfeição do Um. O filósofo deve superar a escravidão humana ao reino físico por meio da autodisciplina e purificação moral e intelectual e voltar-se para o interior, numa gradual ascensão de volta ao Absoluto. O momento final de iluminação transcende o conhecimento em qualquer sentido habitual e não pode ser definido ou descrito, por estar baseado numa superação da dicotomia sujeito-objeto entre o que busca e a meta: é a consumação do desejo contemplativo que une o filósofo ao Um.

Plotino assim articulou uma metafísica racional e idealista minuciosamente coerente, que encontrou sua realização numa apreensão mística unitária da suprema Divindade. Com uma precisão segura e meticulosa, e geralmente em prosa surpreendentemente bela, descreveu a natureza complexa do Universo e sua participação no divino. Baseando sua filosofia na doutrina platônica das Idéias transcendentais, acrescentou ou extraiu dela muitos aspectos novos e circunscritos — o dinamismo teleológico, a hierarquia, a emanação e um misticismo supra-racional. Com tal forma, o neoplatonismo tornou-se a expressão final da filosofia clássica pagã e assumiu o papel de histórico portador do platonismo nos séculos posteriores.

Tanto o neoplatonismo como a Astrologia transcendiam a bifurcação intelectual da era helenista e, a exemplo de vários outros fatores na cultura clássica, ambos resultavam da interpretação e do entrelaçamento de formas do pensamento grego com os impulsos culturais não-helênicos. Cada um, à sua maneira, teria mais tarde uma influência duradoura, ainda que por vezes oculta, no pensamento ocidental. Não obstante a popularidade quase universal da Astrologia no mundo helenista e apesar da muito bem-recebida renovação da filosofia pagã proporcionada pelo neoplatonismo nos últimos anos das academias, próximo ao final da era clássica, novas forças poderosas já haviam começado a influir na consciência greco-romana. No final, o inquieto espírito da era helenista buscaria sua redenção em outras fontes, inteiramente novas.

Com as muitas exceções importantes já citadas, os últimos esforços da cultura helênica no período clássico pareciam desprovidos do ousado otimismo e curiosidade intelectual característicos dos primeiros gregos. Pelo menos aparentemente, a civilização helenista era mais notável por sua diversidade do que por sua força, mais pela manutenção e aperfeiçoamento de realizações culturais do passado do que por dar origem a novas. Ali atuavam inúmeras correntes significativas, mas o conjunto não tinha uma coerência. O panorama cultural era indefinido, alternadamente cético e dogmático, sincrético e fragmentado. Os centros de aprendizado muito organizados pareciam ter um efeito de desestímulo sobre o espírito do indivíduo. No momento em que Roma conquistou a Grécia, no século II a.C., o vigor da cultura helênica já estiolava, deslocado pela visão mais oriental da subordinação do ser humano às forças avassaladoras do sobrenatural.

Roma

Em Roma, a civilização clássica experimentou um expansivo florescimento, inicialmente empurrado pelo *ethos* militarista e libertário da República e depois alimentado pela *Pax romana*, estabelecida durante o longo imperialato de Augusto César. Com perspicácia política e sólido patriotismo, além de fortalecidos pela fé nas divindades que os guiavam, os romanos não apenas conquistaram toda a bacia mediterrânea e grande parte da Europa, como também cumpriram a missão de que se autoimbuíram, de estender sua civilização por todo o mundo conhecido. Sem essa conquista, possibilitada por táticas militares implacáveis e pelo ambicioso espírito político de líderes como Júlio César, é improvável que o legado positivo da cultura clássica sobrevivesse — no Ocidente ou no Oriente — às pressões dos ataques posteriores de bárbaros e orientais.

A própria cultura romana contribuiu bastante para o feito clássico. Cícero, Virgílio, Horácio e Lívio levaram a língua latina, sob a influência de mestres gregos, à sua mais eloqüente maturidade. A *paideia* grega encontrou vida nova na *humanitas* (a tradução de Cícero para *paideia*) da aristocracia romana, educação liberal baseada nos clássicos. A mitologia grega fundiu-se e foi preservada na mitologia romana; através das obras de Ovídio e Virgílio, chegou à posteridade ocidental. O pensamento jurídico romano, contendo um novo sentido de racionalidade objetiva e da lei natural derivadas do conceito grego de um *Logos* universal, sistematizou as interações comerciais e legais em todo o império, organizando a confusão de costumes locais divergentes e princípios de leis contratuais de propriedade — o que tornou-se crucial para o desenvolvimento posterior do Ocidente.

A simples energia e imponência da audácia romana infundiam a reverência do mundo antigo. No entanto, o esplendor cultural de Roma era uma *imitatio* — inspirada, é verdade — da glória da Grécia; sozinha, sua magnificência não sustentaria indefinidamente o espírito helênico. Embora a nobreza de caráter muitas vezes se mostrasse no torvelinho da vida política, o *ethos* romano aos poucos perdeu sua vitalidade. O próprio êxito da desmensurada atividade militar e comercial do império, totalmente separada de motivações mais profundas, enfraquecia a fibra dos cidadãos romanos. Grande parte da atividade científica, para não falar do espírito científico, reduziu-se radicalmente no império logo depois de Galeno e Ptolomeu no século II; no mesmo período, a excelente qualidade da literatura latina começou a perder o brilho. A fé no progresso humano, tão extensamente visível no florescimento cultural da Grécia do século V e esporadicamente expressa na era helenista (em geral por cientistas e técnicos), virtualmente desapareceu nos últimos séculos do Império Romano. Nesse contexto, os melhores momentos da civilização clássica estavam todos no passado; contribuiriam ainda mais para a aparente morte do mundo inspirado nos gregos todos os inúmeros fatores que provocaram a queda de Roma: um governo opressivo e ganancioso; generais excessivamente ambiciosos; constantes incursões dos bárbaros; uma aristocracia cada vez mais decadente e alquebrada; variadas correntes religiosas que se entrecruzavam corroendo a autoridade imperial e o *ethos* militar; uma inflação drástica e permanente; doenças pestilentas, a população cada vez mais reduzida e sem capacidade de recuperação ou adaptação.

Não obstante, por baixo da fulgurante decadência da cultura clássica e de dentro do manancial da matriz religiosa helênica, lenta e inexoravelmente, um novo mundo assumia forma.

A Emergência da Cristandade

Considerada entidade singular, a civilização clássica greco-romana surgiu, floresceu e decaiu no espaço de mil anos. Por volta de meados desse milênio, nos remotos distritos da Galiléia e da Judéia, na periferia do império romano, o jovem líder religioso judeu Jesus de Nazaré viveu, ensinou e morreu. Sua radical mensagem religiosa foi adotada por um pequeno grupo de discípulos judeus inspirados pelo fervor e pela crença de que, após sua crucificação, Jesus se levantara novamente e revelara ser o Cristo ("o ungido"), Senhor e Salvador do mundo. Uma nova etapa na religião foi atingida com o advento de Paulo de Tarso, judeu de nascimento, romano por cidadania e grego pela cultura. A caminho de Damasco para debelar uma disseminação maior do que via como seita herética, perigosa para a ortodoxia judaica, Paulo foi tomado por uma visão do Cristo ressuscitado. A partir desse momento, adotou ardorosamente a mesma religião da qual fora o mais enérgico oponente, tornando-se seu mais proeminente missionário e primeiro teólogo. Sob a liderança de Paulo, o pequeno movimento religioso rapidamente espalhou-se a outras partes do império — a Ásia Menor, Egito, Grécia e a própria Roma — e começou a constituir-se como igreja mundial.

Durante a efervescente era helenista, surgiu uma éspecie de crise espiritual, com as pessoas impelidas pelos novos conhecimentos procurando uma interpretação pessoal do Cosmo e, por extensão, o sentido da vida. Todas as religiões de mistério, cultos públicos, sistemas esotéricos e escolas filosóficas falavam a essas necessidades — mas o Cristianismo, depois de períodos intermitentes de perseguição implacável por parte do Estado romano, foi gradualmente emergindo como vitorioso. O ponto decisivo desse processo ocorreu no início do século IV, com a histórica conversão de Constantino, imperador romano, que daí por diante empenhou-se com todo seu poder à propagação do cristianismo.[3]

O mundo clássico transformou-se drasticamente em seus últimos séculos pelo influxo da religião cristã do leste e as invasões em massa dos bárbaros germânicos, vindos do norte. No final do século IV, o cristianismo tornara-se a religião oficial do Império Romano; pelo final do século V, o último imperador romano do Ocidente fora deposto por um rei bárbaro. Diante desse fato, a civilização clássica estava extinta no

Ocidente, suas grandes obras e idéias foram deixadas aos bizantinos e mais tarde, aos muçulmanos, para serem preservadas como num museu. Edward Gibbon resumiria com precisão em sua *História do declínio e queda do Império Romano*: "Descrevi o triunfo da barbárie e da religião." Não obstante, vista pela perspectiva da complexa evolução do Ocidente, essas novas forças não chegaram a eliminar ou suplantar inteiramente a cultura greco-romana, mas implantaram seus próprios valores diferenciados nos alicerces clássicos, então altamente desenvolvidos e já profundamente enraizados.[4]

Apesar do declínio da Europa, que vivenciou um isolamento cultural e inatividade nos séculos seguintes (especialmente em relação aos florescentes impérios bizantino e islâmico), o estimulante vigor criativo dos povos germânicos combinou-se à perfeição com a influência civilizadora da Igreja Católica Romana para forjar uma cultura que, em outros mil anos, daria origem ao Ocidente moderno. Essas "Idades Médias" entre a Era Clássica e o Renascimento foram, assim, um período de intensa ebulição, com grandes conseqüências. A Igreja foi a instituição que uniu o Ocidente, mantendo um elo com a civilização clássica. De sua parte, os bárbaros realizaram duas coisas notáveis: converteram-se ao Cristianismo e simultaneamente começaram a imensa tarefa de aprender e integrar o riquíssimo legado intelectual da cultura clássica que acabavam de conquistar. Esse grandioso trabalho escolástico, lentamente implementado nesses mil anos, inicialmente nos monastérios e mais tarde nas universidades, abrangeu a filosofia e letras gregas, o pensamento político romano e ainda o impressionante volume de textos teológicos dos antigos sacerdotes cristãos, cujo ápice estava na obra de Agostinho — que escrevera no início do século V, no momento em que o Império Romano desmoronava a seu redor, sob o impacto das invasões bárbaras. Dessa complexa fusão de elementos raciais, políticos, religiosos e filosóficos, emergiu gradualmente uma visão de mundo de amplo alcance intelectual, comum a toda cristandade ocidental. Sucedendo à visão dos gregos clássicos predominante na cultura, a concepção cristã passaria a informar e inspirar a vida e o pensamento de milhões de pessoas até a Era Moderna — e, para muitos, continua sendo assim.

III

A Visão de Mundo Cristã

Nossa próxima tarefa é compreender o sistema de crenças do Cristianismo. Qualquer recapitulação de nossa história cultural e intelectual deve tratar essa tarefa com muito cuidado, pois a cristandade tem regido a cultura ocidental praticamente desde o início de sua existência, não apenas orientando seu impulso espiritual por dois milênios, mas também influenciando sua evolução filosófica e científica por todo o Renascimento e o Iluminismo. Até hoje, de maneiras menos evidentes, mas não menos significativas, a visão de mundo cristã continua a afetar — ela realmente permeia — a psique cultural do Ocidente, mesmo em seus aspectos aparentemente mais leigos.

Não podemos hoje afirmar com certeza o que precisamente disse, fez ou em que acreditava o Jesus de Nazaré histórico. Como Sócrates, ele não deixou nada escrito para a posteridade. Os estudos históricos e as exegeses das Escrituras deixaram relativamente bem estabelecido que, dentro da tradição religiosa judaica, ele pregava a necessidade do arrependimento como primórdio para a iminente chegada do Reino de Deus, já considerado presente em suas próprias palavras e ações, e que foi condenado à morte por volta do ano 30 d.C., na época do procurador romano Pôncio Pilatos, por causa dessas reivindicações. Mesmo o fato de saber-se Filho de Deus não é inquestionável: muitos dos outros elementos importantes da vida de Jesus que a fé cristã considera sagrados — a impressionante descrição da natividade, as inúmeras histórias de milagres, seu conhecimento da Trindade, sua intenção de fundar uma nova religião — não podem ser confirmados a partir das evidências históricas e textuais.

Somente pelo final do primeiro século de nossa era os quatro Evangelhos do Novo Testamento foram escritos e os descendentes dos seguidores mais próximos de Jesus lançaram as bases da fé cristã; nessa época já se havia desenvolvido uma estrutura de crenças mais complexa, às vezes um tanto inconsistente. Essa estrutura não abrangia apenas os fatos lembrados da vida de Jesus, mas também diversas tradições orais, lendas, parábolas, provérbios, profecias e visões subseqüentes, hinos, orações, crenças apocalípticas; as exigências didáticas da jovem Igreja interpolavam comparações com as escrituras hebraicas, outras influências judaicas, gregas e gnósticas, uma teologia redentora e visão da história bastante complexas — tudo unificado pelo compromisso com a fé da nova religião sustentada pelos autores bíblicos. Não existe grande certeza do quanto esse conjunto refletia os ensinamentos e os acontecimentos reais da vida de Jesus. Os mais antigos documentos cristãos existentes são as cartas de Paulo, que jamais encontrou Jesus. Assim, o Jesus que a História veio a conhecer é o que foi retratado — lembrado, recriado, interpretado, fantasiado, idealizado, intensamente imaginado — no Novo Testamento, por autores que viveram uma ou duas gerações depois do período abrangido por suas narrativas, cuja autoria atribuíam aos primeiros discípulos.

Ainda assim, esses textos foram aos poucos selecionados pela hierarquia da nova Igreja a partir de um naipe mais amplo de materiais desse tipo, como revelações autênticas de Deus: parte desse material (em geral elaborado mais tarde) oferecia perspectivas radicalmente diferentes dos fatos em questão. A Igreja ortodoxa, que fez esses julgamentos tão decisivos para a subseqüente formação do sistema de crenças da cristandade, considerava-se uma autoridade baseada nos primeiros apóstolos e sancionada, em nível divino, pela Sagrada Escritura. A Igreja era a representante de Deus na Terra, uma instituição sagrada que seria a intérprete exclusiva de sua revelação para a Humanidade. Com a emergência gradual da Igreja como estrutura e influência dominante nos primórdios da religião cristã, os textos que hoje constituem o Novo Testamento acrescentados à Bíblia hebraica passaram a ser a base canônica da tradição cristã e a efetivamente determinar os parâmetros dessa emergente visão de mundo.

Daqui por diante, esses textos servirão de base para nosso estudo do fenômeno cristão. Como nosso tema é a natureza das visões de mundo dominantes na civilização ocidental e seu relacionamento dinâmico, nossa maior preocupação aqui diz respeito à tradição da cristandade que teve influência preponderante no Ocidente desde a queda de Roma até a Era Moderna. Estaremos especificamente interessados no que o Ocidente cristão acreditava ser verdade em relação ao mundo e o lugar do ser humano nesse mundo; essa visão de mundo se enraizava na revelação canônica e aos poucos se modificou, desenvolveu-se e estendeu-se através de diversos fatores subseqüentes, geralmente sob a orientação da autoridade da tradição da Igreja. O fato de a Igreja ter estabelecido a autoridade divina do cânone das Escrituras ou se foi este que estabeleceu a autoridade divina da Igreja talvez pareça um círculo vicioso, mas esta mútua sanção simbiótica, afirmada na fé pela comunidade sucessora da Igreja, efetivamente regeu a formação do panorama cristão. Assim, o objeto de nossa investigação é essa tradição, tanto na forma bíblica que a fundamenta como em seu desenvolvimento posterior.

Para começar, voltemos nossa atenção para aquela de onde emergiu a cristandade — a tradição intensamente concentrada, moralmente rigorosa e profundamente religiosa dos israelitas, os descendentes de Abraão e Moisés.

O Monoteísmo Judaico e a Divinização da História

Teologia e História estavam estreitamente associadas na visão hebraica. Os atos de Deus e os eventos da vida humana constituíam uma só realidade; a narrativa bíblica do passado hebraico mais pretendia revelar sua lógica divina do que reconstruir um registro histórico preciso. Como na cristandade, lenda e fato nos primórdios da história do judaísmo não podem ser hoje claramente separados. Embora interpolações bíblicas posteriores obscureçam o efetivo surgimento, no antigo Oriente Próximo, de um povo com religião monoteísta, proveniente de um cenário anterior (que se estende aos patriarcas Abraão, Isaac e Jacó no início do segundo milênio a.C.), de tribos seminômades eivadas de elementos de veneração politeísta, parece haver uma essência histórica definida em relação ao auto-entendimento judaico tradicional.

Certamente, a história, a missão e a religião do povo hebreu eram diferentes de qualquer outra no mundo antigo. Em meio às demais nações, muitas vezes mais poderosas e avançadas do que a sua, os hebreus consideravam-se o Povo Escolhido, cuja história teria conseqüências espirituais de grande influência no mundo inteiro. Numa terra onde as tribos e nações circundantes veneravam inúmeras divindades da Natureza, os hebreus acreditavam ter um relacionamento singular e direto com o único Deus absoluto que estava acima e além de todos os outros seres, como o criador do mundo e condutor da história judaica. Eles realmente acreditavam que sua história era a seqüência e o reflexo da Criação, quando Deus fez o mundo e o homem à sua imagem. O drama do exílio do Homem em relação à divindade começou com a desobediência original e a expulsão de Adão e Eva do Jardim do Éden, perpetuando-se — Caim e Abel, Noé e o Dilúvio, a Torre de Babel — até que Abraão fosse chamado à fé para seguir o plano de Deus para seu povo.

Durante o Êxodo, quando Moisés libertou os hebreus da escravidão no Egito, foi estabelecido o acordo sagrado pelo qual Israel identificava e reconhecia seu Deus, Iavé, como o Salvador da história.[1] A permanência da fé dos israelitas na promessa de Deus para sua futura realização era permanente, fundamentada nessa base histórica. Ao aceitar os mandamentos de Deus revelados no Monte Sinai, os hebreus comprometiam-se a obedecer ao seu Deus e à sua vontade insuperável e inescrutável. O Deus dos hebreus era um Deus de milagre e determinado, que salvava ou esmagava as nações conforme sua vontade e fazia aparecer água das pedras, alimento dos céus e filhos ao ventre estéril para realizar seu plano para Israel. Seu Deus não era apenas criador, mas libertador, e asseguraria um destino glorioso ao povo, se este permanecesse fiel e obediente à sua lei.

O imperativo de temor e confiança no Senhor dominava a vida judaica como pré-requisito para gozar seu poder salvador no mundo. Aqui se sobrepunha o sentido de urgência moral, do destino final do ser humano decidido pelas ações presentes, da responsabilidade direta do indivíduo em relação ao Deus justo e onipresente. Aqui também havia a denúncia de uma sociedade injusta, o desprezo pelo vão sucesso mundano, o apelo profético à regeneração moral. Os judeus haviam recebido um chamamento divino para reconhecer a soberania de Deus sobre o mundo e colaborar na realização de seu objetivo — trazer a paz, a justiça e a realização para toda a Humanidade. Este plano final tornou-se explícito nos últimos séculos da história da antiga Israel, durante e depois do cativeiro babilônico (século VI a.C.), quando se desenvolveu um crescente sentimento do iminente "Dia do Senhor". O Reino de Deus estaria então estabelecido, os bons seriam elevados, os maus, punidos, e Israel seria proclamada a luz espiritual da Humanidade. Os sofrimentos do Povo Escolhido dariam origem a uma nova era de justiça universal, de verdadeira piedade, e a plena glória de Deus seria revelada ao mundo. Depois de séculos de angústia e derrotas, surgiria uma personalidade messiânica e, através de seu poder divino, a própria história encontraria seu final triunfante. A "Terra Prometida" de Israel, inundada de leite e mel, agora se expandiria para a instauração do Reino de Deus abrangente a toda a Humanidade. Esta fé, esta esperança no futuro, este singular impulso histórico conduzido pelos profetas e registrado de maneira convincente, na prosa e na poesia da Bíblia, sustentou o povo judeu por dois milênios.

Jesus de Nazaré começou seu ministério num ambiente cultural judaico onde as expectativas de um messias e um desfecho apocalíptico da História haviam atingido proporções extremas. Esse contexto deu um peso singularmente impressionante ao anúncio de Jesus a seus companheiros da Galiléia de que em sua pessoa finalmente chegara o momento de cumprimento das profecias bíblicas: "O Reino de Deus está próximo." No entanto, não foram apenas os ensinamentos de Jesus sobre o novo Reino que inspiraram a nova fé, nem as expectativas escatológicas trazidas por pregadores errantes como João Batista. Mais decisiva foi a reação dos discípulos de Jesus com sua crucificação e sua fervorosa crença na ressurreição. Nesta, o cristão fiel percebia o triunfo de Deus sobre a mortalidade e o mal, e reconhecia a promessa de sua própria ressurreição. Fosse qual fosse a base para esta crença (cuja intensa convicção não pode ser superestimada), aparentemente não muito depois da morte de Jesus, os discípulos haviam remodelado de modo notavelmente rápido e pormenorizado sua fé religiosa, rompendo com os velhos conceitos e dando início a uma nova conceituação de Deus e da Humanidade.

Essa nova ótica emergiu logo após a crucificação, a partir de uma série de experiências místicas reveladoras, que convenceram alguns dos seguidores de Jesus de que o mestre vivia novamente. Estas "aparições" mais tarde confirmadas pelas visões que Paulo teve da ascensão do Cristo, levaram os discípulos a acreditar que em certo sentido Jesus revivera plenamente pela força de Deus e teria voltado à glória divina para compartilhar sua vida eterna nos céus. Jesus então não seria apenas um homem, nem mesmo um grande profeta, mas o próprio Messias, o Filho de Deus, o divino salvador há tanto tempo esperado, cuja paixão e morte iniciavam a redenção do mundo e o surgimento de uma nova era. As profecias bíblicas judaicas agora podiam ser compreendidas: o Messias não era um rei profano, mas um rei espiritual; o Reino de Deus não era uma vitória política para Israel, mas uma divina redenção para a Humanidade, trazendo uma vida nova banhada pelo espírito de Deus. Assim, nas mentes de seus discípulos, a amarga decepção da crucificação de seu líder misteriosamente transformou-se na base de uma fé aparentemente sem limites na salvação final da Humanidade e em extraordinária força dinâmica para a propagação dessa fé.

Jesus desafiara seus compatriotas judeus a aceitar a atuação salvadora de Deus na História, uma atuação visível em sua pessoa e em seu ministério. Esse desafio teve um paralelo — foi desenvolvido, reformulado e amplificado — no apelo da Igreja antiga ao reconhecimento de Jesus como o Filho de Deus e o Messias.[2] A cristandade assim reivindicava ser a realização das esperanças judaicas: a esperada chegada de Deus entrara na história em Cristo. Numa paradoxal combinação do linear e do atemporal, a cristandade declarava que a presença de Cristo no mundo era a confirmação do futuro que Deus havia prometido, assim como o futuro de Deus estaria na plena realização da presença de Cristo. O Reino de Deus agora já estava presente e, embora ainda nascente, seria plenamente realizado no final da História com o triunfante retorno de Cristo. Em Cristo o mundo se reconciliara, mas ainda não estava totalmente redimido. Assim, a cristandade ao mesmo tempo culminava a esperança judaica, mantendo a esperança de um triunfo espiritual cósmico no futuro iminente, quando ocorreria uma nova criação, e uma nova Humanidade poderia regojizar-se com a nítida e transparente presença de Deus.

Assim como o Êxodo proporcionou a raiz histórica para a esperança judaica no futuro Dia do Senhor, a ressurreição de Cristo e sua reunião com Deus serviu de fundamento para a esperança cristã na futura ressurreição da Humanidade e sua reunião com Deus. E também, assim como a Bíblia judaica, com sua revelação da lei e das promessas de Deus em contraponto à história de seu povo, sustentara os judeus durante séculos e permeara suas vidas com princípios e esperanças, agora a base de sustentação da nova religião e suas tradições era a Bíblia cristã, onde um "Novo Testamento" acrescentava-se ao "Velho" — a Bíblia judaica. A Igreja era a nova Israel. Cristo era o novo pacto. O caráter da nova era anunciada pela cristandade trazia o selo do caráter inteiramente não-helênico da pequena nação de Israel.

De todas as características da nova religião, as reivindicações de universalidade e realização histórica da cristandade eram centrais, derivadas do judaísmo. O Deus judaico-cristão não era uma divindade da tribo ou da *pólis*, mas o verdadeiro Deus Supremo — o Criador do Universo, Senhor da História, o Rei dos Reis, onipotente e onisciente, cuja realidade e poder sem rivais capitaneavam com justiça a lealdade de todas as nações e de toda a Humanidade. Na história do povo de Israel, esse Deus entrara decisivamente no mundo, dissera a sua Palavra através dos profetas e chamara a Humanidade para seu destino divino: o que nascesse de Israel teria significado histórico no mundo. Para o número crescente de cristãos que agora proclamavam a sua mensagem por todo o império romano, o que nascera de Israel era a cristandade.

Os Elementos Clássicos e a Herança Platônica

Considerando-se a natureza singular de sua mensagem e doutrina essencial, a cristandade se disseminou com velocidade espantosa a partir de seu minúsculo núcleo na Galiléia, para mais tarde abranger todo o mundo ocidental. Uma geração depois da morte de Jesus, seus seguidores haviam elaborado uma síntese religiosa e intelectual da nova fé, que não apenas inspirou muitos a empreender a missão geralmente perigosa de estender essa fé ao meio pagão circundante, mas também foi capaz de resolver ou mesmo preencher as aspirações religiosas e filosóficas de um sofisticado império mundial urbanizado. No entanto, a concepção de que a cristandade tinha de ser uma religião mundial foi muito favorecida por sua relação com o mundo helenístico, bem mais amplo. Embora a reivindicação de universalidade religiosa da cristandade tivesse origem no judaísmo, tanto sua universalidade efetiva (o êxito em sua propagação) como sua universalidade filosófica muito deviam ao meio greco-romano em que havia nascido. Os antigos cristãos não consideravam acidental que a Encarnação houvesse ocorrido no momento histórico da conjunção entre a religião judaica, a filosofia grega e o Império Romano.

Significativamente, não foram os judeus da Galiléia mais próximos de Jesus que realmente transformaram a cristandade em sua missão universal, mas Paulo, cidadão romano de passado cultural grego. Embora virtualmente todos os primeiros cristãos fossem judeus, apenas uma fração relativamente pequena dos judeus tornou-se cristã. A longo prazo, a nova religião teve maior poder de atração e maior sucesso no mundo helênico.[3] Os judeus há muito esperavam um messias, mas na expectativa de um monarca político, como seu antigo rei Davi, que afirmaria a soberania de Israel no mundo, ou um príncipe manifestamente espiritual — o "Filho do Homem" — que viria dos céus na glória angelical no grandioso momento do fim dos tempos. Não esperavam o Jesus apocalíptico, não-militante, explicitamente humano, sofredor e mortal. Além do mais, embora soubessem que sua relação especial com Deus tivesse importantes conseqüências para toda a Humanidade, a religião dos judeus tinha um caráter intensamente nacionalista e separatista, quase totalmente centralizada no povo de Israel — espírito esse que continuava naqueles primeiros judeus cristãos de Jerusalém, contrários à inclusão plena de não-judeus na comunidade até que toda Israel estivesse desperta. Enquanto os cristãos de Jerusalém, sob a liderança de Tiago e Pedro, por algum tempo continuavam a exigir a observância das regras judaicas tradicionais sobre os alimentos (circunscrevendo assim a nova religião ao quadro de referências judaico), Paulo afirmava — em meio a uma grande oposição — que a nova liberdade cristã e a esperança da salvação já estavam universalmente presentes, tanto para os gentios sem a lei judaica quanto para os judeus que as seguiam. Toda a Humanidade precisava e poderia adotar o divino salvador. Naquela primeira controvérsia doutrinária fundamental dentro da antiga Igreja, o universalismo de Paulo prevaleceu sobre o exclusivismo judaico, com enormes repercussões no mundo clássico.

A relutância por parte da maioria dos judeus em adotar a revelação cristã e o sucesso da reação de Paulo — trazendo a cristandade aos gentios — juntaram-se aos acontecimentos políticos e mudaram o centro de gravidade da nova religião da Palestina para o mundo helênico, mais amplo. Depois da morte de Jesus, os movimentos revolucionários políticos messiânicos liderados pelo grupo dos zelotes continuavam entre os judeus contra os romanos, chegando a um apogeu crítico uma geração adiante, quando ocorreu a grande revolta palestina. Na guerra que se seguiu, as tropas romanas esmagaram a rebelião, capturaram Jerusalém e destruíram o Templo judaico (70 d.C.). A comunidade cristã em Jerusalém e na Palestina dispersou-se e foi cortado o elo que mais aproximava a religião cristã do judaísmo, mantido e simbolizado pelos cristãos de Jerusalém. Doravante, a cristandade seria mais um fenômeno helenístico do que palestino.

Deve-se observar que, em relação ao judaísmo, a cultura grecoromana em muitos aspectos era mais consistentemente não-sectária e universal na prática e em sua visão. O Império Romano e suas leis transcendiam todas as nacionalidades e fronteiras políticas anteriores, concedendo a cidadania e direitos aos povos conquistados equivalentes aos dos romanos. A cosmopolita Era helênica, com seus grandes centros urbanos, comércio e viagens, unia o mundo civilizado como nunca. O ideal estóico da fraternidade humana e a Cosmópolis, a Cidade do Mundo, afirmava que todos os seres humanos são igualmente livres e filhos de Deus. O *Logos* universal da filosofia grega transcendia todas as oposições e imperfeições aparentes — a divina Razão regia toda a humanidade e o Cosmo, embora imanente na razão humana e potencialmente disponível a todos os indivíduos de qualquer nação ou povo. Acima de tudo, uma religião cristã universal de proporções mundiais tornou-se viável devido à existência anterior dos impérios de Alexandre e Roma, sem os quais as terras e os povos que circundavam o Mediterrâneo ainda estariam divididos numa enorme variedade de culturas étnicas isoladas com predisposições lingüísticas, políticas e cosmológicas amplamente divergentes. Apesar do compreensível antagonismo sentido por muitos dos primeiros cristãos em relação a seus governantes romanos, foi precisamente a *Pax romana* que proporcionou a liberdade de movimento e comunicação indispensáveis à propagação da fé cristã. Desde Paulo, no início da cristandade, até Agostinho, seu protagonista mais influente no final da Era Clássica, a natureza e as aspirações da nova religião foram decisivamente moldadas pelo contexto greco-romano.

Essas considerações aplicam-se não apenas ao lado prático da disseminação da cristandade, mas também à complexa visão de mundo cristã que veio a reger a mente ocidental. Embora se possa imaginar a atitude cristã como uma estrutura de crenças monolítica e inteiramente independente, com maior precisão distinguem-se não somente tendências que se opõem ao conjunto, mas uma continuidade histórica das concepções religiosas e metafísicas do mundo clássico. É verdade que, com a ascensão da cristandade, o pluralismo e o sincretismo da cultura helênica e as diversas escolas filosóficas e religiões politeístas que se entrelaçavam foram substituídos pelo monoteísmo exclusivo, derivado da tradição judaica. A teologia cristã também estabeleceu a revelação bíblica como verdade absoluta e exigia uma conformidade rigorosa à doutrina da Igreja, distante de quaisquer especulações filosóficas. Entretanto, dentro desses limites, a visão de mundo cristã baseava-se fundamentalmente em suas predecessoras clássicas. Nela havia analogias cruciais entre os teores e rituais da cristandade e os das religiões pagãs de mistério; além disso, com o passar do tempo, a fé cristã absorveu e foi influenciada até mesmo pelos elementos mais eruditos da filosofia helênica. A cristandade certamente começou e triunfou no Império Romano não como filosofia, mas como religião — ocidental e judaica em seu caráter, enfaticamente comunitária, salvadora, emocional, mística, dependente de afirmações reveladoras de fé e crença e quase totalmente independente do racionalismo helênico. Em pouco tempo, a cristandade descobriu que a filosofia grega não era um simples sistema pagão estranho que deveria ser combatido, mas, na visão de muitos dos primeiros teólogos cristãos, ela era a matriz divinamente preparada para a explicação racional da fé cristã.

A essência da teologia de Paulo reside em sua crença de que Jesus não era um ser humano comum, mas o Cristo, o eterno Filho de Deus, que encarnara como homem para salvar a Humanidade e levar a História a seu glorioso desenlace. Na visão de Paulo, a sabedoria de Deus dirigia secretamente a história, mas se manifestara em Cristo, que havia reconciliado o mundo com o divino. Todas as coisas haviam sido feitas em Cristo, que era o próprio princípio da sabedoria divina. Cristo era o arquétipo de toda a criação, que fora moldada segundo ele, convergira para ele e encontrara triunfante significado em sua encarnação e ressurreição. A cristandade assim veio a entender todo o movimento da história da Humanidade, inclusive todas as suas diversas religiões e lutas filosóficas, como um desdobramento do plano divino, realizado na vinda do Cristo.

As correspondências entre essa concepção do Cristo e a do *Logos* grego não passaram despercebidas aos cristãos helênicos. O notável filósofo judeu helênico Fílon de Alexandria, contemporâneo mais velho de Jesus e Paulo, já entabulara uma síntese greco-judaica em torno da palavra "*Logos*".[4] No entanto, foram as palavras de abertura do Evangelho de São João — "No princípio era o *Logos*" — que potencialmente deram início ao relacionamento da cristandade com a filosofia helênica. Pouco depois, começava uma extraordinária convergência do pensamento grego e da teologia cristã que transformaria a ambos.

Diante do fato de já existir na cultura mais ampla do Mediterrâneo uma sofisticada tradição filosófica dos gregos, a classe instruída dos primeiros cristãos rapidamente percebeu a necessidade de integrar nessa tradição sua fé religiosa. A integração era buscada tanto para sua própria satisfação, como para ajudar a cultura greco-romana a compreender o mistério cristão. No entanto, este não era absolutamente considerado um casamento de conveniência, pois a filosofia platônica de ressonância espiritual não apenas se harmonizava, mas também desenvolvia e aperfeiçoava intelectualmente as concepções cristãs derivadas das revelações do Novo Testamento. Os princípios platônicos fundamentais agora encontravam corroboração e novo significado no contexto cristão: a existência de uma realidade transcendental de perfeição eterna; a soberania da sabedoria divina no Cosmo; o primado do espiritual sobre o material; a ênfase socrática no "cuidado com a alma"; a imortalidade desta e seus elevados imperativos morais; o sentimento da justiça divina depois da morte; a importância de um escrupuloso auto-exame; a advertência para controlar-se paixões e apetites a serviço do Bem e da verdade; o princípio ético de que é melhor sofrer a injustiça do que cometer uma; a crença na morte como transição para uma vida melhor; a existência de uma condição anterior de conhecimento divino agora obscurecido no estado natural limitado do Homem; a noção de participação no arquétipo divino; a progressiva assimilação a Deus como a meta da aspiração humana. Apesar de ter origens inteiramente distintas da religião judaico-cristã, para muitos dos antigos intelectuais cristãos a tradição platônica era em si uma autêntica expressão da sabedoria divina, capaz de proporcionar uma compreensão metafísica articulada a alguns dos mais profundos mistérios cristãos. Assim, enquanto a cultura cristã amadurecia naqueles primeiros séculos, seu pensamento religioso desenvolveu-se numa teologia sistematizada e, embora essa teologia tivesse uma substância judaico-cristã, sua estrutura metafísica era amplamente platônica. Essa fusão foi apresentada pelos grandes teólogos da Igreja primitiva — primeiro, por Justino, o Mártir; posteriormente e de modo mais completo, por Clemente de Alexandria e Orígenes; por fim, de maneira mais conseqüente, por Agostinho.

Por sua vez, a cristandade era considerada a verdadeira meta da filosofia: o Evangelho era o grande ponto de encontro do helenismo e do judaísmo. A proclamação cristã de que o *Logos*, a própria Razão do mundo, tomara realmente forma humana na pessoa histórica de Jesus Cristo arrebatava um grande interesse no mundo cultural helenístico. Em sua compreensão do Cristo como o *Logos* encarnado, os primeiros teólogos cristãos sintetizavam a doutrina filosófica grega da racionalidade divina inteligível do mundo com a doutrina da Palavra do Deus criador, que manifestava uma vontade providencial de um Deus pessoal e dava à história humana seu significado salvacionista. Em Cristo, o *Logos* tornou-se Homem: o histórico, o atemporal, o absoluto, o pessoal, o humano e o divino eram um. Através de sua ação redentora, o Cristo intervinha como mediador do acesso da alma à realidade transcendente, satisfazendo a busca fundamental do filósofo. Em termos que muito lembravam as Idéias transcendentais do platonismo, os teólogos cristãos ensinavam que descobrir Cristo era descobrir a verdade do Cosmo e a verdade do próprio ser num processo de iluminação unitária.

A estrutura filosófica neoplatônica, desenvolvida junto com os primórdios da teologia cristã em Alexandria, oferecia uma linguagem metafísica especialmente adequada com a qual se poderia compreender melhor a visão judaico-cristã. No neoplatonismo, a inefável Mente Divina transcendental, o Uno, manifestara sua imagem — o *Nous* divino ou Razão universal — e a Alma do Mundo. Na cristandade, o Pai transcendental também manifestara sua imagem — o Filho ou *Logos* — e o Espírito Santo. Agora a cristandade trazia a historicidade dinâmica para a concepção helênica, afirmando que o *Logos*, a verdade eterna que estivera presente desde a criação do mundo, fora enviado à história do mundo para, através do Espírito, trazer essa criação de volta à sua essência divina. Em Cristo, céu e terra se reuniam, o Um e os muitos se reconciliavam. O que havia sido a empreitada particular do filósofo agora era o destino histórico de toda a criação, através da encarnação do *Logos*. A Palavra despertaria toda a Humanidade. Habitado pelo Espírito Santo, o mundo retornaria ao Uno. Essa Luz Suprema, a verdadeira fonte da realidade que brilhava fora da caverna de sombras de Platão, agora era reconhecida como a luz de Cristo. Clemente de Alexandria anunciou: "Através do *Logos*, o mundo inteiro torna-se Atenas e a Grécia."

Plotino e Orígenes, os pensadores centrais da última escola da filosofia pagã e da primeira escola da filosofia cristã, tiveram, respectivamente, o mesmo professor em Alexandria, Amônius Sacas (personagem misterioso, de quem virtualmente nada se sabe), o que serve para indicar a intimidade que havia entre o platonismo e a cristandade. A filosofia de Plotino, por sua vez, foi essencial na gradual conversão de Agostinho ao Cristianismo. Agostinho considerava Plotino alguém em quem "Platão revivia" e o pensamento de Platão "o mais puro e luminoso em toda a Filosofia" e tão profundo, que estaria em quase perfeita concordância com a fé cristã. Agostinho sustentava que as Formas platônicas existiam na mente de Deus e que a base da realidade estava além do mundo dos sentidos, disponível apenas através de um volver radical para o interior da alma. Não menos platônica, embora inteiramente cristã, era a afirmação paradigmática de Agostinho: "O verdadeiro filósofo é aquele que ama a Deus." A formulação de Agostinho para o platonismo cristão permearia virtualmente todo o pensamento cristão medieval no Ocidente, no qual era intensa a integração do espírito grego: tanto que Sócrates e Platão eram normalmente considerados santos pré-cristãos divinamente inspirados, os primeiros comunicadores do *Logos* divino já presentes no período pagão — "cristãos antes de Cristo", como proclamava Justino, o Mártir. Nos antigos ícones da cristandade, Sócrates e Platão eram retratados entre os redimidos que Cristo trazia do mundo inferior depois de seu assalto ao Hades. Em si, a cultura clássica pode ter sido perecível e finita; sob esse ponto de vista, ela renascia através da cristandade, dotada de vida nova e novo significado. Clemente declarou que a Filosofia preparara os gregos para Cristo, assim como a Lei havia preparado os judeus.

Contudo, por mais profunda que fosse essa afinidade metafísica com o pensamento platônico, a força essencial da cristandade vinha de sua base judaica. Contrastando com o equilíbrio atemporal que os gregos davam a muitos seres arquetípicos de diferentes qualidades e áreas de dominação, o monoteísmo judaico dava à cristandade um sentido particularmente vigoroso do divino como um ser pessoal único e supremo, com um plano histórico específico de salvação para a Humanidade. Deus agiria na História e através dela, com intenção e orientação definidas. Comparado aos gregos, o judaísmo condensava e intensificava o sentido do santo ou sagrado, considerando-o algo que emanava de uma única divindade onipotente, ao mesmo tempo criadora e redentora. Embora o monoteísmo certamente existisse nas diversas concepções platônicas de Deus (o Espírito universal, o Demiurgo, a mais elevada Forma do Bem e, em especial, o Um supremo neoplatônico), o Deus de Moisés inequivocamente se declarara único em sua divindade, tinha um relacionamento mais pessoal com a Humanidade e agia com maior liberdade na história humana do que o absoluto platônico transcendental. Ainda que a tradição judaica de exílio e retorno se assemelhasse de modo impressionante à doutrina neoplatônica do cosmo que emanava do Uno e a ele retornava, a primeira era dotada de uma concretitude histórica testemunhada pela comunidade e de uma paixão emocional ritualmente consagrada, não características da abordagem mais interiorizada, intelectualizada e individualizada da segunda.

O sentido helênico da História era em geral cíclico enquanto que o judaico era decisivamente linear e progressivo, em que o plano de Deus para o homem gradualmente se realizava no tempo.[5] Ainda que o pensamento religioso helênico tendesse ao abstrato e analítico, o judaísmo era mais concreto, dinâmico e apodíctico. Onde a concepção grega de Deus inclinava-se para a idéia de uma inteligência regente suprema, a concepção judaica enfatizava a de uma vontade regente suprema. A essência da fé judaica baseava-se numa ardente expectativa de que Deus renovaria sua soberania sobre o mundo em uma grande transfiguração da História humana; na época de Jesus essa expectativa centrava-se no aparecimento de um Messias personificado. A cristandade integrou as duas tradições, proclamando que a verdadeira realidade mais elevada — Deus Pai e Criador, o eterno transcendental platônico — penetrara totalmente o mundo imperfeito e finito da Natureza e da História humana por meio da encarnação de seu Filho, Jesus Cristo, o *Logos*, cuja vida e morte deram início à reunião de dois reinos anteriormente separados — transcendental e mundano, divino e humano — e, assim, a um renascimento do Cosmo através do homem. O *Logos* Criador do mundo irrompia na História sob outra forma com renovado poder criativo, iniciando uma reconciliação universal. Na transição da filosofia grega para a teologia cristã, o transcendente tornava-se histórico e a própria história da Humanidade agora tinha um significado espiritual: "E o *Logos* fez-se carne e habitou entre nós "

A Conversão da Mente Pagã

O período helenístico estendeu sua influência até mesmo à cultura judaica. A vasta dispersão geográfica das comunidades de judeus por todo o império do Mediterrâneo acelerara essa influência, refletida mais tarde em sua literatura religiosa — nos Livros de Sabedoria, na Septuaginta, nos estudos bíblicos de Alexandria, e também na filosofia platônica de Fílon. No entanto, com a cristandade, especialmente com a missão de Paulo em expandir seu evangelho além dos confins do judaísmo, o impulso judaico por sua vez iniciou um movimento de compensação que transformou radicalmente a contribuição helênica à visão de mundo cristã que emergira nos últimos séculos da Era Clássica. Todas as poderosas correntes da ciência, da epistemologia e da metafísica gregas e as atitudes características dos gregos em relação ao mito, à religião, à filosofia e à realização pessoal foram transfiguradas à luz da revelação judaico-cristã.

A situação das Idéias transcendentais, tão essenciais na tradição platônica e amplamente reconhecida pela *intelligentsia* pagã, estava agora significativamente alterada. Agostinho concordava com Platão em que as Idéias constituíam as formas estáveis e imutáveis de todas as coisas e proporcionavam uma sólida base epistemológica para o conhecimento humano. Contudo, ele mostrou que Platão não tinha uma boa doutrina da criação para explicar a participação especial das Idéias (o Criador de Platão, o Demiurgo do *Timeu*, não era um ser supremo onipotente, já que o mundo caótico do vir a ser a que ele impôs as Idéias já existia, como as próprias Idéias; também não era onipotente diante da *ananke*, a causa errante). Assim, Agostinho argumentava que a concepção metafísica de Platão poderia ser realizada através da revelação judaico-cristã do Criador supremo, que espontaneamente faz tudo existir *ex nihilo*, ainda que segundo os embrionários padrões de ordem estabelecidos pelas Idéias primordiais que estão na mente divina. Agostinho identificava as Idéias como a expressão coletiva da Palavra de Deus, o *Logos*, e considerava todos os arquétipos contidos no ser de Cristo como sua expressão. Aqui a ênfase estava mais em Deus e em sua criação do que nas Idéias e em sua imitação concreta; o primeiro quadro de referências empregava e continha o segundo, como em geral a cristandade empregava e subordinava o platonismo.

A essa correção metafísica de Platão, Agostinho acrescentou uma modificação epistemológica. Platão baseara todo o conhecimento humano em duas fontes possíveis: a primeira, derivada da experiência, que não é confiável, a segunda, que vinha da percepção direta das Idéias eternas, cujo conhecimento é inato, mas estava esquecido, exige a recordação e é a única fonte do conhecimento correto. Agostinho concordava com esta formulação, afirmando que o Homem não pode fazer nenhuma idéia intelectual surgir em sua mente sem estar iluminada por Deus, como se por um sol espiritual interior. Desse modo, o único mestre legítimo da alma interior é Deus. Agostinho acrescentava ainda uma outra fonte para o conhecimento humano — a revelação cristã — que era necessária por causa do declínio da graça, e que fora conferida ao Homem pela vinda de Cristo. Essa verdade, revelada nos testamentos bíblicos e ensinada pela tradição da Igreja, completava a filosofia platônica assim como completava a Lei judaica, ambas preparações para a nova ordem.

Embora em teoria o platonismo de Agostinho fosse definitivo, na prática o enfático monoteísmo da cristandade reduzia o significado metafísico das Idéias platônicas. Um relacionamento direto com Deus, baseado no amor e na fé era mais importante do que um encontro intelectual com as Idéias — cuja realidade, qualquer que seja, dependia de Deus e, assim, tinha menor significado no plano cristão. O *Logos* cristão, a Palavra atuante — criadora, ordenadora, reveladora, redentora — a tudo regia. O fenômeno da pluralidade dos arquétipos era mais um argumento em relação a uma importância maior de seu papel na realidade espiritual geralmente monista da cristandade. Além do mais, a doutrina neoplatônica de uma hierarquia do ser, com a realidade estratificada em níveis sucessivamente reduzidos de divindade, opunha-se a determinados aspectos da primitiva revelação cristã (desde o século I d.C.), que dava ênfase a uma unificação e divinização fundamental de toda a criação, uma explosão democrática de todas as categorias e hierarquias anteriores. Inversamente, outros elementos da tradição judaico-cristã enfatizavam a absoluta dicotomia entre Deus e sua criação, dicotomia essa que o neoplatonismo atenuava em favor da emanação da divindade do Uno por níveis intermediários — como as Idéias — para todo o Cosmo. Mais importante talvez seja o fato de ter a revelação bíblica proporcionado uma realidade mais acessível, mais prontamente apreensível para o conjunto dos fiéis cristãos do que quaisquer sutis argumentos filosóficos em relação às Idéias platônicas.

Os teólogos cristãos empregaram o pensamento arquetípico em muitas das doutrinas mais importantes da religião cristã: a participação de toda a Humanidade no pecado de Adão, que assim foi o arquétipo primordial do Homem impenitente; a paixão de Cristo abrangia a totalidade do sofrimento humano e a todos redimia com seu ato redentor como o segundo Adão; Cristo como o arquétipo da Humanidade perfeita, e todas as almas humanas potencialmente participando do ser universal de Cristo; a Igreja universal invisível, existia plenamente em todas e em cada uma das igrejas; o único Deus supremo existia plenamente em cada uma das três pessoas da trindade; Cristo era o *Logos* universal e constituía a integridade essencial da criação. Arquétipos bíblicos, como o Êxodo, o Povo Escolhido e a Terra Prometida, jamais deixaram de ter um papel significativo na imaginação cultural. Embora as Idéias platônicas em si não fossem tão básicas e preponderantes no sistema de crenças cristão, o espírito antigo e o medieval em geral se predispunham a pensar em termos de tipos, símbolos e universais; o platonismo oferecia o quadro de referências mais sofisticado filosoficamente para compreender-se aquele modo de pensar. A existência das Idéias e a questão de sua realidade independente se tornariam alvo de intensa polêmica na filosofia escolástica posterior — uma polêmica cujo resultado teria repercussões duradouras, sobrepujando a filosofia propriamente dita.

***

As divindades pagãs eram mais explicitamente incompatíveis em relação ao monoteísmo bíblico e, assim, poderiam ser dispensadas de maneira convincente. Vistas primeiramente como forças reais, ainda que seres demoníacos menores, terminaram sendo totalmente rejeitadas e passaram a ser consideradas falsos deuses, ídolos múltiplos da fantasia pagã; acreditar neles era uma bobagem supersticiosa e heresia perigosa. Os velhos rituais e mistérios constituíam um obstáculo generalizado para a propagação da fé cristã, e por isso eram combatidos pelos apologistas do Cristianismo em termos não muito diferentes dos utilizados pelos filósofos céticos da Atenas clássica, mas em novo contexto e com outra intenção. Como os intelectuais pagãos de Alexandria, Clemente dizia que o mundo não era um fenômeno mitológico cheio de deuses e demônios, mas um mundo natural providencialmente governado pelo supremo Deus uno que subsistia por si mesmo. As estátuas pagãs das divindades não passavam de ídolos de pedra, os mitos eram simples ficções antropomórficas. Apenas o Deus invisível e a revelação bíblica eram autênticos. As filosofias pré-socráticas, como as de Tales ou Empédocles, com sua deificação dos elementos materiais, não eram melhores do que os mitos primitivos. A matéria não merecia veneração, mas sim Aquele que a fez. Os corpos celestiais não eram divinos, mas seu Criador era. Agora o Homem podia libertar-se das velhas superstições e ser iluminado pela verdadeira luz divina de Cristo. A infinidade de objetos sagrados da imaginação primitiva agora podia ser reconhecida como nada mais do que coisas naturais ingenuamente dotadas de poderes sobrenaturais inexistentes. Os Homens — e não os animais, pássaros, árvores ou planetas — eram os verdadeiros mensageiros da comunicação divina, escolhidos como profetas de Deus. O verdadeiro regente universal era o supremamente justo Deus judaico-cristão e não o instável Zeus helênico. A verdadeira divindade salvadora era o Cristo histórico, não os mitológicos Dioniso, Orfeu ou Deméter. A escuridão do paganismo agora estava sendo dissipada pela aurora cristã. Clemente descreveu o período final do mundo greco-romano pagão como semelhante ao vidente Tirésias — velho, sábio, mas cego e às portas da morte — e exortava ao desprendimento de sua vida decadente, ao abandono dos velhos festins e adivinhações do paganismo e à iniciação no novo mistério de Cristo. Se esse mundo agora se disciplinasse para Deus, voltaria a ver, veria o próprio céu e se tornaria sempre o jovem filho da cristandade.

Assim morreram os velhos deuses e foi revelado e glorificado o único e verdadeiro Deus cristão. No entanto, ocorreu um processo de assimilação mais sutil e diferenciado na conversão do paganismo, pois quando o mundo helênico adotou a cristandade, muitos aspectos essenciais das religiões de mistério pagãs passaram a encontrar uma boa expressão no cristianismo: a crença numa divindade salvadora cuja morte e renascimento trouxeram imortalidade para o Homem, os temas da iluminação e da regeneração, a iniciação ritual de uma comunidade de fiéis no conhecimento salvacional das verdades cósmicas, o período preparatório antes da iniciação, a exigência da pureza no culto, jejuns, vigílias, cerimônias na madrugada, banquetes sagrados, procissões rituais, peregrinações, novos nomes dados aos iniciados. Todavia, enquanto algumas religiões de mistério enfatizavam o aprisionamento da matéria pelo Mal, que só os iniciados poderiam transcender, a jovem cristandade dizia que o Cristo abria a redenção até mesmo do mundo material. O Cristianismo introduziu ainda um elemento público e histórico no referencial mitológico: Jesus Cristo não era um personagem mítico, mas um homem histórico real, que cumpria as profecias messiânicas judaicas e trazia a nova revelação para um público universal, onde potencialmente toda a Humanidade entrava como novos iniciados, em vez de alguns poucos escolhidos. O que para os mistérios pagãos era um processo mitológico esotérico (o mistério da morte e da ressurreição), em Cristo se tornara realidade histórica concreta, representado de modo a que toda a Humanidade testemunhasse, participando abertamente, com a conseqüente transformação de todo o movimento da História. Sob tal ponto de vista, os mistérios pagãos não eram um obstáculo tão grande para o crescimento do Cristianismo, mas o solo de onde ele poderia brotar mais imediatamente.

Ao contrário das religiões de mistério, a cristandade era proclamada e reconhecida como a exclusivamente autêntica fonte da salvação, que suplantava todos os mistérios e religiões anteriores, a única a proporcionar o verdadeiro conhecimento do Universo e uma base verdadeira para a Ética. Esta reivindicação foi decisiva para o triunfo da cristandade no final do mundo clássico. Somente com ela foram transformadas em novas certezas as ansiedades do período helênico, com seu conflituoso pluralismo religioso e filosófico e suas grandes cidades amorfas, cheias de gente sem raízes e sem posses. A cristandade oferecia à Humanidade um lar universal, uma comunidade permanente e um estilo de vida claramente definido — tudo isso com uma garantia bíblica e institucional de validade cósmica.

A assimilação cristã dos mistérios estendeu-se também às inúmeras divindades pagãs, pois conforme o mundo greco-romano gradualmente adotava o Cristianismo, os deuses clássicos eram consciente ou inconscientemente absorvidos na hierarquia cristã (como ocorreria mais tarde com as divindades germânicas e as de outras culturas em que penetrou o Ocidente cristão). Suas características e propriedades foram retidas, mas eram agora entendidas e subordinadas ao contexto cristão, como acontecia com as figuras de Cristo (Apolo e Prometeu, por exemplo, além de Perseu, Orfeu, Dioniso, Hércules, Atlas, Adônis, Eros, Sol, Mitra, Atis e Osíris), do Deus Pai (Zeus, Cronos, Urano, Sarapis), a Virgem Maria (Magna Mater, Afrodite, Artêmis, Hera, Réia, Perséfone, Deméter, Gaia, Sêmele, Ísis), o Espírito Santo (Apolo, Dioniso, Orfeu e alguns aspectos das divindades procriativas femininas), Satã (Pã, Hades, Prometeu, Dioniso) e uma legião de anjos e santos (a fusão de Marte com o arcanjo Miguel, Atlas com São Cristóvão). Enquanto a visão cristã emergia da imaginação politeísta clássica, os diferentes aspectos de uma divindade pagã única e complexa aplicavam-se aos aspectos correspondentes da Trindade ou, quando se tratava do lado sombrio da divindade, a Satã. Apolo como o divino deus Sol, o luminoso príncipe dos céus, era visto agora como o precursor de Cristo; o Apolo que trazia a iluminação repentina, o profeta e oráculo, era o Espírito Santo. Prometeu, enquanto sofredor que libertava a Humanidade agora era parte da figura de Cristo, mas o Prometeu rebelde e arrogante contra Deus estava subordinado à figura de Lúcifer. O espírito possuído de êxtase atribuído outrora a Dioniso era agora atribuído ao Espírito Santo, mas o Dioniso como redentora divindade da morte e do renascimento que se auto-sacrificava agora se transfigurava em Cristo e o Dioniso libertino erótico de instintos agressivos, divindade demoníaca de energia pura incorrigível que arrebatava as massas, era reconhecido como Satã.

As antigas divindades míticas transformaram-se assim nas personalidades doutrinariamente estabelecidas que constituíam o panteão cristão. Uma nova concepção de verdade espiritual também emergia. As narrativas e descrições de realidades e seres divinos, que na era pagã haviam sido mitos — maleáveis, não-dogmáticos, abertos à novidade imaginativa e à transformação criadora, sujeitos a versões conflitantes e múltiplas interpretações — eram agora compreendidos como verdades absolutas, históricas e literais; fazia-se todo esforço para esclarecer e sistematizar essas verdades em fórmulas doutrinárias imutáveis. Ao contrário das divindades pagãs, cujas personalidades tendiam a ser intrinsecamente ambíguas — ao mesmo tempo boas e más, com as duas faces de Jano, variando segundo o contexto — as novas personalidades cristãs, pelo menos na doutrina oficial, não tinham essa ambigüidade e mantinham um caráter bom ou mau, mas definido. O drama essencial do Cristianismo, como acontecia com o Judaísmo (e seu parente embrionário persa, a prototipicamente dualista religião do zoroastrismo), centralizava-se no enfrentamento histórico entre os princípios primordiais opostos do Bem e do Mal. Em última análise, o dualismo do Cristianismo, Deus e Satã, era uma derivação de seu monismo final, já que a existência de Satã afinal dependia de Deus, o supremo Criador e Senhor de tudo.

Em relação ao panorama pagão, a visão de mundo cristã continuava estruturada por um princípio transcendental, mas agora tinha uma estrutura decisivamente monolítica, absolutamente governada pelo Deus único. Entre os gregos, Platão fora um dos mais monoteístas, embora para ele "Deus" e "os deuses" fossem muitas vezes intercambiáveis. Para os cristãos, essa ambigüidade não existia: o transcendental continuava primário, como acontecia com Platão, mas já não era pluralista. As Idéias eram derivadas e os deuses, anátemas.

***

Apesar da influência do platonismo e da intelectualidade de Agostinho, a interpretação cristã da verdade era substancialmente diferente da dos filósofos clássicos. Certamente a Razão desempenhava um papel na espiritualidade cristã. Clemente enfatizava que em virtude da Razão, o Homem podia receber o *Logos* revelado. A razão humana era em si um dom da criação original de Deus, em que o *Logos* era agente do princípio criativo. A fusão de intelecto e culto da cristandade, superior à dicotomia mais ambivalente do paganismo, desempenhou um papel decisivo na ascendência da primeira no final do período clássico. Ao contrário do programa filosófico dos gregos — de um desenvolvimento intelectual independente em relação ao mundo empírico e à esfera transcendental do conhecimento absoluto que ordenava aquele mundo —, os cristãos estavam centrados na revelação de uma única pessoa, Jesus Cristo, e o devoto buscava a iluminação lendo a Sagrada Escritura. A intelectualidade por si só não bastava para apreender a verdade cósmica como fora suficiente para muitos filósofos gregos como Aristóteles, nem mesmo quando suplementada pela pureza moral ressaltada por Platão ou Plotino. Para os cristãos, o papel central era o da Fé — a alma adotava espontânea e livremente a verdade revelada de Cristo; a crença e a confiança do Homem funcionavam em misteriosa interação com a graça concedida por Deus. A cristandade proclamava uma relação pessoal com o transcendental. O *Logos* não era apenas a Mente impessoal, mas uma Palavra divinamente pessoal, um ato de amor de Deus que revelava toda a essência sagrada do homem e do Cosmo. O *Logos* era a Palavra salvadora de Deus; acreditar era estar salvo.

Por isso, a Fé era o primeiro meio para compreender-se o profundo significado de tudo; a Razão ocupava um distante segundo lugar. Para Agostinho, a conversão foi uma superação de suas sofisticadas pretensões intelectuais e uma humilde adoção da fé cristã. Com a exceção do platonismo, os efeitos de um desenvolvimento puramente filosófico de seu intelecto racional apenas aumentaram o ceticismo de Agostinho sobre a possibilidade de encontrar a verdade. Para ele, mesmo a filosofia neoplatônica — o mais religiosamente profundo de todos os sistemas de pensamento pagãos — tinha suas imperfeições fundamentais e aspectos insatisfatórios, pois em nenhum ponto ele encontrava ali a intimidade pessoal com Deus que tanto desejava, nem mesmo na miraculosa revelação de que o Verbo se tornara carne.[6] A leitura das cartas de Paulo despertaram em Agostinho o conhecimento considerava como espiritualmente libertador. Desse ponto de vista, ele tinha uma nova estratégia para obter a verdade: "Tenho a fé, para compreender." Aqui a teoria do conhecimento de Agostinho mostrava sua base judaica, pois o conhecimento correto dependia inteiramente da correta relação do homem com Deus. Sem a entrega inicial a Deus, toda a trilha da investigação e compreensão intelectual inevitavelmente seria lançada em direções desastrosamente errôneas.

Na visão cristã, a razão humana talvez fosse suficiente no paraíso, quando ainda tinha sua ressonância original com a divina inteligência. Depois da rebelião, quando o Homem caiu em desgraça, sua razão foi aos poucos obscurecida e a necessidade da revelação tornou-se absoluta. Confiar e desenvolver uma razão exclusivamente humana poderia resultar em ignorância e erro perigoso. A queda do Homem fora causada pelo roubo do fruto da Árvore do Conhecimento do Bem e do Mal, seu primeiro passo fatal para a independência intelectual, de uma autoconfiança orgulhosa e transgressão à soberania exclusiva de Deus. Ao apreender esse conhecimento da ordem divina, o homem estava intelectualmente cego e agora só poderia ser iluminado pela graça de Deus. Assim, a racionalidade secular tão cara aos gregos era duvidosa para a salvação; a observação empírica tinha pouca importância, a não ser como ajuda para o aperfeiçoamento moral. No contexto da nova ordem, a fé singela de uma criança era superior à complicada argumentação de um intelectual sofisticado. Os teólogos cristãos continuavam a filosofar, a estudar os antigos e a discutir sutilezas doutrinárias — mas dentro dos limites definidos do dogma cristão. Todo aprendizado estava agora subordinado à Teologia, o mais importante de todos os estudos, que encontrara sua base inabalável na Fé.

Em certo sentido, o enfoque do cristão era mais restrito e aguçado do que o do grego e exigia uma necessidade menor de fôlego educacional. A verdade metafísica mais elevada era o fato da Encarnação: a miraculosa intervenção divina na história humana, que libertava a Humanidade e unia o mundo material ao espiritual, o mortal ao imortal, a criatura ao Criador. A simples apreensão deste fato estupendo bastava para satisfazer a busca filosófica e esse fato estava inteiramente descrito nas escrituras da Igreja. Cristo era a fonte exclusiva da verdade no Cosmo, o princípio onipresente da própria Verdade. O sol do *Logos* divino a tudo iluminava. Na nova consciência do final da era clássica e início da era cristã, exemplificada em Agostinho com muita perspicácia, a preocupação da alma com seu destino espiritual era bem mais significativa do que a preocupação do intelecto com o pensamento conceitual ou o estudo empírico. Somente a fé no milagre da redenção de Cristo era suficiente para levar a mais profunda verdade salvadora para o homem. Apesar de sua erudição e apreço pelas realizações científicas e intelectuais dos gregos, Agostinho declarou:

> Quando se pergunta em que devemos acreditar no que se refere à religião, não é necessário sondar a natureza das coisas, como faziam aqueles a quem os gregos chamam *physici*; também não é preciso preocupar-se, a menos que o cristão ignore a força e o número dos elementos; o movimento, a ordem e os eclipses dos corpos celestes; a forma dos céus; as espécies e as naturezas dos animais, plantas, pedras, fontes, rios, montanhas; a cronologia e as distâncias; os sinais da aproximação de tempestades e milhares de outras coisas que os filósofos descobriram ou pensam ter descoberto... Basta ao cristão acreditar que a causa única de todos os seres e coisas que foram criados, sejam celestiais ou terrestres, visíveis ou invisíveis, é a bondade do Criador, o único Deus verdadeiro — e nada existe a não ser Ele, que não derive sua existência d'Ele.[7]

Com a ascensão do Cristianismo, o já decadente estado da ciência no final da era romana recebia pouco estímulo para novas descobertas. Os primeiros cristãos não sentiam nenhuma urgência intelectual de "salvar os fenômenos" deste mundo, já que o mundo fenomenal não tinha nenhum significado, se comparado à realidade espiritual transcendente. Para falar a verdade, o Cristo redentor já salvara os fenômenos; não havia grande necessidade de que a Matemática ou a Astronomia se encarregassem dessa tarefa. Desestimulava-se especialmente o estudo da Astronomia, associado à Astrologia e à religião cósmica do período helenista. Os hebreus monoteístas já haviam condenado astrólogos estrangeiros e essa atitude persistia no contexto cristão. Com suas divindades planetárias e aura de paganismo politeísta, que tendiam a um determinismo contrário tanto à graça divina como à responsabilidade dos seres humanos, a Astrologia foi oficialmente condenada por concílios da Igreja (especialmente Agostinho via a necessidade de silenciar os "matemáticos" da Astrologia); conseqüentemente, ela foi declinando aos poucos, apesar de ocasionais defensores teológicos. Na visão de mundo cristã, os céus eram fervorosamente percebidos como a expressão da glória de Deus e, para o povo, era a moradia de Deus, de seus anjos e santos, o reino de onde Cristo retornaria na Segunda Vinda. O mundo inteiro era compreendido como simples e proeminentemente uma criação de Deus; assim, os esforços para devassar cientificamente a lógica inerente da Natureza já não pareciam mais necessários ou convenientes. Deus conhecia sua verdadeira lógica e o que o Homem devesse ou pudesse conhecer dessa lógica fora revelado na Bíblia.

A vontade de Deus regia todos os aspectos do Universo. Como sempre era possível a intervenção milagrosa, os processos da Natureza estavam subordinados à providência divina e não a simples leis naturais. Os testamentos das escrituras eram o repositório final e imutável da verdade universal; nenhum esforço humano subseqüente poderia aperfeiçoar, modificar e muito menos revolucionar aquela afirmação absoluta. O relacionamento do bom cristão com Deus era o de um filho com o pai — tipicamente, o de um filho muito jovem e ingênuo com o Pai infinitamente maior, onisciente e onipotente. Devido à grande distância entre Criador e criatura, a capacidade humana de compreender o funcionamento interno da criação estava radicalmente limitada. Assim, a verdade era basicamente interpretada não pela investigação intelectual autodeterminada, mas através das Escrituras, da oração e da fé nos ensinamentos da Igreja.

* * *

Paulo e Agostinho testemunharam o poder avassalador e a supremacia da vontade de Deus na potencial devastação espiritual da condenação divina da alma impura, mas também imensamente benigno no ato redentor de Cristo pela Humanidade, através de sua morte na cruz. Ambos tiveram suas conversões religiosas — Paulo, na estrada para Damasco, Agostinho no jardim em Milão — em momentos cruciais de suas biografias, vigorosamente impelidos pela intervenção da graça divina. Somente por essa intervenção foram salvos de uma vida cuja direção agora podia ser vista como fútil e destrutiva. Sob a luz dessas experiências, toda atividade meramente humana, fosse de vontade independente ou de curiosidade intelectual, parecia agora secundária — supérflua, equivocada, ou mesmo pecaminosa —, a menos que levasse a uma ação plenamente voltada para Deus, a fonte exclusiva de todo o Bem e da salvação do Homem. Todo heroísmo, tão essencial para o temperamento grego, agora concentrava-se na figura de Cristo. A entrega do Homem ao divino era a única prioridade existencial. Tudo o mais era vaidade. O martírio, entrega última do ser a Deus, representava o mais elevado ideal cristão. Assim como Cristo era abnegado no mais alto grau, todos os cristãos deveriam esforçar-se por ser como seu Redentor. O requisito para a salvação era a virtude distintiva do cristão: a humildade, não o orgulho, a arrogância. Altruísmo na ação e no pensamento, devoção a Deus e serviço para os outros: a força da graça de Deus somente poderia entrar e transformar a alma com esse esvaziamento do ego.

No entanto, a Humanidade não era diminuída por um relacionamento assimétrico como esse, pois a graça e o amor de Deus eram mais do que suficientes para as verdadeiras necessidades e os mais profundos desejos do Homem. Comparadas a esses dons divinos, todas as satisfações mundanas eram pálidas imitações, sem nenhum valor. Esta era realmente a espantosa declaração dos cristãos ao mundo: Deus amava a Humanidade. Ele não era apenas a fonte da ordem do mundo, a meta da aspiração filosófica, a primeira causa de tudo o que existe; também não era simplesmente o insondável regente do Universo e severo juiz da história do mundo. Em sua transcendência, na pessoa de Jesus Cristo, Deus estendera a mão e apresentara para todos os tempos e toda a Humanidade o infinito amor que tinha por suas criaturas. Esta era a base para uma vida nova, fundamentada na experiência do amor de Deus, cuja universalidade criou uma nova comunidade entre a espécie humana.

Assim a cristandade transmitia a seus membros a difusa sensação do interesse direto de um Deus pessoal nas questões humanas e uma preocupação vital pela alma, não importando o nível de inteligência ou cultura do empreendimento espiritual e sem levar em conta a força física, a beleza ou a condição social. Ao contrário dos helenos, que enfatizavam os grandes heróis e os filósofos excepcionais, a cristandade universalizava a salvação, reafirmando estar ela acessível a escravos e reis, às almas simples e aos pensadores profundos, aos feios e aos bonitos, aos doentes e sofredores, aos fortes e felizes, e tendia a inverter as hierarquias existentes. Em Cristo, todas as divisões da Humanidade eram superadas, agora eram uma unidade: bárbaros, gregos, judeus, gentios, senhores, escravos, homens e mulheres. A excelsa sabedoria e o heroísmo de Cristo permitiam a redenção para todos, não para alguns: Cristo era o sol, que resplandecia igualmente para toda a Humanidade. Portanto, a cristandade agora valorizava cada alma individual como um dos filhos de Deus; nesse novo contexto, o ideal grego do indivíduo independente, determinado e de espírito heróico era reduzido em prol de uma identidade coletiva cristã. Esta elevação do ego comunitário, reflexo humano do Reino dos Céus, baseado no amor compartilhado de Deus e na fé na redenção de Cristo, estimulava a sublimação ou às vezes até a subjugação altruísta do ego individual em favor de uma fidelidade maior em relação ao bem dos outros e à vontade de Deus. Contudo, por outro lado, ao conceder a imortalidade e outorgar valor à alma individual, a cristandade estimulava o desenvolvimento da consciência individual, a responsabilidade por si e a autonomia pessoal em relação aos poderes temporais — traços decisivos na formação do espírito ocidental. Em seus ensinamentos morais, a cristandade trouxe ao mundo pagão um novo sentido de santidade em toda a vida humana, no valor espiritual da família, na superioridade espiritual da abnegação sobre a realização egoísta, na sagração do desinteresse sobre a ambição mundana, da suavidade e do perdão sobre a violência e a retaliação; a condenação do assassinato, do suicídio, da morte de bebês, massacre de prisioneiros, degradação de escravos, da licenciosidade sexual e da prostituição, dos espetáculos sangrentos do circo — tudo isso constava da nova consciência do amor de Deus pela Humanidade e da pureza moral que o amor exigia da alma humana. O amor cristão, fosse divino ou humano, não era tanto o reino de Afrodite, nem o Eros dos filósofos, mas o amor exemplificado em Cristo, que se expressava no sacrifício, no sofrimento e na compaixão universal. Esse ideal cristão de bondade e caridade foi vigorosamente propagado e às vezes era amplamente observado; era um ideal a que certamente não faltavam os imperativos morais da filosofia grega — em especial os do estoicismo, que em muitos aspectos antecipou a ética do Cristianismo —, mas agora com uma influência mais penetrante na cultura de massa da era cristã do que a ética filosófica grega tivera no mundo clássico.

A característica intelectualizada mais formidável da noção grega da divindade e da ascensão individual do filósofo (por mais apaixonado que fosse esse processo para Platão ou Plotino) foi substituída na cristandade pela intimidade emocional e comunal compartilhada de uma relação pessoal e íntima com o Criador e pela adoção piedosa da verdade cristã revelada. Ao contrário dos séculos anteriores de perplexidade metafísica, a cristandade oferecia uma solução completamente elaborada para o dilema do ser humano. As ambigüidades e confusões potencialmente perturbadoras de uma busca filosófica particular sem o balizamento religioso foram então substituídas por uma cosmologia absolutamente certa e um sistema de salvação institucionalmente ritualizado e acessível a todos.

Entretanto, com a verdade estabelecida de maneira tão firme, a Igreja antiga considerava a investigação filosófica menos vital para o desenvolvimento espiritual; a liberdade intelectual, desprovida de importância, em sua essência, foi cuidadosamente limitada.[8] A verdadeira salvação não estava na especulação intelectual sem limites, mas na graça salvadora de Cristo. A religião cristã não deveria ser comparada à filosofia helênica, muito menos às religiões pagãs, pois sua revelação singular continha o supremo significado para o Homem e o mundo. O mistério cristão não era o discutível resultado de uma argumentação metafísica engenhosa, nem uma alternativa viável para as variadas mitologias e mistérios pagãos. O Cristianismo era a proclamação autêntica da verdade absoluta do Deus supremo, cuja crença não modificaria apenas o destino individual dos seres humanos, mas o destino do mundo. Uma doutrina sagrada fora confiada aos cristãos; a fidelidade a esta confiança e a integridade dessa doutrina deveriam ser mantidas a qualquer custo. Estava em jogo a salvação eterna de toda a Humanidade.

A salvaguarda da Fé era a maior prioridade em qualquer questão filosófica ou religiosa; assim, qualquer diálogo muitas vezes era totalmente cerceado para evitar que o demônio da dúvida ou da heterodoxia ganhasse terreno nas vulneráveis mentes dos fiéis. As formas intelectualmente mais esotéricas e doutrinariamente mais livres do Cristianismo primitivo, como os disseminados movimentos gnósticos, eram condenadas e ocasionalmente suprimidas com o mesmo antagonismo intenso que havia em relação ao paganismo. Especialmente os gnósticos anti-hierárquicos faziam pressão na Igreja ortodoxa para uma firme definição da doutrina cristã nos séculos II e III. Na Igreja pós-apostólica, para proteger o que era interpretado como essência única, frágil em certo sentido, da revelação cristã (a simultânea humanidade e divindade do Cristo, a simultânea unidade e trindade de Deus, a bondade original da Criação e ao mesmo tempo sua necessidade de redenção, o Novo Testamento como realização dialética do Velho), o número crescente de seitas e doutrinas conflitantes, os líderes dos antigos cristãos chegaram à conclusão de que as crenças dos fiéis deveriam ser estabelecidas, disseminadas e sustentadas por uma estrutura competente da Igreja. Assim, como incorporação viva das disposições cristãs, a Igreja institucional tornou-se a guardiã da verdade definitiva e o mais alto tribunal a recorrer nas questões de ambigüidade — mais do que isso: na verdade, o braço executor e punitivo da lei religiosa.

O lado sombrio da reivindicação de universalidade da religião cristã foi sua intolerância. A visão da Igreja de que a conversão fosse uma experiência religiosa privada, inteiramente dependente da liberdade individual e da fé espontânea, manteve-se como violento contraponto em relação à política um tanto freqüente de imposição forçada da conformação religiosa. Quando a cristandade ascendeu no final do período clássico, os templos pagãos foram sistematicamente demolidos e as academias filosóficas, oficialmente fechadas.[9] Assim como o puritanismo ético rigoroso que a cristandade herdara do Judaísmo opunha-se à sensualidade e imoralidade desenfreadas que via na cultura pagã, com semelhante rigidez ela desenvolveu um puritanismo teológico que se posicionava contra os ensinamentos da filosofia pagã e quaisquer concepções heterodoxas da verdade cristã. Não havia muitas trilhas verdadeiras, nem muitos deuses e deusas diferindo aqui e ali ou de uma pessoa a outra. Havia apenas um Deus e uma Providência, somente uma religião verdadeira, um plano de salvação para o mundo inteiro. Toda a Humanidade merecia conhecer e possuir esta única fé salvadora. E assim foi, de tal maneira que o pluralismo da cultura clássica, com suas filosofias diversificadas, sua variedade de mitologias politeístas e sua infinidade de religiões de mistério, deu lugar a um sistema monolítico: um Deus, uma Igreja, uma Verdade.

Os Opostos na Visão Cristã

Começamos aqui a vislumbrar o esboço de dois aspectos significativamente diferentes da visão de mundo cristã. À primeira vista, talvez se possa realmente discernir duas visões de mundo inteiramente distintas coexistindo e sobrepondo-se na cristandade, em constante tensão entre si: enquanto uma era intensamente otimista e universal, sua contrapartida era crítica, severa, restritiva e inclinada a um pessimismo dualista. De fato, os dois aspectos estavam indissoluvelmente unidos, eram duas faces da mesma moeda, luz e sombra. A Igreja continha ambas as perspectivas; em sua essência estava o ponto de interseção. Essas duas visões foram enunciadas na Bíblia, no Antigo e no Novo Testamento; em proporções variadas, tiveram expressão simultânea em todos os grandes teólogos, concílios e nas sínteses doutrinárias da Igreja. No entanto, seria bom distinguirmos essas duas perspectivas e defini-las em separado, esclarecendo algumas das complexidades e paradoxos da visão de mundo cristã. Procuremos inicialmente descrever sua dicotomia interna, para depois entendermos como a Igreja lutou para revertê-la.

A primeira dessas visões de mundo enfatizava o Cristianismo como revolução espiritual já existente, que progressivamente ia transformando e libertando cada alma e o mundo inteiro sob a luz da aurora do amor revelado de Deus. Assim entendido, o sacrifício pessoal de Cristo dera início à reunião fundamental da Humanidade e do mundo criado com Deus — reunião essa prevista e iniciada por Cristo, que atingiria sua plena realização numa era futura, com o retorno de Cristo. Estava aí incluída a redenção, a amplitude e a força do *Logos* e do Espírito, a presente imanência de Deus no Homem e no mundo e a resultante alegria e liberdade do fiel cristão que constituía a Igreja, corpo vivo de Cristo.

O outro lado da visão de mundo cristã concentrava-se mais enfaticamente na presente alienação do Homem e do mundo em relação a Deus. Ressaltava, portanto, a condição futura e a espiritualidade da redenção, a finalidade ontológica da "alteridade" de Deus, a necessidade de uma rigorosa inibição das atividades profanas, uma ortodoxia doutrinária definida pela Igreja institucional e uma salvação estritamente limitada à pequena porção da Humanidade que constituía a Igreja fiel. Subjacente e conseqüente a esses dogmas, havia uma crítica negativa e difusa com respeito à condição presente da alma e ao mundo criado, especialmente relacionada à onipotência e à perfeição transcendental de Deus.

Nenhum dos lados dessa polaridade interna do referencial cristão jamais esteve separado do outro. Paulo e Agostinho, o primeiro e o último dos antigos teólogos que definiram a religião cristã transmitida ao Ocidente, tinham visões imensamente expressivas num pensamento imune a influências e simbioses um tanto quanto inquietadoras. No entanto, porque a diferença na ênfase de parte a parte era tão pronunciada e porque as duas perspectivas muitas vezes pareciam derivar de experiências místicas e fontes psicológicas inteiramente diferentes, seria melhor tratálas em descrições separadas e muito dicotomizadas, como se fossem de fato completamente distintas uma da outra.

O primeiro lado encontrava seu principal fundamento nas cartas de Paulo às primeiras comunidades cristãs e no Evangelho de São João. Entretanto, os outros três Evangelhos e os Atos dos Apóstolos por vezes também apoiavam essa visão de mundo; contudo, nenhuma fonte abrangia essa perspectiva por inteiro. A percepção dominante, expressa nessa compreensão, era a de que em Cristo o divino entrara no mundo e que a redenção da Humanidade e da Natureza agora despontavam. Se a religião judaica era uma grande aspiração, o Cristianismo era sua gloriosa realização. O Reino dos Céus irrompera no campo da História e agora o transformava rapidamente, aos poucos impelindo a Humanidade para uma nova perfeição antes inconcebível. A vida, morte e ressurreição de Cristo realizara o milagre dos tempos e a resultante era uma emoção de alegria e gratidão extasiantes. A maior batalha já fora vencida. A cruz era o sinal da vitória. Cristo libertara uma Humanidade prisioneira de sua própria ignorância e erro. Como o princípio da divindade já estava presente no mundo, produzindo suas maravilhas, o centro da busca espiritual era reconhecer na Fé a realidade desse fato sublime e, à luz dessa nova fé, participar diretamente na manifestação divina. A potência redentora do Reino futuro resplandecia na pessoa de Cristo, cuja força carismática uniu todos os Homens em uma nova comunidade. Cristo introduzira uma vida nova no mundo: Ele próprio era essa vida nova, o sopro do eterno. Com a paixão de Cristo nascera uma nova criação, que agora ocorria no Homem e através dele. Seu apogeu seria o estabelecimento de um novo céu e uma nova terra, a fusão do tempo finito com a eternidade.

A peculiar sensação de alegria cósmica e imensa gratidão expressa no início da cristandade parecia derivar da crença de que Deus, em um transbordamento gratuito de amor por sua criação, milagrosamente rompera o aprisionamento deste mundo e vertera sua força redentora sobre a Humanidade. A essência divina voltara à materialidade e à história, iniciando sua transformação radical. Deus resgatara a Humanidade de sua alienação do divino porque Ele próprio, na pessoa de Jesus Cristo, tornara-se plenamente humano — sentindo em si mesmo todo o sofrimento que é o legado da carne mortal, assumindo o peso universal da culpa humana e superando em si mesmo a perambulação moral a que está sujeito o livre-arbítrio do ser humano — assim Deus resgatara a Humanidade de seu estado de alienação do divino. O significado da vida de Jesus não era apenas ter trazido novos ensinamentos e a compreensão espiritual ao mundo. Ao sacrificar sua divina transcendência numa completa imersão nas agonias de vida e morte humanas, em condições históricas definidas por um tempo e um lugar específico — "sofreu sob Pôncio Pilatos" —, Cristo forjara uma realidade fundamentalmente nova. Dentro dessa nova era histórica, um novo destino humano poderia desdobrar-se em comunhão com o amor e a sabedoria divina. A morte de Cristo semeara no mundo o Espírito de Deus, cuja presença permanente produziria a divina transformação da Humanidade.

Nessa visão, o "arrependimento" que Jesus pedia era mais uma conseqüência do despontar do Reino dos Céus do que um pré-requisito. Era menos um movimento de regressão e pesar paralisante pelo passado pecaminoso do que uma adoção progressiva da nova ordem que, em compensação, tornava a vida anterior desprovida de autenticidade e de rumo. Era um retorno à fonte divina de onde fluía toda a inocência: era um recomeço. A redenção cristã constituía uma transformação interior baseada num despertar para o que já estava nascendo — no indivíduo e no mundo. Aos olhos de muitos cristãos primitivos, o momento da alegria já estava presente.

Entretanto, como esclarecia o segundo pólo da visão de mundo cristã, essa mesma revelação levava a outras conseqüências muito diferentes, em que o ato redentor de Cristo num mundo alienado era sentido como parte de uma batalha terrível entre o Bem e o Mal, cujo resultado ainda não acontecera e não estava garantido para todos. Como compensação ao elemento mais positivo, exultante e unitivo no Cristianismo, boa parte do Novo Testamento enfatizava menos uma transformação redentora já realizada e mais a necessidade de uma tensa vigilância e elevada retidão moral na expectativa do retorno de Cristo, especialmente levando-se em conta os perigos do mundo corrupto presente e os riscos da danação eterna. Essa visão estava expressa nos três Evangelhos

Sinópticos (Mateus, Marcos e Lucas) e também nos escritos de Paulo e João. A ênfase estava no quão intensamente a salvação final da Humanidade esperava a atuação exterior de Deus no futuro, através da Segunda Vinda, com um final da História apocalíptico. A batalha entre Cristo e Satã continuava; os terríveis perigos e sofrimentos do presente eram iluminados pela fé no Jesus histórico, o Senhor que ascendeu e em seu retorno salvador — mais do que na confiante sensação joanina que já sentia a vitória decisiva de Cristo sobre o Mal e a morte, a nova imanência de Deus no mundo e a já presente parcela do fiel na vida eterna do Cristo glorificado. A esperança no Redentor predominava nos dois lados da polaridade cristã, mas, nesta segunda interpretação, o presente estava aprisionado na escuridão espiritual que tornava a esperança redentora mais urgente e até desesperada, marcando a localização da redenção mais exclusivamente no futuro e na atividade exterior de Deus.

Este lado mais nitidamente antecipatório da cristandade assemelhava-se a determinados elementos dominantes no Judaísmo, que assim continuava a estruturar a visão de mundo cristã. Esses elementos da visão judaica emergiam sob nova forma na compreensão cristã: a experiência do Mal que impregnava o Homem e a Natureza, a profunda alienação entre o humano e o divino, a impressão da espera sombria por um sinal definitivo da presença redentora de Deus no mundo, a necessidade de uma adesão exigente à Lei, a tentativa de preservar a minoria pura e fiel das incursões de um ambiente hostil e contaminador, a expectativa de uma punição apocalíptica. Por sua vez, o matiz de visão religiosa era reforçado e recebia um novo contexto com o retardamento da Segunda Vinda, e com a evolução histórica e teológica da Igreja que acompanhava esse retardo.

Em seu conceito mais extremo, que não deixava de ser característico da tradição cristã convencional no Ocidente depois de Agostinho, essa interpretação dualista enfatizava o inerente desmerecimento da Humanidade e sua conseqüente incapacidade de sentir a força da redenção de Cristo em sua vida, a não ser de modo proléptico através da Igreja. Refletindo e ampliando a concepção judaica da queda de Adão e a resultante separação entre Deus e o Homem, a Igreja cristã inculcou um pronunciado sentido de pecado e culpa, o risco ou mesmo a probabilidade da danação e a conseqüente necessidade de uma estrita observância da lei religiosa e de uma justificação institucionalmente definida da alma diante de Deus. A exultante imagem de um Deus imanente e transcendental sendo ao mesmo tempo Homem, Natureza e espírito misteriosamente unificador justapunha-se à imagem de uma autoridade jurídica inteiramente transcendental, separada, e mesmo antagônica em relação ao Homem e à Natureza. Iavé, o Deus severo e muitas vezes implacável do Velho Testamento, estava agora incorporado no Cristo, o Juiz que condenava o desobediente tão prontamente quanto redimia o obediente. A própria Igreja — aqui entendida mais como instituição hierárquica do que comunidade mística dos fiéis — assumiu esse papel jurídico com enorme autoridade cultural. O ideal unificador do Cristianismo primitivo de tornar-se Uno com o Cristo ressurgido e com a comunidade cristã, e a união filosófica mística com o *Logos* divino de inspiração helênica retrocederam enquanto metas religiosas explícitas em prol de um conceito mais judaico de estrita obediência à vontade de Deus — e, por extrapolação, obediência às decisões da hierarquia da Igreja. O sofrimento e a morte de Cristo foram muitas vezes retratados como uma causa a mais para a culpa humana, em vez de serem a maneira de eliminar essa culpa. A crucificação em seu aspecto horrendo tornou-se a imagem dominante, mais do que a ressurreição ou ambas juntas. O relacionamento do filho culpado com o pai severo, conforme boa parte do Velho Testamento, em muito sobrepuja a feliz reconciliação com a essência divina proclamada no outro lado da cristandade primitiva.

Ainda assim, os dois pólos da visão de mundo cristã não deixavam de estar relacionados, como essas distinções podem sugerir: a Igreja não era apenas portadora do significado dos dois lados, ela se considerava a solução dessa dicotomia. Para compreendermos o quanto mensagens aparentemente divergentes poderiam estar unidas na mesma religião, devemos tentar apreender o processo pelo qual a Igreja cristã se desenvolveu, tanto na concepção de si mesma como na História, e a pressão desses acontecimentos, personalidades e movimentos que regiam esta evolução. No entanto, mesmo essa investigação depende de primeiro apreendermos, ou pelo menos vislumbrarmos, a proclamação cristã primitiva em algo semelhante à sua forma no primeiro século.

A Cristandade Exultante

No Novo Testamento, especialmente em certos trechos das cartas de Paulo e do Evangelho de João, estava claro que, em certo sentido, o cisma infinito entre o humano e o divino já fora transposto. A culpa e a dor da separação (causada pelo pecado de Adão), haviam sido superadas pela vitória de Cristo (o "segundo Adão") e o cristão fiel participava diretamente da nova união. Essa opção estava, por assim dizer, aberta à Humanidade. Cristo se sacrificara para que o Homem mortal pudesse obter a vida imortal: Deus unira-se ao homem, de modo que este pudesse agora unir-se a Deus. Quando Cristo partiu do mundo, seu Espírito descera; agora estava imanente na Humanidade e efetivava sua transformação espiritual — na verdade, sua deificação.

A nova percepção cristã de Deus era diferente da imagem tradicional judaica. Cristo não era apenas o Messias antecipado pelos profetas hebreus, cumprindo a missão religiosa dos judeus na História. Era também o Filho de Deus, uno com Deus; com seu auto-sacrifício, o virtuoso Iavé do Velho Testamento, que pedia justiça e exigia vingança, tornara-se o Pai amoroso do Novo Testamento, que concedia a graça e perdoava todos os pecados. Os primeiros cristãos também afirmavam a nova imediação e intimidade de Deus, que se diferenciava ainda mais da remota severidade de Iavé no Jesus Cristo humano, e agora agia menos como juiz vingador do que libertador compassivo.

A vinda de Cristo foi portanto um rompimento da tradição judaica e também seu cumprimento (daí a consciente distinção dos primeiros cristãos entre o "Velho" e o "Novo" Testamento — e a declaração, neste, de uma "vida nova," um "novo homem," a "nova natureza," a "nova maneira," o "novo céu e a nova terra."). A batalha e o triunfo de Cristo sobre a morte, o sofrimento e o Mal tornaram possível esse triunfo para todos os seres humanos, permitindo que percebessem suas próprias tribulações num contexto maior de renascimento. Morrer com Cristo era ascender com Ele para a nova vida do Reino. Cristo era aqui interpretado como um ponto de perpétua inovação, um ilimitado renascer da luz divina no mundo e na alma. Sua crucificação representava a dor do nascimento de uma nova Humanidade e um novo Cosmo. Uma divina transfiguração se iniciara no Homem e na Natureza com a redenção de

Cristo, aqui visto como um evento cósmico que afetava todo o Universo. Em vez da condenação de uma Humanidade pecaminosa num mundo caído, havia aqui uma ênfase maior na graça ilimitada de Deus, na presença do Espírito, no amor do *Logos* pelo Homem e pelo mundo, na santificação, na deificação e no renascimento universal. Pelo que demonstram seus escritos, era como se muitos dos cristãos primitivos houvessem experimentado uma trégua súbita em relação à morte certa, uma inversão da danação certa, um inesperado dom de vida nova — e não apenas vida nova, mas vida eterna. Sob o impacto dessa revelação miraculosa, eles se dispuseram a divulgar a 'boa nova' da salvação da Humanidade.

Aqui a redenção de Cristo era tão plenamente considerada uma realização absoluta e natural da história humana e de todo o sofrimento humano que o pecado de Adão, origem arquetípica da alienação e mortalidade dos seres humanos, era paradoxalmente celebrado como *Oh, felix culpa!* ("Oh, abençoado pecado!") na liturgia da Páscoa. A Queda — erro primordial do Homem que trouxe o sinistro conhecimento do Bem e do Mal, os riscos morais da liberdade, a alienação e a morte — era vista aqui não tanto como rematado desastre abominável e trágico, mas como um primeiro passo e parte integrante do desenvolvimento existencial do Homem, causado por sua infantil ausência de discernimento, uma suscetibilidade ingênua com a decepção. Utilizando mal a liberdade concedida por Deus, o Homem arruinara a perfeição da criação e se distanciara da unidade divina. No entanto, exatamente através de uma dolorosa consciência crítica desse pecado, o Homem podia agora sentir a infinita alegria do perdão e do abraço de Deus em sua alma perdida. Através de Cristo, aquela separação primordial estava sendo curada e a perfeição da criação restaurada em outro nível mais abrangente. A fragilidade humana tornava-se assim um momento da força divina. Somente a partir da sensação de derrota e finitude, o Homem poderia abrir-se espontaneamente para Deus; somente com a queda do Homem, Ele podia revelar plenamente sua glória inconcebível e seu amor, corrigindo o incorrigível. Agora, até a aparente ira divina podia ser compreendida como elemento necessário em sua infinita benevolência e o sofrimento humano, como o prelúdio necessário para a felicidade ilimitada.[10]

Com a superação da morte de Cristo, quando o Homem admitiu a potencialidade de seu renascimento na eternidade, todo o sofrimento e o mal temporal deixavam de ter o significado original a não ser como preparo para a redenção. O elemento negativo no Universo serviu para produzir, segundo a lógica de um mistério divino, o surgimento de um estado existencial mais genuíno, que todos os fiéis cristãos poderiam gozar. Podia-se ter absoluta confiança no Todo-Poderoso e abandonar toda a ansiedade pelo futuro para viver com a simplicidade dos "lírios do campo". Assim como a semente oculta trazida da fria sombra do inverno florescia na cálida luz da vida na primavera, mesmo na hora mais tenebrosa a misteriosa sabedoria de Deus elaborava seu plano sublime. Todo o drama vigente da Criação à Segunda Vinda poderia ser agora reconhecido como sublime produto do plano divino, desdobramento do *Logos*. Cristo era o começo e o fim da Criação, o "alfa e o ômega", sua sabedoria original e sua consumação final. O que estivera oculto se manifestara. Em Cristo, o significado do Cosmo estava realizado e revelado. Tudo isto era celebrado pelos primeiros cristãos em metáfora arrebatada: com a encarnação de Cristo, o *Logos* voltara ao mundo e criara uma canção celestial, sintonizando as discordâncias do Universo em harmonia perfeita, ressoando o gozo da união cósmica entre o céu e a terra, Deus e a Humanidade.

A primeira proclamação cristã da redenção era ao mesmo tempo mística, cósmica e histórica. Por um lado, era uma transformação interior fundamental — sentir a aurora do Reino de Deus era estar interiormente tomado pela divindade, banhado por uma luz e por um amor interior. Pela graça de Cristo, o antigo ego, falso e separado, morria para permitir o nascimento de um novo e verdadeiro ego em harmonia com Deus. Cristo era a própria verdade, a mais profunda essência da personalidade humana. Seu nascimento na alma humana não era tanto uma chegada exterior, mas uma emergência do interior, o despertar para o real, um irromper radical da divindade sem precedentes no âmago da aventura humana. No entanto, por outro lado, associado a essa transfiguração interior, o mundo inteiro estava sendo transformado e restaurado em sua glória divina — não simplesmente como se por uma iluminação subjetiva, mas de maneira ontológica essencial, de significado histórico e coletivo.

Aqui se afirmava um novo otimismo cósmico. Fisicamente e em sua historicidade, a ressurreição de Cristo mantinha a promessa de que tudo de alguma forma desapareceria e se aperfeiçoaria numa reunião final vitoriosa com a divindade infinita — toda a história dos indivíduos e a da Humanidade, toda a luta, todos os erros, pecados e imperfeições, toda a matéria, todo o drama e toda a realidade da Terra. Toda crueldade e todo absurdo adquiria então um significado na plena revelação de Cristo, o significado oculto da Criação. Nada seria deixado de fora. O mundo não era um aprisionamento mau, nem uma ilusão desnecessária, mas portador da glória de Deus. A História não era um ciclo interminável de fases de deterioração, mas a matriz da deificação da Humanidade. Através da onipotência de Deus, o Destino cruel transmutava-se em Providência benevolente. A angústia e o desespero humanos agora podiam encontrar a realização divina e não uma simples trégua. Os Portões do Paraíso, implacavelmente fechados com a Queda, foram reabertos por Cristo. A infinitude da força e da compaixão de Deus inevitavelmente conquistaria e consumaria o Universo inteiro.

Muitos cristãos primitivos teriam vivido em um estado de êxtase permanente com a miraculosa redenção histórica que acreditavam haver ocorrido. A unificação do Cosmo agora despontava e a inexorabilidade dos velhos dualismos — Homem e Deus, Natureza e espírito, tempo e eternidade, vida e morte, o eu e o outro, Israel e o resto da Humanidade — fora superada. Embora aguardassem com ansiedade a Segunda Vinda de Cristo, a *Parousia* ("Presença") — quando ele retornaria dos céus em plena glória para o mundo inteiro —, sua consciência centrava-se no fato libertador de já haver sido iniciado o processo redentor de Cristo: um processo triunfante de que todos poderiam participar diretamente. Esta foi a base sobre a qual se constituiu a avassaladora atitude de esperança cristã. Através do permanente ato de esperança do fiel cristão na força compassiva e no plano de Deus para a Humanidade, as tentativas e erros do presente poderiam ser transcendidas. A Humanidade podia olhar agora para a frente, em humilde confiança, para uma gloriosa realização futura que sua atitude de esperança de alguma forma ajudava a tornar real.

Tem especial importância aqui a crença de que, em Cristo, Deus se encarnara — o Criador infinito e onipotente se tornara uma completa personalidade humana individual na História. Esta fusão em Cristo levara a Humanidade a um relacionamento fundamentalmente novo com a divindade, uma unidade redentora em que o próprio valor da Humanidade era exaltado. A linguagem sobre o Cristo que chegava usada por Paulo, João e os primeiros teólogos cristãos, como Irineu, parecia indicar não apenas que o Retorno de Cristo ocorreria como fato externo, uma descida dos céus em algum momento não especificado no futuro, mas que também assumiria a forma de um nascimento progressivo a partir do desdobramento histórico e natural de todos os seres humanos, que estavam sendo aperfeiçoados em Cristo e através dele. Cristo era aqui considerado o noivo celestial, que fecundara a Humanidade com a semente da divindade e, ao mesmo tempo, a meta da evolução humana, a realização da promessa daquela semente. Em sua progressiva e permanente encarnação na Humanidade e no mundo, Cristo levaria a criação à plena realização. A semente poderia estar agora oculta no solo, mas já em trabalho, atuante, crescendo lentamente, passando à perfeição num glorioso desdobramento do mistério divino. Paulo escreveu em sua Carta aos Romanos que "toda a criação geme no trabalho de parto" de seu divino ser, pois todos os cristãos continham o Cristo em si — grávidos de um novo ser que nasceria para uma vida nova e mais autêntica na plena consciência de Deus. A história humana era uma imensa educação para a divindade, conduzindo o ser do Homem para Deus. Não somente o Homem se realizaria em Deus, mas Deus se realizaria no Homem, atingindo a revelação através de sua encarnação na forma humana. Deus escolhera o homem como receptáculo de sua imagem, em que sua divina essência estaria plenamente encarnada.

Sob esse ponto de vista, o Homem era um nobre participante na manifestação criativa de Deus. Em sua alienação de Deus, o Homem ainda poderia desempenhar o papel central, consertando o despedaçamento da criação e restaurando sua imagem divina. O *Logos* descera no Homem de modo que este, participando da paixão de Cristo e contendo agora o próprio *Logos*, poderia ascender a Deus. Cristo entregara-se livremente ao Homem e experimentara toda a humilhação e fragilidade da condição humana e por isso dera ao Homem a capacidade de compartilhar a glória e a força de Deus. Não havia, portanto, nenhum limite no que poderia vir a ser o futuro do Homem em Deus. O ideal da deificação humana encontrado em Paulo e João tornara-se claro na formulação doutrinária do teólogo Atanásio (século IV): "Deus tornou-se homem para que nos tornemos Deus." À luz da deificação evolucionária apregoada no Novo Testamento, todos os traumas e devastações históricos, as guerras, fomes e terremotos, os incomensuráveis sofrimentos da Humanidade eram compreensíveis como o necessário trabalho de parto do Homem divino. Sob a nova luz da revelação divina, as labutas do Homem não eram vãs. O Homem teria de carregar a aflição, a cruz de Cristo, para que pudesse carregar Deus. Jesus Cristo era o novo Adão que dera início a uma nova Humanidade, desenvolvendo novas forças de liberdade e consciência espiritual que se realizariam no futuro — mas o divino já estava gloriosamente imanente e atuante no Homem e no mundo presente.

A Cristandade Dualista

No entanto, Paulo advertiu que o elemento exultante na cristandade, embora válido em si, facilmente poderia levar a conseqüências espirituais negativas se sua ênfase estivesse mais voltada para o Homem e não para Cristo, mais no presente do que no futuro, mais no conhecimento e menos na Fé. Ele percebeu essa distorção e apressou-se em corrigi-la entre certos "entusiastas" ou proto-gnósticos das congregações que ajudara a fundar.

Aos olhos de Paulo, suas crenças e seu comportamento moral revelavam os riscos de uma interpretação por demais exultante da mensagem cristã, o que poderia então degenerar em uma superestimativa pecaminosa do ego, uma indiferença irresponsável em relação ao mundo e ao Mal ainda presente, além de um soberbo exagero da força espiritual pessoal e do conhecimento esotérico no amor, na Humildade e na disciplina moral da vida prática. Cristo realmente dera início a uma nova era e uma nova Humanidade, mas estas ainda não haviam chegado; o Homem se decepcionaria se pensasse que alguém mais, que não Deus, poderia efetivar aquela sublime transfiguração, cuja plena realidade continuava no futuro. O mundo estava prenhe do divino e na agonia do parto, mas ainda não dera à luz. Ainda que a atuação de Cristo já estivesse presente no Homem, os próprios sofrimentos pessoais de Paulo (os "espinhos" em sua carne), as perseguições feitas a ele eram a evidência de que a realização estava no futuro e de que o verdadeiro caminho da glória de Deus era o caminho da cruz. É preciso sofrer com Cristo para ser glorificado com Cristo.

Paulo combatia especialmente a tendência desses entusiastas em perder o que considerava o equilíbrio adequado entre as aspirações religiosas do indivíduo e as da grande comunidade cristã. Perder esse equilíbrio era perder a essência do verdadeiro evangelho cristão. Este afirmava que uma redenção pessoal já realizada num mundo que evidentemente permanecia irredimido poderia levar ao elitismo espiritual, à licenciosidade no comportamento e até mesmo a uma futura ressurreição coletiva, pois já se considerava presente a redenção pessoal. Mais do que a compaixão divina, o efeito de tais ensinamentos era a soberba arrogante do Homem. Era preciso que o Homem conhecesse seus limites e suas faltas, que pusesse sua fé em Cristo. No momento, o verdadeiro cristão deveria trabalhar duramente com seus companheiros para erigir uma comunidade de amor e pureza moral, merecedora do glorioso futuro de Deus. O deleite no que já fora sentido, através de Cristo, era parte dessa visão, mas também o rigor moral, o sacrifício pessoal e a fé humilde na transformação futura.

Paulo ensinava um dualismo parcial no presente para afirmar a maior unidade cósmica no futuro, para que uma prematura reivindicação da redenção de agora excluísse depois a salvação maior do mundo. Esses ensinamentos corretivos de Paulo estavam também apoiados na visão religiosa contida nos três Evangelhos Sinópticos de Marcos, Mateus e Lucas. Juntas, em oposição ao Evangelho segundo João, essas narrativas tendiam a enfatizar a humanidade de Cristo, seu sofrimento e vida histórica, os riscos satânicos do momento presente que antecede o final apocalíptico dos tempos, com menos do sentido joanino da glória espiritual do Cristo, que para João já se difundia no presente. Portanto, a perspectiva expressa nos Evangelhos Sinópticos estimulava uma intensa antecipação da atividade divina que amenizaria as provações vigentes e indicava uma opinião mais crítica da posição espiritual presente do Homem. Esse ponto de vista prestava-se a um dualismo entre o mundo presente e o iminente Reino dos Céus, entre a onipotência de Deus e o desamparo do Homem. No entanto, o dualismo era mitigado pelo dom do Espírito que Deus concedera à Humanidade e logo seria superado com a Segunda Vinda de Cristo.

Paradoxalmente, esse dualismo foi amplificado e recebeu um diferente significado através de determinados elementos do Evangelho de João, o último a ser escrito (próximo ao final do primeiro século) e o mais desenvolvido teologicamente. Como a Segunda Vinda não ocorreu conforme a primeira geração de cristãos havia esperado, o dualismo que tinha uma forma antecipatória nos Sinópticos assumiu uma dimensão mais mística e ontológica sob a influência do Evangelho de João. A visão deste evangelista era permeada pelo tema da luz que se opunha à escuridão, o Bem ao Mal, uma divisão cósmica facilmente aplicável ao dualismo entre espírito e matéria, concretizando e reforçando a distinção entre o reino transcendental de Cristo e o mundo sob a influência de Satanás. Embora a "escatologia realizada" de João — seu ensinamento de que o fim da Salvação já estaria efetivado na esteira da ressurreição — afirmasse a participação presente do Homem na glorificação de Cristo, isto já era cada vez mais entendido como uma participação espiritual que transcendia o mundo material e o corpo físico, que assim tornavam-se irrelevantes ou mesmo inibidores do processo redentor. Esse dualismo místico e ontológico era apoiado e amplificado pelos gnósticos, bem como pela corrente neoplatonista da teologia cristã, e ainda mais confirmado pelo constante retardamento histórico da *Parousia*. Enquanto os gnósticos pensavam que o conhecimento esotérico mediava essa transcendência e os neoplatônicos, que a iluminação mística o faria, para a tradição convencional cristã, que era maior e antecipara a Segunda Vinda como a solução necessária, o papel mediador seria cumprido pela Igreja sacramental que se formava.

Assim, o Evangelho de João afirmava uma unidade presente de Cristo e do crente, mas à custa de um implícito dualismo ontológico. Além do mais, apesar da fundamental declaração joanina de que "o Verbo [*o Logos*] fez-se carne", a absoluta magnitude da divindade luminosa do Cristo do Evangelho de João — retratado aqui na glória, como o Senhor das alturas desde o início de seu ministério — parecia transcender em muito as presentes potencialidades de todos os outros seres humanos e, conseqüentemente, tendia a enfatizar a inferioridade espiritual e a ignorância do Homem natural e do mundo natural. A Igreja estava destinada a preencher esta lacuna, como numinosa representação da presença constante de Cristo no mundo e veículo da sacramentalização da Humanidade. O Cristo de João estava misticamente aberto para a existência do Homem: aqueles que obedecessem seu mandamento de amor e o conhecessem como o Filho poderiam participar de seu relacionamento unitário com o Pai transcendental. No entanto, este relacionamento especial era visto em oposição ao resto dos que eram "do mundo", estabelecendo assim mais uma divisão — como a elite gnóstica era distinta da maioria irredimível da Humanidade, como o filósofo esclarecido distinguia-se dos não-esclarecidos ou, mais amplamente para a tradição cristã, como os que estavam na Igreja se distinguiam de tudo o que estava fora dela. Essa divisão sustentou e reforçou aquela tendência tanto no Velho quanto no Novo Testamento, considerando a salvação em termos de uma minoria de fiéis eleitos, únicos, a quem Deus prezava e que poderiam ser gratuitamente salvos das massas de uma Humanidade que por natureza se opunha a Deus e estava destinada à danação.

Foi essa tendência geral — um misto de potência e duração incomuns da visão premonitória da redenção encontrada nos Evangelhos Sinópticos, das advertências morais de Paulo e do místico dualismo de João, tudo isso combinado à influência permanente dos temas judaicos anteriores ao Cristianismo, ao atraso da Segunda Vinda e às exigências da Igreja institucional em desenvolvimento — que estimulou o outro lado da visão cristã, cujo caráter a longo prazo redefiniria de modo significativo a mensagem cristã primitiva. Com uma leve mudança ou intensificação de ênfase, os mesmos Evangelhos e as mesmas Epístolas que juntos proclamavam a exultante mensagem cristã poderiam prestar-se a uma outra síntese de matiz impressionantemente diferente, sobretudo no momento em que mudava o contexto histórico, lançando nova luz sobre a revelação. Em sua raiz, esta compreensão refletia um sentido maior das divisões da existência — entre Deus e Homem, céu e terra, Bem e Mal, fiel e danado. Aqui a ênfase estava na corrupção em que haviam sucumbido o Homem e o mundo e, conseqüentemente, nos atos divinos necessários para salvar as almas humanas. Sobre esse fundamento das Escrituras e com base em sua própria experiência da presente condição negativa do mundo e sua própria ânsia espiritual, os devotos cristãos concentravam sua atenção mais exclusivamente no futuro e no sobrenatural, na forma da prometida Segunda Vinda ou de uma vida após a morte, redimida e mediada pela Igreja. Em quaisquer desses casos daí resultava uma acentuada tendência à negação do valor intrínseco da vida atual, do mundo natural e da posição da Humanidade na hierarquia divina.

Somente a intervenção de Deus poderia salvar a virtude restante da Humanidade, intervenção essa que nas primeiras gerações depois de Cristo esperava-se que assumisse a forma de uma irrupção apocalíptica que encerraria a História. Esta expectativa talvez fosse estimulada pelas palavras do próprio Jesus a respeito da iminência de tal evento, embora também se soubesse que ele desestimulava os cálculos relativos a detalhes ou sua data precisa. De qualquer maneira, na época estava disseminada uma ansiosa antecipação do final dos tempos entre os judeus e outras seitas religiosas, críticas do maligno mundo contemporâneo. Depois de passadas muitas gerações sem esse apocalipse, especialmente depois de Agostinho, a salvação era vista menos em tais termos coletivos e históricos dramáticos, e mais como um processo mediado pela Igreja, que só poderia ocorrer através dos sacramentos institucionais e só estaria plenamente realizada quando a alma deixasse o mundo físico, entrando em estado celestial. Como o apocalipse, essa salvação era inteiramente atribuída à vontade de Deus e não ao esforço humano, embora requeresse que, durante sua vida, o fiel adaptasse todas as suas ações e crenças estritamente às sancionadas pela Igreja. Nos dois casos, o papel positivo do Homem era diminuído ou negado em favor do papel de Deus, o valor deste mundo era reduzido ou negado em favor do próximo; apenas uma escrupulosa conformidade em relação a específicos princípios morais e regulamentações eclesiásticas poderia evitar a condenação da alma do fiel. A luta com o Mal avassalador era uma preocupação suprema, tornando imperativa a atuação autoritária de Deus e da Igreja.

Assim, a maioria dos cristãos e a tradição cristã ocidental, ainda que em princípio reconhecessem muito da concepção unitária exultante, na prática entregavam-se a uma forma de cristandade que era mais estática, circunscrita e dualista. A dimensão cósmica da cristandade primitiva — Humanidade e Natureza como progressivas portadoras de Cristo, a História como processo emergente de nascimento do divino no mundo — era atenuada em favor de uma concepção mais dicotomizada. Na visão dessa última, o ideal cristão era concebido como um receptor obediente e relativamente passivo do divino, cuja presença poderia ser plenamente conhecida pela alma humana, mas somente através de um rompimento radical com este mundo — diversamente entendido como algo que ocorreria através de uma efetivada Segunda Vinda apocalíptica, através da retirada monástica ascética deste mundo e pela mediação de uma Igreja não-mundana ou antimundana ou por meio de uma salvação plenamente transcendental e extramundana, na vida após a morte.

Neste sentido, pode-se dizer que boa parte da cristandade ainda esperava por seu redentor — não muito diferente do Judaísmo, embora neste momento com uma ênfase maior no outro mundo. Aqui o significado espiritual da Segunda Vinda de Cristo, a vinda de Cristo à alma depois da morte, tendia a superar o de sua primeira vinda, a não ser pelo fato de que esta iniciara a Igreja, proporcionando ensinamentos e exemplo moral, trazendo também a esperança de uma salvação futura. O Jesus que sofreu e foi crucificado na primeira vinda, carregando o peso da culpa de toda a Humanidade, tendia a suplantar o Cristo ressuscitado, portador da liberação da Humanidade. O próprio mundo parecia haver passado por pouca mudança essencial ou por alguma divinização — afinal, ele crucificara Deus quando este se tornara homem, definindo mais claramente seu destino pecaminoso. A esperança da Humanidade está no futuro, no poder transcendental de Deus, no outro mundo e, no presente, deposita-se no baluarte da Igreja.

Desta maneira, toda a "imanência" do Reino de Deus agora estava contida na Igreja. No entanto, essa mesma Igreja era decisivamente contrária ao mundo em que existia, ou melhor, com o qual era forçada a coexistir. Em um nível mais profundo, o imanente dinamismo do "novo

Homem" e da "nova criação" que caracterizara a consciência primitiva cristã aqui fora transformado em ânsia intensa pelo frescor do outro mundo, por um futuro radiosamente celestial, por uma iluminação perfeitamente transcendental. O mundo presente era uma etapa estranha ao Homem, o contexto relativamente estático em que ele fora colocado no momento da criação, onde teria de cuidar de sua salvação por meio da Igreja. Esta salvação, por sua vez, consistiria na condução do Homem aos céus, levado por Cristo e deixando para trás suas imperfeições terrenas. Quanto mais pobre e ruim o mundo presente, tanto mais exaltada a felicidade de sua redenção no paraíso. Cientes de sua própria condição pecaminosa e das graves imperfeições do mundo, os fiéis cristãos conscienciosamente dedicavam seus esforços ao preparo da salvação no outro mundo, incentivados pela crença de que somente poucos seriam salvos, enquanto a grande maioria da Humanidade corrompida encontraria a perdição.

Nesta perspectiva, a idéia da deificação humana já não tinha sentido ou se tornava blasfema. A contribuição do ser humano ao empenho salvacionista era limitada; a natureza da salvação definia-se menos como assimilação a Deus e mais como justificativa eclesiástica e inclusão na corte celestial divina. O fiel cristão não era divinizado como Deus quando se fazia virtuoso aos olhos d'Ele, livre de sua culpa pessoal e hereditária. Aqui o conceito cristão da nobreza e liberdade do Homem, a mais importante criatura, feita à imagem de Deus e exaltada por Cristo que uniu o divino ao humano, era amplamente obscurecido pela percepção da indignidade e absoluta dependência espiritual do Homem em relação a Deus e à Igreja. O Homem era um ser intrinsecamente permeado pelo pecado que voluntariamente se opusera a Deus. Por essa razão a vontade do Homem era impotente contra o Mal interno e externo; a salvação residia unicamente na compaixão de Deus por sua culpabilidade, considerando a morte de seu próprio Filho uma expiação, e poupando o fiel da danação que, assim como toda a Humanidade, ele realmente merecia.

Como a simples ação de Deus era espiritualmente poderosa, as pretensões humanas a um heroísmo similar ao dos gregos antigos somente poderiam ser consideradas vaidade censurável. Para muitos cristãos primitivos e, mais tarde, para os místicos, podia-se participar do heróico até onde se estivesse participando diretamente em Cristo, o princípio motivador da divindade universal. Esse ponto de vista muitas vezes está implícito no testamento de mártires da Igreja antiga. No entanto, para o Cristianismo convencional posterior, esse heroísmo inalcançável estava muito além de todas as capacidades do Homem. Nessa perspectiva, Cristo era um personagem inteiramente externo, cuja manifestação histórica em Jesus era singular e cujo heroísmo divino era absoluto; em relação a ele, na melhor das hipóteses, os seres humanos eram devedores e, na pior, miseráveis pecadores. Todo Bem vinha de Deus e era de origem espiritual, mas todo Mal provinha da própria natureza pecaminosa do Homem e tinha uma origem carnal. Aqui o antigo dualismo era virtualmente tão absoluto como antes do nascimento de Cristo; a trágica imagem da crucificação servia para reforçar a impressão de um cisma no Universo entre Deus e o Homem, entre sua vida presente neste mundo e a vida futura no mundo espiritual. Somente a Igreja poderia transpor esta grande lacuna.

* * *

A existência desses dois modos de sentir a cristandade radicalmente diferentes mas entrelaçados refletia uma dicotomia semelhante que havia na fé judaica; a permanente influência desta era mais um fator na visão de mundo cristã que evoluía. A altamente desenvolvida percepção judaica do divino e de sua potência era complementada por uma percepção igualmente aguçada do profano, do idólatra e da insignificância do meramente humano. Da mesma forma, o relacionamento e a especial responsabilidade histórica de Israel no cumprimento dos preceitos de Deus para renovar sua soberania no mundo proporcionavam-lhe não apenas a consciência de sua singular importância espiritual, mas também a de seu fracasso e culpa caracteristicamente humanos. No espírito do dualismo de bem e mal do zoroastrismo cósmico, porém com a diferença de conseqüência histórica de ter sido a queda *humana* que provocou a queda cósmica e não o contrário, a tradição bíblica colocava sobre os ombros do Homem uma responsabilidade moral de dimensões universais. O Povo Escolhido ao mesmo tempo era exaltado e sobrecarregado por seu papel especial; a imagem de Deus variava segundo a perspectiva.

Por outro lado, inúmeras passagens da Bíblia hebraica — como os Salmos, Isaías ou o Cântico dos Cânticos — atestavam a compaixão, a bondade e o íntimo amor de Deus na vida judaica. A literatura religiosa judaica acima de tudo distinguia-se por seu pronunciado sentido da preocupação e do relacionamento pessoal de Deus em relação ao Homem e sua história. Por outro lado, grande parte do espírito e da narrativa do Velho Testamento era dominada pela figura de um Deus ciumento, de justiça severa e implacável vingança — arbitrariamente punitivo, obsessivamente centrado em si, militantemente nacionalista, patriarcal, moralista, "olho por olho" e assim por diante — a ponto de muitas vezes ser difícil discernir suas prezadas qualidades compassivas. A confiança em Deus estava sempre relacionada ao temor a Ele. Em certos encontros decisivos com Iavé, somente a súplica do homem por um julgamento eqüitativo ou misericordioso moderava o impacto da ira contra aqueles a quem Deus considerava desobedientes. Em determinados momentos, era como se o sentido de justiça moral do próprio judeu superasse o de Iavé; mesmo assim, o primeiro estava sempre ao lado deste.[11] O acordo sagrado entre Deus e o Homem paradoxalmente exigia ao mesmo tempo a autonomia e a submissão do parceiro humano; com base nessa tensão evoluiu o *ethos* judaico.

A tensão era central para a experiência religiosa judaica; apesar de significativas exceções, o Deus hebraico geralmente se revelava como intransigentemente "Outro". O dualismo permeava a visão de mundo judaica: Deus e o Homem, Bem e Mal, sagrado e profano. Não obstante, a proximidade de Deus, contrabalançando sua alteridade, era visível na História. Na visão judaica, a presença do divino no mundo manifestava-se na obediência de Israel a Iavé e era medida especialmente por ela, obrigação em que o Povo alternadamente triunfava e hesitava. Tudo residia nesse drama. A dialética judaica entre a terrível onipotência de Deus e a ontológica separação do Homem em relação a Deus resolvia-se no plano histórico de salvação divina; este plano exigia a total submissão do Homem. Assim, a ordem divina de obediência constante tendia a superar o jorro divino de amor reconciliatório.

Ainda assim, esse amor era sentido, especialmente, como presença numinosa que impelia a nação judaica à realização, à Terra Prometida em suas diversas formas em constante evolução. O aspecto redentor e unitário do amor de Deus pelo Homem mais parecia o de uma condição fervorosamente aguardada que seria realizada por um Messias em era futura, enquanto o momento presente era sofridamente matizado pela sombria desolação do pecado do Homem e da ira divina. Para os judeus, o conhecimento pessoal da divindade estava inextricavelmente ligado a um inflexível senso crítico, assim como o amor do Homem por Deus estava plenamente entrelaçado a uma escrupulosa obediência à lei de Deus. Por sua vez, esta combinação foi herdada e reafirmada pela cristandade, onde a redenção do Cristo não eliminava inteiramente a natureza vingativa de Deus.

Os escritos de Paulo, João e Agostinho expressavam uma singular mistura do místico e do jurídico; foram eles os principais modeladores da religião cristã, que refletiu essas tendências divergentes. Deus era um ser supremo absoluto, mas esse bom Deus podia agir com a mais implacável e rancorosa severidade em relação ao Homem, como ocorre na Revelação do apocalíptico Julgamento Final de João (não deixa de ter significado teológico o fato de certas igrejas e monastérios medievais terem expurgado a passagem *Oh felix culpa!* da liturgia pascal). Como no Judaísmo, a experiência cristã de Deus oscilava entre um relacionamento de amor sublime, um verdadeiro romance divino e um antagonismo e condenação jurídicos terrivelmente punitivos. Dessa maneira, fé e esperança cristãs coexistem com a culpa e o temor cristãos.

Mais Opostos e o Legado de Sto. Agostinho

Matéria e Espírito

O conflito interior entre redenção e julgamento, entre a unificação de Deus com o mundo e uma fortíssima oposição dualista, era especialmente proeminente nas atitudes da cristandade em relação ao mundo e ao corpo físico — uma ambivalência fundamental jamais inteiramente resolvida. De modo mais explícito do que outras tradições religiosas, Judaísmo e Cristianismo afirmavam a plena realidade, magnificência, beleza e integridade da criação do livre-arbítrio de Deus: não era uma ilusão, uma falsificação, um equívoco divino; não era uma imitação imperfeita ou necessária emanação. Deus criou o mundo e o mundo era bom. Além do mais, o Homem foi criado em corpo e alma à imagem de Deus. No entanto, com o pecado e a queda, Homem e Natureza perderam seu legado divino e assim começou o drama judaico-cristão de suas vicissitudes em relação a Deus, com o pano de fundo de um mundo alienado e espiritualmente destituído. Quanto mais exaltada a visão judaico-cristã da prisca criação original, mais trágica sua visão da queda.

Entretanto, a revelação cristã afirmava que, em Cristo, Deus se tornara homem, em carne e osso, e depois de sua crucificação ressurgira no que os apóstolos acreditavam ter sido uma total transfiguração e renovação espiritual de seu corpo físico. Nesses milagres centrais da fé cristã — a Encarnação e a Ressurreição — baseava-se a crença tanto na imortalidade da alma, como na redenção e na ressurreição do corpo e da própria natureza. Por causa de Cristo, não mudava apenas a alma humana, mas o corpo humano e suas ações espiritualizavam-se e tornavam-se novamente sagrados. Mesmo a união conjugal era vista aqui como um reflexo da ligação íntima de Cristo com a Humanidade e, portanto, de significado sacro. A encarnação de Cristo efetivara a restauração da imagem de Deus no Homem. Em Jesus, o *Logos* arquetípico se fundira em sua imagem derivada, o homem, restaurando assim sua plena divindade. O triunfo redentor era um novo Homem em sua integridade, não uma transcendência espiritual de seu corpo físico. No ensinamento de que "o Verbo se fez carne" e em sua fé no renascimento do Homem total está uma dimensão explicitamente material que distinguiu a cristandade de outras concepções místicas mais exclusivamente transcendentes.

Essa redentora compreensão cristã reafirmou e trouxe novo significado para a visão hebraica do Homem como corpo e alma criados à imagem de Deus, concepção comparável à posterior idéia neoplatônica do Homem como um microcosmo do divino, mas com a ênfase decisivamente maior do Judaísmo no Homem — corpo e alma — como unidade integrada de poder vital. O corpo era o receptáculo do espírito, seu templo, sua expressão encarnada. Além disso, o ministério de Jesus estivera centralmente envolvido na ação da cura de corpo e alma, pensados em conjunto. Na Igreja primitiva, havia a repetida referência a "Cristo, o médico", e os apóstolos eram muitas vezes considerados curadores carismáticos. A fé cristã primitiva concebia a natureza da salvação espiritual em termos claramente psicossomáticos. A imagem dominante de Paulo para a ressurreição da Humanidade era a do corpo uno de Cristo; toda a Humanidade compunha seus membros, amadurecida na plenitude de Cristo, que era sua cabeça e sua consumação. E não apenas o Homem estava sendo restaurado à divindade, mas também a Natureza, que fora partida pela queda e ansiava pela salvação. Paulo escreveu, em sua Carta aos Romanos: "Eis que a criação aguarda com enorme ansiedade a revelação dos filhos de Deus." Os sacerdotes da Igreja primitiva acreditavam que, assim como Cristo restauraria a relação rompida entre o Homem e Deus, ele restauraria também a que havia entre o Homem e a Natureza, que desde a Queda e o uso equivocado da liberdade estivera sujeita à arrogância egoísta do Homem.

A encarnação de Cristo no mundo e sua redenção eram vistas não somente como eventos exclusivamente espirituais, mas antes como fato incomparável na temporalidade material e na história do mundo, representando a perfeição espiritual da Natureza — não a antítese, mas sua completitude. O *Logos*, divina sabedoria, estivera presente na criação desde o início. Cristo agora tornara explícita a implícita divindade do mundo. A Criação era a base da redenção, assim como o nascimento era a condição prévia do renascimento. Deste ponto de vista, a Natureza era considerada nobre trabalho artesanal de Deus, o lugar onde ele agora se revelava, sendo por isso merecedor de reverência e compreensão.

Contudo, igualmente característica do pensamento cristão era uma visão oposta, dominante na cristandade ocidental posterior, onde a Natureza era considerada algo a ser superado para atingir-se a pureza espiritual. Toda a Natureza era corrupta e finita. Somente o Homem, a mais importante criatura, era capaz de salvação e somente sua alma era essencialmente redimível. Nesta perspectiva, a alma do Homem estava em conflito direto com os instintos básicos de sua própria natureza biológica e em risco pela cilada potencial dos prazeres carnais e do mundo material. Aqui, o corpo físico era muitas vezes deplorado como residência do demônio e ocasião de pecado. A primitiva crença judaico-cristã na redenção do homem e do mundo natural em suas integridades mudou de ênfase, especialmente sob a influência dos teólogos cristãos neoplatônicos, passando à crença em uma redenção puramente espiritual, em que somente as faculdades superiores do Homem — o intelecto espiritual, a essência divina da alma humana — se reuniriam a Deus. Embora o elemento platônico na cristandade superasse o dualismo divino-humano concebendo o Homem como participante direto do arquétipo divino, simultaneamente estimulava um dualismo diferente entre corpo e espírito. O enfoque da identidade divino-humano platônica era o *nous*, o intelecto espiritual; o corpo físico não participava desta identidade, mas a impedia. Em suas mais extremadas formas, o platonismo incentivou na cristandade uma visão do corpo como a prisão da alma.

O que acontece com o corpo físico, acontece com o mundo físico. A doutrina de Platão da supremacia da realidade transcendente sobre o mundo material contingente reforçou na cristandade um dualismo metafísico que, por sua vez, apoiava um ascetismo moral. Como o Sócrates de Platão, o devoto cristão percebia a si mesmo como cidadão do mundo espiritual; sua relação com o transitório reino físico era como a de um peregrino, um estranho. O Homem outrora possuíra um bem-aventurado conhecimento divino, mas caíra em sombria ignorância; somente a esperança de recuperar essa luz espiritual motivava a alma cristã detida neste corpo e neste mundo. Somente no momento em que despertasse da vida presente o Homem obteria a plena felicidade. A morte, como libertação espiritual, era mais valorizada do que a existência mundana. Na melhor das hipóteses, o mundo material concreto era o reflexo imperfeito do reino espiritual superior do porvir e uma preparação para ele. Todavia, o mundo terreno, com suas atrações ilusórias, seus prazeres espúrios e o aviltante despertar das paixões, tinha maior probabilidade de perverter a alma e privá-la de sua recompensa celestial. Assim, todo esforço moral e intelectual era corretamente dirigido para o espiritual e a vida após a morte, distante do físico e desta vida. Desse modo, o platonismo proporcionava uma enfática justificativa filosófica para o potencial dualismo espírito-matéria na cristandade.

Entretanto, esse avanço teológico posterior tinha inúmeros antecedentes, todos com acentuada tendência ao dualismo e ascetismo religioso que influenciaram a visão de mundo cristã: o estoicismo, o neopitagorismo, o maniqueísmo e outras seitas religiosas, como a dos essênios. Com seu característico imperativo contra a profanação mundana e carnal do divino e sagrado, o próprio Judaísmo dava apoio a essas tendências, desde o início da nova religião. No entanto, certas correntes do gnosticismo dualista, provavelmente surgidas a partir da penetração do Judaísmo místico pelo dualismo zoroastriano, foram neste aspecto as mais extremadas durante os primeiros séculos do Cristianismo, sustentando uma divisão absoluta entre um mundo material mau e um reino espiritual bom. A resultante teologia sincrética do gnosticismo transformou radicalmente a concepção cristã ortodoxa, sustentando que o criador do mundo físico, o Iavé do Velho Testamento, era uma divindade subordinada, imperfeita e tirânica, derrotada pelo Cristo espiritual e pelo compassivo Pai da revelação do Novo Testamento (que os gnósticos aumentaram e alteraram com outros textos, para eliminar o que ainda restava da fé hebraica, considerada falsa). O espírito do Homem estava aprisionado num corpo estranho, num mundo material estranho, que só poderia ser transcendido através do conhecedor do esoterismo, o eleito gnóstico. Essa visão ampliava tendências relatadas no Evangelho de João, enfatizando as divisões entre luz e escuridão, entre o reino de Cristo e o mundo sob o império de Satã, entre o eleito espiritual e o leigo irredimido, Iavé e Cristo, o Velho Testamento e o Novo. Embora os primeiros teólogos oficiais ortodoxos cristãos, como Irineu, argumentassem vigorosamente em favor da continuidade do Velho e do Novo Testamento, da unidade do plano divino desde o Gênese até Cristo, boa parte do teor do dualismo gnóstico deixou traços na teologia e devoção cristãs subseqüentes.

A própria cristandade primitiva em si, como sua progenitora judaica, tendia ambiguamente a um dualismo matéria-espírito e a uma visão negativa da Natureza e do mundo. O Novo Testamento referia-se a Satã como o príncipe desse mundo; assim, a confiança cristã num mundo regido pela Providência justapunha-se ao temor cristão de um mundo regido por Satã. Além do mais, para afastar-se da cultura pagã contemporânea altamente sexualizada, grande parte da antiga cristandade enfatizava a necessidade de uma pureza espiritual que pouco espaço deixava para os instintos espontâneos da Natureza — em particular, a sexualidade. O celibato era o estado ideal; o casamento uma concessão necessária para que a cupidez humana se mantivesse dentro de limites definidos. Ao contrário, eram enfatizadas as formas caritativas e comunais do amor cristão — o *agape*, preferível ao *eros*. Aqui, especial importância era atribuída à expectativa do iminente retorno de Cristo, que dominou a sensibilidade cristã primitiva, fazendo a preocupação com o casamento e a procriação parecerem insignificantes. A chegada do Reino dos Céus, evento que a maioria dos cristãos primitivos esperava que ocorresse em sua vida, eliminaria todas as formas sociais e materiais da velha ordem. De modo geral, o desejo de superar os excessos materialistas da cultura pagã, como também o repetido choque da cristandade com perseguições sancionadas pelo Estado, impeliu os primeiros cristãos a negarem os valores deste mundo em favor dos do próximo. O afastamento desse mundo e sua transcendência, à maneira dos eremitas ou, de modo mais absoluto, através do martírio, fascinava enormemente o cristão fervoroso. Expectativas apocalípticas muitas vezes surgiam e geravam avaliações intensamente negativas do mundo presente.

A necessidade de manter-se santo e imaculado em antecipação à iminente vinda do Cristo era o mais importante imperativo para o cristão primitivo. A natureza dessa pureza e santidade moral definia-se na polarizada oposição de Paulo entre "carne" e "espírito" — a primeira, má, a segunda, boa. Paulo na verdade fazia uma distinção entre "carne" (*sarx*), a natureza irredimida, e "corpo" (*soma*), algo que conotava o homem inteiro — menos parte da dicotomia corpo-alma dos gregos e mais a unidade bíblica, suscetível de pecado, mas aberta à redenção. Ele admitia uma avaliação positiva de "corpo" em imagens como o corpo de Cristo, o corpo dos membros da Igreja, a ressurreição do corpo, o corpo como templo do Espírito Santo. Em geral, empregava-se "carne" menos como referência ao físico em si do que à fragilidade mortal do Homem e, especificamente, a um princípio de elevação do ego que provocava uma inversão moral da personalidade humana, uma sujeição da alma e do corpo humano às forças negativas inferiores às custas de uma abertura de amor para a grande realidade espiritual de Deus. O pecado não era tanto mera carnalidade — embora a vida pecaminosa fosse carnal em suas obsessões — como o era a perversa elevação, acima de Deus, daquilo que, bom em si mesmo, na justa medida, estivesse diretamente a Ele subordinado.

A distinção carne-corpo de Paulo muitas vezes era ambígua, tanto em suas afirmações doutrinárias, como em sua ética prática. A escolha de "carne" como termo configurador de uma detração moral e metafísica teve conseqüências. Posteriormente, muitos cristãos consideravam o físico, o biológico e o instintivo algo inerentemente inclinado ao demoníaco, responsável pela queda do Homem e sua reiterada decadência. A polaridade carne-espírito em Paulo, composta por tendências similares em outras partes do Novo Testamento, lançou a semente de um dualismo antifísico na cristandade, mais tarde amplificado por outras influências platônicas, gnósticas e maniqueístas.

Agostinho

O que era implícito em Paulo foi explicitado por Agostinho. Aqui, voltaremos nossa atenção mais diretamente sobre a pessoa cuja influência na cristandade ocidental seria singularmente incisiva e duradoura. Em Agostinho, todos esses fatores — Judaísmo, teologia paulina, misticismo joanino, ascetismo cristão primitivo, dualismo gnóstico, neoplatonismo e a situação crítica do final da civilização clássica — combinaram-se às peculiaridades de sua personalidade e de sua biografia, definindo sua atitude para com a Natureza e o mundo, a história da Humanidade e a redenção do Homem, que moldaria o caráter da cristandade ocidental medieval.

Filho de pai pagão e mãe devotamente cristã, Agostinho era dotado de personalidade cuja intensidade aumentava suas polaridades biográficas. De natureza muito sensual, jovem de vida boa no libidinoso ambiente da Cartago pagã, pai de um filho ilegítimo com sua amante, seguia a carreira nada excepcional de professor de retórica. No entanto, aos poucos sentiu-se atraído para o psíquico e o espiritual, por uma preferência filosófica e aspiração religiosa e, por fim, pela religião de sua mãe. Abandonou a vida leiga e vivenciou uma seqüência de impressionantes experiências mentais em etapas que mais tarde tiveram importante significado em seu conhecimento religioso. Adotou a vida superior preconizada pela Filosofia depois de ler o *Hortensius* de Cícero; em seguida, teve um longo envolvimento com a extremamente dualista seita semignóstica do maniqueísmo; depois, uma atração crescente pelo neoplatonismo filosófico; por fim, ao encontrar Ambrósio, bispo de Milão, um neoplatônico cristão, encerrou sua busca adotando a religião cristã e a Igreja Católica. Cada elemento desta seqüência deixou marca em sua visão madura — que, por sua vez, marcou o pensamento cristão ocidental com textos extraordinariamente convincentes.

Agostinho tinha uma aguçada consciência de seu papel como agente moral volitivo e responsável; conhecia também o peso e o preço da liberdade — erro, culpa, tristeza e sofrimento, separação de Deus. Em certo sentido, Agostinho foi o mais moderno dos antigos: ele possuía a consciência de um existencialista, com uma grande capacidade para a introspecção e a luta consigo mesmo; preocupava-se com a memória, a consciência e o tempo; tinha perspicácia psicológica, dúvidas, remorsos; percebia a alienação solitária do ego humano sem Deus; havia ainda seu intenso conflito interior, seu ceticismo e sua sofisticação intelectual. Agostinho foi o primeiro a escrever que poderia duvidar de tudo, mas não do fato que era próprio da existência da alma a experiência de duvidar, conhecer e desejar — afirmando assim a certeza da existência do ego humano na alma. Afirmou também a absoluta dependência desse ego em relação a Deus, sem o qual ele não poderia existir, muito menos dispor da capacidade de obter o conhecimento ou chegar à realização. Agostinho era também o mais medieval dos antigos. Sua religiosidade católica, suas predisposições monolíticas, sua atenção concentrada no outro mundo e seu dualismo cósmico eram presságios da era seguinte — como também sua atilada percepção do invisível, da vontade de Deus, da Santa Mãe Igreja, dos milagres, da graça, da Providência, do pecado, do Mal, do demoníaco. Agostinho era um homem de paradoxos e extremos; seu legado teria, assim, também essa característica.

Certamente a natureza pessoal e a força da conversão de Agostinho — a vivência de um avassalador influxo da graça de Deus, que o afastou da cegueira egoísta e corrompida de seu verdadeiro ego — foram fatores determinantes em sua visão teológica, nele enraizando a convicção da supremacia da vontade e da bondade divinas, e da pobreza que é inerente ao próprio homem. A luminosa força da intervenção determinante de Cristo em sua vida deixou a pessoa humana em relativa penumbra. No entanto, o que especialmente influenciou seu discernimento talvez tenha sido o papel central desempenhado pela sexualidade na busca religiosa. Embora ciente da ordem inerentemente divina (muitas vezes maior em seu louvor à beleza e bondade da criação do que num platonista), em sua própria vida Agostinho dava extremada ênfase à negação ascética de seus instintos sexuais como exigência para a completa iluminação espiritual — ponto de vista estabelecido a partir de seus entreveros com o neoplatonismo e o maniqueísmo, que refletem raízes mais profundas em sua personalidade e em sua vida.

O amor de Deus era a quintessência e a meta da religiosidade de Agostinho e só poderia brotar se o amor por si e o amor pela carne fossem derrotados. Em sua visão, sucumbir à carne estava no âmago da queda do Homem; o ato de comer o fruto proibido da Árvore do Conhecimento do Bem e do Mal, pecado original de que toda a Humanidade participou, estava diretamente associado à concupiscência (e ao "conhecer" bíblico, que sempre teve conotações sexuais). Para Agostinho, o caráter mau da luxúria da carne era visível na vergonha que acompanhava a mera nudez dos órgãos sexuais. A procriação no Paraíso antes da queda não teria acarretado nem a vergonha, nem esse impulso bestial. Agora, o casamento transformaria o mal herdado em algum bem, já que traria filhos, o compromisso permanente e a limitação da sexualidade aos fins procriativos. Contudo, o pecado primordial contagiara todos os nascidos de geração carnal, de modo que toda a Humanidade estava condenada à dor no parto, ao sofrimento e culpa na vida e ao mal da morte no fim. Somente através da graça de Cristo e da ressurreição do corpo seriam eliminados todos os vestígios daquele pecado e a alma do Homem estaria livre da maldição de sua natureza decadente.

Agostinho realmente sustentava que a raiz do Mal não estava na matéria, como diziam os neoplatonistas, pois a matéria era criação de Deus e, assim, era boa. O Mal era antes uma conseqüência do uso equivocado que o Homem fazia de seu livre-arbítrio. O Mal consiste no ato de afastar-se de Deus, e não no pressuposto. O germe do dualismo neoplatônico e do maniqueísmo, mais extremado, sobrevivia na associação agostiniana do uso pecaminoso da liberdade à concupiscência, à sexualidade e daí à degradação que impregnou toda a Natureza.

Sobre este eixo assentava-se a teologia moral de Agostinho. A criação — Homem e Natureza — era um produto infinitamente maravilhoso da fecundidade benevolente de Deus, mas com o pecado do Homem esta criação foi tão fundamentalmente abalada, que somente uma outra vida, celestial, poderia recuperar sua integridade e glória original. A queda do Homem foi precipitada por sua rebelião deliberada contra a própria hierarquia divina, rebeldia baseada na afirmação dos valores da carne contra os do espírito; agora ele estava escravizado pelas paixões inferiores. O Homem já não era livre para determinar sua vida simplesmente em virtude de sua vontade racional, não apenas por causa de circunstâncias que estariam fora de seu controle, mas também porque estava inconscientemente restrito pela ignorância e pelo condicionamento emocional. Seus pensamentos e ações pecaminosos iniciais tornaram-se hábitos entranhados, resultando em cadeias às quais ele não conseguia resistir, aprisionando-o num estado de mísera alienação de Deus; somente a intervenção da graça divina poderia romper a perversa espiral do pecado. O Homem estava tão preso por sua vaidade e seu orgulho, tão desejoso de impor sua vontade aos outros, quanto incapacitado de transformar-se por suas próprias forças. Em seu decadente estado atual, a liberdade legítima para o Homem consistiria unicamente na aceitação da graça de Deus. Somente Deus poderia libertá-lo, pois nenhuma de suas ações bastaria para levá-lo à salvação. Desde o início dos tempos, Deus já sabia quais os eleitos e quais os danados, porque em sua onisciência previa as reações dos Homens à Graça. Embora a doutrina cristã oficial nem sempre aceitasse as mais extremas formulações de Agostinho sobre a predestinação ou sua quase absoluta negação de qualquer papel atuante do Homem no processo da salvação, a visão cristã subseqüente sobre a corrupção moral e o aprisionamento do Homem correspondia amplamente à de Agostinho.

E assim, este homem que proclamara tão decisivamente o amor e a presença libertadora de Deus em sua própria vida, reconheceu também a inata escravidão e impotência da alma humana pervertida pelo Pecado Original — e com uma força que jamais deixou de permear a tradição ocidental cristã. Desta antítese, surgiu para Agostinho a necessidade de um meio divinamente proporcionado de atingir a Graça: uma estrutura eclesiástica autoritária onde, abrigado, o Homem poderia satisfazer suas mais importantes necessidades de orientação espiritual, disciplina moral e graça sacramental.

A visão decisiva de Agostinho em relação à natureza humana teve um corolário em sua avaliação da história secular. Como bispo influente em sua época, no final da vida Agostinho foi dominado por duas preocupações urgentes: de um lado, a preservação da unidade da Igreja e da uniformidade doutrinária em relação à influência entrópica dos diversos grandes movimentos heréticos; de outro, o embate histórico da queda do Império Romano sob as invasões bárbaras. Diante do império que desmoronava e o aparente fim da própria civilização, Agostinho não via grandes possibilidades de algum genuíno progresso histórico neste mundo. Nos males, crueldades, guerras e assassinatos manifestos, na cobiça, arrogância, licenciosidade, vícios, ignorância e sofrimentos que todos os seres humanos estavam obrigados a sentir, ele via a demonstração da força absoluta e permanente do Pecado Original, que fazia desta vida um tormento, um inferno na Terra, do qual somente Cristo poderia salvar o Homem. Agostinho respondeu à grande crítica dos pagãos romanos sobreviventes à religião cristã, de que a cristandade teria solapado a integridade do poder imperial romano e assim aberto caminho para o triunfo bárbaro, com um diferente conjunto de valores e diferente visão da História: todo o progresso verdadeiro era necessariamente espiritual e transcendia este mundo e seu destino negativo. O importante para o bem-estar do Homem não era o império secular, mas a Igreja Católica. A divina Providência e a salvação espiritual eram os fatores fundamentais na existência humana, o que reduzia o significado da história secular, com seus valores efêmeros e seu progresso flutuante e em geral negativo.

A História, como tudo o mais na criação, era manifestação da vontade de Deus. Ela materializava seu objetivo moral. O Homem não apreendia plenamente esse objetivo no sombrio e caótico momento presente, pois seu significado só seria justificado no final da História. No entanto, embora a história do mundo continuasse sob as ordens de Deus e tivesse um plano espiritual (Agostinho a comparava à grande melodia de um compositor inefável; as partes dessa melodia eram os arranjos adequados a cada época), seu aspecto laico não era verdadeiramente progressivo. Ao contrário, por causa da permanência do poder de Satã neste mundo, a história estava destinada a encenar uma evolução deteriorante e desarmonizadora do eleito espiritual e da massa dos danados, como a eterna batalha maniqueísta entre o Bem e o Mal. Nesse drama, muitas vezes os motivos de Deus estavam ocultos, mas eram justos. Quaisquer vitórias ou derrotas aparentes que acontecessem às pessoas nesta vida nada eram, se comparadas ao destino eterno merecido por suas almas. As particularidades e realizações da história secular não tinham nenhuma importância fundamental. As ações nesta vida eram significativas principalmente por suas conseqüências na vida após a morte: recompensa ou castigo divino. A busca da alma individual por Deus era elementar, a História e o mundo serviam apenas de palco para esse drama. Escapar deste mundo para entrar no outro, passando do ego a Deus, da carne ao espírito, constituía o mais profundo objetivo e a mais séria orientação da vida humana. A grande graça salvadora na História era a Igreja fundada por Cristo.

Em vez da previsão dos cristãos primitivos de uma mudança imanente e iminente do mundo, Agostinho abandonava o terreno mundano, cuja tendência decadente era naturalmente negativa. Para ele, Cristo já havia derrotado Satã, mas no reino espiritual, o único reino que realmente tinha importância. A verdadeira realidade religiosa não estava sujeita aos caprichos do mundo e da História; esta realidade só poderia ser conhecida através da vivência interior de Deus, mediada pela Igreja e por seus sacramentos.

Aqui a influência neoplatônica — voltada para o interior, subjetiva, a ascensão espiritual individual — juntava-se e até certo ponto assumia precedência ao princípio judaico de uma espiritualidade coletiva, exterior e histórica. A penetração do neoplatonismo na cristandade aumentava e simultaneamente explicava o elemento místico e interior da revelação cristã, especialmente a do Evangelho de João. Todavia, com isso, ao mesmo tempo reduzia o elemento histórico coletivamente evolucionário da cristandade primitiva (em Paulo e nos primeiríssimos teólogos como Irineu), legado pelo Judaísmo e desenvolvido de forma radical a partir daí. O grande sentido que Agostinho dava ao governo da História por parte de Deus (como está claro em seu esboço descritivo das duas sociedades invisíveis dos eleitos e dos danados, a cidade de Deus e a cidade do mundo, em luta durante toda a história da criação até o Julgamento Final) ainda refletia a visão ética judaica da objetividade de Deus na História. A doutrina das duas cidades teria grande influência na história ocidental subseqüente, afirmando a autonomia da Igreja espiritual diante do Estado leigo. No entanto, sua fundamental depreciação do laico, somada a seu passado filosófico, suas predisposições psicológicas e seu contexto histórico transformavam aquela visão e a dirigiam para uma religiosidade pessoal e interior, voltada para o outro mundo.

A sensibilidade judaica era dominante em outros aspectos essenciais do pensamento de Agostinho e da visão de mundo cristã que evoluía — por exemplo, o dualismo de um Deus onipotente e transcendente em oposição ao Homem acorrentado pelo pecado, próprio da criatura, e a necessidade de uma estrutura religiosa moral e doutrinariamente autoritária, regendo a comunidade dos fiéis eleitos. E isso era plenamente visível na evolucão das atitudes características da cristandade em relação aos mandamentos de Deus.

A Lei e a Graça

Para os judeus, a Lei de Moisés era um guia para a vida, pilar da solidez existencial, era o que moralmente ordenava suas vidas e os mantinha em um bom relacionamento com Deus. Enquanto a tradição judaica, como a representada pelos fariseus no tempo de Jesus, impunha rigorosa obediência à Lei, os primeiros cristãos afirmavam algo que lhes parecia um ponto de vista essencialmente oposto: a Lei fora feita para o Homem e cumprida no amor de Deus, o que eliminava a necessidade da obediência reprimida; ao contrário, evocava a adoção libertadora e espontânea da vontade de Deus como se fosse a própria. Essa união de vontades só era mediada pela graça divina, o imerecido dom da salvação trazido à cristandade por Cristo. Desse ponto de vista, com seus preceitos negativos escritos sobre a pedra, a Lei só poderia estabelecer uma obediência imperfeita através do medo. Paulo, ao contrário, declarou que o Homem somente poderia estar legitimamente reabilitado através da fé em Cristo, cujo ato salvador permitiria a todos os fiéis conhecerem a liberdade na graça de Deus. As censuras da Lei faziam do Homem um pecador, dividido contra si mesmo. Em vez de estar "escravizado" sob a Lei, o cristão era um Homem livre, porque participava da liberdade de Cristo, através de sua Graça.

Antes da conversão, Paulo fora um fariseu, fervoroso defensor da Lei. Depois, com um zelo que reprovava a si mesmo, afirmara a impotência da Lei em relação ao poder do amor de Cristo e à presença do Espírito atuante no ser humano. Não obstante, a visão que Paulo tinha da Lei era considerada pelos judeus uma paródia de sua própria natureza. Para eles, a Lei era em si um dom de Deus e despertava a responsabilidade moral no Homem. Ela sustentava a autonomia humana e das boas ações como necessárias na economia da salvação. Paulo também reconhecia um papel para esses elementos, mas afirmava que sua própria vida exemplificava o quanto era vã religiosidade regida por uma lei. Era preciso mais do que o esforço humano, ainda que divinamente legislado, para algo tão fundamental e supra-humano como a redenção da alma. As boas ações e a responsabilidade moral eram necessárias, mas não suficientes. Somente o dom supremo da encarnação de Cristo e o auto-sacrifício possibilitavam essa vida em harmonia com Deus, tão profundamente ansiada pela alma. Mais do que o escrupuloso conformismo a preceitos éticos, a fé na Graça de Cristo era o caminho mais certo para a salvação — e a prova desta fé eram os atos de amor e serviço cristão que a graça de Cristo possibilitava. Para Paulo, a lei já não era a autoridade amalgamadora, porque o verdadeiro objetivo da Lei era Cristo.

Sublinhando da mesma forma o rompimento da lei judaica, o Evangelho de João declarava: "Pois a Lei foi dada através de Moisés, mas a graça e verdade vieram por meio de Jesus Cristo." A tensão entre a vontade de Deus e a do Homem, entre a regulamentação externa e a inclinação interior, podia ser dissolvida no amor de Deus, que juntaria o humano e o divino em um espírito unitário. Despertar esse estado de amor divino era tocar o Reino dos Céus. Por causa da redenção de Cristo, o Homem podia agora atingir a perfeição aos olhos de Deus, não através de restrições, mas em feliz espontaneidade.

Esta oposição entre a restrição moral e a liberdade da graça divina no Novo Testamento não deixava de ter certa ambigüidade. A preocupação do Evangelho com a ética interpessoal era um elemento dominante na visão de mundo cristã, mas sua natureza proporcionava duas interpretações. Por um lado, o tom dos ensinamentos de Jesus era muitas vezes exageradamente inflexível e crítico, enunciado na dura dialética semita e intensificado diante da iminência do final dos tempos. No Evangelho de Mateus, a Lei torna-se ainda mais rigorosa para os seguidores de Jesus — exigindo a pureza de intenções e a ação, o amor pelo inimigo e também pelo amigo, o perdão incessante, o total desprendimento das coisas deste mundo — e a exigência de integridade moral incondicional chega ao máximo na urgência da transição messiânica. Por outro lado, Jesus repetidamente enfatizava a compaixão mais do que a virtude pessoal e o espírito interior mais do que a letra externa da lei. Sua exigência da pureza moral sublime e até absoluta — tanto ao julgar os pensamentos espontâneos como os atos deliberados — parecia pressupor mais do que a vontade humana para chegar-se a essa bondade interior, abrindo caminho para a fé na graça de Deus. Sua intenção parecia muitas vezes proporcionar alívio ao pobre, ao desesperado, ao desamparado e ao pecador, e ao mesmo tempo terrivelmente advertir o orgulhoso, o vaidoso, o seguro em sua posição espiritual e profana. Uma abertura humilde para a graça divina contava mais do que o comportamento legalmente íntegro. A medida de referência da Lei era sempre o mais elevado mandamento de amor. Segundo o Novo Testamento, a extensão do quanto a moral baseada na lei havia superado a prática religiosa judaica era a demonstração de que a Lei fora usurpada e se congelara no tempo, um fim que, em si, agora mais obscurecia do que mediava a verdadeira relação do indivíduo com Deus e os outros.

Até a nova revelação cristã da graça e gratuidade de Deus estava aberta a interpretações e conseqüências antitéticas, sobretudo nas condições históricas posteriores. A ênfase paulina e agostiniana na graça divina sobre as ações humanas e na virtuosidade que dependia de si mesma não se prestava apenas à noção humana de completude na adoção da imanente vontade divina, mas também a uma acentuada redução da liberdade real do Homem em relação à onipotência de Deus. Na luta pela salvação, os próprios esforços do Homem eram proporcionalmente inconseqüentes; somente o poder salvador de Deus era real. A única fonte do Bem era Deus; somente a sua misericórdia salvaria o Homem de sua natural inclinação decadente para a perversidade cega. Por causa do pecado de Adão, todos os seres humanos eram corruptos e culpados; somente a morte de Cristo expiara essa culpa coletiva. O Cristo da ressurreição trazido para a Humanidade estava presente na Igreja; a justificativa que todos os seres humanos exigiam para evitar a condenação dependia dos sacramentos desta e o acesso a eles, por sua vez, exigia a conformidade a determinados padrões éticos e eclesiásticos.

Já que as instituições sagradas eram os veículos divinamente estabelecidos da graça de Deus, a Igreja tinha um significado supra-humano, sua hierarquia tinha absoluta autoridade, suas leis eram definitivas. Como os seres humanos intrinsecamente tendiam ao pecado e viviam num mundo de tentação permanente, era preciso que houvesse duras sanções definidas pela Igreja contra as ações e pensamentos desenfreados para que suas almas eternas não caíssem no mesmo destino degradado de seus corpos temporais. Especialmente no Ocidente, sob as exigências históricas da responsabilidade da Igreja pelos recém-convertidos povos bárbaros (do seu ponto de vista cristão, moralmente primitivos), estabeleceu-se uma verticalidade disseminada por todas as suas instituições, na qual a autoridade espiritual fluía de cima para baixo, iniciando-se no supremo soberano papal. Assim, o vigor característico da Igreja cristã medieval (preceitos morais absolutistas, complexa estrutura legal e jurídica; sistema contábil de boas ações e méritos; meticulosas distinções entre as diferentes categorias do pecado; crenças e sacramentos imperativos; poder de excomunhão e grande ênfase na repressão da carne pela constante ameaça da condenação) mais parecia, em geral, uma reminiscência do precedente conceito judaico da lei de Deus — na verdade, um exagero desse conceito, mais do que a nova imagem unitária da graça divina. No entanto, salvaguardas tão elaboradas pareciam necessárias no presente mundo de instabilidade e risco laico, para preservar uma legítima moral cristã e orientar o rebanho espiritual da Igreja para a vida eterna.

Atenas e Jerusalém

Outra dicotomia dentro do sistema de crença cristão era a questão de sua pureza e integridade e de como estas seriam preservadas. A inclinação judaica para o exclusivismo religioso e pureza doutrinária também passara para a cristandade, mantendo uma tensão constante com o elemento helênico, que buscou e encontrou a evidência de uma filosofia divina em obras de variados pensadores pagãos, especialmente Platão.

Embora Paulo às vezes acentuasse a necessidade de uma completa diferenciação entre a cristandade e as idéias ilusórias da filosofia pagã, que por esta razão deveria ser cuidadosamente evitada, em outros momentos ele sugeria uma abordagem mais liberal, citando poetas pagãos e tacitamente incutindo elementos da ética estóica em seus ensinamentos cristãos (Paulo nascera em Taurus, na Ásia Menor, cidade universitária cosmopolita, renomada por seus filósofos estóicos). No final do período clássico, teólogos cristãos estavam muitas vezes imbuídos da filosofia grega antes de converter-se ao Cristianismo, mas continuaram depois encontrando valor na tradição helênica. Um misticismo sincrético foi a base da informação de muitos dos primeiros pensadores cristãos, que avidamente reconheciam idênticos padrões de significado em outras filosofias e religiões, muitas vezes aplicando a análise alegórica para comparar a literatura bíblica à pagã. Em todas, a Verdade era uma, pois o *Logos* a tudo abrangia e sua criatividade não tinha limites.

Já no início do século II, Justino, o Mártir, propôs uma teologia em que a filosofia cristã e a pagã aspiravam ao mesmo Deus transcendental, onde o *Logos* ao mesmo tempo significava o espírito divino, a razão humana e o Cristo redentor, que realiza as tradições históricas judaica e helênica. Posteriormente, a escola platônica cristã em Alexandria usou como base a *paideia*, sistema grego clássico de educação da época de Platão, centrado nas artes liberais e na Filosofia, mas agora a Teologia era a ciência mais elevada e culminante do novo currículo. Nesse referencial, o aprendizado era em si uma forma de disciplina cristã, até mesmo de adoração, e não se limitava à tradição judaico-cristã, superando-a, abrangendo um conjunto mais amplo, iluminando todo o conhecimento com a luz do *Logos*.

Clemente de Alexandria utilizou a *Odisséia* de Homero para apresentar uma posição conciliatória característica, onde ao mesmo tempo a admirada cultura grega era empregada para os fins da apologética cristã e dela mantinha certa distância: ao passar perto da ilha das Sereias, em sua volta para casa em Ítaca, Odisseu amarrou-se ao mastro de seu navio de modo a poder escutar seu canto sedutor ("conhecer plenamente") sem sucumbir à tentação e destruir-se em suas praias rochosas. Assim também o cristão amadurecido poderia passar pelos engodos sensuais e intelectuais do mundo secular e da cultura pagã, conhecendo-os plenamente, mas atados à cruz — o mastro da Igreja — para obter a segurança espiritual.

Entretanto, com maior freqüência a cristandade assemelhava-se mais ao judaísmo ancestral, rejeitando virtualmente qualquer contato com idéias e sistemas filosóficos não-cristãos, considerando-os não apenas profanos, mas desprovidos de valor. Sob esse ponto de vista, a verdadeira essência do mistério cristão era tão singular e luminosa que só poderia ser toldada, distorcida ou falsificada pela entrada de outras correntes culturais. Para o lado helênico do Cristianismo, o *Logos* (como sabedoria divina, Razão universal) era visto na sabedoria não-cristã como algo que precedera à revelação, inserido no quadro de referências mais amplo da história do mundo fora da tradição judaico-cristã. No entanto, para a compreensão mais exclusivista, o *Logos* (particularmente considerado aqui a Palavra de Deus) tendia a ser reconhecido unicamente nos confins da Escritura, da doutrina da Igreja e da história bíblica. Comparado à sofisticação leiga da filosofia pagã, o Evangelho cristão forçosamente parecia uma bobagem; qualquer diálogo entre os dois seria inútil. Assim, no final do século II, Tertuliano questionou enfaticamente a importância da tradição helênica em sua sentença: "O que Atenas tem a ver com Jerusalém?"

Variantes teológicas e inovações religiosas (como o gnosticismo, montanismo, donatismo, pelagianismo, arianismo) eram abominadas pelas autoridades da Igreja por contradizer questões muito próximas ao âmago da cristandade e, portanto, consideradas heréticas, perigosas, requerendo condenação absoluta. A exigência de unidade na doutrina e na estrutura, com a respectiva intolerância, baseava-se parcialmente no premente imperativo da cristandade primitiva — visto especialmente em Paulo — de que o corpo de Cristo (a comunidade da Igreja) estivesse puro e indiviso, pronto para a *Parousia*. Mais uma vez, Agostinho apresentava uma instância de influência contendo elementos de ambos — passível de conhecimento, respeitosa em relação à cultura clássica, em particular à filosofia platônica, ainda que consciente e intenso quanto à singular superioridade da doutrina cristã e, principalmente ao amadurecer, vigoroso na repressão das heresias. Nos séculos seguintes, o pensamento cristão de maneira geral refletiu atitude semelhante. Apesar das constantes influências, conscientes ou inconscientes, de outros sistemas filosóficos e religiosos, a Igreja oficialmente adotou uma postura dogmática repressora, pouco tolerando os outros sistemas em seus próprios termos.

Assim, a necessidade sentida por Agostinho de restringir ou negar (em si e nos outros) o pluralista, herético, biológico, mundano e humano em favor de Deus, cristalizou-se nos momentos finais do mundo antigo e foi institucionalizada na Igreja ocidental medieval, através de permanente influência sobre grandes personalidades eclesiásticas, como o papa Gregório, o Grande. Devido à notável força dos pensamentos, escritos e da personalidade de Agostinho, e por ter sido ele, em certo sentido, o articulador da nascente consciência de uma era, a percepção cristã ocidental desenvolveu-se através de sua mediação. Pelo final do período clássico, o espírito religioso inclusivo e exultante visível na cristandade primitiva assumira um caráter diferente: mais interiorizado, voltado para o outro mundo e filosoficamente elaborado — e também mais institucional, jurídico e dogmático.

O Espírito Santo e suas Vicissitudes

As tensões fundamentais inerentes ao Cristianismo desde seu início tornam-se muito claras na extraordinária doutrina do Espírito Santo, a terceira pessoa da Santíssima Trindade, com Deus Pai e o Filho, Cristo. O Novo Testamento afirmava que, antes de sua morte, Jesus prometera aos discípulos que Deus enviaria o Espírito Santo para continuar com eles e ajudá-los a completar sua missão redentora. Segundo o relato, a "descida do Espírito Santo" a um grupo de discípulos reunidos no dia de Pentecostes numa sala em Jerusalém foi sentida como uma visita espiritual de grande intensidade, acompanhada de um som "como o ruflar de uma poderosa asa que encheu a casa" e "línguas de fogo" que apareciam sobre cada um dos presentes. O fato foi interpretado por estes como a avassaladora e indiscutível revelação da permanência de Cristo, apesar de sua morte e ascensão. Imediatamente depois, segundo os Atos dos Apóstolos, em êxtase, os discípulos inspirados começaram a pregar às multidões: através do Espírito, a Palavra era falada ao mundo; agora o fruto da paixão de Cristo poderia disseminar-se por toda a Humanidade. Assim como Pentecostes marcara para os judeus a revelação da Lei no Monte Sinai, para os cristãos marcava uma nova revelação, o jorro do Espírito. A chegada do Espírito a todo o povo de Deus foi o início de uma nova era. Mais tarde, essa experiência pentecostal — repetida em subseqüentes reuniões comunitárias e outras circunstâncias que envolviam fenômenos carismáticos, como curas inesperadas e êxtases proféticos — serviu de base à doutrina eclesiástica do Espírito Santo.

Essa doutrina concebia o Espírito Santo como espírito de verdade, sabedoria (o Paracleto, ou Conselheiro) e divino princípio da vida, manifesto na criação material e no renascimento espiritual. No primeiro aspecto, o da revelação, o Espírito Santo era reconhecido como a divina fonte de inspiração que falara através dos profetas hebreus. Entretanto, o Espírito estava agora democratizado, acessível a todos os cristãos e não apenas a poucos eleitos. No segundo, o aspecto procriador, o Espírito Santo era considerado o progenitor de Cristo em Maria, sua mãe, e presente no início do ministério de Jesus, quando ele foi batizado por João. Jesus morrera para que o Espírito viesse a todos: somente assim poderia ocorrer a morte e renascimento da Humanidade na plenitude de Deus.

Através do contínuo influxo do Espírito, uma progressiva encarnação de Deus na Humanidade se realizava, renovando e impelindo o nascimento divino de Cristo na comunidade cristã. Embora em si os argumentos mortais dos seres humanos fossem desprovidos de valor, com a inspiração do Espírito era possível obter-se o conhecimento divino. Os recursos de um ser humano não permitiam que encontrasse dentro de si o amor suficiente pelos outros, mas por meio do Espírito era possível obter-se um infinito amor que abrangia toda a Humanidade. O Espírito Santo era o Espírito de Cristo, agente da restauração do Homem à divindade, a força espiritual de Deus atuando através do *Logos* e com ele. A presença do Espírito Santo permitira compartilhar da vida divina, estar em comunhão na Igreja, o que significava participar de Deus. Finalmente, como a presença do Espírito Santo trazia autoridade e numinosidade à comunidade fiel da Igreja, o Espírito era considerado a base e expressava-se em todos os aspectos da vida da Igreja: em seus sacramentos, preces, doutrina, tradição, em sua hierarquia oficial e em sua autoridade espiritual.

Não obstante, logo a espontânea experiência do Espírito Santo entrou em conflito com os imperativos conservadores da Igreja institucional. O Novo Testamento descrevia o Espírito como um vento que sopra "onde quer". Assim sendo, o Espírito possuía qualidades inerentemente espontâneas e revolucionárias que, por definição, o situavam além de qualquer controle. Quem reivindicasse sua presença tendia a apresentar revelações e fenômenos carismáticos de uma variedade imprevisível. Em geral, essas manifestações — atuações desenfreadas e inadequadas em serviços da Igreja, pregadores errantes com mensagens diversas nada ortodoxas — não levavam à verdadeira missão da Igreja, que não considerava a autoridade do Espírito Santo legitimamente presente em tais fenômenos. Quando não definidas de modo mais circunspecto, as manifestações mais extremas do Espírito Santo pareciam prestar-se a uma deificação humana blasfema, ou, na melhor das hipóteses, prematura, ameaçando a separação tradicional entre Criador e criatura, transgredindo a suprema singularidade do ato redentor de Cristo.

Tendo em vista a necessidade de preservar uma boa ordem na estrutura de crença e ritual, diante dessas tendências à ruptura e ao herético, a Igreja adotou uma resposta geralmente negativa em relação aos declarados surtos do Espírito Santo. As expressões carismáticas e irracionais do Espírito — êxtases espirituais espontâneos, curas milagrosas, fala em diversas línguas, profecias, novas afirmações da revelação divina — passaram a ser cada vez mais desestimuladas em benefício de manifestações mais ordenadas e racionais, como sermões, serviços e rituais religiosos organizados, autoridade institucional e ortodoxia doutrinária. Um cânone fixo de escritos apostólicos específicos foi cuidadosamente selecionado e estabelecido de modo permanente, sem novas revelações admitidas como a infalível Palavra de Deus. A autoridade do Espírito Santo, investida por Cristo nos primeiros apóstolos, agora estava entregue, em ordem sacramentada, aos bispos; a autoridade máxima da Igreja no Ocidente passava às mãos do pontífice romano, sucessor de Pedro. Na fé cristã, diminuiu a idéia do Espírito Santo como princípio divino de poder espiritual revolucionário, imanente na comunidade humana e voltado para a deificação, em benefício de uma visão do Espírito Santo investido unicamente na autoridade e atividades da Igreja institucional. Assim, manteve-se a estabilidade e continuidade da Igreja, embora às custas das formas mais individualizadas de vivência religiosa e impulsos espirituais revolucionários.

A relação do Espírito Santo com o Pai e o Filho não foi definida com muita precisão no Novo Testamento. Os primeiros cristãos estavam bem mais preocupados com a presença de Deus entre si do que com meticulosas formulações teológicas. Mais tarde, os Concílios eclesiásticos definiram o Espírito Santo como a terceira pessoa do Deus trino — Agostinho descreveu o Espírito como o amor que unia mutuamente Pai e Filho. Durante certo tempo, no início da veneração cristã, a imagem do Espírito Santo era feminina (simbolizada, desde então, por uma pomba); muitas vezes era chamada de Mãe divina. Com o tempo, o Espírito Santo passou a ser concebido em termos mais gerais e impessoais como força misteriosa e numinosa, cuja intensidade parecia radicalmente reduzida quanto mais se distanciava a geração dos primeiros apóstolos e cuja autoridade, atividade e presença constante situavam-se principalmente na Igreja institucional.

Roma e o Catolicismo

A influência judaica na cristandade ocidental — o sentido de uma histórica missão a cumprir por ordem divina, a ênfase na obediência à vontade de Deus, o rigor moral, a exclusividade e conformidade doutrinária — era amplificada e modulada pela influência de Roma. A concepção jurídica de um relacionamento da Humanidade com Deus em parte provinha da legislação sediada em Roma, herdada e integrada pela Igreja Católica. A eficácia do culto religioso no Estado romano fundamentava-se na meticulosa observância de incontáveis regulamentos. Em essência, a prática e a teoria legal romana baseavam-se na idéia da justificativa; transpostas estas para a esfera religiosa, o pecado era uma violação criminal de um relacionamento legítimo estabelecido por Deus com o Homem. A doutrina da justificativa — do pecado, culpa, arrependimento, da graça e restituição — foi exposta por Paulo em sua Carta aos Romanos,[12] e retomada por Agostinho como base do relacionamento entre o Homem e Deus. Da mesma forma, o imperativo judaico de subordinação da muito desenvolvida, mas insubmissa, vontade humana à da autoridade divina encontrou modelos culturais que lhe serviram de base para a subordinação política exigida pela imensa estrutura autoritária do Império Romano. O próprio Deus era em geral concebido em termos que refletiam a situação política contemporânea — era o comandante, rei, senhor inescrutável e inquestionavelmente justo, severo governante de tudo que, afinal, era generoso para seus favoritos.

A Igreja cristã, atenta à missão espiritual e à grande responsabilidade de que era portadora pela guarda religiosa da Humanidade, exigia uma forma de resistência incomum para assegurar a própria sobrevivência e sua influência no período final do mundo clássico. Tanto os padrões e estruturas culturais psicológicos, organizacionais ou doutrinários do Estado romano como os da religião judaica eram particularmente adequados ao desenvolvimento de uma entidade institucional forte que se fizesse presente, capaz de orientar os fiéis e permanecer no tempo. Quando a religião cristã evoluiu no Ocidente, sua base judaica prontamente assimilou as qualidades jurídicas e autoritárias análogas da cultura imperial romana. Boa parte do caráter que distingue a Igreja Romana foi assim moldado: uma poderosa hierarquia central; uma complexa estrutura jurídica regendo a ética e a espiritualidade; a autoridade espiritual amalgamadora de sacerdotes e bispos; a exigência de obediência de parte de seus membros; uma legislação eficaz, rituais formalizados e sacramentos institucionalizados; a rigorosa defesa contra qualquer divergência do dogma autorizado, uma expansividade centrifugadora e militante voltada para a conversão e civilização dos bárbaros — e assim por diante. A autoridade do bispo foi declarada ordenada por Deus e inquestionável; ele era o representante vivo de Deus na Terra, governante e juiz, cujas decisões relativas a pecado, heresia, excomunhão e outras questões religiosas vitais eram consideradas imperativas "ligadas aos céus". A própria verdade cristã sob a influência de Roma tornou-se objeto de batalhas legislativas, de política do poder, éditos imperiais, coerção militar e, mais tarde, das afirmações de autoridade divinamente infalível do novo soberano romano, o Papa. As formas flexíveis e comunais da Igreja primitiva deram lugar à instituição decisivamente hierárquica da Igreja Católica Romana. Dentro de uma estrutura assim abrangente e sólida, a doutrina cristã foi preservada, a fé cristã disseminou-se, uma sociedade cristã se manteve em toda a Europa medieval.

No início do século IV, período seguinte à conversão de Constantino, o relacionamento de Roma com a cristandade sofreu uma completa inversão: a Roma agressora tornara-se a Roma defensora, unindo-se progressivamente com a Igreja. Agora os limites desta eram os mesmos do Estado romano; seu papel estava agora aliado ao de um Estado na manutenção da ordem pública e normatizando as atividades e as crenças dos cidadãos. Pela época do papa Gregório, o Grande (o arquiteto e modelo do papado medieval, que reinou na virada do século VI), a sociedade ocidental havia mudado de modo tão drástico, que a dialética declaração de Agostinho contra o espírito do final da era pagã tornara-se a norma que regia a cultura.[13] O teatro público, os circos e os feriados festivos do paganismo haviam sido substituídos pelos dias santos, festejos, procissões e celebrações sacramentais cristãs. Um novo sentido da responsabilidade pública invadiu a cristandade no momento em que ingressou no palco mundial com uma consciência, sem precedentes, quanto à sua missão de dominar espiritualmente o mundo. A instituição centralizada e hierárquica da Igreja, paralelo religioso do Império Romano, aos poucos absorveu e assumiu o controle do centro da busca espiritual cristã. Enquanto o Império Romano se tornava cristão, a cristandade tornava-se romana.

A decisão de Constantino, de mudar a capital do Império Romano para o Oriente, de Roma para Bizâncio (que passou a chamar-se Constantinopla), teve também imensas conseqüências para o Ocidente. Depois da divisão do império em setores ocidental e oriental, e após a queda do império ocidental na maré das migrações bárbaras, ocorreu um vácuo político e cultural em grande parte da Europa. A Igreja era a única instituição que mantinha alguma semelhança de ordem social e cultura civilizada no Ocidente; o bispo de Roma, como chefe espiritual da metrópole imperial, gradualmente absorveu muitas das distinções e papéis anteriormente atribuídos ao imperador. Assim, a Igreja assumiu uma série de funções governamentais, tornou-se a única patrocinadora do conhecimento e das artes, seu clero tornou-se a única classe letrada no Ocidente e o Papa, a suprema autoridade sagrada, que podia ungir ou excomungar imperadores e reis. Era inevitável que os novos Estados da Europa fundados sobre as ruínas do império ocidental, sucessivamente convertidos ao Cristianismo, vissem a Roma papal como o centro espiritual soberano da cristandade. Durante o primeiro milênio, a Igreja ocidental não apenas concentrou seu poder nas mãos do bispo de Roma, mas também gradativa e decisivamente afirmou sua independência em relação às igrejas orientais centradas em Bizâncio e aliadas com o imperador oriental que ali ainda reinava. Inúmeros fatores ampliaram a separação entre a Igreja latina de Roma e a grega de Bizâncio: as distâncias geográficas, diferenças na língua, na cultura e circunstâncias políticas, os diferentes resultados das incursões bárbaras e muçulmanas, diversos importantes conflitos doutrinários, além, finalmente, das tendências autônomas próprias do Ocidente.[14]

Nesse contexto, o Cristianismo no Ocidente teve uma singular oportunidade histórica. Livre de igreja e estado oriental, sem os obstáculos das antigas estruturas civis e seculares do velho império do Ocidente e reforçado pela religiosidade de seus povos e seus governantes, a Igreja ocidental assumiu uma autoridade extraordinariamente universal na Europa medieval. A Igreja romana tornou-se sobretudo a sucessora histórica do império e não simples contraparte religiosa. A subseqüente Igreja medieval tinha de si a imagem de uma *Pax romana* espiritual reinando sobre o mundo sob orientação de uma hierarquia sacerdotal benevolente e sábia. O próprio Agostinho previra a queda da velha Roma, império temporal, e o surgimento de uma nova Roma, império espiritual da Igreja cristã, iniciada pelos apóstolos e a continuar através da história como reflexo do Reino de Deus neste mundo. Agostinho assim mediava a séria transição tomada pela cristandade enquanto esta reelaborava a natureza do prometido Reino dos Céus em termos da

Igreja existente.[15] Enquanto a Idade Média avançava, a Igreja Católica Romana, consolidando sua autoridade gradualmente, emergiu como a única instituição verdadeira e autorizada por Deus a trazer a salvação para a Humanidade.

A Virgem Maria e a Santa Madre Igreja

A conversão, em larga escala, de grandes massas pagãs no final do Império Romano produziu mais um fato notável na religião cristã. Embora o Novo Testamento pouco informasse sobre a mãe de Jesus e não conferisse muito apoio a qualquer papel significante que ela pudesse ter no futuro da Igreja, pelo final do período clássico e durante a Idade Média surgiu espontaneamente um extraordinário culto de Maria, considerada a numinosa Mãe de Deus: este culto afirmou-se como elemento dominante na visão de mundo popular cristã. O Velho e o Novo Testamento eram quase uniformemente patriarcais em seu monoteísmo, mas quando as multidões pagãs se converteram ao Cristianismo depois do império de Constantino, trouxeram consigo uma tradição profundamente arraigada das Grandes Deusas Mães (e diversos exemplos mitológicos de virgens divinas e partos de heróis filhos de virgens divinas), que se misturaram à fé cristã, expandindo a veneração que a Igreja prestava a Maria. Contudo, em essência, ela diferia das deusas pagãs, por ser a única mãe humana do Filho de Deus, a figura histórica central do ato singular da encarnação de Cristo, e não uma deusa da Natureza, regente de intermináveis ciclos de morte e renascimento. Da base mitológica pagã surgiu uma devoção intensificada a Maria; seu papel e sua personalidade desenvolveram-se dentro de uma percepção cristã.

Considerando-se apenas o pano de fundo das Escrituras, a elevação de Maria a um papel assim exaltado na fé cristã foi algo inesperado. As referências a Maria nos Evangelhos não são muito extensas, nem totalmente congruentes. No Evangelho de Lucas, quando ela recebe o anúncio angelical de que irá conceber o Filho de Deus, é retratada em gentil obediência à vontade de Deus, consciente do papel especial que terá no plano divino, singularmente preparada para esse papel devido a sua grande pureza de corpo e alma. No entanto, passagens no Evangelho de Marcos, provavelmente baseado em tradição mais antiga, descrevem uma personagem mais humana, insinuando que ela não tivesse consciência do papel divino de Jesus durante boa parte de sua vida. Em Marcos há também referências a diversos parentes próximos de Jesus, talvez irmãos e irmãs que, como sua mãe, parecem ter-se oposto a Jesus nas fases iniciais de sua missão. Mesmo o Evangelho de João contém sinais de uma tensão clara entre Maria e seu filho. A prova de que Maria fosse virgem ao conceber e dar à luz também é ambígua nas Escrituras. Dois Evangelhos, Marcos e João, não mencionam o fato absolutamente, nem as cartas de Paulo. Os dois Evangelhos que o fazem, Mateus e Lucas, são implicitamente inconsistentes, pois ambos apresentam árvores genealógicas, demonstrando que Jesus é da linhagem direta de Davi (em Lucas, de Adão), que não termina em Maria, mas em José, seu marido.

Quando os fiéis a reconheceram como a virginal Mãe de Deus e os teólogos a retrataram como receptáculo da encarnação do Verbo divino, Maria passou a ser venerada na Igreja primitiva como a mediadora entre a Humanidade e Cristo ou a "co-redentora," ao lado de seu filho. Em Maria ocorrera a primeira fusão do divino e do humano. Assim como Cristo era considerado o segundo Adão, Maria era a segunda Eva; por meio de sua obediente concepção virginal, trouxe redenção à Humanidade e à Natureza, corrigindo a desobediência primordial de Eva. Maria manteve-se como supremo exemplo de todas as virtudes tão características do *ethos* cristão — pureza, castidade, ternura, modéstia, simplicidade, meiguice, bem-aventurança imaculada, beleza interior, inocência moral, devoção altruísta, entrega à vontade divina.

Através de Maria, a infusão do elemento feminino protetor da Grande Deusa Mãe, bem como a fundamental relação com a natureza desta última, servia para suavizar o Deus judaico, masculino e mais austeramente severo. A elevação de Maria à virtual posição de Mãe divina também era um complemento necessário (para os pagãos convertidos) para o inexplicavelmente solitário e absoluto Deus Pai. O reconhecimento e veneração da Mãe Virgem tornou o panteão da cristandade mais compatível com a sensibilidade do mundo clássico e serviu como elo mais firme entre os cristãos e as religiões pagãs da Natureza, que falavam de renascimento. No entanto, onde as antigas deusas matriarcais presidiam à Natureza, o papel da Virgem Maria situava-se no contexto da história humana. Para os primeiros teólogos, a relação maternal de Maria com o Cristo foi da maior importância e garantia sua autêntica humanidade contra a reivindicação de certos gnósticos, que diziam que o Cristo era exclusivamente um ser divino supra-humano.

Do ponto de vista da Igreja, em alguns momentos a imensa veneração popular de Maria ia além dos limites da justificabilidade teológica. O problema foi resolvido pela imaginação popular e pela Igreja, que passou a identificar-se com a Virgem. Maria foi a primeira pessoa que acreditou em Cristo, no momento em que aceitou a divina anunciação de seu nascimento; foi o primeiro ser humano a recebê-lo dentro de si, e representou o protótipo de toda a comunidade da Igreja. Em relação ao aspecto receptivo e virginal de Maria, a Igreja era vista como a "noiva de Cristo", destinada a unir-se a ele em sagrado casamento, quando a Humanidade recebesse o pleno influxo divino no final dos tempos. Mais significativa era a identificação das qualidades maternais de Maria com a Igreja — sob a guarda imanente de Maria, a "Santa Madre Igreja" tornou-se não apenas a corporificação da Humanidade cristã, mas a matriz protetora que abrangia, tomava conta e guiava todos os cristãos.[16]

Assim, os cristãos concebiam-se como filhos da Mãe Igreja e filhos do Deus Pai. A imagem maternal protetora da Virgem Maria e Mãe Igreja complementava e amenizava a severa imagem patriarcal do Iavé bíblico e as tendências ao patriarcalismo autoritário e rigoroso legalismo da própria Igreja.[17] Até mesmo a arquitetura dos edifícios eclesiásticos, com seus interiores luminosos e suas sacras estruturas uterinas, que tiveram o apogeu nas grandes catedrais medievais, recriava esta tangível impressão do ventre numinoso da Mãe virginal. Em seu conjunto, a Igreja Católica assumiu o papel cultural universal de ventre espiritual, intelectual, moral e social que tudo abrange, gestando assim a nascente comunidade cristã, o corpo místico de Cristo, antes de seu renascimento no Reino celestial. Teria sido especialmente sob esta forma — a veneração de Maria e a transposição de sua numinosidade maternal para a Igreja — que o elemento aglutinador da Cristandade sustentou-se com grande êxito na psique coletiva cristã.

Um Resumo

Assim, vimos que a revelação cristã primitiva assumiu diversas inflexões culturais e intelectuais — judaica, grega, helenística, gnóstica, neoplatônica, romana e do Oriente Próximo — sintetizadas pela cristandade de modo muitas vezes contraditório, mas singularmente duradouro. Pluralista em suas origens, mas monolítica em sua forma desenvolvida, esta síntese efetivamente regeria a cultura européia até o Renascimento.

Devem ser feitas algumas distinções sumárias entre esse panorama e o do período greco-romano; concentraremos nossas observações especialmente no caráter da visão de mundo cristã no Ocidente desde o final da era clássica até o início da Idade Média. Nesse quadro de referências, com a tolerância da inevitável imprecisão de tais generalizações, pode-se dizer que a influência global da cristandade na cultura greco-romana foi a seguinte:

(1) estabelecer uma hierarquia monoteísta no Cosmo, através do reconhecimento de um Deus supremo, Criador trino e Senhor da História, absorvendo e negando assim o politeísmo da religião pagã e, ao mesmo tempo, depreciando a metafísica das Formas arquetípicas, sem eliminá-las;

(2) reforçar o dualismo espírito-matéria do platonismo, impregnando-o com a doutrina do Pecado Original, da Queda do Homem e da Natureza, além da culpa humana coletiva; separar da Natureza qualquer divindade imanente, politeísta ou panteísta, mas deixando no mundo uma aura de significado sobrenatural, teísta ou satânico; e polarizar extremadamente o Bem e o Mal;

(3) dramatizar a relação do transcendental com o humano em termos da regência de Deus sobre a História, a narrativa do Povo Escolhido, o histórico aparecimento do Cristo na terra e seu posterior reaparecimento para salvar a Humanidade numa apocalíptica era futura — introduzindo assim um novo sentido de dinamismo histórico, uma divina lógica redentora na História que seria mais linear do que cíclica, mas gradualmente recolocar esta força redentora na Igreja institucional, o que inclui a implí-

cita restauração de um entendimento mais estático da História;[18]

(4) absorver e transformar a mitologia da Deusa Mãe pagã em uma teologia cristã historicizada, onde a Virgem Maria é a Mãe de Deus humana, e em uma realidade histórica e social ininterrupta na forma da Santa Madre Igreja;

(5) reduzir o valor da observação, análise ou compreensão do mundo natural e assim tirar a ênfase ou negar as faculdades racionais e empíricas em benefício das emocionais, morais e espirituais; todas as faculdades humanas abrangidas pelas exigências da fé cristã e subordinadas à vontade de Deus;

(6) renunciar à capacidade humana de discernimento intelectual ou espiritual independente do significado do mundo em deferência à absoluta autoridade da Igreja e da Sagrada Escritura na definição última da verdade.

***

Tem-se dito que uma nuvem maniqueísta fez sombra à imaginação medieval. A religiosidade cristã e boa parte da teologia medieval mostraram uma decisiva depreciação do mundo físico e da vida presente, onde "o mundo, a carne e o diabo" eram muitas vezes agrupados como triunvirato satânico. A mortificação da carne era um característico imperativo espiritual. O mundo natural era o vale de lágrimas e da morte, uma fortaleza do mal de que o fiel seria misericordiosamente libertado no fim desta vida. Entrava-se com relutância no mundo, como um cavaleiro que entrasse num reino de sombras e pecado com a única esperança de resistir, superar e conseguir ultrapassá-lo. Para muitos dos primeiros teólogos medievais, o estudo direto do mundo natural e o desenvolvimento da Razão humana autônoma eram perniciosas ameaças à integridade da Fé religiosa. Em última hipótese, a bondade da criação material de Deus não chegava realmente a ser negada, segundo a doutrina cristã oficial, mas o mundo em si não era considerado um lugar merecedor de esforço humano. Embora não fosse totalmente mau, em termos espirituais era bastante insignificante.

O destino da alma humana estava divinamente predeterminado, era conhecido por Deus antes do início dos tempos — crença comparável e psicologicamente baseada na aparente ineficácia dos homens e mulheres da primeira Idade Média diante da Natureza, da História e da autoridade tradicional. O drama da vida humana talvez tenha sido o foco central da vontade de Deus, mas o papel do ser humano era pequeno e secundário. Comparado ao Odisseu de Homero, por exemplo, o indivíduo medieval poderia ser considerado relativamente impotente diante do mundo, alma perdida sem a constante orientação protetora da Igreja (sob tal ponto de vista, era provável que a "perambulação" fosse menos uma aventura heróica do que um deslize herético para as vias ímpias). Comparado a Sócrates, por exemplo, o cristão medieval poderia ser considerado alguém que labutava em grande confinamento intelectual (nesse ponto de vista, a "dúvida" era menos uma virtude intelectual elementar do que uma séria imperfeição espiritual). A afirmação da individualidade humana — tão evidente, por exemplo, na Atenas de Péricles — parecia agora amplamente negada em benefício de uma pia aceitação da vontade de Deus e, em termos mais práticos, submissão à autoridade moral, intelectual e espiritual da Igreja. Assim, talvez o grande paradoxo da história da cristandade fosse a mensagem, cuja substância original — a proclamação do renascimento divino do Cosmo, o momento crítico dos *éons* através da encarnação do *Logos* — elevara de modo sem precedentes o significado da vida, da História e da liberdade do ser humano, servindo no final das contas para reforçar uma concepção um tanto antitética.

Contudo, a visão de mundo cristã, mesmo em sua forma medieval, não era tão singela ou unilateral como essas distinções podem sugerir. Os dois impulsos — otimista e pessimista, dualista e unitivo — misturavam-se constantemente em uma síntese inextricável. A Igreja sustentava que um lado da polaridade necessitava do outro — por exemplo, que o grande destino celestial do fiel cristão e a suprema beleza da verdade cristã exigiam medidas temíveis de controle institucional e rigor doutrinário. Aos olhos de muitos cristãos conscienciosos, o fato de que a continuidade da revelação e do ritual sagrado se tivesse mantido por séculos a fio superava em muito os males passageiros da política da Igreja contemporânea ou as distorções transitórias da crença popular e da doutrina teológica. Dessa perspectiva, a Graça salvadora da Igreja reside no significado cósmico de sua missão terrena. As faltas evidentes da Igreja leiga eram simples efeitos colaterais inevitáveis da tentativa de realizar um plano divino, cuja amplitude era de grandeza inconcebível para o ser humano imperfeito. Em semelhante base, o dogma e o ritual cristão eram sentidos como algo acima e além da capacidade de julgamento do indivíduo — como se todos os cristãos devessem absorver-se em representações simbólicas de verdades cósmicas, cuja sublimidade e magnitude não estivessem agora diretamente acessíveis ao crente, mas poderiam ser aprendidas e compreendidas mais tarde, no curso do progresso espiritual da Humanidade. Fosse qual fosse a aparente diminuição existencial dos cristãos medievais, eles sabiam ser potenciais receptáculos da Graça redentora de Cristo através da Igreja, o que os elevava acima de todos os outros povos na História e anulava quaisquer comparações negativas com as culturas pagãs.

Deixando de lado essas defesas religiosas na comparação entre um e outro período, implicitamente contrastamos o indivíduo mediano do Cristianismo ocidental do início da Idade Média com um grupo relativamente pequeno de gregos brilhantes que floresceu durante um período igualmente curto de criatividade cultural singular no princípio da era clássica. O Ocidente medieval também tinha lá seus gênios, ainda que nos primeiros séculos fossem poucos e apenas ocasionalmente tivessem alguma influência. Dizer que essa escassez era devida mais à cristandade do que a outros fatores históricos seria imprudente, especialmente considerando-se não apenas o declínio da cultura clássica, bem anterior à ascendência do Cristianismo, mas também as extraordinárias realizações da cultura cristã mais adiante. Não devemos esquecer que Sócrates foi condenado à morte pela democracia ateniense por "heresia"; além disso, ele também não foi o único filósofo ou cientista da Antigüidade a ser acusado de opiniões nada ortodoxas. Por outro lado, os cavaleiros arturianos medievais do Santo Graal foram dignos sucessores de seus ancestrais homéricos. Claro que a audácia e o dogmatismo existem em qualquer época, ainda que o equilíbrio entre ambos oscile e, a longo prazo, sem dúvida, uma incentive o outro. De qualquer maneira, uma comparação psicológica mais geral entre a Era Clássica e a Medieval seria mais justa e talvez apresentasse menos disparidade.

Pode-se argumentar, com certeza, que alguns benefícios morais e sociais cumulativos advieram aos povos bárbaros e pagãos que se converteram ao Cristianismo e que, semana após semana, ano após ano, eram instruídos a atribuir um valor novo à santidade da vida de cada um, à preocupação com o bem-estar do próximo, à paciência, à humildade, ao perdão e à compaixão. No período clássico, a vida introspectiva era característica de poucos filósofos, mas o enfoque do Cristianismo sobre a responsabilidade pessoal, a consciência do pecado e o afastamento do mundo secular eram incentivos para a atenção à vida interior entre uma população bem mais ampla. Ao contrário dos séculos anteriores de incerteza filosófica e alienação religiosa muitas vezes angustiantes, a visão de mundo cristã oferecia um ventre imutável de alimento espiritual e emocional em que todas as almas humanas tinham significado no grande plano da criação. Prevalecia um sentido de ordem cósmica não questionado; seria difícil exagerar o imenso poder carismático contido na figura suprema de Jesus Cristo, que unia todo o universo cristão. Quaisquer limitações que tenham sentido os cristãos medievais eram compensadas por uma intensa consciência de seu *status* sagrado e seu potencial de redenção espiritual. Ainda que a vida fosse hoje uma provação, o plano divino da História estava produzindo um avanço gradual do fiel em direção à união final com Deus. O poder da fé, da esperança e do amor eram tais que, a princípio, nada era impossível no universo cristão. Em uma longa era em geral sombria e caótica, a visão cristã de mundo sustentava a realidade de um reino espiritual ideal em que todos os crentes, filhos de Deus, encontrariam o alimento.

O exame retrospectivo da Igreja Católica Romana no ápice de sua glória na alta Idade Média não deixa de despertar certa admiração pela magnitude do sucesso da Igreja na determinação da matriz cultural cristã universal e na realização de sua missão terrena.[19] Virtualmente toda a Europa era católica, todo o calendário da história humana agora centrava-se cronologicamente no nascimento de Cristo. De Roma, o pontífice reinava sobre o espiritual e o temporal, as massas dos fiéis eram imbuídas de fervor cristão; havia magníficos monastérios, abadias e catedrais góticas; escribas, estudiosos, milhares de padres, monges e freiras. Por toda parte, havia uma preocupação com os doentes e os pobres, os rituais dos sacramentos, os grandes dias com suas procissões e festivais, a gloriosa arte religiosa, o canto gregoriano, representações de peças de moral e milagres; o latim era a língua universal da liturgia e do estudo. A religiosidade cristã e a onipresença da Igreja estavam em todas as esferas da atividade humana. Fosse qual fosse a validade metafísica real da cristandade, a intensa continuidade da cultura civilizada ocidental em si devia sua existência à vitalidade e à capacidade de difusão da Igreja cristã por toda a Europa medieval.

Acima de tudo, devemos nos precaver para não projetar os modernos critérios de avaliação leigos sobre a visão de mundo de um período anterior. Os registros históricos nos mostram que, para os cristãos medievais, o teor básico de sua fé não consistia de crenças abstratas impostas pela autoridade eclesiástica, mas eram a própria essência de sua experiência. Os princípios dinâmicos realmente subjacentes e motivadores do mundo cristão eram as obras de Deus, do demônio ou da Virgem Maria, o estado de pecado, o de salvação e a expectativa do Reino dos Céus. Devemos admitir que o intenso sentimento religioso de uma realidade especificamente cristã era tangível e claro — como, por exemplo, o grego arcaico de uma realidade mitológica com seus deuses e deusas, ou o sentimento moderno de uma realidade material objetiva e impessoal perfeitamente distinta de uma psique subjetiva particular. Por esta razão devemos procurar examinar a visão de mundo medieval a partir de seu interior, se desejamos nos aproximar da compreensão do desenvolvimento de nossa psique. Em certo sentido, estamos falando aqui tanto de um mundo quanto de uma visão de mundo. Como os gregos, falamos de uma visão de mundo que o Ocidente elaborou, transformou, criticou e negou, mas nunca abandonou inteiramente.

As profundas contradições dentro da própria visão de mundo cristã — as inúmeras tensões e paradoxos internos enraizados nas diversas fontes do Cristianismo e no caráter dialético da síntese cristã — na verdade estariam sempre subvertendo a tendência da cultura cristã ao dogmatismo monolítico, garantindo assim não apenas seu grandioso dinamismo histórico, mas também, posteriormente, sua radical autotransformação.

IV

A Transformação da Era Medieval

Entraremos agora numa de nossas tarefas centrais: acompanhar a complexa evolução do pensamento ocidental desde a visão de mundo cristã medieval até à secular moderna, uma longa e impressionante transformação da qual o pensamento clássico seria o protagonista.

No início da Idade Média as glórias da civilização clássica e do Império Romano eram uma distante memória no Ocidente. As migrações bárbaras não apenas haviam destruído o sistema civil e a própria autoridade mas, de modo geral, eliminaram qualquer espécie de vida cultural mais elevada e, especialmente depois da expansão islâmica, cortaram o acesso aos textos gregos originais. Apesar da consciência de vivenciarem uma situação espiritual particularmente dotada de Graça, os cristãos lúcidos nesse início da Idade Média sabiam que se encontravam no restolho de uma era dourada de cultura e aprendizado. Entretanto, alguns ainda mantinham viva a centelha clássica nos monastérios da Igreja. Num período política e socialmente instável, o claustro cristão era um recinto protegido onde se podia desenvolver e manter em segurança ocupações sublimes.

Acima de tudo, para o espírito medieval, o progresso da cultura significava — e exigia — a recuperação dos textos antigos e de seu significado. Os velhos padres cristãos haviam estabelecido uma profícua tradição que não rejeitava inteiramente as realizações pagãs clássicas, mas reinterpretavam-nas, para que fossem compreendidas sob o referencial da verdade cristã; com essa base, os antigos monges medievais davam prosseguimento a uma espécie de erudição. Nos monastérios, a cópia de velhos manuscritos por muitas mãos tornou-se uma forma típica de trabalho manual. Boécio, estadista e filósofo cristão aristocrático que viveu nos momentos finais da Roma Antiga, tentou preservar, com algum sucesso, o legado intelectual clássico para a posteridade. Depois de sua morte, no início do século VI, suas obras e condensações latinas — tanto da filosofia platônica e aristotélica como da teologia cristã — passaram à tradição monástica e foram estudadas por gerações de estudiosos medievais.[1] Da mesma forma, depois de unir boa parte da Europa em conquistas militares para constituir uma cristandade ocidental pelo final do século VIII, Carlos Magno estimulou um renascimento cultural fundamentado tanto nos ideais clássicos quanto nos cristãos.

No entanto, em toda a primeira metade da Idade Média, os estudiosos eram raros, escassos os recursos culturais e muito dificilmente encontravam-se textos clássicos originais. Em tais condições, o progresso intelectual era um processo lento e penoso para os povos ocidentais recentemente amalgamados. O simples aprender do vocabulário e da gramática da língua do império conquistado, dominar seus modos de pensar já altamente desenvolvidos e estabelecer uma boa didática metodológica eram tarefas árduas, que exigiam séculos de esforço escolástico.

Esses também não eram os únicos empecilhos, pois o primado absoluto da fé cristã sobre conceitos seculares desestimulava qualquer envolvimento maior na cultura e pensamento clássicos em seus próprios termos. As energias intelectuais dos orientadores monásticos eram absorvidas em meditação sobre a Sagrada Escritura; assim, a mente apreendia o significado espiritual do Verbo, levando a alma à união mística com o divino. Essa busca e a disciplina monacal, enraizadas na teologia dos antigos sacerdotes da Igreja, pouco atraíam outras investigações intelectuais, que só importunariam a contemplação interior no claustro. As necessidades do outro mundo ocupavam a atenção dos cristãos devotos e tolhiam qualquer interesse maior pela Natureza, Ciência, História, Literatura ou Filosofia. Como as verdades da Escritura a tudo abrangiam, o desenvolvimento da Razão humana estava sancionado e era estimulado unicamente para fins de melhor compreensão dos mistérios e princípios da doutrina cristã.

Em meados do período medieval, por volta do ano 1000, quando a

Europa finalmente atingiu um grau de segurança política, depois de séculos de invasão e desorganização, a atividade cultural no Ocidente começou a animar-se em muitas frentes: a população aumentou, a agricultura foi aperfeiçoada, o comércio interno e externo do continente cresceu, os contatos com as culturas vizinhas islâmica e bizantina tornaram-se mais freqüentes, surgiram cidades maiores e menores com uma classe superior instruída, formaram-se guildas* de trabalhadores e o aumento generalizado da vontade de aprender levou à fundação de universidades. O mundo fixo da antiga ordem feudal dava lugar a algo novo.

As novas formações sociais — guildas, comunas, fraternidades — desenhavam-se mais em linhas horizontais e fraternais do que na anterior autoridade paternalista e vertical de senhores e vassalos; seus rituais de concordância baseavam-se no consenso democrático, ao contrário dos juramentos da vassalagem feudal, sancionados pela Igreja. As instituições e os direitos políticos foram redefinidos, assumindo uma feição mais secular. Os processos legais orientavam-se mais pela prova racional do que pela prova física do juízo divino, em que o suspeito devia enfiar a mão em água fervente ou segurar um ferro em brasa. O mundo da Natureza assumiu uma realidade amplificada para a mente medieval, visível tanto no novo erotismo e realismo do *Romance da Rosa* de Jean de Meun como no uso comum da palavra *universitas* para significar o Universo concreto como um conjunto homogêneo único, uma harmonia divina da diversidade natural. A literatura e o pensamento antigo, desde o *Timeu* de Platão à *Ars Amatoria* de Ovídio, encontravam grande público. Os trovadores e poetas de corte celebravam um novo ideal de amor romântico transfigurador da alma entre as pessoas livres, numa rebelião implícita contra a generalizada convenção do casamento como arranjo político-social ratificado pela Igreja. Despertou-se um sentido mais profundo de História e dinamismo histórico, expresso não apenas nos relatos de fatos políticos contemporâneos dos novos cronistas, mas também na nova consciência dos teólogos do progresso evolucionário da cristandade no tempo. Os horizontes medievais expandiam-se rapidamente em muitos lugares ao mesmo tempo.

De especial importância nessa revolução cultural foi a emergência de muitas grandes inovações técnicas na agricultura e nas artes mecânicas; acima de todas, o domínio de novas fontes de energia (o moinho de vento, a roda-d'água, a canga do cavalo, o estribo, o arado). Essas inven-

* Guilda — Associação de mutualidade constituída na Idade Média entre as corporações de operários artesãos ou artistas.

ções permitiram que o ambiente natural começasse a ser explorado com uma habilidade e energia sem precedentes. Os avanços tecnológicos salientavam o valor da inteligência humana no domínio das forças da natureza e na aquisição de conhecimento útil. O mundo parecia estar humanizado com esse uso do intelecto; os europeus mostravam-se extraordinariamente engenhosos nesse campo. O conseqüente aumento da produtividade instigava o desenvolvimento de uma rudimentar sociedade agrária com economia de subsistência na cultura dinâmica e progressista da Alta Idade Média européia. Com seu próprio arrojo, o jovem Ocidente cristão bárbaro emergia como vigoroso centro de civilização.

O Despertar Escolástico

Enquanto toda a cultura ocidental se transformava, a atitude da Igreja Católica em relação ao aprendizado leigo e à sabedoria pagã também passou por uma mudança fundamental. A antiga necessidade da cristandade de distinguir e reforçar-se por meio de uma exclusão mais ou menos rígida da cultura pagã perdeu parte de sua urgência. A maioria do continente europeu estava agora cristianizado; a autoridade espiritual e intelectual da Igreja era suprema. Outras fontes de aprendizado e cultura já não impunham uma ameaça desse tipo, especialmente quando a Igreja podia integrá-las em sua estrutura abrangente. Além do mais, com a crescente prosperidade da Europa, o clero da Igreja encontrava mais tempo para investigar os interesses intelectuais, que por sua vez eram estimulados pelo contato maior com os velhos centros orientais de aprendizado — os impérios bizantino e islâmico — onde mesmo no período mais obscurantista os antigos manuscritos e o legado helênico foram preservados. Sob essas novas circunstâncias, a Igreja começou a patrocinar uma tradição de erudição e educação de extraordinário fôlego, rigor e profundidade.

Característico dessa mudança no clima intelectual foi o desenvolvimento de uma escola na abadia agostiniana de Saint-Victor, na Paris do início do século XII. Embora trabalhando inteiramente dentro da tradição do misticismo monástico e do platonismo cristão, Hugh de Saint-Victor propôs a tese da educação racional: concentrado na realidade do mundo natural, o aprendizado laico era uma base necessária para a contemplação religiosa avançada e até para o êxtase místico. "Aprendei tudo," declarava Hugh, "mais tarde vereis que nada é supérfluo." O objeto das sete artes liberais — o *trivium* (Gramática, Retórica e Dialética) e o *quadrivium* (Aritmética, Música, Geometria e Astronomia) — era "restaurar a imagem de Deus em nós". Desse novo empenho no aprendizado surgiu a composição das grandes *summæ* medievais, tratados enciclopédicos voltados para a compreensão de toda a realidade; Hugh escreveu a primeira.[2] Essa concepção educacional tornou-se a base para o desenvolvimento de universidades por toda a Europa, como a proeminente Universidade de Paris (fundada *circa* 1170). A *paideia* grega brotava mais uma vez em nova encarnação.

O crescente interesse do Ocidente pelo mundo natural e pela capacidade da mente humana em compreender esse mundo encontrou assim um conveniente apoio institucional e cultural para o novo empreendimento. Num contexto sem precedentes de aprendizado patrocinado pela Igreja e sob a influência das forças maiores que animavam a emergência cultural do Ocidente, estava preparado o cenário para a mudança radical nos alicerces da concepção cristã: no ventre da Igreja medieval, a filosofia cristã de negação do mundo elaborada por Agostinho e baseada em Platão começou a dar lugar a uma interpretação fundamentalmente diferente para a existência, conforme os escolásticos recapitulavam a evolução intelectual do movimento de Platão a Aristóteles.

Essa mudança foi desencadeada nos séculos XII e XIII, quando o Ocidente redescobriu uma grande quantidade de escritos de Aristóteles, preservados pelos muçulmanos e bizantinos e agora traduzidos para o latim. Com esses textos, entre os quais a *Metafísica*, a *Física* e o *De Anima* (*Sobre a Alma*), vieram comentários eruditos árabes e também outras obras da ciência grega, especialmente as de Ptolomeu. O súbito encontro da Europa medieval com uma sofisticada cosmologia científica de fôlego enciclopédico e complexa coerência era deslumbrante para uma cultura que, por séculos, desconhecera totalmente esses textos. A influência de Aristóteles foi extraordinária, precisamente porque essa cultura estava muito bem preparada para reconhecer a qualidade de sua obra. O magistral conjunto de seu conhecimento científico, sua codificação das regras para o discurso lógico e sua confiança no poder da inteligência humana estavam de pleno acordo com as novas tendências de racionalismo e naturalismo crescentes no Ocidente medieval — e eram atraentes para muitos intelectuais da Igreja, homens cuja força de argumentação se desenvolvera até chegar a uma perspicácia fora do comum — por sua educação escolástica — na discussão lógica de sutilezas doutrinárias. A chegada dos textos aristotélicos na Europa encontrou assim um público bastante receptivo, que logo passou a referir-se a Aristóteles como "o Filósofo". Esta mudança no rumo do pensamento medieval teria sérias conseqüências.

Sob os auspícios da Igreja, as universidades evoluíam, tornando-se notáveis centros de aprendizado onde se reuniam os estudantes de todos os pontos da Europa para aprender e assistir palestras públicas e discussões entre os mestres. Conforme se desenvolvia o aprendizado, a atitude dos eruditos em relação ao Cristianismo tornava-se menos irracional e mais refletida. O uso da Razão para examinar e defender artigos de fé já explorado por Anselmo (o arcebispo de Canterbury) no século XI e, em especial, a disciplina da lógica defendida por Abelardo, o apaixonado dialético do século XII, agora ascendiam rapidamente em popularidade educacional e importância teológica. Com o *Sic et Non* (*Sim e Não*) de Abelardo, uma compilação de afirmações aparentemente contraditórias de autoria de diversas autoridades da Igreja, os pensadores medievais passaram a preocupar-se cada vez mais com a possível pluralidade da verdade, com o debate entre argumentos rivais e com a crescente força da razão humana no discernimento da doutrina correta. Isto não quer dizer que as verdades cristãs fossem questionadas, mas estavam agora sujeitas à análise. Anselmo disse: "Parece-me descuido se, depois de firmarmos a nossa fé, não lutarmos para compreender aquilo em que acreditamos."

Além do mais, depois de uma demorada luta com as autoridades religiosas e políticas locais, as universidades obtiveram do rei e do Papa o direito de formar suas próprias comunidades. Quando a Universidade de Paris recebeu um alvará escrito da Santa Sé em 1215, abriu-se uma nova dimensão na civilização européia; agora as universidades existiam como centros de cultura relativamente autônomos, dedicados à busca do conhecimento. Embora a teologia e o dogma cristão presidissem essa busca, ela também era permeada pelo espírito racionalista. Neste fértil contexto foram introduzidas as novas traduções de Aristóteles e seus comentadores árabes.

Inicialmente algumas autoridades eclesiásticas resistiram à súbita intrusão de filósofos pagãos, especialmente por seus textos sobre a história natural e a metafísica, temendo a violação da verdade cristã. No entanto, suas primeiras proibições do ensino de Aristóteles estimularam a curiosidade dos eruditos e provocaram o estudo mais aprofundado dos textos censurados. De qualquer modo, Aristóteles não seria facilmente dispensado, pois sua obra já bastante conhecida sobre a Lógica, transmitida por Boécio, era considerada determinante desde o início da Idade Média, constituindo uma das bases da cultura cristã. Apesar das apreensões dos teólogos conservadores, os interesses intelectuais da cultura tinham um caráter e mesmo um conteúdo cada vez mais aristotélico; com o tempo, as restrições da Igreja afrouxaram. Não obstante, as novas atitudes transformariam drasticamente a natureza e o rumo do pensamento europeu.

A principal ocupação da filosofia medieval há muito unira a Fé à Razão, de modo que as verdades reveladas no dogma cristão poderiam ser explicadas e defendidas com a ajuda da análise racional. A Filosofia servia à Teologia, assim como a Razão era a intérprete da Fé e a ela estava subordinada. Com o aparecimento de Aristóteles e a nova atenção dada ao mundo visível, a interpretação de "Razão" como pensamento lógico formalmente correto dos primeiros escolásticos começou a assumir um novo significado: Razão agora não significava apenas Lógica, mas também observação e experimentação empírica — ou seja, cognição do mundo natural. Com o escopo cada vez mais extenso do território intelectual do filósofo, a tensão entre Razão e Fé agora estava radicalmente intensificada. A multiplicidade sempre crescente de fatos sobre as coisas concretas teria de ser integrada às exigências da doutrina cristã.

A resultante dialética entre essa nova Razão e a Fé, entre o conhecimento humano do mundo natural e as doutrinas herdadas da revelação divina, emergiu plenamente em Alberto Magno e seu pupilo Tomás de Aquino, filósofos escolásticos do século XIII. Ambos eram devotamente leais à teologia bíblica, mas estavam também preocupados com os mistérios do mundo físico e tinham certa empatia em relação ao que Aristóteles afirmava sobre a natureza, o corpo e o intelecto humano. Esses eruditos da era de ouro da escolástica não conheceriam as conseqüências finais de sua busca intelectual para compreender tudo o que existe. Enfrentando de modo tão direto a tensão entre as tendências divergentes — gregas e cristãs, Razão e Fé, natureza e espírito — nas universidades do final da Idade Média, os escolásticos prepararam o caminho para a grande convulsão causada pela Revolução Científica na visão de mundo ocidental.

Alberto foi o primeiro pensador medieval a distinguir com firmeza o conhecimento derivado da Teologia e o conhecimento derivado da Ciência. O teólogo é o especialista nas questões da Fé, o cientista conhece mais as questões do Mundo. Alberto afirmava o valor independente do aprendizado leigo e a necessidade da percepção dos sentidos e das observações empíricas em que apoiar-se o conhecimento do mundo natural. Desse ponto de vista, a filosofia de Aristóteles era considerada a maior realização da própria Razão humana sem o benefício da inspiração cristã.

Depois de Alberto haver apreendido a força intelectual da filosofia aristotélica e estabelecido que era parte necessária do programa universitário, para Tomás de Aquino restou a tarefa filosófica de integrar coerentemente as dificuldades apresentadas nos gregos. Dominicano devoto, filho da nobreza italiana, descendente dos conquistadores normandos e lombardos, estudante em Nápoles, Paris e Colônia, conselheiro em Roma — Tomás de Aquino conhecia a amplitude e o dinamismo da vida cultural européia; seus principais ensinamentos foram dados na

Universidade de Paris, epicentro do fermento intelectual do Ocidente. Em Tomás de Aquino, as forças que operavam nos séculos imediatamente anteriores obtiveram plena articulação. Em sua vida relativamente curta, forjaria uma visão de mundo que exemplificava de modo impressionante a virada do pensamento ocidental sobre seu eixo na Alta Idade Média para uma nova direção da qual a mente moderna seria herdeira e depositária.

A Busca de Tomás de Aquino

A paixão pela síntese que Alberto e Tomás, naquele momento da História, sentiram talvez fosse inevitável para homens como eles entre o passado e o futuro: magneticamente atraídos para a abertura do mundo natural e uma nova linha de competência intelectual, mas imbuídos de uma renovada e inabalável fé na revelação cristã. Além do mais, característico da época e desses dois homens em especial, as duas lealdades — ao Evangelho e ao mundo natural, por um lado, e à Razão, pelo outro, — não eram consideradas opostas, mas complementares. Alberto e Tomás eram membros da ordem dominicana e assim participavam de um influxo uniforme e generalizado de fervor evangélico liderado uma geração antes por Domingos e Francisco de Assis. As ordens mendicantes dos dominicanos e dos franciscanos, que rapidamente se desenvolviam, trouxeram novos valores e um novo ânimo para a cristandade medieval.

O gozo místico de Francisco na sagrada comunhão com a Natureza; o cultivo da erudição de Domingos; a dissolução das rígidas fronteiras entre o eclesiástico e o laico; as formas de governo interno mais democráticas permitindo maior autonomia individual; o chamado para que se abandonasse o claustro monástico para pregar e ensinar no mundo foram os fatores que estimularam uma nova abertura para a Natureza, a sociedade, a Razão humana e a liberdade. Acima de tudo, esta saudável infusão de fé apostólica apoiava um diálogo direto entre a revelação cristã e o mundo secular, admitindo ao mesmo tempo um novo relacionamento íntimo entre a Natureza e a Graça. Aos olhos dos evangelistas, a Palavra de Deus não era uma verdade remota a ser enclausurada longe da vida cotidiana da Humanidade, mas tinha importância direta para as especificidades imediatas da vida humana. Por sua própria natureza, o Evangelho requeria a entrada no mundo.[3]

Herdeiros dessa aproximação ao secular, Alberto e Tomás puderam desenvolver com maior liberdade os aspectos da tradição teológica cristã, já encontrados em Agostinho, que afirmava a providencial inteligência do Criador e a resultante ordem e beleza no mundo criado. Não demorou muito para concluírem que, quanto mais o mundo fosse explorado e compreendido, maior seria o conhecimento e a reverência a Deus. Só poderia haver uma verdade válida derivada do Deus único; portanto, em última análise, nada que a Razão desvendasse poderia contradizer a doutrina teológica. Em última análise, nada verdadeiro e de valor, mesmo quando obtido pelo intelecto natural do Homem, seria estranho à revelação de Deus, pois a razão e a fé originavam-se da mesma fonte. Tomás de Aquino foi mais longe, afirmando que a própria natureza proporcionava uma avaliação mais profunda da sabedoria divina e que uma exploração racional do mundo físico poderia desvendar seu inerente valor religioso — não simplesmente um pálido reflexo do sobrenatural, mas em seus próprios termos, uma ordem natural racionalmente inteligível descoberta em sua realidade profana.

Os teólogos tradicionais opunham-se à nova perspectiva científica porque a descoberta implícita de leis regulares e determinantes da Natureza pareciam reduzir a criatividade livre de Deus, ao mesmo tempo ameaçando a responsabilidade pessoal do Homem e a necessidade da fé na Providência. Assertar o valor da Natureza parecia ser uma usurpação da supremacia de Deus. Fundamentando seus argumentos nos ensinamentos de Agostinho sobre a necessidade da Graça redentora de Deus, eles consideravam a concepção confiante e determinista da ciência da Natureza uma ameaça herética à essência da doutrina cristã.

No entanto, Tomás sustentava que o reconhecimento da ordem da Natureza aperfeiçoava a compreensão humana da criatividade de Deus e de modo algum diminuía a onipotência divina, que segundo ele expressava-se numa criação contínua segundo padrões ordenados, sobre os quais Ele permanecia soberano. Nessa estrutura, Deus desejava que cada criatura se movimentasse segundo sua própria natureza; o Homem recebera o maior grau de autonomia em virtude de sua inteligência racional. Sua liberdade não era ameaçada pelas leis naturais ou pelo relacionamento com Deus, mas fazia parte da trama da ordem divinamente criada. A ordem da Natureza permitia ao Homem desenvolver uma ciência racional que levaria sua mente a Deus.

Para Tomás de Aquino, o mundo não era apenas uma fase material opaca na qual o Homem residiria por algum tempo como estranho, a fim de preparar seu destino espiritual. A Natureza também não era governada por princípios alheios às preocupações espirituais. Ao contrário, Natureza e espírito estavam intimamente ligados entre si, a história de um tocava a história do outro. O próprio Homem era o fator central dos dois reinos, "como um horizonte do corpóreo e do espiritual". Aos olhos de Tomás, a valorização da Natureza não usurpava a supremacia de Deus. A Natureza tinha valor, como o homem, precisamente porque

Deus lhe dera existência. Ser uma criatura do Criador não significava uma separação, mas um relacionamento com Deus; sobretudo, a Graça divina não adulterava, mas aperfeiçoava a Natureza.

Tomás de Aquino estava também convencido de que a Razão e a liberdade humana tinham valor em si, sua efetivação serviria para maior glória do Criador. A autonomia de vontade e de intelecto do Homem não era limitada pela onipotência de Deus, tampouco sua plena emergência equivocadamente constituiria uma pretensão da criatura de medir forças contra o Criador. Essas qualidades especiais vinham da Natureza do próprio Deus, pois o Homem é a sua imagem. Por meio deste singular relacionamento com o Criador, o Homem poderia ostentar forças de vontade e poderes intelectuais moldados naqueles do próprio Deus.

Influenciado pelo conceito teleológico de Aristóteles quanto à relação da Natureza com a Forma sublime e pela interpretação neoplatônica do Um onipresente, Tomás apresentou nova base para a dignidade e o potencial do Homem: segundo disposição divina, a natureza humana pode chegar à perfeita comunhão com o substrato infinito de sua existência — Deus, fonte de todo o aperfeiçoamento da Natureza. Mesmo a linguagem humana encarnava a sabedoria divina e, portanto, era instrumento digno, capaz de interpretar e elaborar os mistérios da criação. Por isso, a Razão humana podia existir na Fé e, ainda assim, conforme seus próprios princípios. A Filosofia mantinha-se, em suas próprias virtudes, distinta, mas complementar em relação à Teologia. A liberdade e a inteligência humana receberam sua realidade e seu valor do próprio Deus, pois sua infinita generosidade permitia que as criaturas participassem de sua existência, cada uma segundo sua própria essência distintiva — e o Homem poderia fazê-lo em toda a amplitude de sua humanidade em permanente desenvolvimento.

No âmago da visão de Tomás estava sua crença de que subtrair essas extraordinárias capacidades do Homem seria pressupor a diminuição da infinita capacidade do próprio Deus e sua onipotência criadora. Lutar pela liberdade humana e pela realização de valores especificamente humanos era promover a vontade divina. Deus criara o mundo como um reino de fins imanentes e, para atingi-los, o Homem teria de atravessá-los: para ser conforme a vontade de Deus, o Homem teria de realizar plenamente sua humanidade. O Homem era uma parte autônoma do universo de Deus e essa mesma autonomia permitia-lhe retornar livremente à fonte de tudo. Na verdade, somente quando se tornasse verdadeiramente livre o Homem seria capaz de amar a Deus livremente e livremente realizar seu sublime destino espiritual.

***

A compreensão da natureza humana em Tomás de Aquino estendia-se ao corpo humano, afetando sua orientação epistemológica muito bem definida. Ao contrário da postura — antagônica ao físico e material — de Platão, refletida em boa parte da teologia agostiniana tradicional, Tomás de Aquino incorporava os conceitos aristotélicos para reivindicar uma nova atitude. No Homem, espírito e natureza estavam distintos, mas eram dois aspectos de um conjunto homogêneo: a alma era a forma, o corpo era a matéria. Assim, o corpo do Homem era intrinsecamente necessário para sua existência.[4] Em termos epistemológicos, a alma estava unida a um corpo para benefício do Homem, pois somente a observação física poderia estimular sua compreensão das coisas. Tomás de Aquino cita repetidamente a Carta aos Romanos de Paulo: "... o invisível de Deus é claramente visto (...) no que está feito." Os invisíveis divinos, entre os quais Tomás incluía os "tipos eternos" de Agostinho e Platão, só poderiam ser interpretados através do empírico, a observação do visível e particular. Observando diretamente o particular por meio dos sentidos, a mente humana poderia então passar para o universal, que tornava o particular inteligível. Portanto, a experiência dos sentidos e a do intelecto eram ambas necessárias para a cognição — uma informava a outra. Ao contrário do implícito em Platão, sentidos e intelecto para Tomás não eram opostos na busca do conhecimento, mas parceiros. Como Aristóteles, Tomás de Aquino acreditava que o intelecto humano não teria acesso direto às Idéias transcendentais, mas requeria a experiência sensorial para despertar seu conhecimento potencial das universalidades.

Assim como a epistemologia de Tomás de Aquino enfatizava mais profundamente o valor e até a necessidade da experiência deste mundo para o conhecimento humano, sua ontologia assertava o mérito essencial e a substancialidade da existência deste mundo.[5] Os seres sensíveis não existiam meramente como imagens relativamente irreais, vagas réplicas das Idéias platônicas; elas teriam uma realidade substancial própria, como sustentara Aristóteles. As formas estavam inegavelmente incorporadas à matéria e unidas a ela para produzir um todo. Aqui Tomás ultrapassou a tendência dos aristotélicos de considerar a matéria existente separada de Deus, argumentando que uma compreensão filosófica mais profunda do significado da existência ligaria plenamente o mundo criado a Deus. Para isto, Tomás de Aquino reintroduziu o conceito platônico da "participação" nesse novo contexto: a criação tem realidade substantiva porque participa da Existência, que vem de Deus, a base auto-subsistente infinita de todos os seres. A essência de Deus era precisamente sua existência, seu infinito ato de ser que sustentava a existência finita de todas as "coisas" criadas, cada uma com sua essência particular.

A essência de cada coisa, sua maneira específica de ser, é a medida de sua participação na existência real transmitida a ela por Deus. O que uma coisa é e o fato de que ela *é* são dois aspectos distintos de qualquer criatura. Só em Deus há simplicidade absoluta, pois o que Deus é e o fato de *ser* são a mesmíssima coisa: Deus é o próprio "ser" em si — ilimitado, absoluto, além da definição. Todas as criaturas são um composto de essência e existência, ao passo que só Deus não é composto, pois sua existência é a existência em si. As criaturas *têm* uma existência; Deus *é* a existência. Para as criaturas, a existência não é autoconcedida — e aí está o dogma filosófico fundamental de Tomás de Aquino: a absoluta contingência do mundo finito em um infinito doador da existência.

Assim, para Tomás de Aquino, Deus não era apenas a Forma suprema que a produzia, mas era também o próprio fundamento da existência da Natureza. Para Aristóteles e Tomás, a forma era um princípio atuante — não simples estrutura, mas um dinamismo voltado para a realização; toda a criação movia-se dinamicamente em relação à mais elevada Forma: Deus. Todavia, enquanto o Deus de Aristóteles estava separado e era indiferente à criação da qual era o impassível motor, para Tomás de Aquino a verdadeira essência de Deus era a existência. Deus comunicava sua essência à sua criação e cada instância desta se tornava real até onde podia receber o ato de existência comunicado por Ele. Somente assim o Primeiro Motor aristotélico estava legitimamente ligado à criação que motivava. Inversamente, somente assim o transcendental platônico estava legitimamente ligado ao mundo empírico da diversidade e do fluxo.

Apoiado nas elucidações filosóficas das tradições neoplatônicas árabe e cristã (que, ao lado de Agostinho e Boécio, eram as principais fontes de conhecimento de Platão) e especialmente no pensamento do antigo místico cristão oriental que usava o nome Dionísio, o Areopagita, Tomás de Aquino aspirou a aprofundar Aristóteles utilizando os princípios platônicos. No entanto, ele também percebeu a necessidade dos princípios aristotélicos para o platonismo. Para Tomás, a teoria platônica da participação só poderia realmente adquirir seu pleno sentido metafísico quando aprofundada até o princípio da própria existência, além das diversas maneiras de ser que a própria existência poderia emprestar-lhe.

Esse aprofundamento exigia o contexto aristotélico de uma natureza que possuísse existência real — uma realidade obtida através de seu constante processo de vir a ser, de seu dinâmico movimento da potencialidade para a realidade. Tomás de Aquino mostrava assim a complementaridade dos dois filósofos gregos, do absoluto espiritual sublime de Platão e da natureza dinamicamente real de Aristóteles, integração essa obtida com a participação platônica relativa à Existência, e não às Idéias. Com isso, corrigia Aristóteles, mostrando que os indivíduos concretos não eram apenas substâncias isoladas, mas estavam unidos uns aos outros e a Deus por participarem em comum da existência. Mas ele também emendou Platão, argumentando que a Divina Providência não estava apenas relacionada às Idéias, mas estendia-se diretamente aos indivíduos, cada um criado à imagem de Deus e, em seu feitio limitado, cada um participando do ilimitado ato de existência de Deus.

Tomás de Aquino atribuía somente a Deus o que Platão atribuía às Idéias em geral, mas com isso conferia uma realidade amplificada à criação empírica. Desde que "ser" é participar da existência, e como a existência é em si o dom do próprio ser de Deus, cada criatura possui uma realidade verdadeira baseada na infinita realidade de Deus. Em certo sentido, as Idéias são exemplos da criação de Deus, enquanto planos formais na mente de Deus; contudo, no nível mais profundo, Deus é o exemplar último e verdadeiro; a criação e todas as Idéias são inflexões dessa essência suprema. Todas as criaturas participam primeira e significativamente da natureza de Deus, cada uma em sua própria maneira finita específica a manifestar uma parte da infinita variedade e perfeição divinas. Na interpretação de Tomás, Deus não era tanto um ser, uma entidade que fosse a primeira de uma série de outras entidades, mas era antes o infinito ato da existência (*esse*) de que tudo derivava, inclusive seu próprio ser. Tomás efetivamente sintetizou a realidade transcendental de Platão e a realidade concreta de Aristóteles por meio da interpretação cristã de Deus como o amável Criador infinito, que dava gratuitamente de seu próprio ser para sua criação. Do mesmo modo, Tomás sintetizou a ênfase aristotélica no dinamismo teleológico do Homem e da Natureza, que lutavam para a realização mais perfeita, e a ênfase platônica na participação da Natureza numa realidade transcendental superior, concebendo o divino como algo em absoluta perfeição inefável e mesmo assim outorgando sua essência (ou seja, a existência) à Criação — a qual então tende para a realização, precisamente porque participava da existência, por sua própria natureza, uma tendência dinâmica ao Absoluto. Como no neoplatonismo, toda criação começa e termina, parte e retorna ao supremo Um. Entretanto, para Tomás de Aquino, Deus criou e deu existência ao mundo não por emanação necessária, mas por um ato generoso de amor pessoal. A criatura não participava do Um meramente como uma distante emanação mais ou menos real, mas "sendo" (*esse*) uma entidade individual plenamente real criada por Deus.

Assim, Tomás de Aquino seguia Aristóteles em seu respeito pela Natureza, por sua realidade e seu dinamismo, pelos seres individuais e pela necessidade epistemológica da experiência dos sentidos. Contudo, em sua consciência enfática de uma realidade transcendental superior, sua crença na imortalidade da alma e sua sensibilidade imensamente espiritual centrada num Deus amoroso, fonte infinita e meta da existência, ele dava prosseguimento à tradição agostiniana da teologia medieval e com isso aproximava-se mais de Platão e Plotino. A discriminação de Tomás de Aquino contra Platão e Agostinho em relação às Idéias e o conhecimento humano tinha um significado epistemológico, pois sancionava o reconhecimento explícito do valor essencial da experiência sensorial e do empirismo, característicos do intelecto cristão, que ambos desvalorizavam em favor da iluminação direta das Idéias transcendentais. Ele não negava a existência das Idéias — ao contrário, ontologicamente negava sua auto-subsistência separada da realidade material (como Aristóteles) e sua situação criativa isolada de Deus (como no monoteísmo cristão e como Agostinho, que localizava as Idéias na mente criadora de Deus). Epistemologicamente, negava ao intelecto humano a capacidade de conhecer diretamente as Idéias, reafirmando a necessidade do intelecto ter a experiência sensorial para obter uma compreensão imperfeita, mas razoável, das coisas em termos dos arquétipos eternos. Se o Homem tivesse de conhecer ao menos imperfeitamente o que Deus conhece perfeitamente, teria de abrir os olhos para o mundo físico.

Para Tomás de Aquino, como para Aristóteles, conhecemos primeiro as coisas concretas, depois passamos a conhecer as universalidades. Platão e Agostinho acreditavam no oposto. A teoria do conhecimento de Aristóteles baseava-se na certeza epistemológica de que o Homem poderia conhecer a verdade ao ser diretamente iluminado a partir de seu interior pelo conhecimento das Idéias transcendentais de Deus. Essas Idéias são o *Logos*, Cristo — o mestre interior de Agostinho, que contém todas as Idéias e interiormente ilumina o intelecto do Homem. Embora mantivesse aspectos da visão de Agostinho, Tomás de Aquino não admitia a dependência epistemológica exclusivamente das Idéias de Platão. O

Homem é matéria e também espírito; a cognição humana deve refletir esses dois princípios: o conhecimento deriva da experiência sensorial de particularidades concretas, de que se podem abstrair as universalidades; esse conhecimento é válido porque, admitindo-se o universal nas coisas singulares, o espírito humano participa intelectualmente, ainda que de maneira indireta, do modelo original usado por Deus na criação dessa coisa. Mais uma vez, Tomás integrava aqui Platão a Aristóteles, identificando a capacidade da alma para essa participação ao intelecto atuante de Aristóteles (o *nous*) — embora se opusesse energicamente aos intérpretes de Aristóteles que faziam do *nous* uma entidade singular e comum a toda Humanidade, o que seria uma negação da responsabilidade moral, da inteligência individual e da imortalidade da alma.

Tomás de Aquino concordava que se poderia imputar uma espécie de realidade às Idéias, como tipos eternos no intelecto divino análogos às formas que existem na mente de um arquiteto antes da construção de um edifício, mas negava que os seres humanos pudessem conhecê-los diretamente nesta vida. Somente uma inteligência mais perfeita (angelical, por exemplo) pode gozar o contato íntimo com as noções eternas de Deus e apreendê-las diretamente. O Homem terreno, no entanto, compreende as coisas à luz desses tipos eternos exatamente como vê as coisas à luz do sol. A mente sem a experiência sensorial é uma lousa em branco, num estado de potencialidade em relação às coisas inteligíveis. A experiência sensorial sem o intelecto atuante seria ininteligível e assim realmente cega. Em sua condição presente, o Homem deve concentrar seu intelecto atuante, assemelhado à luz divina, em sua experiência sensorial do mundo físico quando procura apreender a verdade; daí em diante, poderá continuar com a argumentação discursiva à maneira aristotélica. Na filosofia de Tomás, as Idéias passam ao segundo plano e a ênfase é dada à experiência sensorial, que proporciona as necessárias imagens de sentido particular que o intelecto atuante ilumina como às espécies ou conceitos abstratos inteligíveis.

Tomás de Aquino propôs a solução para um dos problemas centrais e mais resistentes da filosofia escolástica: a questão das universalidades. No início da Idade Média, a doutrina das universalidades era caracteristicamente a do "realismo" — ou seja, o universal existia como entidade real. Desde o tempo de Boécio, a opinião dividia-se entre saber se o universal era real no sentido platônico, como um ideal transcendental independente da particularidade concreta ou, no sentido aristotélico, como forma imanente plenamente associada a cada uma de suas materializações. Sob a influência de Agostinho, normalmente a interpretação platônica era preferida. No entanto, em quaisquer casos a realidade das universalidades era afirmada de modo tão geral, que Anselmo, por exemplo, sustentava uma argumentação que ia da existência da Idéia à existência do particular — na verdade, um derivativo da Idéia. Roscellinus, contemporâneo de Anselmo e mestre de Abelardo, criticava a crença em universalidades reais, afirmando que eram simples palavras ou nomes (*nomina*) — dando assim voz à doutrina filosófica do nominalismo. Utilizando as distinções formuladas por Alberto Magno, Tomás lutou para solucionar a discussão, propondo três tipos de existência das Idéias: exemplos independentes das coisas na mente de Deus (*ante rem*), formas inteligíveis nas coisas (*in re*) e conceitos na mente humana, formados a partir da abstração das coisas (*post rem*).

Essas meticulosas distinções epistemológicas e outras semelhantes tinham importância porque, para Tomás de Aquino, a Natureza e os processos do conhecimento humano relacionavam-se diretamente a sérias questões teológicas. Para ele, o Homem podia lutar para conhecer as coisas como elas são, uma vez que ambos — as coisas e o conhecimento que o Homem tem delas — seriam determinados e, como o próprio Homem, expressavam o mesmo ser absoluto: Deus. Como Platão e Aristóteles, Tomás de Aquino acreditava na possibilidade do conhecimento humano porque estava convencido de uma identidade última entre o ser e o conhecimento. O Homem podia conhecer um objeto compreendendo seu aspecto formal ou universal. Possuía a capacidade da compreensão, não porque sua mente fosse meramente impressionada por entidades superiores isoladas, as Idéias, mas porque dispunha de um elemento superior, "mais nobre," através do qual podia abstrair universalidades válidas das impressões sensoriais. Esta capacidade era a luz do intelecto atuante — *lumen intellectus agentis.* A luz da Razão humana tirava sua força da Verdade divina, que continha os tipos eternos de todas as coisas. Ao dotar o Homem dessa luz, Deus lhe concedera potencial para o conhecimento do mundo, assim como dotara a tudo de inteligibilidade, porque tudo era objeto possível de conhecimento. Desta maneira, a mente humana podia fazer discernimentos verdadeiros.

Tomás de Aquino sustentava também que, devido ao relacionamento de ser e conhecimento, algo de significado mais profundo estaria envolvido no processo de cognição humana. Em certo sentido, conhecer algo era conter o objeto no conhecedor. A alma recebia a forma de um objeto em si mesmo, podia conhecer uma coisa recebendo seu aspecto universal, que representava todas as suas instâncias — a forma da coisa, separada de sua materialização individualizadora. Como dissera Aristóteles, a alma era tudo, sob determinada concepção, porque fora criada de maneira a conter toda a ordem do Universo inscrita em seu interior. No entanto, para Tomás, a condição mais elevada deste conhecimento era a visão de Deus — nem tanto o estado de contemplação filosófica identificado por Aristóteles como a meta final do Homem, mas a suprema visão beatífica do misticismo cristão. Expandindo seu próprio conhecimento, o Homem se aproximava de Deus e ser como Deus era o verdadeiro fim desejado do Homem. Como a existência pura e o puro conhecimento eram ambos a expressão de Deus (o conhecimento constituindo o "ser para si mesmo" da existência, a auto-iluminação do ser) e como um ser finito participa de modo parcial desses absolutos, todo ato de conhecimento não era apenas uma expansão do próprio ser, mas uma participação mais extensa na natureza de Deus. Além disso, conhecendo a existência nas coisas criadas, a mente obteria um conhecimento absoluto — ainda que sempre imperfeito — de Deus, em virtude da analogia entre o ser finito e o Ser Infinito. Assim, para Tomás de Aquino o esforço do Homem para chegar ao conhecimento era dotado de profundo significado religioso: o caminho da verdade era o caminho do Espírito Santo.

***

A extraordinária influência que Tomás de Aquino teve sobre o pensamento ocidental reside especialmente em sua convicção de que o judicioso exercício da inteligência empírica e racional do Homem, desenvolvida e reforçada pelos gregos, poderia agora servir à causa do Cristianismo de modo esplêndido. A penetrante cognição que o intelecto humano tinha da multidão de objetos criados neste mundo — sua ordem, seu dinamismo, sua orientação, sua finitude, sua absoluta dependência de algo mais — revelava, no cume da hierarquia do Universo, a existência de um ser mais alto e infinito, um motor imóvel e causa primeira: o Deus da cristandade. Deus era a causa que sustentava tudo o que existe, a incondicional condição última para a existência de tudo. Descobriu-se que o resultado final da busca metafísica (os gregos eram seus primeiros exemplos) era idêntico ao da busca espiritual e a cristandade, sua expressão definitiva. A Fé transcendia a Razão, mas não se opunha a ela; na verdade, uma enriquecia a outra. Em vez de considerar as obras de Razão secular uma antítese ameaçadora para as verdades da Fé religiosa, Tomás estava convencido de que, em última análise, ambas não poderiam estar em conflito e, portanto, sua pluralidade serviria a uma unidade mais profunda. Tomás de Aquino resolvia assim o problema da dialética apresentado pelo escolástico Abelardo, seu antecessor; com isso, abria-se para o influxo do intelecto helênico.

A filosofia racional não poderia, por si, oferecer provas indiscutíveis para todas as verdades espirituais reveladas nas Escrituras e na doutrina da Igreja; poderia, sim, aperfeiçoar a compreensão espiritual das questões teológicas, assim como a Teologia podia aperfeiçoar a compreensão filosófica das questões materiais. Como a sabedoria de Deus permeava todos os aspectos da criação, o conhecimento da realidade natural só ampliaria a profundidade da fé cristã, embora de modo não previamente conhecido. Certamente, sozinha, a filosofia da cultura não podia penetrar por completo nos mais profundos significados da criação. Para isso, era preciso a revelação cristã. A inteligência humana era imperfeita, obscurecida pela Queda. Para se aproximar das realidades espirituais mais elevadas, o pensamento humano requeria a iluminação da Palavra revelada; somente o amor poderia verdadeiramente alcançar o Infinito. Não obstante, a Filosofia era um elemento vital na busca humana pela compreensão espiritual. Como Platão para Agostinho, Aristóteles não tinha para Tomás de Aquino uma boa concepção do Criador. Tomás sentia poder basear-se em Aristóteles, ao mesmo tempo corrigindo e aprofundando-o quando necessário — introduzindo concepções neoplatônicas através do uso de determinadas percepções da revelação cristã, ou a partir de sua própria perspicácia filosófica. Assim, deu ao pensamento aristotélico um novo significado religioso — ou, como se disse, converteu Aristóteles ao Cristianismo e batizou-o. Da mesma forma, é também verdade que, a longo prazo, Tomás converteu a cristandade medieval a Aristóteles e aos valores que ele representava.

A introdução de Aristóteles no Ocidente medieval, mediado por Tomás de Aquino, abriu o pensamento cristão para o mérito intrínseco e o dinamismo autônomo deste mundo, do Homem e da Natureza, sem abandonar o transcendental platônico da teologia agostiniana. Para Tomás, uma compreensão de Aristóteles paradoxalmente permitia que a Teologia se tornasse mais plenamente "cristã", mais ressonante com o mistério da Encarnação como união redentora da Natureza e espírito, tempo e eternidade, Homem e Deus. A filosofia racional e o estudo científico da Natureza enriqueceriam a Teologia e a própria Fé e, ao mesmo tempo, eram complementados por estas. O ideal era "um profano baseado na Teologia e uma teologia aberta para o mundo". O mistério da existência era inesgotável para Tomás de Aquino, mas abria-se para o Homem, de modo radiante, embora jamais completo, através do devoto desenvolvimento da inteligência que Deus lhe concedera. Assim, Deus levava o Homem a buscar a perfeição a partir de seu interior, a ter uma participação mais plena no Absoluto, a superar-se e retornar à fonte.[6]

Tomás de Aquino adotou o novo saber, dominou todos os textos disponíveis e entregou-se à hercúlea tarefa intelectual de unir as visões de mundo dos gregos e dos cristãos em uma grande *summa* abrangente, onde as realizações científicas e filosóficas dos antigos seriam trazidas para baixo da abóbada da teologia cristã. Mais do que a soma de suas partes, a filosofia de Tomás de Aquino era um conjunto ardoroso que trouxe nova expressão aos diversos elementos de sua síntese — como se ele houvesse admitido uma implícita unidade nas duas correntes e depois se dispusesse a inferi-la pela viva força do intelecto.

Outros Avanços na Alta Idade Média

A Maré Montante do Pensamento Secular

A otimista confiança de Tomás de Aquino na conjunção de Razão e Revelação não era compartilhada por todos. Outros filósofos, influenciados por Averróis, o grande comentador árabe de Aristóteles, ensinavam as obras do filósofo grego sem ver a necessidade ou a possibilidade de coordenar de modo consistente suas conclusões científicas e lógicas com as verdades da fé cristã. Esses filósofos "secularistas", centrados na faculdade de artes de Paris e liderados por Siger de Brabant, observaram as aparentes discrepâncias entre determinados princípios aristotélicos e os da revelação cristã — especialmente conceitos aristotélicos como o do intelecto único, comum a toda Humanidade (o que implicava a mortalidade da alma individual), a eternidade do mundo material (o que contradizia a narrativa da criação do Gênese) e a existência de muitos intermediários entre Deus e o Homem (o que rejeitava a influência direta da Divina Providência). Siger e seus companheiros afirmavam que se a Razão filosófica e a Fé religiosa estavam em contradição, é porque o reino da Razão e Ciência deveriam em certo sentido estar fora da esfera da Teologia. A conseqüência foi um universo de "dupla verdade". O desejo de Tomás de Aquino de obter uma solução fundamental entre os dois reinos encontrava-se assim não apenas em oposição aos agostinianos tradicionais, que rejeitavam totalmente a intrusão da ciência aristotélica, mas também à filosofia heterodoxa dos averroístas, por ele considerados inimigos de uma visão de mundo integrada, solapando o potencial de uma legítima interpretação cristã de Aristóteles. Com melhores traduções dos escritos de Aristóteles e sua gradual separação das interpretações neoplatônicas com que há muito eles haviam sido fundidos, a concepção aristotélica foi sendo mais e mais considerada uma cosmologia naturalista que não se combinava de imediato com uma visão cristã objetiva.

Diante dessa perturbadora explosão de independência intelectual nas universidades, as autoridades eclesiásticas condenaram o novo pensamento. Pressentindo a ameaça de secularização da Ciência aristotélico-árabe pagã, de uma Razão humana autônoma e sua adoção da natureza profana, a Igreja viu-se pressionada a assumir uma postura contrária ao pensamento antiteológico que se disseminava. As verdades da Fé cristã eram sobrenaturais e necessitavam ser salvaguardadas contra as insinuações de um racionalismo naturalista. Tomás de Aquino não conseguira resolver as calorosas diferenças entre os campos opostos; depois de sua morte em 1274, o cisma aprofundou-se. Três anos mais tarde, quando a Igreja fez sua lista de proposições condenadas, estavam incluídas algumas das ensinadas por Tomás de Aquino. A divisão entre os aguerridos adeptos da Razão e da Fé tornou-se ainda mais profunda, pois com a censura inicial não apenas dos secularistas, mas também de Tomás, a Igreja cortou a comunicação entre os pensadores científicos e os teólogos tradicionais, deixando os dois campos cada vez mais afastados e reciprocamente desconfiados.

A proibição da Igreja não conseguiu deter a emergência do novo pensamento. Aos olhos de muitos filósofos, os dados já estavam lançados. Tendo experimentado a força do intelecto aristotélico, eles rejeitavam uma volta à situação anterior. Consideravam seu dever intelectual seguir a opinião crítica da Razão humana onde quer que ela os levasse, mesmo se contradissessem as verdades tradicionais da Fé. Não que em última análise se pudesse duvidar dessas verdades, mas elas não poderiam necessariamente ser julgadas pela Razão pura, que tinha sua própria lógica e suas próprias conclusões e encontrava sua aplicação em um reino talvez insignificante para a Fé. O potencial divórcio entre Filosofia e Teologia já era visível. Uma vez aberta, a caixa de Pandora da investigação científica não se fecharia.

Entretanto, naqueles séculos finais da Idade Média, a autoridade da Igreja ainda estava segura e podia adaptar-se às mudanças doutrinárias sem colocar em risco sua hegemonia cultural. Apesar da repetida censura da Igreja, as novas idéias eram por demais atraentes para serem totalmente eliminadas, mesmo entre intelectuais cristãos devotos. Meio século depois da morte de Tomás de Aquino, sua vida e obra foram reavaliadas pela hierarquia eclesiástica; ele foi canonizado como um santo erudito. Todos os ensinamentos tomistas foram retirados da lista de proposições condenadas. Reconhecendo sua prodigiosa interpretação de Aristóteles em termos cristãos, a Igreja começou a incorporar esse modulado aristotelianismo à doutrina eclesiástica; Tomás de Aquino era a máxima autoridade na questão — e junto com seus seguidores escolásticos assim legitimou Aristóteles, elaborando minuciosamente a unificação de sua ciência, filosofia e cosmologia com a doutrina cristã. Sem esta síntese, é questionável sabermos se a força do racionalismo e naturalismo gregos seria tão completamente assimilada em uma cultura tão difusamente cristã quanto o Ocidente medieval. Com a gradativa aceitação da obra de Tomás de Aquino, o *corpus* aristotélico tornou-se virtualmente um dogma cristão.

A Astronomia e Dante

Com a descoberta de Aristóteles, apareceu também a obra de Ptolomeu sobre Astronomia, explicando a concepção clássica dos céus, onde os planetas giram em torno da Terra em esferas cristalinas concêntricas e outros refinamentos matemáticos de epiciclos, excêntricos e equantes. Embora as disparidades entre observação e teoria continuassem a surgir e exigir novas soluções, o sistema ptolomaico permanecia a mais sofisticada astronomia conhecida, capaz de modificar-se nos detalhes, mas mantendo sua estrutura básica. Acima de tudo, ele proporcionava uma convincente explicação científica da percepção natural da Terra fixa, com os céus girando em torno dela. Juntas, as obras de Aristóteles e Ptolomeu ofereciam um abrangente paradigma cosmológico que representava a melhor ciência da era clássica, que havia dominado a Ciência árabe e agora empolgava as universidades ocidentais.

Desde os séculos XII e XIII, até mesmo a Astrologia clássica, codificada por Ptolomeu, era ensinada nas universidades (muitas vezes associada aos estudos da Medicina) e foi integrada por Albertus e Tomás de Aquino num contexto cristão. De fato, a Astrologia jamais desapareceu inteiramente durante a Era Medieval, gozando periodicamente de patrocínio real e papal, de reputação erudita e constituindo o quadro de referências cósmico para uma tradição esotérica que prosseguia e tornava-se cada vez mais indispensável. Como o paganismo já não era uma ameaça imediata para a cristandade, os teólogos da Alta Idade Média aceitavam mais livre e explicitamente a importância da Astrologia no plano das coisas, face especialmente à sua linguagem clássica e à sistematização aristotélico-ptolomaica. A tradicional objeção cristã à Astrologia — sua implícita negação do livre-arbítrio e da graça — foi resolvida por Tomás de Aquino em sua *Summa Theologica.* Ali, afirmava-se que os planetas influenciavam os homens, mais especificamente sua natureza corpórea, mas que, através do uso da Razão e do livre-arbítrio concedidos por Deus, o Homem poderia controlar suas paixões e livrar-se do determinismo astrológico. Porque muitos não exerciam estas faculdades, estando sujeitos, portanto, às forças planetárias, os astrólogos podiam fazer previsões gerais bastante exatas. A princípio, entretanto, a alma era livre para escolher, assim como, segundo os astrólogos, o sábio dominava suas estrelas. Tomás de Aquino sustentava a crença no livre-arbítrio e na Graça divina, mas ao mesmo tempo reconhecia a concepção grega das forças celestiais.

A Astrologia, junto com a Astronomia, elevou-se novamente à posição de ciência abrangente, capaz de desvendar as leis universais da Natureza. As esferas planetárias — a Lua, Mercúrio, Vênus, o Sol, Marte, Júpiter, Saturno — formavam céus sucessivos que rodeavam a Terra e afetavam a existência humana. Sob a restaurada cosmologia clássica estava o axioma fundamental de Aristóteles: "O fim de todos os movimentos deve ser o de corpos divinos movimentando-se no céu." Enquanto as traduções do árabe continuavam em sucessivas gerações, as concepções esotéricas e astrológicas forjadas na era helenística, enunciadas nas escolas alexandrinas e na tradição hermética e levadas adiante pelos árabes, gradualmente obtiveram grande influência na *intelligentsia* medieval.

No entanto, quando a cosmologia aristotélico-ptolomaica chegou à cristandade, por meio dos escoláticos, e foi adotada por Dante, é que a antiga visão de mundo reintroduziu-se plenamente na psique cristã — isto é elaborada e permeada de significado cristão. Seguindo Tomás de Aquino de perto no tempo e no espírito e, de modo semelhante, inspirado pelo conhecimento científico de Aristóteles, Dante realizou em seu poema épico *A Divina Comédia* o que efetivamente era o paradigma moral, religioso e cosmológico da Era Medieval. Em muitos aspectos, a *Comédia* foi uma realização sem precedentes na cultura cristã. Como corroboração da criatividade poética, o épico de Dante transcendia as convenções medievais anteriores — em sua sofisticação literária, em seu eloqüente uso do vernáculo, em sua perspicácia psicológica e inovações teológicas, em sua expressão de um individualismo aprofundado, ao sustentar a poesia e a erudição como instrumentos da compreensão religiosa, em sua implícita identificação do feminino com o conhecimento místico de Deus, em sua corajosa amplificação platônica do eros humano em um contexto cristão. Especialmente conseqüentes para a história da visão de mundo ocidental eram certas ramificações da arquitetura cosmológica do épico. Ao integrar os constructos científicos de Aristóteles e Ptolomeu a um retrato vivamente criativo do universo cristão, Dante expôs uma ampla mitologia clássica cristã, abrangendo toda a criação, que exerceria uma grande — e complexa — influência na imaginação cristã ulterior.

Na visão de Dante, como em geral na visão medieval, os céus eram ao mesmo tempo misteriosos e humanamente cheios de significados. O microcosmo humano refletia diretamente o macrocosmo; as esferas planetárias incorporavam as diversas forças que influenciavam o destino humano. Dante preencheu esta concepção geral unindo, na poesia, elementos específicos da Teologia cristã a elementos igualmente específicos da Astrologia clássica. Na *Comédia*, as esferas elementais e planetárias ascendentes que envolvem a Terra central culminam na esfera mais elevada, contendo o trono de Deus, enquanto os círculos do Inferno, espelhando as esferas celestiais invertidas, descem na direção do centro corrompido da Terra. O Universo geocêntrico aristotélico tornava-se assim uma grande estrutura simbólica para o drama moral da cristandade, em que o Homem estava situado entre o Céu e o Inferno, movimentando-se entre suas abóbadas etéreas e terrenas, oscilando no eixo moral entre sua natureza espiritual e corpórea. Todas as esferas planetárias ptolomaicas assumiam agora referências cristãs, com classes específicas de anjos e arcanjos responsáveis pelos movimentos de cada esfera e até mesmo pelos refinamentos de seus diversos epiciclos. A *Comédia* retratava toda a hierarquia cristã da existência — de Satã e o Inferno na escura profundeza da Terra material, passando pelo monte do Purgatório e subindo pelos sucessivos anfitriões angelicais até o Deus supremo no Paraíso, na mais elevada esfera celestial, com a existência terrena do Homem no meio caminho cosmológico, e tudo cuidadosamente mapeado segundo o sistema ptolomaico-aristotélico. O Universo cristão resultante era um divino ventre macrocósmico em que a Humanidade se posicionava seguramente no centro, cercada por todos os lados pelo ser onipotente e onisciente de Deus. Assim, como Tomás de Aquino, Dante realizou uma ordenação extraordinariamente abrangente do Cosmo, uma transfiguração cristã da ordem cósmica apresentada pelos gregos.

Todavia, a própria força e vividez dessa integração greco-cristã estimularia uma extraordinária e decisiva transformação dos fatos na psique cultural. O pensamento medieval percebia o mundo físico como algo simbólico até o âmago, mas esta percepção ganhou uma nova especificidade quando os intelectuais cristãos adotaram Aristóteles e a ciência grega. O modo utilizado por Dante para a cosmologia ptolomaico-aristotélica, como fundamento estrutural da visão de mundo cristã, prontamente estabeleceu-se na imaginação coletiva da cristandade; todos os aspectos do plano científico dos gregos agora estavam imbuídos de significado religioso. Nas mentes de Dante e seus contemporâneos, Astronomia e Astrologia estavam indissoluvelmente associadas, e as ramificações culturais desta síntese cosmológica eram profundas: se qualquer mudança física essencial tivesse de ser introduzida naquele sistema por astrônomos futuros — como, por exemplo, uma Terra em movimento —, o efeito de uma inovação puramente científica ameaçaria a integridade de toda a Cosmologia cristã. A vastidão intelectual e o desejo de universalidade cultural tão característicos da mente cristã na Alta Idade Média, trazendo até mesmo detalhes da ciência clássica para o seu rebanho, estavam conduzindo a direções que mais tarde se mostrariam intensamente problemáticas.

A Secularização da Igreja e a Ascensão do Misticismo Laico

Na Idade Média, a visão de mundo cristã ainda estava fora de questão. Entretanto, a situação da Igreja institucional tornara-se ainda mais controversa. Com sua autoridade consolidada na Europa depois do século X, o papado romano gradualmente assumira um papel de imensa influência política nas questões das nações cristãs. Mais ou menos no século XIII, os poderes da Igreja eram extraordinários, o papado intervinha nas questões de Estado em toda a Europa, vultosos rendimentos eram arrancados dos fiéis para financiar a crescente magnificência da corte papal e sua gigantesca burocracia. Pelo início do século XIV, os resultados desse sucesso mundano era ao mesmo tempo muito claro e muito perturbador. A cristandade tornara-se poderosa, mas estava comprometida

A hierarquia da Igreja estava visivelmente curvada às motivações financeiras e políticas. A soberania temporal do Papa sobre os Estados Papais na Itália envolviam-no em manobras políticas e militares que repetidamente complicavam a própria compreensão espiritual que a Igreja tinha de si. Além do mais, as extravagantes necessidades financeiras da Igreja constantemente aumentavam as exigências sobre as massas dos devotos cristãos. O pior de tudo talvez fosse o fato de que o secularismo e a evidente corrupção do papado faziam com que, aos olhos dos fiéis, ele perdesse sua integridade espiritual (o próprio Dante fizera a distinção entre o mérito espiritual e a hierarquia eclesiástica e sentiu-se levado a colocar mais de um alto funcionário da Igreja no Inferno por trair sua missão apostólica). O êxito na luta da Igreja pela hegemonia cultural, de início espiritualmente motivada, agora minava suas bases religiosas.

Nesse meio tempo, as monarquias leigas dos Estados-nações europeus aos poucos haviam conquistado poder e coesão, criando uma situação em que a reivindicação do papa por autoridade universal inevitavelmente levava a um conflito sério. No auge de sua riqueza e expansão mundial, a Igreja subitamente viu-se apanhada em um século de extremo dilaceramento institucional — primeiro houve a transferência do papado para Avignon, sob controle francês (o "cativeiro babilônico") e logo em seguida a situação sem precedentes de ter dois e depois três papas, que simultaneamente reivindicavam a primazia (o "Grande Cisma"). Com a sagrada autoridade papal tão claramente à mercê de forças políticas instáveis, da pompa mundana e da ambição pessoal, o papel espiritual da Igreja tornava-se cada vez mais obscuro; a unidade da cristandade ocidental estava perigosamente ameaçada.

Durante esses anos de acelerada secularização da Igreja, no final do século XIII e no século XIV, uma extraordinária onda de fervor místico varreu grande parte da Europa, especialmente a região do Reno, captando milhares de homens e mulheres — leigos, sacerdotes, monges e freiras. Intensamente devocional, centrada em Cristo e voltada à união interior direta com o divino, esta onda não tinha em geral nenhuma ligação com as estruturas estabelecidas da Igreja. O impulso cristão místico, que em Tomás de Aquino e Dante encontrara uma expressão teológica de considerável complexidade intelectual, assumiu um caráter mais puramente afetivo e devocional na população leiga do centro da Europa. Uma sutilíssima intelectualidade também desempenhou aqui um papel, na pessoa de Meister Eckhart, o mestre e líder do movimento, cuja visão metafísica baseava-se filosoficamente em Tomás de Aquino e no neoplatonismo, e cujas formulações originais da experiência mística às vezes pareciam ameaçar os limites da ortodoxia: "O olho com que Deus me vê é o olho com que posso vê-lo; o meu olho e o dele são as mesmas." A influência de seus muito assistidos sermões e os ensinamentos de seus discípulos Johann Tauler e Heinrich Suso, não eram essencialmente intelectuais ou racionais, mas morais e religiosas. Acima de tudo, sua preocupação era a iluminação religiosa direta e uma vida santificada de amor e serviço cristão.

No entanto, com tal ênfase na comunhão interior com Deus, mais do que na necessidade das formas coletivas de veneração e dos sacramentos institucionalizados, a própria Igreja era considerada menos imperativa na busca espiritual. Sentia-se agora que a experiência religiosa estava diretamente disponível tanto para os leigos como para o clero; o padre e o bispo já não eram mais vistos como necessários mediadores da espiritualidade. Da mesma forma, a relativa desimportância de palavras e da razão no contexto do relacionamento da alma com Deus fazia com que o desenvolvimento muito racionalizado da Teologia e as controvertidas sutilezas da doutrina eclesiástica parecessem supérfluas. Do lado oposto do escolasticismo, mas com idêntico efeito, a Razão e a Fé estavam cada vez mais distantes.

De grande importância imediata estava a crescente divergência entre o ideal de espiritualidade cristã e a realidade da Igreja institucional. Na opinião dos novos pregadores místicos e das fraternidades leigas, a devoção pessoal tomava a frente do culto eclesiástico, assim como a experiência interior superava a observação exterior. A verdadeira Igreja, o corpo de Cristo, agora cada vez mais se identificava com as almas humildes dos fiéis e com as iluminadas pela Graça, e menos com a hierarquia oficialmente sancionada da Igreja. Uma nova ênfase na Bíblia e na fé na Palavra de Deus como fundamentos da verdadeira Igreja começaram a deslocar a ênfase da Igreja institucional sobre o dogma e a soberania papal. Sustentava-se que o autêntico caminho para Deus era uma vida de renúncia e simplicidade, em oposição à vida de riqueza e poder gozada pelos privilegiados funcionários da instituição eclesiástica.

Todas essas dicotomias, amplamente percebidas, indicavam um potencial rompimento com a estrutura tradicional da Igreja medieval. Mas a ruptura não ocorreu. Os envolvidos eram cristãos devotos que em geral não reconheciam necessidade alguma de rebelião atuante contra a Igreja. Buscava-se a reforma e a renovação, como aconteceu em diversos grandes movimentos religiosos no final da Idade Média, mas geralmente dentro da Igreja existente. Não obstante, uma semente fora lançada. A vida de Cristo e dos apóstolos era reconhecida como paradigma da existência espiritual, mas já não parecia estar nem representada nem mediada pelas estruturas contemporâneas da Igreja Católica. A nova autonomia espiritual adotada pelos místicos do Reno, além de outros na Inglaterra e nos Países Baixos, tendia a colocar a Igreja em papel secundário no campo da autêntica espiritualidade. Na virada do século XIII, Joachim de Fiore já havia apresentado sua influente visão mística da História dividida em três eras de espiritualidade cada vez maior — a Era do Pai (o Velho Testamento), a Era do Filho (o Novo Testamento e a Igreja) e uma iminente Era do Espírito, quando o mundo inteiro seria banhado pelo divino e a Igreja institucional já não seria mais necessária.

Com a nova ênfase na relação direta e particular da pessoa com

Deus, as complexas formas institucionais e os regulamentos da Igreja se desvalorizavam no exato momento em que a secularização fazia sua missão parecer cada vez mais questionável. No momento em que a Era Medieval atingiu sua etapa final, os mais ansiosos apelos para a reforma, que sempre estiveram presentes na história da Igreja, encontraram eco forte e ativo numa crescente diversidade de personalidades — Dante, Marsílio de Pádua, Dietrich de Niem, John Wycliffe, Jan Hus — e, do ponto de vista de hierarquia, assumiram um tom cada vez mais herético.

A Escolástica Crítica e a Navalha de Ockham

Enquanto uma corrente cultural, representada pelo novo misticismo leigo, obtinha autonomia religiosa, a corrente escolástica deu continuidade ao notável desenvolvimento do intelecto ocidental sob a tutela de Aristóteles. Se o papel da Igreja em geral era agora ambíguo, sua função intelectual não o era menos. Por um lado, a Igreja apoiava todo o empreendimento acadêmico nas universidades, onde a doutrina cristã era explicada com um método lógico de rigor sem antecedentes e abrangendo um campo cada vez mais amplo; por outro, procurava manter sob controle esse empreendimento, seja através de condenação ou supressão, ou atribuindo *status* doutrinário a certas inovações, como as de Tomás de Aquino — como se dissesse: "Até aqui e não mais." No entanto, nessa atmosfera ambivalente, a investigação escolástica prosseguia, com implicações de peso cada vez maior.

A Igreja havia aceitado grande parte da obra de Aristóteles. Contudo, esse novo interesse cultural não se detinha no estudo dos textos de Aristóteles, pois ampliava a curiosidade pelo mundo natural e significava também uma confiança crescente na força da Razão humana. No final da Idade Média, o aristotelianismo era mais um sintoma do que a causa do espírito científico que se desenvolvia na Europa. Na Inglaterra, escolásticos como Robert Grosseteste e seu pupilo Roger Bacon realizavam experimentos científicos concretos (em parte movidos pelas tradições esotéricas da Alquimia e Astrologia, por exemplo), aplicando princípios matemáticos considerados supremos na tradição platônica e a observação do mundo físico, recomendada por Aristóteles. Esta nova atenção à experiência direta e ao argumento começava a solapar o investimento exclusivo da Igreja na autoridade dos textos antigos — agora aristotélicos, bíblicos e patrísticos. Aristóteles era questionado em seus próprios termos, em pontos específicos de sua autoridade quando não em termos gerais. Alguns de seus princípios eram cotejados com a experiência, encontravam-se ausências, eram apontadas falácias lógicas em suas demonstrações; todo o conjunto de sua obra estava sujeito a minucioso exame.

As exaustivas discussões críticas dos escolásticos sobre Aristóteles e suas — em geral argutas — propostas de hipóteses alternativas forjavam um novo espírito intelectual, cada vez mais perceptivo, cético e aberto à mudança fundamental. As investigações criavam um clima intelectual que não apenas estimulava uma visão mais empírica, mecanicista e quantitativa da Natureza, mas com o tempo viria a aceitar mais facilmente a radical mudança de perspectiva necessária para a concepção de uma Terra em movimento. No século XIV, um importante escolástico, o estudioso parisiense e bispo Nicole d'Oresme, defendia a possibilidade teórica de uma Terra em rotação (embora pessoalmente a rejeitasse), por lógica pura, propondo engenhosos argumentos contra a relatividade ótica e a queda dos corpos, mais tarde usados por Copérnico e Galileu como base para a teoria heliocêntrica. Para resolver dificuldades apresentadas na teoria aristotélica dos movimentos dos projéteis, Jean Buridan, professor de Oresme, desenvolveu uma teoria do ímpeto, aplicando-a aos fenômenos terrestres e celestiais, que levaria diretamente à mecânica de Galileu e à primeira lei do movimento de Newton.[7]

Aristóteles continuou fornecendo a terminologia, o método lógico e o espírito cada vez mais empirista para a filosofia escolástica que se desenvolvia. Ironicamente, a própria autoridade de Aristóteles, atraindo exame tão intenso, contribuiu para sua derrubada. Ao mesmo tempo, a enérgica tentativa meticulosa de sintetizar a ciência aristotélica e os indiscutíveis dogmas da revelação cristã provocava toda a inteligência crítica; mais adiante, esta se voltaria contra a autoridade antiga e a eclesiástica. Retrospectivamente, a *summa* de Tomás de Aquino fora uma das etapas finais do caminho percorrido pela mente medieval em direção à plena independência intelectual.

***

No século XIV, essa nova autonomia afirmou-se portentosamente na paradoxal personalidade de Guilherme de Ockham, um homem ao mesmo tempo exoticamente moderno e inteiramente medieval. Nascido pouco depois da morte de Tomás de Aquino, o filósofo e padre inglês Ockham examinava as questões com a mesma paixão de Tomás pela exatidão racional, mas chegou a conclusões bastante diferentes. Na defesa da revelação cristã, tanto empregava um método lógico muito elaborado, como um empirismo desenvolvido. Todavia, na esteira da condenação da Igreja aos secularistas parisienses, acima de tudo Ockham lutou pela limitação da presumida competência da própria razão humana natural para apreender as verdades universais. Embora suas intenções fossem inteiramente opostas, Ockham mostrou ser o pensador central no encerramento da Idade Média, que já se aproximava do panorama da Modernidade. Embora a cultura moderna rejeitasse em grande parte seus conflitos intelectuais, considerando-os insignificantes tergiversações de um escolástico decadente e exaurido, precisamente essas recônditas batalhas conceituais eram as que deveriam ocorrer antes que o pensamento moderno pudesse determinar a revisão radical do conhecimento humano e do mundo natural.

O princípio essencial e mais conseqüente do pensamento de Ockham foi sua negação da realidade das universalidades fora da mente e da linguagem humana. Levando a ênfase de Aristóteles no primado ontológico das particularidades concretas sobre as Formas platônicas a seu extremo lógico, Ockham argumentava que nada existia, a não ser os seres individuais, que somente a experiência concreta poderia servir de base ao conhecimento e que as universalidades não existiam como entidades exteriores à mente, mas apenas como conceitos mentais. Em última análise, o real era a coisa particular fora da mente, não o conceito mental dessa coisa. Como todo conhecimento deveria basear-se no real e como toda existência real era a de coisas individuais, o conhecimento seria relativo a particularidades. Os conceitos humanos não possuíam nenhuma fundamentação metafísica além das particularidades concretas e não havia nenhuma correspondência necessária entre as palavras e as coisas. Assim, Ockham deu força nova e vitalidade à posição filosófica do nominalismo (sua versão conceitualista), que sustentava que as universalidades eram apenas nomes ou conceitos mentais e não entidades reais. Roscellinus sustentara tese semelhante no século XI, mas a partir da época de Ockham o nominalismo teria papel central na evolução da cultura ocidental.

Na geração anterior a Ockham, outro preeminente escolástico, conhecido como o "sutil doutor" Duns Scotus, já havia modificado as teorias clássicas das Formas na direção do individual concreto assertando que cada particular tinha sua "essice" (*haeccitas*), que possuía uma realidade definida própria e distinta da participação do particular no universal — mais precisamente, distinta de seu compartilhar de uma natureza comum. Scotus considerava esta qualidade formal de individuação agregada necessária para permitir ao indivíduo uma inteligibilidade em seus próprios termos, distinto de sua forma universal (senão o indivíduo seria em si ininteligível, talvez até mesmo para a mente divina). Ele também considerava esse princípio de individuação como o necessário reconhecimento do livre-arbítrio humano individual e, especialmente, da liberdade de Deus de escolher como criava cada indivíduo; a existência de Deus ou do Homem não estava ligada ao determinismo de universalidades eternamente fixas e emanado da Primeira Causa. Afastando-se do determinismo e dessas universalidades, tais modificações incentivaram a observação e o experimento — ou seja, o estudo da criação imprevisível de um Deus livre — e ampliaram a distinção entre a filosofia racional e a verdade religiosa.

Enquanto Scotus, como a maioria de seus antecessores desde Agostinho, pressupusera uma correspondência direta e real entre o conceito humano e a existência metafísica, Ockham negava totalmente essa correspondência. Somente os seres e as coisas concretas eram reais; as naturezas em comum (Scotus), as espécies inteligíveis (Tomás de Aquino e Agostinho) ou as Formas transcendentais (Platão) eram ficções conceituais derivadas dessa realidade primordial. Para Ockham, *universalidade* era um termo que significava algum aspecto conceitualizado de um ser real, concreto e individual; em si, não constituía uma entidade metafísica. Era expressamente negada uma ordem separada e independente de realidade povoada por universalidades. Assim, Ockham passava a eliminar o último vestígio das Formas platônicas no pensamento escolástico: somente o particular existia; qualquer referência a universalidades reais, fossem eles transcendentes ou imanentes, era falsa. Tantas vezes e com tal força Ockham utilizou o princípio filosófico que dizia que "as entidades não se multiplicam além da necessidade" (*non sunt multiplicanda entia praeter necessitatem*), que o princípio veio a ser conhecido como "a navalha de Ockham".[8]

Por isso, segundo Ockham, as universalidades só existem na mente humana, não na realidade. São conceitos abstraídos pela mente, com base em suas observações empíricas de indivíduos mais ou menos semelhantes. Não são Idéias preexistentes de Deus que regem a criação dos indivíduos, pois Deus era absolutamente livre para criar qualquer coisa de qualquer maneira que bem lhe aprouvesse. Somente existem as criaturas, não as Idéias das criaturas. Para Ockham, o problema já não era mais a questão metafísica de saber como indivíduos efêmeros vinham de Formas reais transcendentais, mas a questão epistemológica de saber-se como conceitos universais abstratos vinham de indivíduos reais. O "Homem" como espécie não significava uma entidade real distinta em si, mas uma similaridade reconhecida pela mente, compartilhada por muitos seres humanos individuais. Era uma abstração mental, não uma entidade real. Portanto, a questão das universalidades era um problema de epistemologia, gramática e lógica — não de metafísica ou ontologia.

Mais uma vez seguindo os exemplos de Scotus, Ockham também negava a possibilidade de passar-se de uma apreensão racional dos fatos deste mundo para se chegar a quaisquer conclusões necessárias sobre Deus ou outras questões religiosas. O mundo dependia inteiramente da vontade onipotente e indefinível de Deus. Assim, a única certeza do Homem derivava da observação sensorial direta ou de proposições lógicas evidentes por si mesmas, não de realidades invisíveis e essências universais. Como Deus era livre para criar ou determinar as coisas segundo sua vontade, qualquer reivindicação humana a um certo conhecimento do Cosmo como expressão de essências transcendentais racionalmente ordenadas era totalmente relativizada. Deus poderia ter criado as coisas de qualquer maneira que arbitrariamente desejasse, sem o uso de intermediários como as inteligências celestiais do aristotelianismo e do tomismo. Havia duas realidades dadas ao Homem: a realidade de Deus, concedida por revelação, e a realidade do mundo empírico, outorgada pela experiência direta. Além destas ou entre elas, o Homem não poderia legitimamente reivindicar acesso cognitivo; sem a revelação, ele não poderia conhecer Deus. O Homem não podia sentir Deus empiricamente, da mesma maneira como poderia perceber um objeto diante de si. Como todo o conhecimento humano fundamentava-se na intuição sensorial de particularidades concretas, algo além dos sentidos, como a existência de Deus, só poderia ser revelado pela Fé e não poderia ser conhecido pela Razão. O conceito de um ser divino absoluto era apenas uma construção humana subjetiva; não poderia, portanto, servir como fundamentação segura para a argumentação teológica.

Na interpretação de Ockham, o determinismo e as causas necessárias da Filosofia e da Ciência gregas, que Tomás de Aquino procurou integrar à Fé cristã, impunham limites arbitrários à criação infinita de Deus — algo a que Ockham energicamente se opunha. Uma filosofia assim deixava de reconhecer os limites reais da racionalidade humana. Para Ockham, todo o conhecimento da Natureza vinha unicamente através dos sentidos. A Razão era um poderoso instrumento, mas sua força existe apenas em relação ao encontro empírico com os fatos concretos da realidade "incontestável". A mente humana não possuía nenhuma luz divina, como ensina Tomás de Aquino, com que a atividade intelectual pudesse ultrapassar os sentidos para chegar a um julgamento universal válido, baseado na existência absoluta. Não se pode considerar a mente ou o mundo ordenados e tão coerentemente interligados, para que a mente conheça o mundo por meio de universalidades reais que determinam conhecedor e conhecido. Porque só existem de modo demonstrável os particulares, e não qualquer relação transcendental ou coerência entre eles, a Razão especulativa e a metafísica não tinham nenhum fundamento real.

Sem a iluminação interior ou quaisquer outros meios de certeza epistemológica como a luz do intelecto vivo de Tomás de Aquino, tão inevitável como imperativa, a nova atitude era cética em relação ao conhecimento humano. Como somente a evidência direta dos seres individuais servia de base para o conhecimento, e como esses seres dependiam de uma onipotência divina sem limites determinados para sua criatividade (qualquer coisa era possível para Deus), o conhecimento humano limitava-se ao acaso e ao empírico e, afinal, não era absolutamente um conhecimento necessário e universal. A vontade de Deus não era limitada pelas estruturas da racionalidade humana, pois sua absoluta liberdade volitiva e onipotência permitiam-lhe transformar o Mal em Bem, ou o contrário, se Ele assim o desejasse. Não havia nenhuma relação imperativa entre o universo livremente criado por Deus e o desejo humano de um mundo racionalmente inteligível. Na melhor das hipóteses, só era legítima a defesa da probabilidade. A mente humana podia fazer demonstrações lógicas rigorosas, mas essa experiência necessariamente relativizava a absoluta certeza da lógica, porque dependia do livre-arbítrio de Deus. Como a ontologia de Ockham tratava exclusivamente de indivíduais concretos, o mundo empírico tinha de ser visto de um ponto de vista exclusivamente físico. Os princípios organizadores de Aristóteles ou Platão não poderiam derivar da experiência imediata.

Ockham atacou então o racionalismo teológico especulativo dos primeiros escolásticos por ser inadequado para a Lógica e a Ciência (empregava entidades supérfluas de verificação impossível, como as Formas, para explicar existências individuais) e perigoso para a religião (presumindo conhecer as razões de Deus ou colocar os limites da ordem e das causas intermediárias em sua criação livre, e também elevando a metafísica pagã ao nível da Fé cristã). Assim ele rompia a unidade tão arduamente construída por Tomás de Aquino. Para Ockham, havia uma verdade descrita pela revelação cristã, ao mesmo tempo além da dúvida e além da compreensão racional, e havia uma outra verdade que abrangia os fatos particulares observáveis descritos pela ciência empírica e pela filosofia racional. Ambas não eram necessariamente contínuas.

Em certo sentido, Ockham opunha-se e completava o movimento laicizante do século anterior. De maneira convincente, ele revelava uma forma nova do Universo de dupla verdade — uma religiosa e outra científica — cortando efetivamente os laços entre a Teologia e a Filosofia. Não obstante, os secularistas anteriores haviam defendido esse tipo de divisão, porque não queriam restringir nem a filosofia grega nem a árabe a uma condição subordinada quando entrava em conflito com a Fé cristã. Ockham, ao contrário, desejava preservar a preeminência da doutrina cristã — sobretudo a absoluta liberdade e onipotência de Deus na qualidade de Criador —, definindo com firmeza os limites da Razão humana. Entretanto, com isso, Ockham negava a confiança de Tomás de Aquino em que a criação de Deus estaria generosamente aberta aos esforços humanos na compreensão universal. Para Tomás e Ockham, a mente humana devia adaptar suas aspirações intelectuais ao fato de que a realidade de Deus e o conhecimento racional do Homem estavam infinitamente distantes um do outro. No entanto, onde Tomás de Aquino deixava espaço para um conhecimento racional que abordasse o mistério divino aperfeiçoando a interpretação teológica, Ockham via necessidade da definição de um limite mais absoluto. Uma razão positivista poderia ser cuidadosa e modestamente empregada na abordagem do mundo empírico, mas somente a revelação iluminaria as realidades maiores da vontade de Deus, de sua criação e da salvação generosamente concedida. Não havia nenhuma continuidade humanamente inteligível entre o empírico e o divino.

O rigor lógico de Ockham era correspondido por seu rigor moral. Opondo-se à magnificência do papado de Avignon, ele endossou uma vida de pobreza total pela verdadeira perfeição espiritual cristã, seguindo o exemplo de Jesus, dos apóstolos e de Francisco de Assis. Ockham era um ardoroso franciscano, cuja convicção religiosa levou-o a correr o risco de excomunhão pelo Papa, quando as políticas deste último pareciam entrar em conflito com a verdade cristã. Em uma série de encontros fatídicos com o Papa, Ockham não apenas sustentou a pobreza radical contrariando a riqueza secular da hierarquia eclesiástica, mas também defendeu o direito do rei inglês de taxar a propriedade da Igreja (como Jesus, que dando "a César", submetera-se à autoridade temporal), condenou a violação da Igreja à liberdade individual cristã, negou a legitimidade de infalibilidade papal e apresentou as diversas circunstâncias justas para a deposição de um papa. O drama pessoal entre Ockham e a Igreja continha presságios de um iminente drama épico.

A influência de Ockham teria força mais imediata no nível filosófico, pois em sua enfática afirmação do nominalismo, a crescente tensão entre Razão e Fé começou a romper-se. Paradoxalmente, justamente a intensidade da lealdade de Ockham à onipotente liberdade de Deus, combinada a seu arguto sentido de precisão lógica, levou-o a formular uma tese filosófica notável por sua modernidade. Para Ockham, não se podia pressupor que a mente do Homem e a de Deus estivessem fundamentalmente ligadas entre si. O Empirismo e a Razão proporcionavam um limitado conhecimento do mundo em suas particularidades, mas nenhum conhecimento seguro de Deus, algo que só a Palavra de Deus poderia originar. A revelação oferecia certeza, mas ela só poderia ser afirmada através da Fé e da Graça, não da razão natural. Mais corretamente, a Razão deveria concentrar-se na Natureza em vez de Deus, porque somente a Natureza oferecia aos sentidos os dados concretos em que a Razão pudesse fundamentar seu conhecimento.

Ockham não unia Razão humana e Revelação divina, ou o que o Homem conhece e aquilo em que acredita. No entanto, os fatores que estimularam diretamente a atividade científica foram sua ênfase intransigente nas coisas concretas deste mundo, sua confiança na força da Razão e da Lógica humana para investigar as entidades necessárias e diferenciar evidência e graus de probabilidade de sua atitude cética em relação às maneiras tradicionais e institucionais de pensar. Esse ponto de partida dualista liberava a Ciência para desenvolver-se por seus próprios meios e conceitos, com menos temor de uma potencial contradição doutrinária — pelo menos até o momento em que toda a Cosmologia foi questionada. Não foi por acaso que Buridan e Oresme, dois dos pensadores científicos mais originais do final da Idade Média, trabalharam na escola nominalista de Paris, onde Ockham fora uma influência central. Embora estivesse mais interessado na Filosofia do que nas Ciências Naturais, ao eliminar a correspondência fixa entre o conceito humano e a realidade metafísica, afirmando que toda existência legítima era individual, Ockham ajudou a abrir o mundo físico para uma nova análise. Agora o contato direto com as particularidades concretas poderia superar a mediação metafísica das universalidades abstratas. A aliança de nominalismo e empirismo representada nas idéias de Ockham disseminou-se pelas universidades no século XIV (apesar da censura papal); significativamente, sua filosofia era conhecida como *via moderna*, ao contrário da *via antiqua* de Tomás de Aquino e Scotus. A escolástica tradicional, empenhada em unir a Fé à Razão, chegava ao fim.

Assim, com o século XIV, a velha unidade metafísica de conceito e existência começou a desmoronar. Contestava-se agora a hipótese de que a mente humana conhecesse as coisas apreendendo intelectualmente as suas formas inerentes — fosse através da iluminação interior de Idéias trascendentes, como em Platão e Agostinho, ou pela abstração intelectual das universalidades imanentes a partir das particularidades percebidas pelos sentidos. Na ausência daquele pressuposto epistemológico básico, os extremamente abrangentes sistemas construídos pelos escolásticos do século XIII já não eram possíveis. Quando a especulação abstrata através da evidência empírica deslocou-se de sua posição como base do conhecimento, os sistemas metafísicos anteriores pareciam cada vez mais implausíveis. A visão de mundo medieval que havia por trás — cristã e aristotélica — continuou intacta, mas agora surgiam novas interpretações mais críticas, desfazendo a síntese anterior e gerando um novo pluralismo intelectual. A probabilidade substituiu a certeza em muitas questões, quando o Empirismo, a Gramática e a Lógica começaram a suplantar a Metafísica.

A visão de Ockham previa o caminho mais tarde tomado pela cultura ocidental. Assim como acreditava que a Igreja deveria estar politicamente separada do mundo secular em nome da integridade e da justa liberdade de ambos, ele também acreditava que a realidade de Deus deveria estar teologicamente separada da realidade empírica. Somente assim a verdade cristã preservaria sua sacrossantidade transcendental e somente assim a natureza do mundo seria adequadamente percebida em seus próprios termos, em sua plena particularidade e contingência. Estavam lançadas as bases embrionárias — epistemológicas, metafísicas, religiosas e políticas — das iminentes mudanças na visão de mundo ocidental que seriam elaboradas pela Reforma, a Revolução Científica e o Iluminismo.

* * *

E assim, exatamente como a visão medieval chegara à perfeição nas obras de Tomás de Aquino e Dante, começou a surgir o espírito de uma época inteiramente diferente, empurrado pelas mesmíssimas forças que haviam atingido a síntese anterior. As grandes obras-primas medievais haviam culminado em um desenvolvimento intelectual que começava a se dividir em novos territórios, ainda que isto significasse sair da firme estrutura eclesiástica de educação e devoção. O modernismo precoce de Ockham estava muito à frente de seu tempo. Paradoxalmente, a cultura dessa nova era não receberia da linha da escolástica medieval, da ciência natural e de Arsitóteles seu principal impulso iniciador, mas do outro pólo do humanismo clássico, das belas letras e de um Platão renovado. Assim como Tomás de Aquino teve seu contrastante sucessor filosófico em Ockham, Dante teve seu oposto sucessor literário em Petrarca, nascido na mesma década em que havia começado a escrever *A Divina Comédia*, no início do século XIV.

O Renascimento do Humanismo Clássico

Petrarca

Vivia-se um momento crítico na história cultural do Ocidente quando Petrarca examinou os mil anos decorridos desde o declínio da Roma Antiga e sentiu todo aquele período como um declínio da própria grandiosidade humana, uma redução na qualidade moral e literária, uma era sombria. Em contraste com esse empobrecimento, Petrarca sustentava a imensa riqueza cultural da civilização greco-romana, uma ilusória era dourada do espírito criativo e expansividade humana. Durante séculos, os estudiosos medievais redescobriram e integraram gradativamente as obras antigas, mas agora Petrarca mudava radicalmente o foco e o tom dessa integração. Em vez da preocupação da Escolástica com a Lógica, a Ciência e Aristóteles, e com o imperativo constante de cristianizar as concepções pagãs, Petrarca e seus seguidores valorizavam todos os clássicos literários da Antigüidade — poesia, ensaios, cartas, histórias e biografias, a Filosofia na forma dos elegantes diálogos platônicos em vez dos áridos tratados aristotélicos — e adotaram-nos em seus próprios termos, sem a necessidade da interpretação cristã, mas como obras nobres e inspiradoras, como o foram no esplendor da civilização clássica. A cultura antiga não era apenas uma fonte para o conhecimento científico e as regras do discurso lógico, mas também para o aprofundamento e enriquecimento do espírito humano. Os textos clássicos forneciam uma nova base para a avaliação do Homem; a erudição clássica constituía "as humanidades". Petrarca entregou-se à tarefa de descobrir e absorver as grandes obras da cultura antiga — Virgílio, Cícero, Horácio, Lívio, Homero, Platão — não para inculcar a imitação estéril dos mestres do passado, mas para instilar em si o mesmo fogo moral e criativo que eles haviam expressado de modo tão soberbo. A Europa esquecera seu nobre legado clássico e Petrarca exigia sua lembrança. Uma nova história sagrada estava sendo estabelecida, um testamento greco-romano que deveria estar ao lado do judaico-cristão.

E assim Petrarca deu início à reeducação da Europa. A conversa direta com os grandes mestres das literaturas latina e grega seria a essência da expansão radical da cultura européia contemporânea. Não apenas a teologia cristã, mas a clássica *litterae humaniores* poderia ser agora reconhecida como fonte de percepção espiritual e progresso moral. Enquanto o aprendizado eclesiástico se tornara cada vez mais intelectualizado e abstrato, Petrarca sentia a necessidade de um ensino que melhor refletisse os conflitos e as fantasias das profundezas emocionais e criativas do Homem. Mais do que fórmulas doutrinárias para descrever o Homem e austeridades clericais para educá-lo, Petrarca voltou-se para a observação e a introspecção desprovidas de dogmatismo para apreender a condição humana, e toda uma vida de literatura, ação e solitude monástica para sua educação. Os *studia humanitatis* eram diferentes e foram elevados ao nível dos *studia divinitatis*. Agora, sob o modelo clássico revivido, a poesia e a retórica, o estilo, a eloqüência e a persuasão tornavam-se objetivos meritórios em si, acompanhamentos necessários da força moral. Para Petrarca, a graça e a clareza da expressão literária refletiam a graça e clareza da alma. Na lenta e meticulosa elaboração do trabalho com as palavras e as idéias, na exploração cheia de sensibilidade de cada matiz da emoção e da percepção, a disciplina literária tornava-se uma disciplina espiritual, uma luta pela perfeição artística que exigia um aperfeiçoamento paralelo da alma.

Enquanto a sensibilidade de Dante culminara e sintetizara a Era Medieval, a de Petrarca olhava para a frente e impelia para um tempo futuro, trazendo um renascimento da cultura, da criatividade e da grandiosidade do Homem. A obra poética de Dante fora realizada no reverente espírito dos artesãos e artífices anônimos que haviam construído as catedrais medievais, inspiradas por Deus e criadas para sua maior glória; a obra de Petrarca era motivada por um novo espírito, inspirada pelos antigos e criada para enriquecimento e maior glória do próprio Homem, o nobre centro da criação divina. Dante e os escolásticos concentravam-se na precisão teológica e no conhecimento científico do mundo natural; Petrarca, ao contrário, envolvia-se nas profundezas e complexidades de sua própria consciência. Em vez da construção de um sistema espiritual e científico, seu enfoque era psicológico, humanista e estético.

Não que Petrarca deixasse de ser espiritual ou não fosse ortodoxo; afinal, seu cristianismo era tão devotado e firmemente enraizado quanto seu classicismo. Para Petrarca, Agostinho era tão importante quanto Virgílio e, como todos os outros notáveis sintetizadores das duas tradições, ele acreditava que a cristandade era a divina realização da promessa clássica. O mais elevado ideal de Petrarca era a *docta pietas*, a douta piedade, a pia erudição. A piedade era cristã, dirigida a Deus, mas a erudição aperfeiçoava-a e provinha dos clássicos antigos. As duas correntes, a cultura clássica e a cristã, formavam uma harmonia profunda; o Homem obtinha uma visão espiritual mais ampla quando bebia de ambas. Na visão de Petrarca, quando Cícero falou do "único Deus senhor e artesão de todas as coisas", não o fez "de maneira simplesmente filosófica, mas num fraseado quase católico, podia-se pensar às vezes que se escutava um apóstolo e não um filósofo pagão".

A novidade neste final da Idade Média não era qualquer ausência de espiritualidade em Petrarca, mas o caráter global de sua abordagem da vida humana. As exigências de seu temperamento religioso estavam em contínua luta com sua atração pelo amor romântico e sensual, pela atividade diplomática e os círculos da corte, pela grandeza literária e a glória pessoal. Foi esta nova consciência da riqueza e multidimensionalidade da vida humana refletida em si mesma e o reconhecimento de um espírito irmão nos grandes escritores da Antigüidade que fizeram de Petrarca o primeiro homem do Renascimento.

A Volta de Platão

Inspirados pelo chamamento de Petrarca, muitos estudiosos empenharam-se na busca dos manuscritos perdidos da Antigüidade. Tudo o que encontravam era cuidadosamente cotejado, preparado e traduzido para proporcionar a base mais precisa e sólida possível para sua missão humanista. Essa atividade coincidia com a maior freqüência dos contatos com o mundo bizantino, que preservara grande parte intacta do legado grego e cujos estudiosos começaram a abandonar Constantinopla, indo para o Ocidente, debaixo da ameaça de invasão turca. Os ocidentais começaram a estudar e dominar o grego; em pouco tempo chegaram à Itália os *Diálogos* de Platão, as *Enéiades* de Plotino e outras obras importantes das tradições platônica e grega.

O repentino acesso do Ocidente a esses escritos precipitou um renascimento platônico não muito diferente da descoberta anterior de Aristóteles. Naturalmente, o platonismo permeara o pensamento cristão no Ocidente desde os primeiros anos da Idade Média, inicialmente transmitido por Agostinho e Boécio e, mais tarde, por um filósofo do século IX, Johannes Scotus Erigena, com sua tradução e comentários das obras de Dionísio, o Areopagita. Platão foi revivificado nas escolas de Chartres e Saint-Victor, no Renascimento do século XII; estava plenamente visível na filosofia mística de Meister Eckhart. Mesmo a alta tradição escolástica de Albertus e Tomás de Aquino, embora necessariamente concentrada na dificuldade de integrar Aristóteles, seguia uma orientação profundamente platônica. No entanto, sempre havia sido um Platão indireto, altamente cristianizado, modificado por Agostinho e outros padres cristãos — um Platão há muito conhecido, em geral não traduzido, transmitido por meio de condensações e referências em outra língua e outro contexto cultural, raramente em suas palavras. No século XIV, o próprio Petrarca, ansioso por um renascimento platônico por conhecê-lo das alusões em Cícero e Agostinho, ainda não dispunha das traduções necessárias. A recuperação das obras gregas originais foi uma revelação inovadora para a Europa do século XV; humanistas como Pico della Mirandola e Marsílio Ficino entregaram-se por inteiro à transmissão dessa corrente a seus contemporâneos.

A tradição platônica forneceu aos humanistas uma base filosófica altamente compatível com seus próprios hábitos e aspirações intelectuais. Em vez da abstração silogística cerebral e excessivamente sutil dos escolásticos recentes nas universidades, o platonismo oferecia uma tapeçaria maravilhosamente texturizada, de profundidade criativa e exaltação espiritual. A noção de que a beleza fosse um componente essencial na busca pela realidade última, de que a criatividade e a visão eram mais importantes na busca do que a Lógica e o dogma, de que o Homem poderia atingir um conhecimento direto das coisas divinas — todas essas eram idéias que muito fascinavam a nova sensibilidade que se desenvolvia na Europa. Além do mais, os diálogos de Platão eram refinadas obras-primas literárias, diferentes dos tratados insípidos da tradição aristotélico-escolástica, e seduziam os humanistas, apaixonados pela eloqüência retórica e a persuasão estética.

Aristóteles e Tomás de Aquino tornaram-se rígidos nas maos dos últimos escolásticos, perdendo boa parte de seu poder de atração para os novos humanistas. A escolástica tardia vicejou em um clima acadêmico marcado por características que muitas vezes chegavam à caricatura da precisão intelectual e rigor analítico quase sobre-humano de Tomás de Aquino. A curiosidade intelectual aberta apresentada por Aristóteles e Tomás em seu tempo produziu conjuntos de pensamento mais tarde transformados pela reverência de seus sucessores em sistemas fechados, completos e inflexíveis. O próprio sucesso e a extensão da obra de Tomás de Aquino pouco deixou para os seguidores, a não ser arar em cima do mesmo campo. Um respeito exageradamente reverente pelas palavras do mestre reduzia a possibilidade de estudos criativos. Mesmo onde havia conflito e crítica, como acontecia entre "tomistas", "scotistas" e "ockhamistas", para quem estava do lado de fora, o diálogo escolástico parecia ter degenerado em incessante argumentação sobre sutilezas estéreis. A *via moderna* iniciada por Ockham estava especialmente inclinada à controvérsia minuciosa, onde a busca pela exatidão terminológica e a preocupação com a lógica formal desviavam o interesse da *via antiqua* na abrangência metafísica. Além do mais, depois do fulgor de Ockham, Buridan, Oresme e seus contemporâneos no século XIV, a *via moderna* perdera muito de seu ímpeto original. No século XV a fibra intelectual da Escolástica afrouxava; as universidades estavam presas na estagnação da ortodoxia intelectual. O retorno da tradição platônica tinha o significado de brisa fresca e expansiva que revitalizava o pensamento europeu. Na segunda metade do século XV, foi fundada uma Academia Platônica em Florença, sob o patrocínio de Cósimo de Médici e a liderança de Ficino; ela tornou-se o centro de florescimento do renascimento platônico.

No platonismo e neoplatonismo, os humanistas descobriram uma tradição espiritual não-cristã de profundidade ética e religiosa comparável à do próprio Cristianismo. O *corpus* neoplatônico implicava a existência de uma religião universal, de que o Cristianismo talvez fosse a manifestação mais recente — mas não a única. Erasmo, exagerando o espírito da visão que Petrarca tinha de Cícero, escreveu sobre sua dificuldade em conter-se para não rezar a Sócrates como a um santo. A subitamente expandida lista de leituras dos humanistas deixava evidente uma tradição de percepção erudita, espiritual e criativa que encontrava expressão nos clássicos gregos, e em toda a história civilizada — no *corpus* hermético, nos oráculos zoroastrianos, na cabala hebraica, nos textos babilônicos e egípcios — uma revelação transcultural que revelava um *Logos* manifestado contínua e universalmente.

Com o influxo dessa tradição veio uma nova visão do Homem, da Natureza e do Divino. Baseado na concepção de Plotino, do mundo como uma emanação do Um transcendental, o neoplatonismo retratava a Natureza permeada pela divindade, uma nobre expressão da Alma do Mundo. As estrelas, os planetas, a luz, as plantas e até as pedras possuíam uma dimensão numinosa. Os humanistas neoplatônicos afirmavam que a luz do sol seria a luz de Deus, como Cristo era a luz do mundo; toda a criação estava assim banhada pela divindade e, junto com o próprio sol, a fonte da luz e da vida possuía atributos divinos. Houve intensa renovação no interesse pela antiga visão pitagórica de um Universo ordenado segundo formas matemáticas transcendentes, que prometia revelar a Natureza permeada por uma inteligência mística, cuja linguagem eram os números e a Geometria. O jardim do mundo estava novamente encantado, com poderes mágicos e significados transcendentes implícitos em todas as partes da Natureza.

A concepção neoplatônica humanista do Homem era igualmente exaltada. Possuindo uma faísca divina, o homem era capaz de descobrir dentro de si a imagem da divindade infinita. Era um nobre microcosmo do macrocosmo divino. Ficino afirmava em sua *Teologia Platônica* que o Homem não era apenas "o vigário de Deus" na grande extensão de seus poderes terrenos, mas tinha "quase o mesmo gênio do Autor dos céus" na amplitude de sua inteligência. O devotamente cristão Ficino chegou mesmo a louvar a alma do Homem, capaz de "através do intelecto e da vontade, e dessas duplas asas platônicas (...) em certo sentido, tornar-se todas as coisas e até um deus".

À luz do passado clássico renascido, o Homem agora atingia uma nova consciência de seu nobre papel no Universo; com isso, surgia também um novo sentido da História. Os humanistas adotaram a antiga concepção greco-romana de uma História cíclica e não apenas linear, como na visão judaico-cristã tradicional; viam seu próprio tempo como um renascimento depois da bárbara escuridão da Idade Média, um retorno à glória antiga, o alvorecer de uma nova era dourada. Para os humanistas neoplatônicos, este mundo não estava tão decaído, como estivera para Moisés ou Agostinho — nem o Homem.

O jovem e brilhante Pico della Mirandola talvez tenha melhor sintetizado esse novo espírito de sincretismo religioso, grande erudição e otimista reivindicação da potencial divindade do Homem. Em 1486, aos 23 anos de idade, Pico anunciou sua intenção de defender noventa teses de diversos autores gregos, latinos, hebreus e árabes, convidou diversos letrados de toda a Europa a Roma para uma discussão pública e compôs para o evento sua famosa *Oração sobre a Dignidade do Homem*. Nela Pico descrevia a criação usando o Gênese e o *Timeu* como fontes iniciais, mas foi mais longe: quando Deus completara a criação do mundo como templo sagrado de sua divina sabedoria, por último pensou na criação do Homem, cujo papel seria refletir, admirar e amar a imensa grandiosidade de sua obra. Mas Deus descobriu que não tinha nenhum arquétipo sobrando com que fazer o Homem e disse para sua criação:

> Nem um lugar determinado, nem uma forma pertencendo só a ti, nem qualquer função especial demos a ti, Adão, e por isso poderás ter e possuir, segundo teu desejo e tua opinião, qualquer lugar,

> qualquer forma e qualquer função que desejares. A natureza das outras criaturas está determinada, está presa aos fins por Nós prescritos. Tu, que não estás confinado a nenhum limite, determinarás por tua própria natureza, segundo o teu próprio livre-arbítrio, em cujas mãos te situei. Coloquei-te no centro do mundo, para que daí possas mais facilmente examinar tudo o que há no mundo. Não te fizemos nem celestial nem terreno, nem mortal nem imortal, de modo que, mais livremente e mais honrosamente como artesão e artífice de ti mesmo, possas moldar-te em qualquer forma que preferires. Serás capaz de descer até as formas inferiores da existência, que são os animais irracionais, serás capaz de renascer do julgamento de tua própria alma até os seres mais elevados, que são divinos.[9]

Ao Homem foi dada liberdade, mutabilidade e poder de transformar-se: Pico afirmava que, nos mistérios antigos, o Homem fora simbolizado na grande figura mítica de Prometeu. Deus lhe concedera a capacidade de livremente determinar sua posição no Universo, podendo mesmo ascender à união plena com o Deus supremo. A percepção que os gregos clássicos tinham dos poderes intelectuais, da capacidade de elevação espiritual e da própria glória humana sem o contágio de um Pecado Original bíblico agora emergia renovado no peito do Homem ocidental.

A nova maneira de atingir o conhecimento do Universo também era diferente. A imaginação agora estava alçada à posição mais elevada no espectro epistemológico, sem rivais em sua capacidade de proporcionar a verdade metafísica. Através do uso disciplinado da imaginação, o Homem poderia trazer para sua consciência aquelas Formas vivas transcendentais que ordenavam o Universo. A mente assim podia recuperar sua própria organização mais profunda e reunir-se ao Cosmo. Ao contrário dos escolásticos, com seu empirismo e concretismo cada vez maiores, os humanistas neoplatônicos viam o significado arquetípico em cada fato concreto, usavam os mitos como veículos para comunicar percepções metafísicas e psicológicas, observando sempre o significado oculto das coisas e dos seres.

Depois da integração da Astrologia e da inclusão dos deuses pagãos na hierarquia da realidade do neoplatonismo, os humanistas do Renascimento começaram a empregar o panteão das divindades planetárias como imagens no discurso elegante. Como Oresme, o nominalista do século XIV, proeminentes escolásticos opuseram-se às alegações previsivas dos astrólogos, mas com a influência dos humanistas, a Astrologia voltou a florescer — na Academia de Florença, nas cortes reais, nos círculos aristocráticos, no Vaticano. O Deus judaico-cristão ainda reinava supremo, mas agora os deuses e deusas greco-romanos adquiriam vida nova e eram revalorizados. Apareciam por toda parte os horóscopos e referências às forças planetárias e aos símbolos do zodíaco. Na verdade, a Mitologia, a Astrologia e o Esoterismo jamais estiveram ausentes, mesmo na ortodoxa cultura medieval: imagens e alegorias artísticas, os nomes dos planetas para os dias da semana, a classificação dos elementos e muitos outros aspectos das ciências e artes liberais refletiam todos sua constante presença. Não obstante, agora eram redescobertos sob uma nova luz que servia para revificar seu *status* clássico. Os deuses recobravam uma dignidade sagrada, suas formas eram retratadas em pinturas e esculturas com uma beleza e sensualidade que se assemelhavam às de imagens antigas. A Mitologia Clássica começou a ser vista como a nobre verdade religiosa dos que viveram antes de Cristo, como a própria Teologia; seu estudo tornava-se uma forma nova da *docta pietas*. A Vênus pagã, deusa da beleza, foi restaurada como símbolo da beleza espiritual, um arquétipo na mente divina que mediava o despertar da alma para o amor divino — e como tal podia ser identificada como manifestação alternativa da Virgem Maria. Imagens e doutrinas platônicas foram reconcebidas em termos cristãos, as divindades e demônios gregos transformaram-se em anjos cristãos; considerava-se Diotima, a mestra de Sócrates no *Banquete*, inspirada pelo Espírito Santo. Emergia um novo sincretismo, abrangendo diversas tradições e perspectivas; o platonismo era abraçado como um novo evangelho.

Assim, enquanto o escolasticismo promovera intensamente o espírito racional na tradição aristotélica, e enquanto as ordens evangélicas e os místicos do Reno alimentaram o coração espiritual na tradição cristã primitiva, agora o Humanismo evocava a inteligência criativa da tradição platônica; em suas diferentes maneiras, todos esses avanços visavam restabelecer a relação do Homem com o divino. O Humanismo deu nova dignidade ao Homem, novo significado à natureza e novas dimensões ao Cristianismo — e tudo era menos absoluto. O Homem, a Natureza e o legado clássico foram divinizados na percepção humanista, o que provocou uma expansão radical da visão e atuação humana muito além do horizonte medieval, ameaçando a velha ordem de maneiras que os humanistas não poderiam prever completamente.

Com a redescoberta dessa forte tradição espiritual sofisticada e viva, mas não-cristã, a unicidade absoluta da revelação cristã foi relativizada e a autoridade espiritual da Igreja implicitamente solapada. Além do mais, a celebração humanista da interioridade e a riqueza da imaginação e fantasia do ser humano ultrapassavam os limites dogmáticos das formas tradicionais de espiritualidade da Igreja, que renegava a imaginação desenfreada dos indivíduos como perigosa, em favor do ritual, da prece e da meditação sobre os mistérios da doutrina cristã institucionalmente definidos. Da mesma forma, a afirmação neoplatônica da imanente divindade de toda a Natureza entrou em conflito com a tendência ortodoxa judaico-cristã em sustentar a absoluta transcendência de Deus, sua divindade inteiramente única e revelada somente em lugares muito especiais, como o monte Sinai ou o Gólgota, no distante passado bíblico. Especialmente perturbadoras eram as implicações politeístas dos textos humanistas neoplatônicos, em que as referências a Vênus, Saturno ou Prometeu pareciam significar algo mais do que simples conveniências alegóricas.

Igualmente antipática aos teólogos conservadores era a crença neoplatônica na faísca divina eliminada no Homem, por meio da qual o espírito divino podia assumir a personalidade humana e levar o homem aos ápices da iluminação espiritual e do poder criativo. Esta concepção, assim como as antigas mitologias politeístas, fornecia um fundamento e o estímulo para o gênio artístico da Renascença que emergia (Michelângelo, por exemplo, foi aluno de Ficino em Florença), mas ao mesmo tempo minava a tradicional limitação da divindade a um só Deus e às instituições sacramentais da Igreja. A elevação do Homem a um *status* divino, como foi descrito por Ficino e Pico, parecia transgredir a dicotomia cristã ortodoxa mais estritamente definida entre Criador e criatura e a doutrina da Queda. A afirmação de Pico della Mirandola, na *Oração*, de que o Homem poderia livremente determinar sua existência em qualquer nível do Cosmo, inclusive na união com Deus, sem menção alguma de um salvador intermediário, poderia ser facilmente interpretada como brecha herética na sagrada hierarquia estabelecida da Igreja.

Portanto, não é surpresa saber que o Papa tenha proibido a assembléia pública internacional que Pico planejara ou que uma comissão papal tenha condenado diversas de suas proposições. Contudo, a hierarquia da Igreja em Roma de modo geral tolerava e chegou a adotar o ressurgimento clássico, especialmente porque homens como Florentino de Médici haviam conseguido chegar ao poder papal e começaram a usar os recursos da Igreja para financiar as grandes obras-primas artísticas do Renascimento (estabelecendo indulgências para ajudar a pagá-las, por exemplo). Os papas do Renascimento estavam de tal maneira apaixonados pelo novo movimento cultural, com seus enriquecimentos clássicos e seculares da vida, que a guarda espiritual da massa de almas cristãs formadoras do grande corpo da Igreja muitas vezes parecia estar inteiramente abandonada. A Reforma iria reconhecer todas as infrações ao dogma cristão ortodoxo que o movimento humanista estimulava — a Natureza como divindade imanente, o politeísmo e a sensualidade pagã, a deificação do Homem, a religião universal — e exigiria o fim da helenização da cristandade renascentista. No entanto, os protestantes se basearam nas mesmas exigências de reforma espiritual e institucional e nas mesmas críticas que os humanistas faziam à Igreja. A nova sensibilidade religiosa dos humanistas revitalizava a vida espiritual da cultura do Ocidente, enquanto esta se desintegrava com a secularização da Igreja e o extremo racionalismo das universidades do final do período medieval. Todavia, ao enfatizar os valores religiosos helênicos e trans-cristãos, também provocaria uma reação purista judaico-cristã contra essa intrusão pagã na tradicional religião sacrossanta, fundamentada exclusivamente na revelação bíblica.

As ramificações científicas do renascimento platônico não foram menos significativas do que as religiosas. O antiaristotelismo dos humanistas reforçou o movimento da cultura na direção da independência intelectual em relação à autoridade cada vez mais dogmática da tradição aristotélica que dominava as universidades. Mais especialmente, a entrada da teoria matemática pitagórica, em que a mensuração quantitativa do mundo poderia revelar uma ordem numinosa emanando da suprema inteligência, inspiraria diretamente Copérnico e seus sucessores até Galileu e Newton em seus esforços para penetrar nos mistérios da Natureza. A matemática neoplatônica, acrescentada ao racionalismo e ao empirismo nascentes dos últimos escolásticos, proporcionou um dos componentes finais necessários à emergência da Revolução Científica. A teimosa fé neoplatônica de Copérnico e Kepler — de que o Universo visível se regulava e era inspirado por formas matemáticas simples, precisas e elegantes — levou-os a derrubar o complexo e cada vez mais inviável sistema geocêntrico da astronomia ptolomaica.

O desenvolvimento da hipótese copernicana foi também influenciado pela sacralização do Sol dos neoplatônicos, especialmente celebrada por Ficino. A força intelectual com que Copérnico e particularmente Kepler convenceram a todos de que o Universo não era centrado na Terra recebeu grande impulso de sua percepção neoplatônica, onde o Sol refletia a divindade central, e os outros planetas e a Terra giravam em torno dele (ou, como disse Kepler, rodeavam-na em adoração). A *República* de Platão anunciara que o Sol desempenhava o mesmo papel no reino visível que a suprema Idéia do Bem no reino transcendental. Face aos ilimitados dons de luz, vida e calor que emanavam do Sol, a entidade criativa mais brilhante nos céus, nenhum outro corpo parecia igualmente apropriado para o papel de centro do Universo. Além do mais, ao contrário do finito Universo aristotélico, a natureza infinita da suprema divindade neoplatônica e sua infinita fecundidade na criação sugeriam uma correspondente expansão do Universo, que mais mediava o rompimento da tradicional estrutura arquitetônica do cosmo medieval. Conseqüentemente, em meados do século XV, Nicolau de Cusa, o erudito cardeal da Igreja e filósofo-matemático neoplatônico, propôs a hipótese de uma Terra em movimento como parte de um infinito universo neoplatônico desprovido de centro (ou *onicentrado*).

E assim, o renascimento platônico dos humanistas solenemente estendeu-se na criação da Era Moderna, não apenas através de sua inspiração presente no Renascimento propriamente dito — com suas realizações artísticas, seu sincretismo religioso e seu culto do espírito humanitário —mas também por suas conseqüências diretas e indiretas que resultaram na Reforma e na Revolução Científica. Com a recuperação das fontes diretas da linha platônica, em certo sentido a trajetória medieval estava completa. Novamente emergia na cultura ocidental algo como a harmonia e tensão dos gregos antigos entre Aristóteles e Platão, Razão e Imaginação, imanência e transcendência, Natureza e espírito, mundo exterior e psique interior — uma polaridade ainda mais complicada e intensificada pela própria cristandade com sua dialética interna. Deste equilíbrio instável, mas fértil, brotaria a era seguinte.

No Limiar

No decorrer da longa Era Medieval, houve um grande amadurecimento em todas as frentes da matriz cristã: filosófica, psicológica, religiosa, política, artística. No final da Idade Média, o desenvolvimento começava a ultrapassar os limites dessa matriz. O extraordinário crescimento social e econômico fornecera uma boa base para tal dinamismo cultural, ainda mais incentivado pela consolidação da autoridade política das monarquias leigas concorrentes da Igreja. Da ordem feudal emergiram cidades, guildas, ligas, estados, o comércio internacional, uma nova classe de mercadores, um campesinato em movimento, novas estruturas contratuais e legais, parlamentos, liberdades corporativas e formas iniciais de governo constitucional e representativo. A erudição e o ensino progrediam, dentro e fora das universidades. A vida humana atingia novos níveis de sofisticação, complexidade e expansão no Ocidente.

O caráter dessa evolução era visível na filosofia de Tomás de Aquino, que afirmava os elementos intrínsecos no desvendamento do mistério divino: a autonomia dinâmica essencial do ser humano, o significado ontológico do mundo natural e o valor do conhecimento empírico. De modo mais geral, isto ficou evidenciado no longo e polêmico desenvolvimento do naturalismo e do racionalismo da escolástica e em suas *summae* que integraram a filosofia e a ciência gregas ao quadro de referências da cristandade. Tornou-se também visível na realização arquitetônica incomparável das catedrais góticas e no grande épico do cristianismo de Dante. Estava explícito na primitiva ciência experimental proposta por Bacon e Grosseteste, no nominalismo e na bifurcação de Fé e Razão de Ockham, nos estudos críticos da ciência aristotélica de Buridan e Oresme. Podia ser visto na ascensão do misticismo leigo e na religiosidade privada, no novo realismo e romantismo social e das artes, na laicização do sagrado encontrada na celebração do amor que redimia, cantado pelos poetas e menestréis. Podia ser medido pela emergência de sensibilidades complexas, sutis e esteticamente refinadas como a de Petrarca e, especialmente, em sua articulação de um temperamento extremamente individualizado, ao mesmo tempo religioso e leigo em sua orientação. Era evidente na renovação das letras clássicas dos humanistas, em sua recuperação da tradição platônica ao estabelecer na Europa uma educação laica pela primeira vez desde a queda do Império Romano. Talvez o mais notável dessa evolução estivesse visível na nova imagem prometéica do Homem declarada por Pico della Mirandola e Ficino. Uma nova independência de espírito crescia por todos os lados, expressando-se em direções divergentes mas sempre em expansão. Lenta, árdua, mas maravilhosamente e com força irresistível, o pensamento ocidental abria-se para um novo universo.

A gestação medieval da cultura européia atingira um novo limiar, além do qual ela já não se conteria nas antigas estruturas. A maturação de dois mil anos do Ocidente estava a ponto de afirmar-se em uma série de tremendas convulsões culturais que dariam à luz o mundo moderno.

V

A Visão de Mundo Moderna

A visão de mundo moderna foi produto de uma extraordinária convergência de eventos, idéias e personalidades. Face à sua conflitante diversidade, gerou uma fascinante visão — de caráter radicalmente novo, com conseqüências acentuadamente paradoxais — tanto do Universo como do ser humano. Da mesma forma, esses elementos refletiram e geraram outra mudança fundamental no caráter ocidental. Para compreender a emergência histórica da cultura moderna, examinaremos as épocas complexamente entrelaçadas conhecidas como Renascimento, Reforma e Revolução Científica.

O Renascimento

O fenômeno do Renascimento reside tanto na pura diversidade de suas expressões como em seu caráter inovador. No espaço temporal de apenas uma geração, Leonardo da Vinci, Michelângelo e Rafael produziram suas obras-primas, Colombo descobriu o Novo Mundo, Lutero rebelou-se contra a Igreja Católica, dando início à Reforma, e Copérnico apresentou a hipótese de um Universo heliocêntrico, inaugurando a Revolução Científica. Comparado a seus antecessores medievais, o Homem do Renascimento parece ter subitamente saltado para uma situação virtualmente sobre-humana. Agora, era capaz de compreender os segredos da Natureza e refletir sobre eles tanto na Arte como na Ciência, com inigualável sofisticação matemática, precisão empírica e maravilhosa força estética. O mundo conhecido expandia-se imensamente; o Homem descobriu novos continentes e deu a volta ao Globo. Desafiava a autoridade e podia afirmar uma verdade com base em sua própria opinião. Apreciava a riqueza da cultura clássica e, mesmo assim, ainda sentia-se rompendo os antigos limites para revelar campos inteiramente novos. Todas as artes atingiam novos níveis de complexidade e beleza: a música polifônica, a tragédia, a comédia, o drama, a poesia, a pintura, a arquitetura e a escultura. A independência e a genialidade individual estavam em ampla evidência. Nenhum domínio do conhecimento, da criatividade ou da exploração parecia estar fora do alcance do Homem.

Com o Renascimento, a vida humana pareceu adquirir um imediato valor inerente, uma animação e significado existencial que equilibravam ou mesmo deslocavam o enfoque medieval para um destino espiritual em *outro* mundo. O Homem já não era mais tão secundário em relação a Deus, à Igreja ou à Natureza. A proclamação de Pico della Mirandola sobre a dignidade humana parecia realizada em muitas frentes, em variados campos da atividade. O Renascimento não parou de produzir novos exemplos da realização desde seu início, em Petrarca, Boccaccio, Bruni e Alberti, passando por Erasmo, Thomas More, Maquiavel e Montaigne, até suas expressões finais em Shakespeare, Cervantes, Bacon e Galileu. Esse prodigioso desenvolvimento da consciência e da cultura não aconteciam desde o antigo milagre da Grécia quando surgiu a civilização ocidental. O Homem do Ocidente renascera.

No entanto, seria um grande equívoco imaginar que o Renascimento tenha emergido em toda luz e esplendor, pois ele veio na esteira de uma série de desastres rematados e lutou em meio a constantes convulsões sociais. Para começar, em meados do século XIV a Peste Negra invadiu a Europa e eliminou um terço de sua população, abalando fatalmente a harmonia dos elementos econômicos e culturais que haviam sustentado a alta civilização medieval. Muitos acreditavam que a ira de Deus caíra sobre o mundo. A Guerra dos Cem Anos entre Inglaterra e França era um conflito interminável e destruidor; a Itália era devastada por repetidas invasões e lutas internas; piratas, bandidos e mercenários estavam por toda parte. A luta religiosa atingiu proporções internacionais. Há décadas persistia uma grave depressão econômica generalizada. As universidades estavam esclerosadas. Novas doenças entravam na Europa por seus portos e cobravam seu preço. Vicejavam a magia negra e a veneração ao demônio; havia flagelação grupal, dança da morte nos cemitérios, missas negras, a Inquisição, torturas e gente queimada nas fogueiras. As conspirações eclesiásticas eram rotineiras, incluindo eventos como um assassinato apoiado pelo Papa diante do altar da catedral florentina na missa solene do Domingo de Páscoa. Assassinato, curra e pilhagem eram realidades cotidianas; fome e pestilência, perigos anuais. As hordas turcas ameaçavam arrasar a Europa a qualquer momento. Abundavam as expectativas apocalípticas. A própria Igreja, instituição fundamental do Ocidente, parecia a muitos o centro da corrupção decadente; sua estrutura e seu objetivo, desprovidos de integridade espiritual. Com este pano de fundo de grande violência, morte e decadência cultural, ocorreu o "renascimento".

Como acontecera na revolução cultural da Idade Média muitos séculos antes, as invenções técnicas desempenharam um papel essencial na formação da nova era. Neste momento, especialmente quatro delas (todas com precursores no Oriente) entraram em uso disseminado no Ocidente, com imensas ramificações culturais: a bússola magnética, permitindo as façanhas da navegação que abriram o Globo à exploração européia; a pólvora, contribuindo para o fim da velha ordem feudal e a ascensão do nacionalismo; o relógio mecânico, fator de decisiva mudança no relacionamento do Homem com o tempo, a Natureza e o trabalho, separando e libertando a estrutura das atividades humanas da predominância dos ritmos da Natureza; e a imprensa, que produziu um fabuloso aumento no aprendizado, levando tanto as obras clássicas como as modernas a um público cada vez mais amplo e erodindo o monopólio do conhecimento há muito nas mãos do clero.

Todas essas invenções tiveram grande influência modernizadora e, em última análise, secularizadora. A artilharia permitiu o surgimento de nações-estados separadas mas internamente coesas, o que significava não apenas a derrubada das estruturas feudais medievais, mas também o reforço das forças seculares contra a Igreja Católica. Efeito paralelo ocorria no campo do pensamento, em que a imprensa rapidamente divulgava por toda a Europa novas idéias, muitas vezes revolucionárias. Sem ela, a Reforma se teria limitado a uma disputa teológica relativamente pequena em alguma província germânica; a Revolução Científica, tão dependente da comunicação internacional entre muitos cientistas, também seria totalmente impossível. Além do mais, a disseminação da palavra impressa e o crescente aumento da alfabetização contribuíram para um novo *ethos* cultural, marcado por formas não-comunitárias de comunicação e experiência cada vez mais individualizadas e privadas, incentivando assim o crescimento do individualismo. A leitura silenciosa e a reflexão solitária ajudaram a libertar o indivíduo das maneiras tradicionais de pensar e do controle que a coletividade exercia sobre o pensamento; agora os leitores individuais obtinham acesso privado a inúmeras perspectivas e formas de experiência.

O desenvolvimento do relógio mecânico teve conseqüências análogas; o mecanismo de engrenagens precisamente articuladas tornou-se o paradigma das máquinas modernas, acelerando o avanço da invenção mecânica e da construção de equipamentos de todo tipo. Igualmente importante, o novo triunfo mecânico proporcionou um modelo conceitual básico e a metáfora para a ciência emergente da nova era — na verdade, para toda a cultura moderna —, moldando em profundidade a moderna visão do Cosmo e da Natureza, do ser humano, da sociedade ideal e até mesmo de Deus. Da mesma forma, as explorações do Globo possibilitadas pela bússola magnética deram grande impulso à inovação intelectual, refletindo e estimulando a nova investigação científica do mundo natural e afirmando mais a impressão do Ocidente de estar na heróica fronteira da história civilizada. Inesperadamente revelando os erros e a ignorância dos geógrafos antigos, as descobertas dos exploradores deram ao intelecto moderno um novo entendimento de sua própria competência e até superioridade sobre os antes insuperados mestres da Antigüidade — solapando implicitamente todas as autoridades tradicionais. Entre os geógrafos desacreditados estava Ptolomeu, cujo *status* na Astronomia daí em diante também foi afetado. Por sua vez, as expedições navegadoras exigiam não só conhecimento astronômico mais preciso como astrônomos mais proficientes; dentre estes, surgiria Copérnico. As descobertas de novos continentes trouxeram novas possibilidades de expansão econômica e política, além da conseqüente transformação radical das estruturas sociais européias. Com essas descobertas, havia o conhecimento de novas culturas, religiões e modos de vida, introduzindo na consciência européia um novo espírito de relativismo cético quanto ao do absolutismo de seus pressupostos tradicionais. Os horizontes do Ocidente — geográficos, mentais, sociais, econômicos, políticos — mudavam e se expandiam de maneiras até então inéditas.

Simultaneamente a esses avanços, ocorria importante evolução psicológica; o temperamento europeu passou por uma singular e prodigiosa transformação, iniciada na peculiar atmosfera política e cultural da Itália renascentista. As cidades-estados italianas dos séculos XIV e XV — Florença, Milão, Veneza, Urbino e outras — eram, em muitos aspectos, os mais avançados centros urbanos da Europa. Um mercado vigoroso, um próspero comércio no Mediterrâneo e o contato permanente com as civilizações mais antigas do Oriente ofereciam-lhes notável influxo concentrado de riquezas culturais e econômicas. Além do mais, o enfraquecimento do papado romano em suas lutas com o nada coeso Sacro Império Romano e com as nações-estados que surgiam ao norte produzira uma condição política de acentuada fluidez na Itália. O pequeno tamanho das cidades-estados italianas, sua independência da autoridade externamente sancionada e sua vitalidade comercial e cultural proporcionaram o cenário político em que poderia florescer um novo espírito de individualismo audacioso, criativo e muitas vezes implacável. Enquanto anteriormente a vida do Estado se definia por estruturas herdadas de poder e lei impostas pela tradição ou por autoridades superiores, agora o pensamento, a ação política deliberada e a capacidade individual tinham maior peso. O Estado em si era considerado algo a ser compreendido e manipulado pela vontade e inteligência humanas, uma visão política que fazia das cidades-estados italianas as precursoras do Estado moderno.

Esse novo valor, colocado no individualismo e na genialidade pessoal, reforçava uma característica semelhante dos humanistas italianos, cujo senso de mérito pessoal também se baseava na capacidade individual e cujo ideal era igualmente o do Homem emancipado, com múltiplos talentos. O ideal cristão medieval, em que a personalidade individual era amplamente absorvida na coletividade das almas cristãs, gradualmente desaparecia em favor do mais heróico estilo pagão — o indivíduo era o aventureiro, o gênio e o rebelde. Atingia-se melhor a realização do ego prometéico não mais através de um "santo" recolhimento, mas por meio de uma vida de ação enérgica a serviço da cidade-estado, nos estudos, nas artes, no empreendimento comercial e na vida social. As velhas dicotomias eram agora entendidas numa unidade mais ampla: tanto a atividade mundana como a contemplação das verdades eternas; tanto a dedicação ao Estado, à família e a si mesmo como a Deus e à Igreja; tanto o prazer físico quanto a felicidade espiritual; a prosperidade tanto quanto a virtude. Abandonando o ideal de pobreza monástica, o Homem do Renascimento adotou as riquezas da vida que a fortuna pessoal permitia; artistas e estudiosos humanistas floresceram nesse novo ambiente cultural subsidiados pelas elites comerciais e aristocráticas da Itália.

Juntas, todas essas influências — dinamismo político, riqueza econômica, ampla instrução, arte sensual e uma especial intimidade com as culturas do Mediterrâneo antigo e oriental — incentivaram um novo espírito cada vez mais leigo nas classes dominantes italianas, que se estendeu aos aposentos privados no interior do Vaticano. Aos olhos dos piedosos, certo paganismo e amoralidade invadiam a vida italiana. Era algo visível não apenas nas calculadas barbaridades e intrigas da arena política, mas também no desavergonhado mundanismo dos interesses do Homem do Renascimento pela natureza, pelo conhecimento, a beleza e a luxúria em si. Assim, foi a partir de suas origens na dinâmica cultura da Itália renascentista que se desenvolveu uma nova personalidade distintiva do Ocidente. Marcada pelo individualismo secular, pela força de vontade, pela multiplicidade de interesses e impulsos, pela inovação criativa e por um desejo de desafiar as limitações tradicionais da atividade humana, esse espírito em pouco tempo começou a disseminar-se por toda a Europa, proporcionando os traços do caráter da Modernidade.

No entanto, com todo o secularismo da era, a própria Igreja Católica Romana atingiu, em sentido bastante tangível, um pináculo de glória no Renascimento. A Basílica de São Pedro, a Capela Sistina, a Stanza della Segnatura no Vaticano permanecem como impressionantes monumentos aos momentos finais da Igreja como indiscutível soberana da cultura ocidental. Aqui estava plenamente articulada a grandiosidade da concepção que a Igreja Católica tinha de si mesma, abrangendo o Gênese e o drama bíblico (o teto da Capela Sistina), a Filosofia e a ciência grega clássica (a *Escola de Atenas*), a poesia e as artes criativas (o *Parnassus*) — e tudo isso culminava na Teologia, supremo panteão da cristandade católica romana (*La Disputa del Sacramento, O Triunfo da Igreja*). A procissão dos séculos, a história da alma ocidental receberam aqui um corpo imortal. Sob a orientação do inspirado, ainda que nada sacerdotal, Papa Júlio II, artistas versáteis como Rafael, Bramante e Michelângelo pintaram, esculpiram, planejaram e construíram obras de arte de beleza e força insuperáveis para celebrar a majestosa visão católica. Assim, a Madre Igreja, mediadora entre Deus e o Homem, matriz da cultura ocidental, agora reunia e integrava todos os seus diversos elementos: judaísmo, helenismo, escolasticismo, humanismo, platonismo, aristotelismo, mito pagão e revelação bíblica. Com a imaginária artística do Renascimento como sua linguagem, foi escrita uma nova *Summa* pictórica, que integrava os componentes dialéticos da cultura ocidental em uma síntese transcendental. Era como se a Igreja, subconscientemente sabedora do destino cruel iminente, despertasse a mais exaltada compreensão de si mesma, encontrando artistas de semelhante estatura divina para encarnar essa imagem.

Contudo, tal eflorescência da Igreja Católica num período que tão decididamente adotava o secular e a vida *neste* mundo era o tipo de paradoxo inteiramente característico do Renascimento. Em seu conjunto, a posição singular que o Renascimento manteve na história cultural deriva no mínimo do simultâneo equilíbrio e da síntese de muitos opostos: o cristão e o pagão, o moderno e o clássico, o secular e o sagrado, ciência e religião, poesia e política. O Renascimento foi ao mesmo tempo uma era, em si mesmo, e uma transição. Ao mesmo tempo medieval e moderna, continuava acentuadamente religiosa (Ficino, Michelângelo, Erasmo, More, Savonarola, Lutero, Loiola, Teresa d'Ávila, João da Cruz), mas inegavelmente mundana (Maquiavel, Cellini, Castiglione, Montaigne, Bacon, os Médicis e os Bórgias, a maioria dos papas renascentistas). Ao mesmo tempo em que emergia e florescia a sensibilidade científica, surgiam também paixões religiosas — muitas vezes, em combinações emaranhadas.

A integração dos contrários no Renascimento fora prevista no ideal da *docta pietas* de Petrarca, e agora se realizava em sábios religiosos como Erasmo e seu amigo Thomas More. Com os humanistas cristãos do Renascimento, a ironia e reserva, a atividade mundana e a erudição clássica serviam à causa cristã de maneiras que a Era Medieval não havia testemunhado. Aqui um evangelismo letrado e ecumênico parecia substituir as devoções dogmáticas de uma era mais primitiva. Uma intelectualidade crítica religiosa procurava suplantar a superstição religiosa ingênua. O filósofo Platão e o apóstolo Paulo foram unidos e sintetizados para produzir uma nova *philosophia Christi*.

Não obstante, talvez tenha sido a arte do Renascimento que melhor expressou os contrários e a unidade da era. No início do *Quattrocento,* o tema de apenas uma em cada vinte pinturas não era religioso. Um século depois, a proporção havia quintuplicado. Mesmo dentro do Vaticano, os quadros com nus e divindades pagãs agora estavam diante da Madona e do Menino Jesus. O corpo humano era celebrado em sua beleza, harmonia formal e proporção, ainda que muitas vezes a serviço de temas religiosos ou como revelação da criativa sabedoria de Deus. A arte do Renascimento era dedicada à exata imitação da Natureza, tecnicamente capaz de um realismo naturalista sem precedentes, mas também singularmente eficaz ao mostrar uma sublime numinosidade, pintando seres míticos e espirituais, e até figuras humanas contemporâneas, com certa graça inefável e perfeição formal. Em compensação, essa capacidade para expor o numinoso seria impossível sem as inovações técnicas — a matematização geométrica do espaço, a perspectiva linear, a perspectiva aérea, o conhecimento anatômico, o *chiaroscuro,* o *sfumato* — que se desenvolveram a partir do esforço em prol do realismo perceptivo e da precisão empírica. Por sua vez, essas realizações na pintura e no desenho foram o impulso para avanços científicos posteriores na Anatomia e na Medicina e previam a matematização global do mundo físico, que ocorreu na Revolução Científica. A arte do Renascimento representava um mundo de sólidos racionalmente relacionados em um espaço unificado, visto de um ponto de vista objetivo; este não era um fato periférico para a emergência da moderna visão de mundo.

O Renascimento vicejou com uma determinada "descompartimentalização", que eliminava quaisquer divisões rigorosas entre os diferentes reinos do conhecimento ou da experiência humana. Leonardo da Vinci foi o primeiro exemplo — tão empenhado na busca do conhecimento como na da beleza, artista de muitos recursos, constante e vorazmente envolvido na pesquisa científica de vasta amplitude. O desenvolvimento de Leonardo e sua exploração do olho empírico na apreensão do mundo exterior com a plena consciência e uma nova precisão estavam tanto a serviço da compreensão científica quanto da representação artística, metas que perseguia juntas em sua "ciência da pintura". Sua arte revelou uma misteriosa expressividade espiritual, acompanhada e alimentada por uma extrema precisão técnica da pintura. Foi uma singular característica do Renascimento ter produzido o homem que pintou a *Última Ceia,* a *Virgem das Pedras* e também articulou em seus cadernos de anotações os três princípios fundamentais que dominariam o pensamento científico moderno: o Empirismo, a Matemática e a Mecânica.

O mesmo fizeram Copérnico e Kepler, com motivações neoplatônicas e pitagóricas, buscando soluções para problemas da Astronomia que satisfizessem imperativos estéticos, uma estratégia que os levou ao universo heliocêntrico. Não menos significativa era a forte motivação religiosa, em geral combinada aos temas platônicos, que impeliu a maioria das personalidades mais importantes da Revolução Científica, chegando a Newton. Implícita em todas essas atividades estava a noção meio inarticulada de uma distante era dourada em que todas as coisas haviam sido conhecidas — o Jardim do Éden, os antigos tempos clássicos, uma era passada de grandes sábios. A saída do Homem daquele estado primevo de iluminação e graça resultara numa drástica perda do conhecimento. Portanto, a recuperação do conhecimento dotava-se de significado religioso e, como na Atenas clássica, a religião, a arte e o mito dos gregos antigos encontravam-se e interagiam com o novo espírito igualmente grego de racionalismo e ciência — e mais uma vez esta paradoxal conjunção e harmonia foi atingida no Renascimento.

Embora em muitos sentidos o Renascimento resultasse diretamente da rica e florescente cultura da Alta Idade Média, no final das contas, entre meados do século XV e início do século XVII houve um inequívoco salto quântico na evolução cultural do Ocidente. Os diversos fatores contribuintes podem ser retrospectivamente identificados e listados: a descoberta da Antigüidade, a vitalidade comercial, a personalidade da cidade-estado, as invenções técnicas e assim por diante. No entanto, depois de enumeradas todas essas "causas", sentimos ainda que o ímpeto essencial do Renascimento foi algo bem mais amplo do que quaisquer desses fatores, algo além da soma de todos eles. Os registros históricos indicam que havia, simultaneamente, em muitas frentes, a enfática emergência de uma nova consciência — expansiva, rebelde, enérgica e criativa, individualista, ambiciosa e muitas vezes inescrupulosa, curiosa, confiante, empenhada nesta vida e neste mundo, de olhos abertos e cética, inspirada e cheia de ânimo — e que esta emergência teve sua razão de ser, propelida uma força maior e mais subordinante do que qualquer combinação de fatores políticos, sociais, tecnológicos, religiosos, filosóficos ou artísticos. Não foi acidental para a natureza do Renascimento (nem talvez deixasse de estar relacionado a seu novo sentido da perspectiva artística) o fato de que, enquanto os estudiosos medievais viam a História dividida em dois períodos, antes e depois de Cristo, com o seu momento apenas ligeiramente separado da era romana em que nascera Cristo, os historiadores renascentistas obtivessem uma perspectiva do passado decisivamente nova: pela primeira vez a História foi percebida e definida como uma estrutura tripartite — Antiga, Medieval e Moderna — que assim diferenciava nitidamente as eras clássica e medieval; o Renascimento estava na vanguarda do novo tempo.

Os acontecimentos e personalidades convergiam no palco do Renascimento com impressionante rapidez e até simultaneidade. Colombo e Leonardo da Vinci nasceram em meados da mesma década (1450-55) que trouxe o desenvolvimento da prensa de Gutenberg, a queda de Constantinopla — com a resultante entrada de eruditos gregos na Itália — e o final da Guerra dos Cem Anos, em que França e Inglaterra forjaram suas respectivas consciências nacionais. As mesmas duas décadas (1468-88) que presenciaram o renascimento da academia neoplatônica florentina em seu período áureo durante o reinado de Lourenço, o Magnífico, também testemunharam o nascimento de Copérnico, Lutero, Castiglione, Rafael, Dürer, Michelângelo, Giorgione, Maquiavel, César Bórgia, Zwingli, Pizarro, Magalhães e Thomas More. No mesmo período, Aragão e Castela foram unidas pelo casamento de Fernando e Isabel para formar a nação da Espanha, os Tudors sucederam o trono da Inglaterra, Leonardo começou sua carreira artística pintando o anjo no *Batismo de Cristo* de Verrocchio e logo depois sua *Adoração dos Magos*, Botticelli pintou a *Primavera* e o *Nascimento de Vênus*, Ficino escreveu a *Theologia Platonica* e publicou a primeira tradução completa de Platão no Ocidente, Erasmo recebeu sua educação humanista inicial na Holanda e Pico della Mirandola compôs o manifesto do humanismo renascentista, a *Oração sobre a Dignidade do Homem*. Aqui funcionavam mais do que "causas". Ocorria uma espontânea e irredutível revolução da consciência, afetando virtualmente todos os aspectos da cultura ocidental. Em meio a um grandioso drama e a convulsões dolorosas, o Homem moderno nascia no Renascimento, "arrastando nuvens de glória atrás de si".

A Reforma

Quando o espírito do individualismo renascentista chegou aos campos da Teologia e da convicção religiosa dentro da Igreja, na pessoa do monge agostiniano alemão Martinho Lutero, irrompeu na Europa a importante Reforma protestante. O Renascimento abrigara a cultura clássica e o Cristianismo numa única visão expansiva, mas nada sistematizada. A permanente deterioração moral do papado no sul agora se deparava com um novo surto de rigorosa religiosidade ao norte. O debilitante sincretismo cultural exposto quando a Igreja do Renascimento adotara a cultura greco-romana pagã (inclusive o imenso custo do necessário patrocínio) ajudou a precipitar o esfacelamento de sua absoluta autoridade religiosa. Desafiante e armado com a tonitruante força moral de um Profeta do Velho Testamento, Lutero enfrentou a evidente negligência do papado católico romano em relação à fé cristã revelada na Bíblia. Desencadeada pela rebelião de Lutero, uma insuperável reação cultural atravessou todo o século XVI abalando a unidade da cristandade ocidental.

A causa mais imediata da Reforma foi a tentativa de financiar as glórias arquitetônicas e artísticas do Papado através do recurso teologicamente dúbio da venda de indulgências espirituais. O Papa Leão X, da casa dos Médicis, autorizara o frade viajante Tetzel a vender indulgências na Alemanha para levantar o dinheiro necessário à construção da basílica de São Pedro — o que irritou Lutero, levando-o a afixar suas Noventa e Cinco Teses. Uma indulgência era a absolvição que isentava de punição por um pecado depois que a culpa estivesse sacramentalmente perdoada — prática da Igreja influenciada pelo costume alemão anterior ao Cristianismo, em que a penalidade física por um crime era comutada por um pagamento em dinheiro. As indulgências eram tiradas do tesouro de méritos acumulado pelas boas obras dos santos e quem a recebia dava uma contribuição à Igreja. Esse arranjo espontâneo e popular ajudou a levantar o dinheiro para financiar as cruzadas e construir catedrais e hospitais. Inicialmente aplicadas apenas às penalidades impostas pela Igreja nesta vida, na época de Lutero as indulgências passaram a ser concedidas para a remissão dos castigos impostos por Deus no outro mundo, inclusive a imediata liberação do purgatório. Como as indulgências redimiam até mesmo os pecados, o próprio sacramento da confissão estava sendo questionado.

Contudo, além da questão das indulgências, a revolução protestante tem origens mais profundas: o secularismo político da hierarquia da Igreja, que há muito progredia, solapava sua integridade espiritual e ao mesmo tempo a envolvia em lutas diplomáticas e militares; entre os fiéis, prevalecia uma profunda devoção e uma grande pobreza, contrastantes com um clero muitas vezes nada religioso, mas social e economicamente privilegiado; a ascensão do poder monárquico, do nacionalismo e a insurgência local dos alemães contra as ambições universais do papado romano e o Sacro Império Romano dos Habsburgos. Entretanto, a causa mais imediata, que foi o dispendioso patrocínio da alta cultura, lança alguma luz sobre o fator mais profundo por trás da Reforma: o espírito anti-helênico com que Lutero procurou purificar o Cristianismo e devolvê-lo à base bíblica de seus primórdios. A Reforma não era menos uma reação "judaica" purista contra o impulso helenista (e romano) do renascimento cultural, da filosofia escolástica e de boa parte da cristandade pós-apostólica em geral. No entanto, talvez o elemento mais fundamental na gênese da Reforma fosse o emergente espírito de individualismo autodeterminante rebelde, especialmente o crescente ímpeto para a independência intelectual e espiritual, que agora chegara ao ponto decisivo em que era possível sustentar uma postura de grande poder crítico contra a mais elevada autoridade cultural do Ocidente, a Igreja Católica Romana.

Lutero lutava desesperadamente por uma benévola redenção de Deus diante de tantas evidências contrárias — tanto do julgamento divino condenatório, quanto de seu próprio estado pecaminoso. Ele não conseguia encontrar esta benevolência em si ou em suas próprias obras, nem a encontrava na Igreja — ela não estava em seus sacramentos, não estava na hierarquia eclesiástica e certamente menos ainda nas indulgências papais. Por fim, a fé no poder redentor de Deus revelado através de Cristo na Bíblia, e somente esta fé, proporcionou a Lutero a experiência da salvação; sobre esta exclusiva rocha ele construiu sua nova igreja com um cristianismo reformado. Erasmo, ao contrário, humanista devotamente crítico, desejava salvar a unidade e a missão da Igreja, reformando-a a partir de seu interior. No entanto, absorvida em outras questões, a hierarquia eclesiástica permaneceu intransigentemente insensível a essas necessidades; enquanto isso, com igual intransigência, Lutero declarou a necessidade de um cisma completo e independência em relação a uma instituição que agora ele considerava o trono do Anticristo.

O papa Leão X considerava a revolta de Lutero apenas mais uma "rixa de monge" e retardou durante muito tempo uma resposta adequada ao problema. Quase três anos depois que as Noventa e Cinco Teses haviam sido divulgadas, quando enfim Lutero recebeu a bula papal para submeter-se, queimou-a em público. No subseqüente encontro da Dieta imperial, o imperador do Sacro Império Romano, Carlos V, declarou estar certo de que um único frade não poderia ter razão ao negar a validade de todo o Cristianismo nos mil anos precedentes. Desejando preservar a unidade da religião cristã, mas diante da teimosa recusa de Lutero em retratar-se, assinou um decreto imperial que o bania como herege. No entanto, com o reforço de príncipes e cavalheiros alemães rebeldes, a insurgência pessoal de Lutero rapidamente expandiu-se, assumindo a dimensão de um levante internacional. Retrospectivamente, a fusão pós-constantiniana da religião cristã ao antigo Estado romano mostrara ser uma faca de dois gumes, contribuindo tanto para a ascendência cultural da Igreja como para seu declínio posterior. A abrangente união cultural que a Igreja Católica mantivera na Europa durante mil anos estava agora irremediavelmente dividida.

Contudo, o dilema pessoal de Lutero foi a essência da Reforma. Sentindo intensamente a alienação e o terror diante do Onipotente, Lutero considerava o Homem corrupto, necessitando o perdão divino e não apenas para determinados pecados, que pudessem ser apagados um a um com as devidas ações definidas pela Igreja. Os pecados eram apenas sintomas de uma doença mais fundamental na alma humana, que exigia um tratamento. Não se podia comprar a redenção, etapa por etapa, com boas ações, através das doutrinas da penitência e outros sacramentos, para não mencionar as infames indulgências. Somente Cristo poderia salvar os Homens e somente a fé em Cristo poderia justificar o Homem perante Deus. Somente assim a terrível integridade de um Deus irado, que por justiça condena os pecadores à eterna perdição, poderia ser transformada na clemente integridade de um Deus compassivo, que recompensa o fiel com a bem-aventurança eterna. Lutero exultantemente descobriu na Carta aos Romanos de Paulo que o Homem não mereceu a salvação; Deus a concedia espontaneamente aos que têm fé. A origem dessa fé salvadora era a Sagrada Escritura, onde a compaixão de Deus se revelava na crucificação de Cristo pela Humanidade. Somente ali o fiel cristão encontraria os meios para sua salvação. A Igreja Católica só poderia ser uma impostora — com sua cínica prática de mercado, em que alegava distribuir a graça divina e o mérito dos santos, o perdão dos pecados dos Homens e sua libertação das dívidas na outra vida, trocados por dinheiro que acumulava para seus propósitos nada religiosos, enquanto ao mesmo tempo clamava a infalibilidade do Papa. A Igreja já não poderia mais ser reverenciada como intermediária da verdade cristã.

Tudo o que a Igreja Romana acrescentara à cristandade que não se encontrasse no Novo Testamento era agora solenemente questionado, criticado e muitas vezes totalmente excluído pelos protestantes: sacramentos, rituais e arte; as complexas estruturas organizacionais; a hierarquia sacerdotal e sua autoridade espiritual; a teologia racional própria dos escolásticos; a crença no purgatório; a infalibilidade do papa; o celibato do clero; a transubstanciação eucarística; o tesouro de méritos dos santos; a veneração popular da Virgem Maria e, finalmente, a própria Santa Madre Igreja — todo o acúmulo de séculos. Tudo agora se opunha à primordial necessidade cristã da fé do indivíduo na Graça redentora de Cristo: a justificativa da confissão só ocorria pela Fé. O crente teria de libertar-se das obscuras garras do velho sistema, pois somente como responsável direto perante Deus ele estaria livre para sentir a Graça divina. Doravante, a única fonte de autoridade teológica era o significado literal da Sagrada Escritura. As complicadas elaborações doutrinárias e os pronunciamentos morais da Igreja institucional não tinham importância. Depois de séculos de autoridade espiritual relativamente indiscutível, subitamente a Igreja Católica Romana, com todos os seus atavios, já não era mais considerada imperativa para o bem-estar religioso da Humanidade.

Em defesa da Igreja, e para manter sua unidade, os teólogos católicos argumentavam que as instituições sacramentais eram válidas e necessárias e que sua tradição doutrinária mantinha a legítima autoridade espiritual, interpretando e elaborando a revelação original. Certamente era preciso fazer reformas morais e práticas na Igreja atual, mas sua inerente santidade e sua validade permaneciam. Sem a tradição da Igreja, diziam eles, a Obra de Deus teria menos força no mundo e seria menos compreendida pelos fiéis cristãos. Através da inspiração do Espírito Santo investido nos institutos da Igreja, esta poderia apresentar e afirmar certos elementos da verdade cristã que não estavam plenamente explicitados no texto bíblico. A Igreja, em suas fases apostólicas anteriores ao Novo Testamento, realmente a apresentara e mais tarde canonizara como a inspirada Palavra de Deus.

Os reformadores contra-argumentavam que a Igreja substituíra a fé na pessoa de Cristo pela fé na doutrina da Igreja. Assim, pervertera a força da revelação original cristã e obscuramente se interpusera na relação do Homem com Deus. Somente o contato direto com a Bíblia poderia levar a alma humana ao contato direto com o Cristo.

Para os protestantes, a verdadeira cristandade baseava-se "somente na Fé", "somente na Graça" e "somente na Escritura". Embora a Igreja Católica concordasse que esses eram realmente os fundamentos da religião cristã, ela sustentava que a Igreja institucional, com seus sacramentos, sua hierarquia sacerdotal e sua tradição doutrinária estava intrínseca e dinamicamente associada a esses fundamentos — a fé na Graça divina revelada na Escritura — e servia à propagação dessa fé. Contra Lutero, Erasmo também argumentava que o livre-arbítrio e as boas ações do Homem não deveriam ser inteiramente minimizados como elementos no processo da salvação. O catolicismo sustentava que a Graça divina e o mérito humano eram ambos instrumentos para a redenção e não poderiam ser considerados opostos em que, por exclusão, funcionasse um ou outro. Mais importante, argumentava a Igreja, era o fato de que a tradição institucional e a fé baseada na Escritura não se opunham. Ao contrário, o catolicismo proporcionava o corpo vivo para que a Palavra chegasse ao mundo.

No entanto, para os reformadores, a verdadeira prática da Igreja atraiçoara por demais seu ideal, sua hierarquia era manifestamente corrupta, sua tradição doutrinária por demais distante da revelação original. Reformar uma estrutura tão degenerada a partir de seu interior seria algo tão inútil como teologicamente errôneo. Lutero defendia persuasivamente o papel exclusivo de Deus na Salvação, o desamparo espiritual do Homem, a derrocada moral da Igreja institucional e a exclusiva autoridade da Escritura. O espírito protestante prevalecia em metade da Europa; a velha ordem estava rompida. A cristandade ocidental já não era exclusivamente católica, nem monolítica, nem fonte de unidade cultural.

***

O peculiar paradoxo da Reforma foi seu caráter essencialmente ambíguo: ao mesmo tempo, era uma revolução radicalmente libertária e uma conservadora reação religiosa. O protestantismo forjado por Lutero, Zwingli e Calvino proclamava a enfática restauração de uma cristandade judaica baseada na Bíblia: inequivocamente monoteísta, afirmando o Deus de Abraão e Moisés supremo, onipotente, transcendental e "Outro"; o Homem era um decaído, desamparado, predestinado à danação ou à salvação e, neste caso, dependia totalmente da Graça divina para sua redenção. Tomás de Aquino postulara a participação de todas as criaturas na infinita essência generosa de Deus e afirmara a incontestável autonomia da natureza humana por Ele concedida; os reformadores percebiam a absoluta soberania de Deus sobre sua criação sob uma luz mais dicotomizada: a inata tendência do Homem ao pecado tornava a vontade humana inerentemente ineficaz e perversa. Por um lado, o Protestantismo era otimista em relação a Deus, que misericordiosamente poupava o eleito, e, por outro lado, era irremediavelmente pessimista em relação ao Homem, essa "imensa horda de infâmias" (Calvino). A liberdade humana era tão inclinada ao Mal que meramente consistia na capacidade de escolher entre diferentes graus de pecado. Para os reformadores, autonomia significava apostasia. A verdadeira liberdade e o prazer do Homem consistiam unicamente na obediência à vontade de Deus; a capacidade para essa obediência emanava unicamente do misericordioso dom divino da Fé. Nada que o Homem fizesse por si poderia aproximá-lo da Salvação. Ele também não poderia ascender racionalmente à Iluminação com uma teologia escolástica contaminada pela filosofia grega. Somente Deus poderia proporcionar a autêntica Iluminação e somente a Escritura revelava a autêntica Verdade. Contra a frivolidade do Renascimento, com uma cristandade helenizada mais flexível, com o neoplatonismo pagão e sua religião universal e a divinização do humano, Lutero e Calvino (este, mais sistemático) reinstituíram a visão de mundo judaico-cristã agostiniana, mais rigidamente definida, rigorosamente moral e ontologicamente dualista.

Esta reafirmação de uma cristandade tradicional "pura" recebeu mais ímpeto da Contra-Reforma em toda a cultura européia quando, a partir de meados do século XVI, no Concílio de Trento, a Igreja católica despertou para a crise e energicamente reformou-se a partir de seu próprio interior. O papado romano voltou a estar religiosamente motivado, em geral de modo bastante austero, e a Igreja voltou a afirmar as bases da fé cristã (ainda que mantendo sua estrutura essencial e a autoridade sacramental) nos mesmíssimos termos de dogmatismo militante dos protestantes a que se opunha. Assim, dos dois lados da linha divisória européia, o sul católico e o norte protestante, a cristandade ortodoxa foi restabelecida numa reação religiosa conservadora contra o helenismo pagão, o naturalismo e o secularismo do Renascimento.

Não obstante, apesar de seu caráter conservador, a rebelião da Reforma foi um ato revolucionário sem precedentes na cultura ocidental — não apenas uma insurgência social e política bem-sucedida contra o papado romano e a hierarquia eclesiástica, em que os reformadores eram apoiados pelos governantes leigos da Alemanha e outros países do norte, mas em primeiro lugar e acima de tudo uma afirmação da consciência individual contra a estrutura organizacional e as determinações sobre a crença e os rituais estabelecidos pela Igreja. A questão essencial da Reforma dizia respeito à localização da autoridade religiosa. Para os protestantes, nem o Papa nem os concílios da Igreja possuíam competência espiritual para definir a crença dos cristãos. Ao contrário, Lutero pregava o "sacerdócio de todos os crentes": a autoridade religiosa residia unicamente em cada indivíduo cristão, que lia e interpretava a Bíblia segundo sua própria consciência, no contexto de seu relacionamento pessoal com Deus. A presença do Espírito Santo, em toda a sua liberdade não institucional e diretamente inspiradora, deveria afirmar-se em todos os cristãos contra as sufocantes restrições da Igreja católica. A verdadeira experiência cristã consistia na resposta interior de cada indivíduo à graça de Cristo e não no complicado maquinário eclesiástico do Vaticano.

Foi exatamente esta inflexibilidade do encontro pessoal de Lutero com Deus que revelara Sua onipotência e misericórdia. Os dois opostos característicos do Protestantismo, o ego humano independente e o Deus Todo-Poderoso se entrelaçavam de modo inextricável. Por isso a Reforma acentuava a postura do indivíduo nos dois sentidos — sozinho, fora da Igreja, e sozinho diante de Deus. As palavras apaixonadas de Lutero frente à Dieta imperial eram o novo manifesto da liberdade religiosa pessoal:

> A menos que esteja convencido pela Escritura e pela simples razão, eu não aceito a autoridade de papas e concílios, pois uns contradizem os outros; minha consciência está presa à Palavra de Deus. Não posso e não me retratarei por nada, pois ir contra a consciência não é correto nem seguro. Deus me ajude. Amém.

A Reforma era uma nova afirmação decisiva de individualismo rebelde — de consciência pessoal, de "liberdade cristã", de julgamento crítico privado contra a autoridade monolítica da Igreja institucional — e, como tal, empurrou ainda mais o movimento do Renascimento para fora da Igreja medieval e do temperamento medieval. Embora a natureza judaica conservadora da Reforma fosse uma reação contra os aspectos helenísticos e pagãos do Renascimento, em outro nível a afirmação revolucionária de autonomia pessoal servia de continuação do impulso renascentista — e assim era um elemento intrínseco, quando não parcialmente oposto, de todo o fenômeno do próprio Renascimento. O Renascimento e a Reforma foram sem dúvida revolucionários e, talvez por conta desse *Zeitgeist* prometéico, a rebelião de Lutero rapidamente se tenha amplificado muito além do que ele havia previsto ou mesmo desejado. No final das contas, a Reforma era apenas uma expressão particularmente notável de uma transformação cultural bem maior que ocorria na cultura e no espírito ocidental.

***

Aqui nos deparamos com outro extraordinário paradoxo da Reforma. Embora seu caráter fosse tão intenso e nada ambiguamente religioso, sua influência final sobre o caráter da cultura ocidental foi bastante laica e, em inúmeros aspectos, um serviu de reforço ao outro. Derrubando a autoridade teológica da Igreja católica, a suprema corte internacionalmente reconhecida de dogma religioso, a Reforma abriu no Ocidente o caminho para o pluralismo religioso, depois para o ceticismo religioso e, por fim, a um completo rompimento na até então relativamente homogênea visão de mundo cristã. Ainda que diversas autoridades protestantes tentassem reinstituir sua forma particular de fé cristã como a exclusivamente correta suprema verdade dogmática, a primeira premissa da reforma de Lutero — o sacerdócio de todos os crentes e a autoridade da consciência individual na interpretação da Escritura — necessariamente solapava a durabilidade do sucesso de quaisquer esforços das novas ortodoxias. Uma vez deixada para trás a Santa Madre Igreja, já não era possível considerar-se legítima qualquer reivindicação de infalibilidade. A conseqüência imediata da libertação da velha matriz foi uma clara manifestação de religiosidade cristã fervorosa, permeando a vida das novas congregações protestantes com renovado significado espiritual e força carismática. Com o passar do tempo, o protestante comum, já não mais encerrado no ventre católico do grandioso cerimonial, tradição histórica e autoridade sacramental, estava um tanto menos protegido contra as errâncias da dúvida individual e do pensamento secular. De Lutero em diante, a fé de cada crente dispunha apenas de seu próprio apoio; as faculdades críticas do intelecto ocidental tornavam-se cada vez mais perspicazes.

Lutero crescera em meio à tradição nominalista, que o tornou desconfiado em relação às tentativas dos primeiros escolásticos de unir Razão e Fé pela Teologia racional. Para ele, não existia nenhuma "revelação legítima" dada pela Razão própria do Homem em sua cognição e análise do mundo natural. Como Ockham, Lutero considerava a Razão humana muito distante da vontade abrangente de Deus e da salvação misericordiosa, de modo que as tentativas racionalistas da teologia escolástica de chegar a isso pareciam-lhe absurdamente pretensiosas. Não era possível nenhuma coerência legítima entre a mente leiga e a verdade cristã, pois o sacrifício de Cristo na cruz era uma tolice para a sabedoria do mundo. Somente a Escritura poderia proporcionar ao Homem o conhecimento seguro e salvador dos caminhos de Deus. Essas afirmações tiveram conseqüências significativas e imprevistas para a cultura moderna em sua apreensão do mundo natural.

A restauração da Reforma de uma teologia predominantemente bíblica em oposição a uma teologia escolástica ajudou a eliminar da cultura moderna as noções helenísticas de uma Natureza permeada por racionalidade divina e causas finais. O Protestantismo proporcionava assim uma revolução do contexto teológico que consolidava o movimento para fora do panorama do escolasticismo clássico iniciado por Ockham, apoiando então o desenvolvimento de uma nova ciência da Natureza. A distinção maior dos reformadores entre Criador e criatura — entre a vontade insondável de Deus e a finita inteligência do Homem, entre a transcendência de Deus e a contingência do mundo — permitiu que a mente moderna abordasse o mundo com uma nova impressão do pleno caráter mundano da Natureza, com seus próprios princípios ordenadores, que talvez não correspondessem diretamente aos pressupostos lógicos do Homem sobre o governo divino. Os reformadores limitavam a mente humana ao conhecimento deste mundo; este era exatamente o pré-requisito para receber esse conhecimento. Misericordiosa e livremente, Deus criara o mundo totalmente distinto de sua infinita divindade. Este mundo não poderia ser agora apreendido e analisado segundo sua pressuposta participação sacramental em padrões divinos estáticos, à maneira do pensamento neoplatônico e escolástico, mas segundo seus próprios processos materiais dinâmicos e distintos, desprovidos da referência direta a Deus e sua realidade transcendental.

Ao desencantar o mundo da imanente divindade, completando o processo da cristandade iniciado pela eliminação do animismo pagão, a Reforma permitia sua revisão fundamental pela ciência moderna. Estava então aberto o caminho para uma visão cada vez mais naturalista do Cosmo, indo primeiro ao Criador do deísmo remoto e racional e chegando finalmente à eliminação de qualquer realidade sobrenatural do agnosticismo. Na Reforma, contribuiu para isto até mesmo a renovação da sujeição bíblica da Natureza ao domínio do Homem segundo o Gênese, estimulando a sensação de que o Homem era o sujeito conhecedor em relação ao objeto, que era a Natureza, e estaria divinamente autorizado a exercer sua soberania sobre o mundo natural — por isso, não-espiritual. A magnitude e a distinção de Deus relativas à criação foram reafirmadas, assim como também a magnitude e distinção do Homem relativas a toda Natureza. Subjugar a Natureza para benefício do Homem podia ser considerado um dever religioso, que mais tarde tomou um impulso secular próprio no momento em que a sensação de merecimento e autonomia do Homem e sua força controladora continuaram aumentando pela Era Moderna.

Outro efeito igualmente ambíguo da Reforma sobre a cultura moderna dizia respeito a uma nova atitude em relação à verdade. Na visão católica, as verdades mais profundas foram inicialmente reveladas na Bíblia, tornando-se depois a base para o constante desenvolvimento da verdade por toda a tradição cristã — cada geração de teólogos da Igreja, inspirada pelo Espírito Santo, agia criativamente segundo essa tradição para forjar uma doutrina cristã mais profunda. Assim como o pensamento atuante de Tomás de Aquino tomou as impressões dos sentidos e delas formou conceitos inteligíveis, a intelectualidade atuante da Igreja tomou a tradição básica e dela extraiu formulações mais penetrantes de verdade espiritual. Sob o ponto de vista protestante, a verdade está objetivamente na Palavra de Deus revelada e somente a fidelidade a essa verdade inalterável pode trazer a certeza teológica. Neste aspecto, a tradição católica romana foi um longo exercício que agravava cada vez mais a distorção subjetiva da verdade primordial. A "objetividade" católica nada mais era senão o estabelecimento de doutrinas que se adaptavam às exigências subjetivas da cultura católica e não à sacrossanta verdade exterior da Palavra. A cultura católica se distorcera especialmente por sua integração teológica da filosofia grega, um sistema de pensamento intrinsecamente estranho à verdade bíblica.

Quando o Protestantismo recuperou a inalterável Palavra de Deus na Bíblia, promoveu na emergente cultura moderna uma nova ênfase na necessidade de descobrir a verdade objetiva sem distorção, sem os preconceitos da tradição — com isso, apoiava o desenvolvimento da mentalidade científica crítica. Enfrentar corajosamente doutrinas fechadas, sujeitar todas as crenças à nova crítica e ao teste direto, olhar de frente a realidade objetiva sem a mediação dos preconceitos tradicionais ou das autoridades — essa paixão "desinteressada" alimentou a cultura protestante e, de modo geral, a cultura moderna. Com o tempo, a própria Palavra estaria sujeita a esse novo espírito crítico e o secularismo triunfaria.

O próprio fundamento do fascínio dos reformadores pela verdade objetiva provocaria seu colapso dialético. A ênfase de Lutero no significado literal da Escritura como base exclusiva para o conhecimento da criação de Deus se tornaria uma tensão impossível de superar quando a cultura moderna deparou com as revelações claramente não-bíblicas que logo a ciência leiga estabeleceria. Duas verdades aparentemente contraditórias — ou pelo menos incongruentes — teriam de ser mantidas simultaneamente: uma religiosa e uma científica. A Bíblia fundamentalista apressaria o cisma que há muito aumentava entre a Fé e a Razão, no momento em que a cultura moderna procurava adaptar-se à Ciência. A fé cristã estava muito profundamente entranhada para ser rapidamente abandonada por inteiro, mas as descobertas científicas também já não poderiam ser negadas. Mais adiante, mostrariam ter peso maior do que a primeira em seu significado prático e intelectual. Em meio a essa mudança, a "fé" ocidental seria realinhada de modo totalmente diferente e transferida para o vencedor. A longo prazo, o dedicado restabelecimento luterano de uma religiosidade baseada na Escritura ajudaria a precipitar sua antítese laica.

A Reforma teve ainda mais um efeito oposto à ortodoxia cristã na cultura ocidental. O apelo de Lutero ao primado da resposta religiosa do indivíduo gradual e inevitavelmente levaria o sentido de interiorização da realidade religiosa da cultura moderna ao individualismo final da verdade e ao disseminado papel do indivíduo na determinação da verdade. Com o tempo, a doutrina protestante da justificação através da fé em Cristo parecia dar mais ênfase à fé individual do que a Cristo — à pertinência pessoal das idéias, por assim dizer, mais do que a seu valor externo. O ego tornava-se cada vez mais a medida das coisas, definia-se e legislava sobre si mesmo. A verdade passou a ser cada vez mais uma verdade sentida pelo ego. Assim, a via aberta por Lutero passaria pelo pietismo, pela filosofia crítica de Kant e pelo idealismo filosófico romântico para chegar ao pragmatismo filosófico e ao existencialismo do final da Era Moderna.

❋❋❋

A Reforma também era secularizadora em sua conquista de lealdades pessoais. Anteriormente, a Igreja Católica Romana mantivera a fidelidade geral de praticamente todos os europeus, embora às vezes de modo um tanto controverso. A Reforma não tivera menor sucesso, por ter coincidido com uma poderosa ascensão do nacionalismo leigo e com rebeliões alemãs contra o Papado e o Sacro Império Romano, especialmente contra as tentativas deste último de afirmar sua autoridade por toda a Europa. Com a Reforma, o sonho e a ambição universal do império católico estavam finalmente derrotados. O conseqüente reforço das diversas nações e estados europeus isolados deslocavam agora o antigo ideal de unidade do Cristianismo ocidental; a nova ordem era marcada pela competição intensamente agressiva. Agora não havia um poder superior, internacional e espiritual, a que todos os estados respondessem. Além do mais, já estimuladas pelas literaturas do Renascimento e contra o latim, que fora a linguagem universal dos instruídos, as línguas de cada nação fortaleceram-se ainda mais em relação às novas e irresistíveis traduções vernaculares da Bíblia, acima de todas a de Lutero, para o alemão, e a da comissão do rei James, para o inglês. O estado leigo era agora a unidade definidora da autoridade cultural e política. A matriz medieval católica de unificação da Europa se desintegrara.

Não menos significativos foram os complexos efeitos da Reforma na dinâmica político-religiosa, tanto no indivíduo como no Estado. Agora os governantes seculares definiam a religião de seus territórios; sem que fosse essa sua intenção, a Reforma passara o poder da Igreja para o Estado, como o passara do sacerdote para o leigo. Muitos dos monarcas mais importantes preferiram continuar católicos, com isso suas tentativas constantes de centralizar e tornar absoluto o poder político fez com que o Protestantismo se aliasse aos grupos resistentes — aristocratas, clero, universidades, províncias, cidades — que procuravam manter ou aumentar sua liberdade separada. Por isso, o protestantismo foi associado à causa da liberdade política. O novo sentido que a Reforma dava à responsabilidade religiosa pessoal e ao sacerdócio de todos os crentes também favorecia o desenvolvimento do liberalismo político e dos direitos individuais. Ao mesmo tempo, a fragmentação religiosa da Europa necessariamente promovia uma nova diversidade intelectual e religiosa. A partir de todos esses fatores, seguiu-se uma série de conseqüências políticas e sociais cada vez mais secularizadoras: primeiramente, o estabelecimento de igrejas identificadas por estado, depois a divisão de Estado e Igreja, a tolerância religiosa e, finalmente, o predomínio da sociedade secular. Mais tarde, da nada liberal religiosidade dogmática da Reforma emergiu o liberalismo pluralista tolerante da Era Moderna.

A Reforma teve ainda outros efeitos inesperados e paradoxalmente laicizantes. Apesar do rebaixamento agostiniano, que os reformadores atribuíram ao inerente poder espiritual do Homem, também deu-se à vida humana neste mundo um novo significado no plano cristão das coisas. Lutero eliminou a tradicional divisão entre clero e leigos e, em aberto desafio à lei católica, decidiu casar-se com uma antiga freira e formar uma família, dotando as atividades e relacionamentos da vida comum de significado religioso anteriormente não enfatizado pela Igreja Católica. O sagrado matrimônio substituía a castidade como ideal cristão. A vida doméstica, a educação de filhos, o trabalho profano e as tarefas rotineiras da existência eram agora sustentados mais explicitamente como importantes setores em que o espírito poderia se desenvolver e aprofundar. Nesse momento, qualquer espécie de ocupação profissional era um chamamento sagrado, que não mais se restringia ao monasticismo da Idade Média. Depois de Calvino, a vocação profana de um cristão deveria ser seguida com fervor espiritual e moral para a realização do Reino de Deus na terra. O mundo já não seria mais visto como a inevitável expressão da vontade de Deus, a ser passivamente aceita em piedosa submissão, mas como a arena em que o obrigatório dever religioso do Homem realizaria a vontade de Deus, questionando e mudando todos os aspectos da vida, todas as instituições sociais e culturais, de modo a contribuir para a grande federação das nações cristãs.

Com o tempo, este enaltecimento religioso do secular assumiria um caráter autônomo não-religioso. Por exemplo, o casamento, livre do controle da Igreja como sacramento católico e regulado agora pela lei civil, tornou-se um contrato em essência leigo, mais facilmente fechado ou dissolvido, mais sujeito à perda de seu caráter sacramental. Em uma escala social mais ampla, o chamamento protestante de levar-se este mundo mais a sério, de revisar a sociedade e adotar a mudança, serviu para superar a tradicional ojeriza religiosa a este mundo e à mudança, proporcionando assim à embrionária psique moderna a sanção religiosa e a reestruturação interna exigida para impelir o progresso da modernidade e do liberalismo em muitas esferas, da Política à Ciência. Não obstante, mais tarde esse forte impulso para transformar o mundo adquiriu autonomia, não apenas tornando-o independente de suas motivações originalmente religiosas, mas por fim voltando-se contra o próprio baluarte religioso como mais uma forma de opressão (especialmente profunda) a ser superada.

Importantes conseqüências sociais da Reforma também se tornaram claras em seu complexo relacionamento com o desenvolvimento econômico das nações do norte europeu. A afirmação protestante de disciplina moral e dignidade sagrada do trabalho individual no mundo parece ter-se combinado a uma peculiaridade da crença calvinista na predestinação, em que o cristão esforçado (e ansioso), desprovido do recurso católico à confissão sacramental, encontraria sinais de estar entre os eleitos aplicando-se incessantemente com sucesso ao trabalho disciplinado e à sua vocação mundana. A produtividade material era geralmente o resultado desse esforço e, unida à exigência puritana da renúncia ao prazer egoísta e aos gastos supérfluos, prestava-se ao acúmulo de capital.

Tradicionalmente, a ambição de sucesso comercial era percebida como diretamente ameaçadora à vida religiosa; agora, admitia-se que as duas formas de vida eram mutuamente benéficas. A doutrina religiosa em si era às vezes seletivamente transformada ou intensificada segundo o temperamento social e econômico prevalecente. Em poucas gerações, a ética protestante do trabalho, junto com a ininterrupta emergência de um individualismo assertivo e móvel, desempenhara importante papel, estimulando o desenvolvimento de uma classe média economicamente próspera, ligada à ascensão do Capitalismo. Este, que já se desenvolvia nas cidades-estados italianas do Renascimento, recebeu outros impulsos de inúmeros fatores — a acumulação da riqueza do Novo Mundo, a abertura de novos mercados, as populações em expansão, novas estratégias financeiras, novas invenções e tecnologias na organização industrial. Com o tempo, boa parte da orientação inicialmente espiritual da disciplina protestante concentrara-se em preocupações mais seculares e nas recompensas materiais resultantes de sua produtividade. Assim, a devoção religiosa sucumbiu ao vigor econômico, que seguiu em frente por si mesmo.

***

De sua parte, a Contra-Reforma igualmente produziu resultados imprevistos em uma direção oposta à pretendida. A cruzada da Igreja Católica para reformar-se e assim fazer oposição ao disseminado protestantismo assumiu inúmeras formas — da restauração da Inquisição às reformas práticas e aos textos místicos de João da Cruz e Teresa d'Ávila. No entanto, a ponta-de-lança da Contra-Reforma foram sobretudo os jesuítas, uma ordem católico-romana militante e leal ao Papa, que atraiu considerável número de homens de vontade forte e grande sofisticação intelectual. Entre as diversas atividades no mundo secular planejadas para o cumprimento de sua missão católica (que variavam desde o heróico trabalho missionário no estrangeiro à censura assídua e à intriga política bizantina nas cortes européias), os jesuítas assumiram a responsabilidade de educar a juventude, especialmente a da classe dominante, para forjar uma nova elite católica. Em pouco tempo os jesuítas tornaram-se os mais reputados professores no continente europeu. Sua estratégia educacional não envolvia apenas o ensinamento da fé e da teologia católica, mas todo o programa humanista do Renascimento e da Era Clássica — letras latinas e gregas, retórica, lógica, metafísica, ética, ciências, matemática, música e até mesmo as artes cavalheirescas da representação teatral e da esgrima. Tudo a serviço do desenvolvimento de um "soldado de Cristo" instruído: um cristão moralmente disciplinado, liberalmente culto, criticamente inteligente, capaz de superar pela astúcia a heresia protestante e promover a grande tradição ocidental do aprendizado católico.

Os jesuítas fundaram centenas de instituições educacionais por toda a Europa e logo foram imitados pelos líderes protestantes, que igualmente tinham em mente a necessidade de educar os fiéis. Assim, a tradição humanista clássica baseada na *paideia* grega sustentou-se amplamente pelos séculos seguintes, oferecendo à crescente classe instruída dos europeus uma nova fonte de unidade cultural, enquanto fragmentava-se sua antiga fonte, a cristandade. A conseqüência desse programa liberal — que apresentava aos estudantes muitos pontos de vista eloqüentemente articulados, tanto pagãos como cristãos, e com sua disciplinada inculcação de uma racionalidade crítica — não poderia deixar de ser a emergência, entre os europeus instruídos, de uma tendência, nada ortodoxa, ao pluralismo intelectual, ao ceticismo e mesmo à revolução. Não foi por acaso que Galileu, Descartes, Voltaire e Diderot receberam educação jesuítica.

E aqui temos o efeito final e mais drástico da Reforma. Com a revolta de Lutero, a matriz da cristandade medieval partiu-se em duas, logo em muitas, e depois começou aparentemente a destruir-se conforme as novas divisões lutavam entre si por toda a Europa com ferocidade desenfreada. Disso resultou um profundo caos na vida intelectual e cultural da Europa. As guerras religiosas refletiam as violentas disputas sobre qual a concepção de verdade absoluta prevaleceria entre as seitas religiosas em constante multiplicação. A necessidade de uma visão esclarecedora e unificadora capaz de transcender os conflitos religiosos sem solução era urgente e sentida por todos. No meio deste sério torvelinho metafísico, a Revolução Científica iniciou-se, desenvolveu-se e finalmente triunfou na cultura ocidental.

A Revolução Científica

Copérnico

A Revolução Científica foi a expressão final do Renascimento e também sua contribuição definitiva para a moderna visão de mundo. Nascido na Polônia e educado na Itália, Copérnico viveu no momento áureo do Renascimento. Embora destinado a tornar-se um princípio inquestionável de existência para a psique moderna, o conteúdo essencial de sua visão era inconcebível para a maioria de seus contemporâneos europeus. Mais do que qualquer outro fato, a percepção de Copérnico provocou e emblematizou o rompimento drástico e fundamental do mundo antigo e medieval com a Era Moderna.

Copérnico buscava uma nova solução para o antiqüíssimo problema dos planetas: explicar os aparentemente extravagantes movimentos planetários com uma fórmula matemática simples, clara e elegante. Para recapitular, as soluções propostas por Ptolomeu e todos os seus sucessores, baseadas no cosmo geocêntrico aristotélico, haviam exigido o emprego de um número cada vez maior de artifícios matemáticos — deferentes, epiciclos maiores e menores, equantes, excêntricos — na tentativa de dar um sentido às posições observadas e ao mesmo tempo manter a antiga regra do movimento circular uniforme. Quando um planeta não parecia movimentar-se num círculo perfeito, acrescentava-se um círculo menor, em torno do qual hipoteticamente movia-se o planeta enquanto continuava movimentando-se na linha do círculo mais amplo. Outras discrepâncias eram resolvidas pela combinação dos círculos, o deslocamento de seus centros, a imposição de outro centro a partir do qual o movimento permanecesse uniforme — e assim por diante. Cada novo astrônomo, diante de novas irregularidades que contradissessem o plano básico, tentava resolvê-las adicionando novos refinamentos — mais um epiciclo menor aqui, outro excêntrico ali.

Já no Renascimento, segundo as palavras de Copérnico, a estratégia ptolomaica havia produzido "um monstro" — uma concepção deselegante e sobrecarregada que, apesar de todos os complicados artifícios corretivos, ainda não explicava ou previa as posições observadas dos planetas com exatidão confiável. A economia conceitual original do modelo ptolomaico já não existia. Sobretudo, diversos astrônomos gregos, árabes e europeus haviam utilizado diferentes métodos e princípios, diferentes combinações de epiciclos, excêntricos e equantes, de modo que agora existia uma confusa multiplicidade de sistemas baseados em Ptolomeu. A ciência da Astronomia, sem qualquer homogeneidade teórica, estava crivada de incertezas. Mais do que isto, o acúmulo de muitos séculos de observações desde Ptolomeu revelara divergências maiores e piores do que as previsões ptolomaicas, de modo que a Copérnico parecia cada vez mais improvável que qualquer nova modificação daquele sistema fosse por si sustentável. A constância dos pressupostos antigos estava impossibilitando que os astrônomos calculassem com precisão os movimentos reais dos corpos celestiais. Copérnico concluiu que a Astronomia clássica deveria conter ou até mesmo estar baseada em algum equívoco essencial.

A Europa do Renascimento necessitava urgentemente de um calendário melhor, indispensável para as questões administrativas e litúrgicas da Igreja, que tomou para si essa reforma — a qual dependia da precisão astronômica. Copérnico, chamado para aconselhar o Papado sobre a questão, respondeu que o presente estado confuso da ciência astronômica excluía qualquer reforma eficaz imediata. A competência técnica de Copérnico como Astrônomo e Matemático capacitava-o a identificar as inconveniências da Cosmologia existente. No entanto, apenas isto não o teria obrigado a imaginar um novo sistema. Qualquer outro astrônomo igualmente competente teria percebido muito bem que o problema dos planetas era intrinsecamente insolúvel, por demais complexo e refratário à abrangência de qualquer sistema matemático. Acima de tudo, parece ter sido a participação de Copérnico no ambiente intelectual do Renascimento neoplatônico — especialmente porque adotara a convicção pitagórica de que a Natureza poderia ser fundamentalmente compreendida através de expressões matemáticas simples e harmoniosas de qualidade transcendental e eterna — que o pressionou e orientou para a inovação. O divino Criador, cujas obras por toda parte eram sempre boas e ordenadas, não poderia ter sido descuidado com o próprio céu...

Provocado por esse tipo de considerações, Copérnico revisou meticulosamente toda a literatura antiga que pôde adquirir, boa parte da qual aparecera há pouco tempo com o renascimento humanista, quando os manuscritos gregos foram transferidos de Constantinopla para o Ocidente. Ele descobriu que muitos filósofos gregos, especialmente os de formação pitagórica e platônica, haviam proposto uma Terra em movimento, embora nenhum houvesse desenvolvido a hipótese até o final de suas conclusões astronômicas e matemáticas. Por isso, a concepção geocêntrica de Aristóteles não fora a única opinião levada em conta pelas respeitadas autoridades gregas. Munido desta sensação de parentesco com uma antiga tradição, inspirado pela exaltada concepção neoplatônica do Sol e apoiado pelas avaliações críticas dos escolásticos da universidade sobre a física aristotélica, Copérnico partiu da hipótese de um Universo centrado no Sol com uma Terra planetária e elaborou matematicamente as possíveis implicações.

Apesar do aparente absurdo da inovação, sua aplicação resultou em um sistema que Copérnico acreditava ser qualitativamente melhor do que o de Ptolomeu. O modelo heliocêntrico de imediato explicava o aparente movimento diário dos céus e o movimento anual do Sol, devidos à rotação diária da Terra em torno de seu eixo e sua revolução anual em torno do Sol central. O aparente movimento do Sol e das estrelas agora podia ser considerado uma ilusão criada pelos movimentos da própria Terra. Assim, os grandes movimentos celestiais nada mais eram do que uma projeção do movimento da Terra na direção oposta. À tradicional objeção de que uma Terra em movimento desintegraria a si e aos objetos sobre ela, Copérnico respondeu que a teoria geocêntrica precisaria de um movimento muito mais rápido dos céus imensamente maiores, que constituiria um dilaceramento manifestamente pior.

Inúmeros problemas particulares que há muito intrigavam a tradição ptolomaica pareciam mais sobriamente resolvidos por um sistema heliocêntrico. Os aparentes movimentos para trás e para frente dos planetas em relação às estrelas fixas e seus variados graus de luminosidade, que os astrônomos haviam explicado através de incontáveis artifícios matemáticos, agora podiam ser entendidos com maior simplicidade como conseqüência de serem esses planetas vistos de uma Terra em movimento — que produziria as aparências retrógradas sem o hipotético uso de grandes epiciclos. Uma Terra em movimento faria automaticamente com que as órbitas planetárias regulares em torno do Sol parecessem ao observador terrestre movimentos irregulares em torno da própria Terra. Os equantes também já não eram necessários; eram um artifício ptolomaico que mereceram de Copérnico objeções estéticas, porque violavam a regra do movimento circular uniforme. A nova ordem que Copérnico deu aos planetas a partir do Sol — Mercúrio, Vênus, a Terra e a Lua, Marte, Júpiter e Saturno — substituía a tradicional ordem, em que a Terra era o centro, proporcionando uma solução simples e coerente ao problema anteriormente mal resolvido da razão pela qual Marte e Vênus sempre apareciam perto do Sol. A explicação desses e de outros problemas análogos mostrava a Copérnico a superioridade da teoria heliocêntrica sobre o sistema ptolomaico. As aparências estavam salvas (embora ainda aproximadamente), como maior elegância conceitual. Apesar das desfavoráveis evidências do bom senso, para não mencionar-se quase dois milênios de tradição científica, Copérnico estava convencido de que a Terra realmente se movia.

O *Commentariolus*, uma primeira versão da tese em curto manuscrito, circulou entre os amigos de Copérnico já em 1514. Vinte anos mais tarde, em Roma, ele fez uma palestra sobre os princípios de seu novo sistema para o Papa, que o aprovou. Logo depois, fez-se uma requisição formal para publicá-la. Contudo, por quase toda sua vida, Copérnico evitou publicar na íntegra sua extraordinária idéia (posteriormente, no prefácio ao *De Revolutionibus*, dedicado ao Papa, Copérnico confessou sua relutância em revelar publicamente sua percepção dos mistérios da Natureza para evitar o escárnio dos não-iniciados — invocando o costume pitagórico do segredo rigoroso em tais questões). No entanto, seus amigos e especialmente seu discípulo mais chegado, Rheticus, prevaleceram; este último finalmente recebeu autorização para levar o manuscrito completo da Polônia à Alemanha para ser impresso. No último dia de sua vida, em 1543, um exemplar da obra publicada foi levado a Copérnico.

Naquele dia e por muitas décadas seguintes, quase nada indicava que na Europa se havia iniciado uma revolução sem precedentes na visão de mundo ocidental. Para a maioria dos que ouviram falar no assunto, a nova concepção tanto contradizia o cotidiano, era tão claramente falsa, que sequer implicava uma discussão mais séria. Mas, à medida que os poucos astrônomos competentes começavam a acreditar na persuasiva argumentação de Copérnico, cresceu a oposição: as implicações religiosas da nova cosmologia rapidamente provocaram os mais intensos ataques.

A Reação Religiosa

No início, essa oposição não vinha da Igreja Católica. Copérnico era um cânone consagrado numa catedral católica e um apreciado consultor da Igreja em Roma. Entre os amigos que o pressionaram para a publicação estavam um bispo e um cardeal. Depois de sua morte, as universidades católicas não evitaram o uso do *De Revolutionibus* nas aulas de Astronomia. O novo calendário gregoriano instituído pela Igreja baseava-se em cálculos segundo o sistema de Copérnico. Esta aparente flexibilidade não era extraordinária, pois durante a maior parte da Alta Idade Média e do Renascimento, o catolicismo romano permitira considerável liberdade para a especulação intelectual. Na verdade, essa amplitude de visão dava origem a uma grande crítica protestante à Igreja. Com a tolerância e até incentivo à exploração da filosofia, da ciência e do pensamento secular da Grécia, inclusive a metafórica interpretação helênica das escrituras, aos olhos dos protestantes a Igreja permitira a contaminação do Cristianismo puro e da verdade literal da Bíblia.

O antagonismo dos reformadores protestantes foi o primeiro a erguer-se com grande vigor, o que era compreensível: a hipótese de Copérnico ia contra diversas passagens da Sagrada Escritura a respeito da Terra fixa, e a Escritura era a única autoridade absoluta do Protestantismo. Questionar a revelação bíblica pela ciência humana era exatamente o tipo de sofisticação interpretativa e arrogância intelectual helênica mais abominada pelos reformadores na cultura católica. Portanto, os protestantes foram rápidos em identificar a ameaça representada pela astronomia copernicana e a condenação à heresia. Mesmo antes de publicado o *De Revolutionibus*, Lutero chamara Copérnico de "astrólogo vigarista" que ridiculamente pretendia revirar toda a ciência da Astronomia em flagrante contradição à Bíblia Sagrada. A Lutero logo se uniram outros reformadores, como Melanctônio e Calvino, alguns dos quais recomendaram medidas rigorosas para suprimir aquela perniciosa heresia. Citando um trecho dos Salmos, "o mundo também está determinado, e não pode ser alterado", Calvino perguntava: "Quem ousará colocar a autoridade de Copérnico acima da autoridade do Espírito Santo?" Quando Rheticus levou o manuscrito de Copérnico a Nurenberg para ser publicado, a oposição dos reformadores obrigou-o a procurar outro lugar. Em Leipzig, ele deixou o livro para publicação com o protestante Osiandro que, sem o conhecimento de Copérnico, acrescentou um prefácio anônimo afirmando que a teoria heliocêntrica era apenas um método conveniente para calcular, que não deveria ser levado a sério como descrição realista dos céus.

O estratagema talvez tenha salvado a publicação, mas Copérnico realmente falava sério, como revelava uma boa leitura do texto. Na época de Galileu, no início do século XVII, a Igreja Católica — agora com renovada sensação da necessidade de ortodoxia doutrinária — sentiu-se forçada a assumir uma postura definida contra a hipótese de Copérnico.

Embora em um século anterior, Tomás de Aquino ou os antigos padres da Igreja talvez prontamente levassem em consideração uma interpretação metafórica das passagens da Escritura em questão, eliminando assim a aparente contradição em relação à ciência, o fato de Lutero haver enfaticamente tomado tudo ao pé da letra incentivou atitude semelhante na Igreja Católica. Agora as duas partes em disputa desejavam garantir uma solidez intransigente com respeito à revelação bíblica.

Além do mais, a culpa por associação recentemente ferira a reputação do copernicanismo, com o caso do astrônomo e filósofo neoplatônico Giordano Bruno — que, como parte de sua filosofia esotérica, divulgara amplamente uma versão avançada da teoria heliocêntrica, mas fora posteriormente julgado e executado pela Inquisição por suas idéias teológicas heréticas. Bruno acreditava que a Bíblia deveria ser seguida por seus ensinamentos morais e não por sua Astronomia, e que todas as religiões e filosofias deveriam conviver com tolerância e mútua compreensão; suas afirmações não foram recebidas com muito entusiasmo pela Inquisição. Na atmosfera aquecida da Contra-Reforma, essas visões liberais não eram bem aceitas, na melhor das hipóteses, e no caso de Bruno, cujo temperamento era tão teimoso quanto suas idéias não eram ortodoxas, foram, em verdade, consideradas escandalosas. Certamente, para a teoria copernicana não foi nada bom o fato de o homem que a havia ensinado ser o mesmo que sustentava idéias heréticas sobre a Trindade e outras questões teológicas essenciais. Depois que Giordano Bruno foi queimado na fogueira em 1600 (não por seus ensinamentos heliocêntricos), o copernicanismo parecia uma teoria mais perigosa — tanto para as autoridades religiosas como para os filósofos-astrônomos, cada qual por motivos diferentes.

No entanto, a nova teoria não entrava apenas em conflito com trechos da Bíblia; agora estava aparente que o copernicanismo impunha uma ameaça fundamental a todo o referencial cristão da Cosmologia, da Teologia e da Moral. Desde o momento em que os escolásticos e Dante aderiram à ciência grega e dotaram-na de significado religioso, a visão de mundo cristã se encaixara inexplicavelmente num universo aristotélico-ptolomaico geocêntrico. A dicotomia essencial entre o reino celestial e o terrestre, a grandiosa estrutura cosmológica de Céu, Inferno e Purgatório, as esferas planetárias circundantes com anfitriões angelicais, o trono empíreo de Deus acima de tudo, o drama moral da vida humana centrado no eixo entre o Céu espiritual e a Terra corpórea: tudo isso seria questionado ou inteiramente destruído pela nova teoria. Mesmo não levando em conta a complicada superestrutura medieval, os princípios mais fundamentais da religião cristã estavam agora sendo impugnados pela inovação astronômica. Se a Terra realmente se movimentasse, ela já não poderia ser o centro fixo da Criação divina e seu plano de salvação. O Homem também não poderia ser o eixo central do Universo. A absoluta singularidade e significado da intervenção de Cristo na história humana parecia exigir correspondente singularidade e significado da Terra. Parecia estar em jogo até mesmo o significado da Redenção, evento central não apenas da história humana, mas da própria História universal. Ser copernicano era ser ateu. Aos olhos dos conselheiros do Papa, o *Diálogo sobre os dois Principais Sistemas do Mundo*, de Galileu, que já era aplaudido por toda a Europa, ameaçava ter influência pior nas mentes cristãs "do que Lutero e Calvino juntos".

Com a religião e a ciência nessa aparente contradição (e ainda assim, uma ciência rastaqüera, mera novidade teórica), não havia muito a questionar para as autoridades da Igreja decidirem qual sistema deveria prevalecer. Alerta em relação às funestas implicações teológicas da Astronomia copernicana, e ainda mais traumatizada em dogmática rigidez pelas décadas de conflito e heresia da Reforma, a Igreja Católica reuniu seus consideráveis poderes de supressão e condenou em termos bastante diretos a hipótese heliocêntrica: o *De Revolutionibus* e o *Diálogo* entraram no Índex dos livros proibidos; Galileu foi interrogado pela Inquisição, forçado a retratar-se e colocado em prisão domiciliar; importantes copernicanos perderam seus postos e foram banidos; todos os ensinamentos e textos que sustentavam o movimento da Terra estavam proibidos. Com a teoria de Copérnico, a prolongada tensão entre Fé e Razão do catolicismo finalmente arrebentara.

Kepler

No momento da retratação de Galileu, o triunfo científico do copernicanismo já estava à vista; as tentativas das religiões institucionais de reprimi-lo, tanto a católica como a protestante, logo se voltariam contra elas. Naqueles primeiros anos, o triunfo da teoria heliocêntrica não parecia muito seguro. A idéia de uma Terra em movimento foi em geral ridicularizada, quando levada em conta, pelos contemporâneos de Copérnico e até o final do século XVI. Além disso, *De Revolutionibus* era bastante obscuro (talvez intencionalmente), exigindo conhecimentos técnicos de

Matemática que somente poucos astrônomos conseguiam entender e, desses poucos, um número menor ainda aceitava a hipótese central. No entanto, nenhum deixava de reconhecer a sofisticação técnica; em pouco tempo, seu autor era chamado de "segundo Ptolomeu". Nas décadas seguintes, cada vez mais astrônomos e astrólogos descobriam a utilidade dos diagramas e cálculos de Copérnico, que chegaram a ser considerados indispensáveis. Eram publicadas novas tabelas astronômicas baseadas nas observações mais recentes segundo seus métodos e, como essas tabelas eram consideravelmente superiores às antigas, a reputação da Astronomia copernicana aumentava. Contudo, ainda restavam importantes problemas teóricos.

Copérnico foi um revolucionário que mantivera muitos pressupostos tradicionais que funcionavam contra o sucesso imediato de sua hipótese. Particularmente, ele continuara a acreditar na máxima ptolomaica, de que os planetas têm movimentos circulares uniformes; isso obrigou seu sistema a ter a mesma complexidade matemática que o de Ptolomeu. Para que sua teoria correspondesse às observações, Copérnico precisava de epiciclos e excêntricos menores. Ele mantinha as esferas cristalinas concêntricas que movimentavam os planetas e as estrelas, além de outros componentes físicos e matemáticos essenciais do velho sistema ptolomaico, sem responder de maneira adequada a certas objeções físicas evidentes em relação, por exemplo, a uma Terra em movimento: por que os objetos terrestres simplesmente não caem enquanto o planeta se movimenta pelo espaço?

Apesar do caráter radical da hipótese copernicana, uma Terra planetária era a única inovação realmente importante em *De Revolutionibus*, obra que em outros aspectos condizia perfeitamente com a tradição astronômica antiga e medieval. Copérnico causara o primeiro rompimento da velha Cosmologia e assim criara todos os problemas que tiveram de ser resolvidos por Kepler, Galileu, Descartes e Newton, antes que se pudesse apresentar uma boa teoria científica abrangente que integrasse uma Terra planetária. Permaneciam inúmeras contradições internas no legado de Copérnico — uma Terra em movimento num Cosmo regido pelos pressupostos aristotélicos e ptolomaicos. Devido à adesão ao movimento circular uniforme, o sistema de Copérnico não era nada mais simples ou sequer mais preciso do que o de Ptolomeu. Entretanto, apesar dos problemas restantes, a nova teoria possuía certa coerência e simetria harmoniosa que atraiu alguns dos astrônomos subseqüentes — mais especialmente, Kepler e Galileu. Acima de tudo, o principal fator de atração desses apoios decisivos para a causa copernicana não foi a precisão utilitária científica, mas a superioridade estética. Sem a distorção intelectual criada por um critério estético neoplatonicamente definido, talvez a Revolução Científica nem ocorresse; com certeza, não ocorreria na forma que historicamente assumiu.

Kepler, com sua apaixonada crença no poder transcendental dos números e das formas geométricas, sua visão do Sol com a imagem central da divindade e sua devoção à celestial "harmonia das esferas", era bem mais impelido por motivações neoplatônicas do que Copérnico. Ao escrever para Galileu, Kepler invocou "Platão e Pitágoras, nossos verdadeiros preceptores". Ele acreditava que Copérnico intuira algo maior do que a teoria heliocêntrica era capaz de expressar naquele momento e que, se livre dos pressupostos ptolomaicos que ainda remanesciam em *De Revolutionibus*, aquela hipótese abriria a compreensão da Ciência para um novo cosmo espetacularmente ordenado e harmonioso, refletindo diretamente a glória de Deus. Kepler era também o herdeiro de um imenso cabedal de observações astronômicas de exatidão sem precedentes reunidas por Tycho de Brahe, seu antecessor como matemático e astrônomo imperial do Sacro Império Romano.[1] Munido desses dados e de sua fé resoluta na teoria copernicana, dispôs-se a descobrir as leis matemáticas simples que resolveriam o problema dos planetas.

Durante quase dez anos, Kepler laboriosamente cotejou todos os possíveis sistemas hipotéticos de círculos que podia imaginar com as observações de Tycho, concentrando-se especialmente no planeta Marte. Depois de muitos fracassos, foi obrigado a concluir que a verdadeira forma das órbitas planetárias seria alguma outra figura geométrica, e não o círculo. Como dominava a antiga teoria das seções cônicas desenvolvida por Euclides e Apolônio, Kepler afinal descobriu que as observações correspondiam precisamente a órbitas em forma de elipses: o Sol era um dos dois focos; os planetas movimentavam-se em diferentes velocidades, que variavam em proporção à sua distância em relação ao Sol — mais depressa, quando próximos, mais lentamente quanto mais afastados, percorrendo áreas iguais em iguais tempos. A máxima platônica da uniformidade do movimento sempre fora interpretada em termos da medida do arco da órbita circular — igual distância no arco em iguais intervalos de tempo. Essa interpretação falhara, apesar da engenhosidade dos astrônomos em dois mil anos. Mas Kepler descobriu uma nova uniformidade, mais sutil, que correspondia perfeitamente às observações: desenhando-se uma linha do Sol ao planeta em sua órbita elíptica, esta linha percorreria áreas iguais da elipse em iguais intervalos de tempo. Mais tarde, ele concebeu e corroborou uma segunda lei, demonstrando que as diferentes órbitas planetárias relacionavam-se entre si em exatas proporções matemáticas — a proporção dos quadrados dos períodos orbitais era igual à proporção dos cubos de sua distância média a partir do Sol.

Kepler assim resolveu finalmente o antigo problema dos planetas e cumpriu a extraordinária previsão de Platão de órbitas singulares, uniformes e matematicamente ordenadas — e, com isso, justificou a hipótese de Copérnico. As órbitas elípticas substituíam os círculos ptolomaicos e a lei das áreas iguais substituía a dos arcos iguais; assim foi possível descartar todos aqueles artifícios complexos de epiciclos, excêntricos, equantes e assim por diante. Bem mais significativo foi o fato de sua única figura geométrica simples e sua única equação matemática da velocidade produzirem resultados rigorosíssimos, correspondendo precisamente às observações — algo jamais obtido com nenhuma das soluções ptolomaicas anteriores, apesar de todos os seus artifícios temporários. Kepler tomara centenas e centenas de variadas observações em geral inexplicáveis dos céus, condensando-as em poucos princípios bastante concisos e abrangentes, demonstrando de maneira convincente que o Universo estava arranjado segundo elegantes harmonias matemáticas. Dados empíricos e o raciocínio matemático abstrato enfim se mesclavam com perfeição. Sobretudo (o que tinha especial importância para Kepler), as mais avançadas conclusões científicas ao mesmo tempo afirmavam a teoria de Copérnico e o misticismo matemático dos antigos filósofos pitagóricos e platônicos.

Pela primeira vez, uma solução matemática para o problema dos planetas levou diretamente a uma descrição física dos céus em termos de um movimento fisicamente plausível. As elipses de Kepler eram movimentos contínuos singelos de uma única forma. Em compensação, o complicado sistema ptolomaico de círculos infinitamente sobrepostos não tinha nenhum correlato empírico na vida cotidiana. Por causa disso, as soluções matemáticas da tradição ptolomaica eram muitas vezes consideradas simples "construções" instrumentais sem nenhuma pretensão de descrever uma realidade física. Copérnico entretanto defendera a realidade física de seus constructos matemáticos. No *De Revolutionibus*, aludia à antiga concepção da Astronomia como "a consumação da matemática". Mesmo assim, Copérnico oferecera um sistema implausível e bastante complicado de epiciclos e excêntricos menores por conta das aparências...

Kepler, no entanto, recolheu frutos da intuição e a argumentação matemática imperfeita de Copérnico. Pela primeira vez na Astronomia, as aparências estavam "realmente" salvas, não apenas instrumentalmente. Kepler resolvera ao mesmo tempo os fenômenos, no sentido tradicional, e "salvara" a própria Astronomia matemática, demonstrando a verdadeira pertinência física da Matemática em relação aos céus — uma capacidade para desvendar a natureza real dos movimentos físicos. Agora a Matemática estabelecia-se não apenas como instrumento para a previsão astronômica, mas como elemento intrínseco da realidade astronômica. Assim, para Kepler, a tese pitagórica de que a Matemática era a chave da compreensão do Universo foi triunfalmente comprovada, revelando a grandiosidade anteriormente oculta da criação divina.

Galileu

Com a inovação de Kepler, é quase certo que, no decorrer do tempo, a revolução copernicana teria tido êxito no mundo científico por sua grande superioridade matemática e capacidade de previsão. No entanto, por coincidência, em 1609, mesmo ano em que foram publicadas em Praga as leis dos movimentos planetários de Kepler, em Pádua Galileu voltou seu novo telescópio para os céus: suas impressionantes observações permitiram que a Astronomia tivesse a primeira comprovação de boa qualidade que jamais se conhecera. Todas as observações — crateras e montanhas na superfície da Lua, as manchas movediças no Sol, as quatro luas girando em torno de Júpiter, as fases de Vênus, as estrelas "inacreditavelmente" numerosas da Via Láctea — foram interpretadas por Galileu como vigorosas comprovações da teoria heliocêntrica de Copérnico.

Se a superfície da Lua era irregular, como a da Terra, e se o Sol tinha manchas que apareciam e desapareciam, é porque esses corpos não eram aqueles objetos celestiais perfeitos, incorruptíveis e imutáveis da cosmologia aristotélico-ptolomaica. Igualmente, se Júpiter era um corpo em movimento e mesmo assim podia também ter quatro luas girando em torno de si, com todo esse sistema revolvendo-se em uma órbita maior, a Terra também podia fazer o mesmo com sua própria Lua — o que refutava o argumento tradicional de que a Terra não podia movimentar-se em torno do Sol ou que assim sua Lua há muito já teria saído de sua órbita. E mais: se as fases de Vênus eram visíveis, é porque este planeta devia estar girando em torno do Sol. E se a Via Láctea, que para o olho nu era apenas uma luminescência nebulosa, agora mostrava-se composta de milhares de novas estrelas, é porque a idéia copernicana de um universo bem mais vasto (para explicar a ausência de uma paralaxe estelar anual apesar do movimento da Terra em torno do Sol) parecia consideravelmente mais plausível. Se, pelo telescópio, os planetas pareciam ter corpos materiais com amplas superfícies e não eram mais simples pontos de luz, e muito mais estrelas eram visíveis sem qualquer extensão aparente, isto também argumentava a favor de um Universo incomparavelmente maior do que o considerado pela cosmologia tradicional. Depois de muitos meses com esse tipo de descobertas e conclusões, Galileu rapidamente escreveu o seu *Sidereus Nuncius* (*O Mensageiro das Estrelas*), divulgando suas primeiras observações. O livro provocou sensação nos círculos intelectuais da Europa.

Com o telescópio de Galileu, a teoria heliocêntrica já não poderia ser considerada um conjunto de cálculos simples. Agora, estava provida de materialização física visível. Além do mais, o telescópio revelava os céus em sua materialidade grosseira — não os transcendentais pontos de luz celestial, mas substâncias concretas, apropriadas para a investigação empírica, exatamente como os fenômenos naturais da Terra. A prática acadêmica consagrada pela observação e pela argumentação exclusivamente a partir dos limites do pensamento aristotélico começou a dar lugar a um novo exame crítico dos fenômenos empíricos. Muitos indivíduos anteriormente não envolvidos em estudos científicos agora tomavam o telescópio e constatavam por si mesmos a natureza do novo Universo copernicano. Em virtude do telescópio e dos convincentes textos de Galileu, a Astronomia passou a interessar não apenas os especialistas. Sucessivas gerações de europeus do final do Renascimento e pós-renascentistas, cada vez mais ansiosos para pôr em dúvida a autoridade absoluta de doutrinas antigas e eclesiásticas, achavam a teoria copernicana muito plausível e, sobretudo, libertadora. Um novo mundo celestial se abria para a cultura ocidental, assim como um novo mundo terrestre se abria para os exploradores do Globo. Embora as conseqüências culturais das descobertas de Kepler e Galileu fossem graduais e cumulativas, o Universo medieval recebera seu golpe mortal. O triunfo épico da revolução copernicana sobre o pensamento ocidental havia começado.

A Igreja poderia ter reagido de outro modo a esse triunfo. Raras vezes em sua história a religião cristã tentara reprimir com tanta severidade uma teoria científica estritamente baseada em aparentes contradições às Escrituras. Como o próprio Galileu indicou, a Igreja há muito se habituara a sancionar as interpretações alegóricas da Bíblia quando elas pareciam entrar em conflito com as evidências científicas. Para isto, ele citou os primeiros padres da Igreja, acrescentando que "seria um terrível detrimento para as almas, se as pessoas se vissem convencidas por meio de provas de algo em que então seria pecado acreditar". Além do mais, muitas autoridades eclesiásticas reconheciam a genialidade de Galileu, inclusive diversos astrônomos jesuítas no Vaticano. O próprio Papa era amigo de Galileu e aceitou com entusiasmo a dedicação de seu livro, *Assayer*, que esboçava o novo método científico. Até mesmo o cardeal Belarmino, principal teólogo da Igreja, que por fim tomou a decisão de declarar o copernicanismo "falso e errôneo," escrevera antes:

> Se houvesse uma prova real de que o Sol está no centro do universo, de que a Terra está no terceiro céu e de que o Sol não gira em torno da Terra, mas a Terra em torno do Sol, devemos continuar a explicar com grande circunspecção as passagens das Escrituras que parecem ensinar o contrário, admitindo que não as compreendíamos, em vez de declarar que é falsa uma opinião que provou ser verdadeira.[2]

No entanto, uma singular combinação de poderosas circunstâncias conspirou contra essa visão. A crescente consciência da Igreja em relação à ameaça protestante juntou-se à dificuldade criada por qualquer posição inovadora e potencialmente herética. Com a memória da heresia de Giordano Bruno ainda recente, as autoridades católicas ansiosamente desejavam evitar um novo escândalo que pudesse ampliar o dilaceramento da cristandade iniciado pela Reforma. Tornando a questão ainda mais ameaçadora estavam a nova força da imprensa e a lúcida capacidade de persuasão do italiano vernacular de Galileu, que solapava as tentativas da Igreja de controlar as crenças dos fiéis. Para complicar a reação da Igreja, também entravam os emaranhados conflitos políticos da Itália, envolvendo o Papa. Os professores aristotélicos nas universidades desempenharam um papel central; sua intensa oposição ao vociferante anti-aristotélico Galileu, que, ainda por cima, era muitíssimo popular, serviu para levantar os pregadores fundamentalistas — que, por sua vez, despertaram a Inquisição. A própria personalidade polêmica e um tanto sarcástica de Galileu, indispondo os oponentes ao ponto de desejarem vingança, era um fator a contribuir para isto; além do mais, havia sua insuficiente sensibilidade para perceber o profundo significado da imensa revolução cosmológica em andamento. Belarmino estava convencido de que as hipóteses matemáticas eram apenas "construções" intelectuais sem relação alguma com a realidade física; Galileu abraçava o atomismo, quando a doutrina católica da transubstanciação eucarística parecia exigir uma física aristotélica; o Papa sentia-se pessoalmente traído, o que era exacerbado por sua insegurança política; as lutas pelo poder entre as diversas ordens religiosas dentro da Igreja; o voraz apetite dos inquisidores pela punição repressiva — todos esses fatores se aglutinaram num acordo fatal do destino para motivar a decisão oficial da Igreja de proibir o copernicanismo.

Esta decisão causou dano irreparável na integridade intelectual e espiritual da Igreja. O comprometimento formal do catolicismo em relação a uma Terra estacionária eliminou drasticamente sua posição e influência nos meios da *intelligentsia* européia. A Igreja manteria grande poder e reteria a lealdade nos séculos seguintes, mas já não podia reivindicar ser a representante da aspiração humana voltada para o pleno conhecimento do Universo. Depois do banimento pela Inquisição, os escritos de Galileu foram contrabandeados para o norte, onde a vanguarda da busca intelectual do Ocidente passaria então a residir.[3] Qualquer que fosse a relativa importância de fatores isolados, como a oposição feroz da academia aristotélica ou os motivos pessoais do Papa, em última análise o conflito galileano significou um embate cultural da Igreja contra a Ciência e, implicitamente, da Religião contra a Ciência. A retratação forçada de Galileu significava a derrota da Igreja e a vitória da Ciência.

Toda a cristandade institucional sofreu com a vitória copernicana, o que ia contra as duas bases religiosas — a Bíblia literal do protestantismo e a sacramental autoridade do catolicismo. Naquele momento, a maioria dos intelectuais europeus, inclusive os revolucionários científicos, permaneceria devotamente cristã. Mas o cisma entre a Ciência e a Religião — uniforme nas mentes individuais — se anunciara por inteiro. Com Lutero, a independência intelectual do Ocidente se afirmara no campo da Religião; com Galileu, ela deu um passo totalmente para fora da Religião, estabeleceu novos princípios e abriu um novo território.

A Formação da Cosmologia Newtoniana

Embora o apoio matemático de Kepler e as observações de Galileu assegurassem o sucesso da teoria heliocêntrica na Astronomia, esta ainda carecia de um plano conceitual mais abrangente, uma cosmologia coerente. Ptolomeu fora satisfatoriamente substituído, mas não Aristóteles. Parecia claro que a Terra e os outros planetas se movimentassem em torno do Sol, mas se não houvesse nenhuma esfera etérica circundante, como se movimentavam então os planetas, inclusive a Terra? E o que agora impedia que eles voassem para fora de suas órbitas? Se a Terra estava em movimento, eliminando assim a base da física aristotélica, como é que os objetos terrestres sempre caíam em direção à superfície do planeta? Se as estrelas eram tão numerosas e distantes, de que tamanho era então o Universo? Qual era sua estrutura, onde estava o seu centro — se é que havia um centro? O que aconteceria com a divisão Céu-Terra há tanto tempo reconhecida, se a Terra era planetária como os outros corpos celestes e se esses corpos celestiais agora pareciam ter as mesmas qualidades da Terra? E onde estava Deus nesse Cosmo? Até que essas questões de peso fossem respondidas, a revolução copernicana despedaçara a velha cosmologia, mas ainda não havia elaborado uma nova.

Kepler e Galileu haviam proporcionado a compreensão e os instrumentos essenciais para a abordagem desses problemas. Ambos acreditavam e depois demonstraram que o Universo estava matematicamente organizado, e que o progresso científico era obtido através da rigorosa comparação de hipóteses matemáticas com dados empíricos. A obra de Copérnico já proporcionara a mais fértil sugestão para a nova cosmologia; ao transformar a Terra num planeta para explicar o aparente movimento do Sol, ele deixara implícito que os céus e a Terra não deveriam e não poderiam ser considerados absolutamente distintos. Kepler foi ainda mais longe, aplicando diretamente as noções de força terrestre aos fenômenos celestiais.

As órbitas circulares ptolomaicas (e copernicanas) sempre haviam sido consideradas "movimentos naturais" no sentido aristotélico: por sua natureza elementar, as esferas etéricas movimentavam-se em círculos perfeitos, assim como os elementos pesados da terra e da água movimentavam-se para baixo e os elementos de luz do ar e do fogo moviam-se para cima. Contudo, as elipses de Kepler não eram circulares e constantes, mas envolviam planetas que mudavam de velocidade e direção em cada ponto de suas órbitas. O movimento elíptico num universo heliocêntrico exigia uma nova explicação, além do movimento natural.

Kepler propunha como alternativa o conceito de uma força constantemente imposta. Como sempre, influenciado pela exaltação neoplatônica, ele acreditava que o Sol fosse uma fonte do movimento no Universo. Dessa forma, postulava uma *anima motrix*, força motora análoga às "influências" astrológicas, que emanaria do Sol e movimentaria os planetas — com força maior em sua proximidade, e menor quanto mais distante. Contudo, Kepler ainda tinha de explicar por que as órbitas se curvavam em elipses. Absorvido o então recente trabalho de William Gilbert sobre o magnetismo, com sua tese de que a própria Terra era um gigantesco ímã, Kepler estendeu esse princípio a todos os corpos celestiais e aventou a hipótese de que a *anima motrix* do Sol combinava seu próprio magnetismo ao dos planetas para criar as órbitas elípticas. Com isso, Kepler apresentou a primeira hipótese de que os planetas em suas órbitas eram movimentados por forças mecânicas, não pelo movimento geométrico automático das esferas aristotélico-ptolomaicas. Apesar de sua forma relativamente primitiva, o conceito de sistema solar de Kepler como máquina autogovernada baseada em noções da dinâmica terrestre antecipava corretamente a cosmologia emergente.

Nesse meio tempo, Galileu utilizara esse método de análise mecânico-matemática no plano terrestre com rigor sistemático e extraordinário sucesso. Como os cientistas do Renascimento Kepler e Copérnico, Galileu absorvera dos humanistas neoplatônicos a crença de que o mundo físico poderia ser compreendido em termos geométricos e aritméticos. Cheio de convicção pitagórica, ele declarou que "o Livro da Natureza foi escrito em caracteres matemáticos". Não obstante, mais pragmático, Galileu desenvolveu a matemática nem tanto como uma chave mística para os céus, mas como o instrumento perfeito para a compreensão da matéria em movimento e para a derrota de seus oponentes aristotélicos. Embora Kepler compreendesse o movimento celestial de maneira mais avançada do que Galileu (que, como Copérnico, ainda acreditava no movimento circular auto-sustentado), a percepção de Galileu da dinâmica terrestre, aplicada por seus sucessores aos céus, começaria a resolver os problemas físicos criados pela inovação de Copérnico.

A física aristotélica, baseada em qualidades perceptíveis e na lógica verbal, ainda regia grande parte do pensamento científico contemporâneo e dominava as universidades. Contudo, o modelo mais reverenciado por Galileu era Arquimedes, o físico-matemático (cujos textos haviam sido redescobertos, na época, pelos humanistas), e não Aristóteles, o biólogo descritivo. Para combater os aristotélicos, Galileu desenvolvera um novo procedimento para a análise dos fenômenos e uma nova base para testar as teorias. Ele argumentava que para fazer julgamentos exatos sobre a Natureza, os cientistas deveriam levar em conta somente as qualidades "objetivas" mensuráveis com precisão (tamanho, forma, número, peso, movimento); as qualidades meramente perceptíveis (cor, som, sabor, textura, cheiro) deveriam ser deixadas de lado, por serem subjetivas e efêmeras. Somente por meio de uma análise exclusivamente quantitativa a Ciência poderia obter o conhecimento seguro do mundo. Ademais, o empirismo de Aristóteles fora predominantemente descritivo, consistindo numa abordagem lógico-verbal, especialmente exagerada pelos aristotélicos posteriores; Galileu agora estabelecia o experimento quantitativo como teste final das hipóteses. Finalmente, para explorar as regularidades matemáticas e o verdadeiro caráter da Natureza, Galileu empregou, desenvolveu ou inventou uma série de instrumentos técnicos: lentes, telescópio, microscópio, bússola geométrica, ímãs, termômetro, balança hidrostática. O uso desses instrumentos deu ao empirismo uma nova dimensão, desconhecida para os gregos, eliminando as teorias e a prática dos mestres aristotélicos. Para Galileu, a livre exploração de um Universo matematicamente impessoal deveria substituir a medíocre e interminável justificação dedutiva da tradição acadêmica relativa ao Universo orgânico de Aristóteles.

Utilizando as novas categorias e a nova metodologia, Galileu decidiu demolir o dogma espúrio da física acadêmica. Aristóteles acreditara que um corpo mais pesado cairia em velocidade maior do que um mais leve, devido à sua propensão fundamental a buscar o centro da Terra como sua posição natural — quanto mais pesado o corpo, maior a propensão. Através da repetida aplicação da análise matemática aos experimentos físicos, Galileu primeiro refutou essa tese e mais tarde formulou a lei do movimento acelerado uniforme nos corpos em queda — um movimento que não dependia do peso ou da composição dos corpos. A partir da teoria do ímpeto de Buridan e Oresme, os críticos escolásticos de Aristóteles, Galileu analisou o movimento dos projéteis e desenvolveu a idéia decisiva da inércia. Ao contrário de Aristóteles, que sustentava que todos os corpos buscam seu lugar natural e que nada continuaria em movimento sem uma força externa aplicada constantemente, Galileu afirmou que, do mesmo modo como um corpo em repouso tenderia a continuar assim, a não ser que fosse empurrado, também um corpo em movimento tenderia a permanecer em constante movimento, a não ser que fosse de alguma forma detido ou desviado. A força era necessária apenas para explicar a mudança do movimento, não o movimento constante. Assim, ele refutou um dos principais argumentos da física aristotélica contra uma Terra planetária — os objetos em uma Terra em movimento forçosamente seriam atirados de um lado para outro, e um proj étil lançado diretamente para cima numa Terra em movimento, necessariamente cairia a alguma distância de seu ponto de partida. Como nenhum desses fenômenos foi observado, os aristotélicos concluíram que a Terra deveria ser estacionária. Por meio de seu conceito de inércia, Galileu demonstrava que uma Terra em movimento automaticamente dotaria todos os seus objetos e projéteis com o movimento da própria Terra e, portanto, o movimento coletivo inercial seria imperceptível para qualquer pessoa que estivesse na Terra.

Em sua obra, Galileu realmente apoiou a teoria copernicana, iniciou a matematização da Natureza, apreendeu a idéia de força como agente mecânico, lançou as bases da Física Experimental e da Mecânica Moderna, além de elaborar os princípios operacionais do moderno método científico. Não obstante, a questão de como explicar fisicamente os movimentos celestiais, inclusive o movimento da própria Terra, continuava sem solução. Como não chegou a perceber o significado das leis planetárias descobertas por seu contemporâneo Kepler, Galileu continuou a sustentar a tradicional noção dos movimentos celestiais como órbitas circulares, apenas agora centradas em torno do Sol. Seu conceito da inércia — que considerava aplicável na Terra apenas aos movimentos sobre superfícies horizontais (em que a gravidade não entrava como fator) e que era assim um movimento circular em torno de sua superfície terrestre — foi também aplicado aos céus: os céus continuavam a movimentar-se em suas órbitas ao redor do Sol porque sua tendência inercial natural era circular. Entretanto, a inércia circular de Galileu não explicava as elipses de Kepler. Tudo isso ainda tornava mais implausível que a Terra fosse agora um planeta — sendo ela o único centro do Universo na cosmologia aristotélica, definidora do espaço à sua volta, o único motivo absoluto e único ponto de referência das esferas circundantes. O universo copernicano ainda continha um enigma fundamental.

Ocorria agora outro influxo da antiga filosofia grega: o atomismo de Leucipo e Demócrito, que ao mesmo tempo indicaria uma solução para o problema do movimento celestial e ajudaria a moldar o rumo futuro do desenvolvimento científico ocidental. A filosofia do atomismo, transmitida por Demócrito a seus sucessores Epicuro e Lucrécio, voltara à tona durante o Renascimento como parte da literatura antiga recuperada pelos humanistas, especialmente através do poema manuscrito de Lucrécio, *De Rerum Natura* (*Sobre a Natureza das Coisas*), que esboçava o sistema epicurista. Criado originalmente como tentativa de resolver as objeções lógicas contra a mutação e o movimento apresentados por Parmênides, o atomismo grego postulara um universo constituído de minúsculas partículas indivisíveis que se movimentavam livremente em um infinito vazio neutro e, através de suas colisões e combinações, criavam todos os fenômenos. Neste vazio não havia nenhum ponto absoluto acima ou abaixo e nenhum centro universal, pois todas as posições no espaço eram neutras e equivalentes entre si. Como todo o Universo se compunha das mesmas partículas materiais regidas pelos mesmos princípios, a própria Terra era apenas mais uma agregação fortuita de partículas e não estava em repouso nem era o centro do Universo. Portanto, não havia nenhuma divisão fundamental entre Céu e Terra. E como tanto o tamanho do vazio como o número de partículas eram infinitos, o Universo seria potencialmente povoado de inúmeras "terras" e "sóis" em movimento, cada um criado pelos movimentos casuais dos átomos.

O universo copernicano em evolução continha uma série de impressionantes semelhanças em relação a esta concepção. A transformação da Terra em planeta eliminava o fundamento da idéia aristotélica de um espaço absoluto (não-neutro) centrado na Terra estacionária. Uma Terra planetária também exigia um Universo muito maior para satisfazer a ausência de paralaxe estrelar observável. Não sendo mais a Terra o centro do Universo, este não tinha de ser finito (um centro universal exige um Universo finito, já que um espaço infinito não pode ter um centro). A esfera mais exterior de estrelas agora era desnecessária para explicar o movimento dos céus, e assim as estrelas poderiam estar infinitamente dispersas, como também haviam sugerido os neoplatônicos. As descobertas telescópicas de Galileu haviam revelado uma imensa quantidade de novas estrelas em distâncias aparentemente imensas, solapando ainda mais a dicotomia Céu-Terra. Todas as implicações de um Universo copernicano coincidiam com as de um cosmo atomístico: uma Terra em movimento que não seria a única; um espaço neutro, sem centro, imensamente povoado e talvez infinito; e a eliminação da distinção Céu-Terra. Desmoronando a abrangente estrutura da cosmologia aristotélica, e sem nenhuma outra alternativa viável para substituí-la, o universo dos atomistas representava um referencial já bastante desenvolvido e singularmente adequado em que se poderia colocar o novo sistema copernicano. Giordano Bruno, o filósofo-cientista esotérico, foi o primeiro a perceber a congruência entre os dois sistemas. Com sua obra, a imagem neoplatônica de um universo infinito enunciado por Nicolau de Cusa era reforçado pela concepção atomista, criando um cosmo copernicano imensamente expandido.

O atomismo daria mais uma contribuição não menos conseqüente para a Cosmologia em desenvolvimento. Não apenas a estrutura do Cosmo atomista era congruente com a teoria copernicana; além disso, a própria concepção atomista da matéria adequava-se de modo singular aos princípios utilizados pelos novos cientistas naturais. Os átomos de Demócrito caracterizavam-se exclusivamente por fatores quantitativos — forma, tamanho, movimento e número — e não por qualidades perceptíveis, como sabor, cheiro, textura ou cor. Todas as mutações qualitativas aparentes nos fenômenos eram criadas por diferentes quantidades de átomos combinadas em diferentes arranjos; portanto, em princípio, o universo atomista estava aberto à análise matemática. As partículas materiais não possuíam objetivo nem inteligência, movimentavam-se unicamente segundo princípios mecânicos. Assim, a estrutura cosmológica e a física do antigo atomismo atraíam justamente os métodos de análise — mecanicista e matemática — já escolhidos e rapidamente desenvolvidos pelos cientistas naturais do século XVII. O atomismo influenciou Galileu em sua abordagem da Natureza como matéria em movimento, foi admirado por Francis Bacon, empregado por Thomas Hobbes em sua filosofia do materialismo mecânico e popularizado nos círculos da ciência européia por seu mais jovem contemporâneo, Pierre Gassendi. Contudo, foi René Descartes quem empreendeu a tarefa de adaptar sistematicamente o atomismo de modo a proporcionar uma explanação física para o Universo copernicano.

Os princípios básicos do antigo atomismo ofereciam muitos paralelos relacionados à imagem de Descartes em que a Natureza era uma complicada máquina impessoal rigorosamente ordenada por leis matemáticas. Como Demócrito, Descartes pressupunha que o mundo físico fosse composto de um número infinito de partículas ou "corpúsculos", que mecanicamente colidiam e se agregavam. No entanto, como cristão, também pressupunha que esses corpúsculos não se movimentavam de modo inteiramente casual, mas obedeciam determinadas leis impostas por um Deus providencial no momento de sua criação. Para Descartes, o grande desafio era descobrir essas leis; seu primeiro passo foi perguntar como um único corpúsculo movimentar-se-ia em um universo infinito sem direções absolutas nem as tendências aristotélicas elementares ao movimento. Ao empregar a teoria do ímpeto dos escolásticos nesse novo contexto do espaço atomista, concluiu que um corpúsculo em repouso tenderia a permanecer em repouso, a não ser que fosse empurrado, ao passo que um corpúsculo em movimento tenderia a continuar em linha reta, na mesma velocidade, a menos que fosse desviado. Descartes enunciou assim a primeira afirmação inequívoca da lei da inércia — uma lei que incluía o elemento decisivo da linearidade inercial (comparada à inércia de Galileu, mais rudimentar e empiricamente concebida voltada para a Terra com sua implicação de circularidade). Descartes raciocinou ainda que, como todo o movimento num universo corpuscular deve a princípio ser mecânico, quaisquer desvios dessas tendências inerciais devem ocorrer como resultado de colisões corpusculares com outros corpúsculos. Os princípios básicos que regiam essas colisões seriam estabelecidos por dedução intuitiva.

Com as partículas em movimento livres num infinito espaço neutro, o atomismo indicara uma nova maneira de examinar o movimento. A idéia da colisão corpuscular de Descartes permitiu que seus sucessores desenvolvessem as percepções de Galileu sobre a natureza da força e do impulso. De imediato significado para a teoria copernicana, Descartes aplicou suas teorias da inércia linear e da colisão corpuscular ao problema do movimento planetário e assim começou a eliminar dos céus o último resíduo da física aristotélica. Os movimentos circulares automáticos dos corpos celestiais ainda adotados por Copérnico e Galileu não eram possíveis num mundo atomista, onde as partículas só poderiam movimentar-se em linha reta ou permanecer em repouso. Aplicando sua teoria da inércia e a corpuscular aos céus, Descartes isolou o fator decisivo ausente na explicação do movimento planetário: a menos que houvesse alguma força inibidora, o movimento inercial dos planetas, inclusive o da Terra, necessariamente tenderia a impeli-los em uma linha tangencial para fora da curva em órbita em torno do Sol. No entanto, como suas órbitas se mantinham em curvas fechadas aproximadas sem esse tipo de quebras centrífugas, era evidente que algum fator empurrava os planetas para o Sol — ou, como Descartes e seus sucessores formularam de modo mais revelador: algo forçava continuamente os planetas a uma "queda" na direção do Sol. Descobrir que força causava essa queda era o dilema celestial fundamental que a nova cosmologia tinha diante de si. O fato de que os planetas se movimentavam de algum modo estava agora explicado pela inércia. A forma que esse movimento tomava — com órbitas elípticas dos planetas constantemente em torno do Sol — ainda exigia uma explicação.

Muitas das hipóteses intuitivamente deduzidas por Descartes a respeito de seu Universo corpuscular — inclusive a maioria de suas leis da colisão corpuscular num universo cheio de vórtices de corpúsculos em movimento (pelo qual ele tentava explicar os planetas empurrados de volta a suas órbitas) — não foram adotadas por seus sucessores. Contudo, sua concepção básica do universo físico como um sistema atomista regido por algumas leis mecânicas tornou-se o modelo orientador para os cientistas do século XVII, às voltas com a inovação copernicana. O enigma do movimento planetário continuava o mais notável problema para a Ciência depois de Copérnico em seus esforços para estabelecer uma cosmologia que tivesse uma coerência própria: o isolamento do fator "queda" de Descartes era indispensável. Com o conceito da inércia de Descartes aplicado às elipses de Kepler e o princípio geral da explanação mecanicista implícito em suas duas teorias rudimentares do movimento dos planetas (a *anima motrix* e o magnetismo, de Kepler, e os vórtices corpusculares de Descartes), o problema ganhara uma definição em que os cientistas seguintes — Borelli, Hooke, Huygens — podiam trabalhar proveitosamente. A dinâmica terrestre de Galileu definira ainda mais o problema, indo realmente contra a física de Aristóteles e apresentando mensurações matemáticas precisas de corpos pesados caindo na Terra. Restavam então duas questões fundamentais, uma celestial e outra terrestre: dada a inércia, por que a Terra e outros planetas caem continuamente em direção ao Sol? E face a uma Terra não-central em movimento, por que afinal os objetos caem de volta à Terra?

A possibilidade de que as duas perguntas tivessem a mesma resposta estivera sempre presente nos trabalhos de Kepler, Galileu e Descartes. A idéia de uma força de atração atuando entre todos os corpos materiais também se desenvolvia. Entre os gregos, Empédocles havia postulado tal força. Entre os escolásticos, Oresme argumentara que, se Aristóteles estivesse equivocado em relação à posição central singular da Terra, uma explicação para a queda dos corpos seria a de que a matéria naturalmente tendia a atrair outra matéria. Copérnico e Kepler haviam ambos invocado esta possibilidade para defender sua Terra em movimento. Por volta do final do século XVII, Robert Hooke claramente vislumbrara a síntese: a mesma força atrativa regia tanto os movimentos planetários como os corpos em queda. Além do mais, ele demonstrou mecanicamente sua idéia com um pêndulo oscilando em uma trilha circular alongada, onde o movimento linear era constantemente desviado por uma atração central. Essa demonstração ilustrava com eficácia a pertinência da mecânica terrestre para a explicação dos fenômenos celestiais. O pêndulo de Hooke indicava a extensão com que a imaginação científica radicalmente transformara os céus, de um reino transcendental com suas próprias leis especiais para um reino em princípio nada diferente do mundano reino terrestre.

Por fim, coube a Isaac Newton, nascido no dia de Natal do ano da morte de Galileu, completar a revolução copernicana estabelecendo quantitativamente a gravidade como força universal — uma força que poderia simultaneamente causar a queda de pedras na Terra e ser responsável pelas órbitas fechadas dos planetas em torno do Sol. A notável contribuição de Newton foi, nesse particular, sintetizar a filosofia mecanicista de Descartes, as leis dos movimentos planetários de Kepler e as leis do movimento terrestre de Galileu numa teoria abrangente. Após uma série de descobertas e intuições matemáticas sem precedentes, Newton estabeleceu que, para manter suas órbitas estáveis nas velocidades e distâncias relativas especificadas pela terceira lei de Kepler, os planetas deveriam ser empurrados para o Sol por uma força de atração que decrescia em proporção inversa ao quadrado da distância do Sol, e que os corpos que caíam para a Terra — não apenas uma pedra das proximidades, mas também a remota Lua — eram regidos pela mesma lei. Além do mais, ele extraiu matematicamente de sua lei do quadrado invertido as formas elípticas das órbitas planetárias e a variação de sua velocidade (áreas iguais em iguais tempos), conforme definidas pela primeira e segunda leis de Kepler. Assim, todos os grandes problemas cosmológicos enfrentados pelos copernicanos estavam afinal resolvidos — o que movia os planetas, como eles permaneciam em suas órbitas, por que os objetos pesados caem na Terra, a estrutura básica do Universo, a questão da dicotomia celestial-terrestre. A hipótese de Copérnico provocara a necessidade e agora encontrava uma nova cosmologia abrangente e perfeitamente coerente.

Com uma exemplar combinação de rigor empírico e dedutivo, Newton formulara poucas leis abrangentes que pareciam reger todo o Cosmo. Suas três leis do movimento (da inércia, da força e da reação igual) e a teoria da gravitação universal não apenas estabeleciam uma base física para todas as leis de Kepler, mas também resolviam as questões dos movimentos das marés, da precessão dos equinócios, das órbitas dos cometas, da trajetória das balas de canhão e outros projéteis: na verdade, todos os fenômenos conhecidos da mecânica celeste e terrestre estavam agora unificados em um conjunto de leis físicas. Cada partícula de matéria no Universo atraía outra partícula com uma força proporcional ao produto de suas massas e inversamente proporcional ao quadrado da distância entre elas. Newton lutara para descobrir o grande plano do

Universo e conseguira. Estava comprovada a visão de Descartes: a Natureza era um sistema-maquinário perfeitamente ordenado e regido por leis matemáticas, compreensíveis pela Ciência.

Embora o conceito de Newton — relativo ao do funcionamento da gravidade como força atuando à distância, transposto de seus estudos de alquimia e da filosofia hermética — parecesse esotérico e insuficientemente mecânico para os filósofos mecanicistas do continente europeu (Newton era inglês) e até intrigassem a ele próprio, as implicações matemáticas eram tanto espetacularmente abrangentes quanto definitivamente convincentes. Através do conceito de uma força de atração quantitativamente definida, Newton havia integrado os dois grandes temas da Ciência do século XVII: a filosofia mecanicista e a tradição pitagórica. Não demorou muito para que seu método e suas conclusões fossem reconhecidos como paradigmas da prática científica. Em 1686-87, a Royal Society de Londres publicou o *Principia Mathematica Philosophiae Naturalis* de Newton. Nas décadas seguintes, sua realização foi celebrada como o triunfo da cultura moderna sobre a ignorância antiga e medieval. Newton revelara a verdadeira realidade: para Voltaire, ele era o maior homem de todos os tempos.

A cosmologia newtoniano-cartesiana estava agora estabelecida como fundamento de uma inovadora visão de mundo. Pelo início do século XVIII, qualquer pessoa instruída no Ocidente sabia que Deus havia criado o mundo como um complexo sistema mecânico, composto de partículas materiais que se movimentavam num infinito espaço neutro segundo alguns princípios básicos, como a inércia e a gravidade, que poderiam ser matematicamente analisados. Nesse Universo, a Terra girava em torno do Sol, que era uma estrela entre milhares de outras, assim como a Terra era um planeta entre muitos; nem o Sol nem a Terra eram o centro do Universo. Um só conjunto de leis regia o reino celeste e o terrestre que, assim, já não eram fundamentalmente distintos. O céu se compunha de substâncias materiais e seus movimentos eram impelidos por forças mecânicas naturais.

Também parecia razoável pressupor que depois da criação desse complexo Universo ordenado, Deus se retirasse de maiores envolvimentos ou intervenção na Natureza, permitindo que ela prosseguisse sozinha, segundo essas perfeitas leis imutáveis. Assim, a nova imagem do Criador era a de um arquiteto divino, mestre matemático e relojoeiro; o Universo era visto como um fenômeno fundamentalmente impessoal e de regularidade uniforme. O papel do Homem nesse Universo poderia ser melhor avaliado a partir da evidência de que, em virtude de sua inteligência, ele havia captado a ordem essencial do Universo e agora poderia utilizar esse conhecimento em seu próprio benefício. Não havia muitas dúvidas de que o Homem era a coroa da criação. A Revolução Científica — e o nascimento da Era Moderna — estavam agora completos.

A Revolução Filosófica

A evolução da filosofia durante esses séculos esteve intimamente associada à Revolução Científica, que acompanhou e estimulou, para a qual proporcionou uma base e pela qual foi criticamente moldada. A Filosofia realmente adquiria identidade e estrutura inteiramente novas ao entrar em seu terceiro grande período na história da cultura ocidental. Durante grande parte da Era Clássica, embora influenciada pela Religião e pela Ciência, a Filosofia mantivera uma posição amplamente autônoma na definição e no julgamento da visão de mundo dos letrados. Com o advento do período medieval, a religião cristã assumira um *status* proeminente e a Filosofia, um papel subordinado na união da Fé com a Razão. Todavia, com a chegada da Era Moderna, a Filosofia começou a estabelecer-se com uma força mais plenamente independente na vida intelectual da cultura — mais precisamente, a filosofia iniciava agora a memorável transferência de sua afinidade e "lealdade" à Religião para a causa da Ciência.

Bacon

Nas mesmas décadas do início do século XVII em que Galileu forjava na Itália a nova prática científica, Francis Bacon na Inglaterra proclamava o nascimento de uma nova era em que as ciências naturais trariam ao homem uma redenção material que acompanharia seu progresso espiritual para o milênio cristão. Para Bacon, o descobrimento do Novo Mundo pelos exploradores exigia a correspondente descoberta de um novo mundo a nível mental em que os velhos padrões do pensamento, os preconceitos tradicionais, as distorções subjetivas, as confusões verbais e a cegueira intelectual generalizada seriam superados por um novo método de adquirir conhecimento. Seria um método basicamente empírico: através da cuidadosa observação da Natureza e da hábil criação de muitos experimentos variados, praticados no contexto da pesquisa cooperativa organizada, a mente humana aos poucos obteria as leis e generalizações que proporcionariam ao Homem a compreensão da Natureza, necessária para controlá-la. Uma tal ciência traria ao Homem benefícios incomensuráveis e restabeleceria seu domínio sobre a Natureza que ele perdera com a queda de Adão.

Enquanto Sócrates igualara o conhecimento à virtude, Bacon equiparava o conhecimento ao poder. Sua utilização prática era a medida exata de seu valor. Com Bacon, a Ciência assumiu um novo papel — utilitário, utópico, o equivalente material e humano ao plano espiritual de salvação de Deus. O Homem foi criado por Deus para interpretar e dominar a Natureza. Portanto, a pesquisa das ciências naturais era sua obrigação religiosa. A queda original do Homem fazia com que essa pesquisa fosse árdua e falível, mas se ele disciplinasse a sua mente e purificasse sua visão da Natureza dos velhíssimos preconceitos, obteria seu direito divino. Por meio da Ciência, o Homem da Era Moderna poderia afirmar sua superioridade sobre os antigos. A História não era cíclica, como supunham os antigos, mas progressiva, pois agora o Homem estava no limiar de uma nova civilização científica.

Cético em relação às doutrinas legadas e impaciente com os silogismos dos escolásticos aristotélicos, considerados simples obstáculos ao conhecimento útil há muito respeitados, Bacon insistia em que o progresso na Ciência exigia uma radical reformulação de seus fundamentos. A verdadeira base do conhecimento era o mundo natural e a informação que ele transmitia pelos sentidos humanos. Encher o mundo com fictícias causas finais, como Aristóteles, ou com essências divinas inteligentes, como Platão, era vedar ao Homem o legítimo conhecimento da Natureza em seus próprios termos, solidamente baseado no contato experimental direto e na argumentação indutiva das particularidades. Aquele que estivesse em busca do conhecimento já não deveria mais partir de abstratas definições e distinções verbais e daí à argumentação dedutiva, forçando os fenômenos a uma ordem previamente arranjada; ao contrário, deveria começar com a análise desapaixonada dos dados concretos e apenas então argumentar indutiva e cautelosamente para obter conclusões gerais com o apoio do empírico.

Bacon criticava Aristóteles e os escolásticos por dependerem tanto da dedução para seu conhecimento, já que as premissas de onde partiam as deduções poderiam ser simples invenção espúria da mente do filósofo sem nenhuma base na Natureza. Para Bacon, o máximo que a Razão pura obteria em tais circunstâncias seria tecer em torno de si uma teia de abstrações sem nenhuma validade objetiva. Em compensação, o verdadeiro filósofo abordava o mundo real diretamente e o estudava, sem falsas antecipações que prejudicassem o resultado. Ele teria sua mente limpa das distorções subjetivas. A busca aristotélica pelas causas formais e finais, uma crença axiomática de que a Natureza fosse dotada de propósitos teleológicos e essências arquetípicas, eram apenas esse tipo de distorção, de ilusória atratividade para o intelecto emocionalmente corrompido. Assim, deveriam ser postas de lado como inúteis, não produziriam frutos empíricos. As Formas dos filósofos tradicionais eram simples ficções, suas palavras mais tendiam a obscurecer do que a revelar. Seria preciso renunciar aos preconceitos e ao palavreado em prol da atenção direta às coisas e sua ordem observada. Não se deveria admitir gratuitamente nenhuma verdade "indispensável" ou "final". Para descobrir a verdadeira ordem da Natureza, a mente deve estar purificada de todos os seus obstáculos internos, isenta de suas tendências habituais a produzir resultados racionais ou fictícios antes da investigação empírica. A mente deve humilhar-se, conter-se: de outra maneira, a Ciência seria impossível.

Pressupor que o mundo fosse divinamente permeado e ordenado de maneira diretamente acessível à mente, levando-a em linha reta aos propósitos ocultos de Deus, como faziam os filósofos antigos e medievais, era impedir que a mente percebesse as formas reais da Natureza. Somente admitindo-se a distinção entre Deus e sua criação e entre o espírito divino e o espírito humano seria possível a obtenção de um avanço real na Ciência. Bacon assim expressava o espírito da Reforma e a teoria de Ockham. Uma "teologia natural", como a do escolasticismo clássico, deve ser abandonada como contradição em termos, falsificadora miscigenação das questões da Fé com as questões da Natureza. Cada reino tinha suas próprias leis e seu método apropriado. A Teologia pertencia ao reino da Fé, mas o reino da Natureza deve ser interpretado por uma ciência natural desimpedida de pressupostos sem importância originados na imaginação religiosa. Mantidas corretamente em separado, Teologia e Ciência poderiam florescer melhor e o Homem serviria melhor a seu Criador, compreendendo as verdadeiras causas naturais do reino terrestre — e obtendo assim poder sobre ele, como era a vontade de Deus.

Todos os sistemas filosóficos anteriores, desde os gregos, careciam de um empirismo crítico rigoroso baseado nos sentidos e todos confiavam em arcabouços racionais e imaginários sem o apoio da experimentação cuidadosa: pareciam luxuosas produções teatrais destinadas ao entretenimento, sem nenhuma importância para o mundo real que tão elegantemente distorciam. As necessidades emocionais e os estilos tradicionais do pensamento sempre induziam o Homem a perceber a Natureza de modo equivocado, antropomorfizando-a, transformando-a segundo seus desejos, ao invés de ser como ela realmente é. O verdadeiro filósofo não tenta estreitar o mundo para que ele caiba em seu entendimento, mas esforça-se por expandir seu entendimento para adaptá-lo ao mundo. Para Bacon, acima de tudo, a primeira obrigação da Filosofia era examinar com novos olhos as particularidades. Através da arguta utilização dos experimentos, as percepções dos sentidos seriam progressivamente corrigidas e aperfeiçoadas de modo a revelar as verdades ocultas na Natureza. Então, finalmente, poderia ocorrer o casamento da mente humana com o Universo natural, cuja prole Bacon previa como uma imensa linhagem de grandes invenções destinadas a aliviar as atribulações da Humanidade. No futuro da Ciência está a restauração do aprendizado e da própria grandeza humana.

Com Bacon, a moderna transformação na Filosofia estava clara. O nominalismo e o empirismo dos últimos escolásticos e sua crítica cada vez mais intensa a Aristóteles e à teologia especulativa encontravam agora expressão audaciosa e influente. É verdade que, apesar de toda a sua argúcia, Bacon subestimou drasticamente a força da Matemática no desenvolvimento da Ciência Moderna, não percebeu a necessidade da conjectura teórica antes da observação empírica e deixou escapar inteiramente o significado da nova teoria heliocêntrica. Contudo, sua convincente defesa da experiência como única fonte legítima do verdadeiro conhecimento deu nova direção à cultura européia, voltando-a para o mundo empírico, para o exame metódico dos fenômenos físicos e a rejeição de pressupostos tradicionais — teológicos ou metafísicos — quando em busca do aperfeiçoamento. Bacon não era um filósofo sistemático ou um cientista rigoroso. Era antes um eficiente intermediário, cuja força retórica e ideal visionário persuadiu as gerações futuras ao cumprimento de seu programa revolucionário: a conquista científica da Natureza para o bem-estar do Homem e a glória de Deus.

Descartes

Se na Inglaterra Bacon ajudou a inspirar o caráter distintivo, a direção e o vigor da nova ciência, Descartes estabeleceu no Continente sua fundamentação filosófica, articulando com isso a afirmação épica que definiria o ego moderno.

Vivia-se uma era em que uma visão de mundo desmoronava com descobertas inesperadas e desorientadoras, e com a queda de instituições fundamentais e tradições culturais; em contrapartida, disseminava-se pela *intelligentsia* européia um relativismo cético sobre a viabilidade do conhecimento seguro. Já não se podia mais confiar ingenuamente nas autoridades externas, não importa o quão veneráveis fossem; não havia nenhum novo critério absoluto de verdade para substituir o antigo. Esta crescente incerteza epistemológica, exacerbada pela infinidade de antigas filosofias rivais legadas pelos humanistas ao Renascimento, recebeu mais um estímulo com outra obra grega — a recuperação da clássica defesa do ceticismo de Sextus Empiricus. O ensaísta francês Montaigne foi especialmente tocado pela nova disposição e, por sua vez, deu voz moderna às antigas dúvidas epistemológicas. Se a crença humana era determinada pelo costume cultural, se os sentidos podiam ser ilusórios, se a estrutura da Natureza não correspondia necessariamente ao processo mental, e se a relatividade e a falibilidade da razão impediam o conhecimento de Deus ou padrões morais absolutos, é porque nada era certo.

Emergira uma crise de ceticismo na filosofia francesa, crise essa que o jovem Descartes, mergulhado no racionalismo crítico de sua formação jesuítica, sentiu com muita força. Pressionado pelas confusões remanescentes de sua educação, pelas contradições entre as diferentes perspectivas filosóficas e pela redução da importância da revelação religiosa para a compreensão do mundo empírico, Descartes preparou-se para descobrir uma base irrefutável para o conhecimento seguro.

Começar duvidando de tudo era o primeiro passo necessário, pois sua intenção era eliminar todos os pressupostos do passado que agora confundiam o conhecimento humano e isolar apenas as verdades que ele mesmo pudesse claramente sentir como indubitáveis. Ao contrário de Bacon, Descartes era um excelente matemático; somente a rigorosa metodologia característica da Geometria e da Aritmética parecia-lhe prometer a certeza que ele tão fervorosamente buscava nas questões filosóficas. A Matemática começava pela afirmação de princípios simples e evidentes, axiomas essenciais dos quais se poderia deduzir outras verdades mais complexas segundo o rigoroso método racional. Com a aplicação de um raciocínio preciso e minucioso a todas as questões da Filosofia e aceitando-se como verdade apenas as idéias que se apresentassem claras a esse raciocínio, distintas e sem contradições internas, Descartes estabeleceu sua maneira de chegar à certeza absoluta. A racionalidade crítica disciplinada superaria a informação nada confiável sobre o mundo, proporcionada pelos sentidos ou a imaginação. Usando esse método, Descartes seria o novo Aristóteles, descobrindo uma nova Ciência que introduziria o Homem numa nova era de conhecimento pragmático, sabedoria e bem-estar.

O ceticismo e a Matemática combinaram-se então para gerar a revolução cartesiana na Filosofia. O terceiro termo nesta revolução, que foi ao mesmo tempo seu impulso e o resultado da dúvida sistemática e do raciocínio claro, seria a pedra de toque de todo o conhecimento humano: a certeza da consciência individual. No processo de metodicamente duvidar de tudo, até mesmo da aparente realidade do mundo físico e de seu próprio corpo (que poderia ser apenas um sonho), Descartes chegou à conclusão de que havia um dado que não poderia ser posto em dúvida — o fato de sua própria dúvida. Pelo menos o "eu" que tem consciência de duvidar, o sujeito pensante, existe. Pelo menos até aqui está certo e é seguro: *cogito, ergo sum* — penso, logo existo. Tudo o mais pode ser questionado, mas não o irredutível fato da consciência de existir do pensante. Ao admitir esta verdade certa, a mente pode perceber a característica da própria certeza: o conhecimento seguro é aquele que pode ser clara e distintamente concebido.

O *cogito* foi, portanto, o primeiro princípio e paradigma de todos os conhecimentos, servindo de base para as deduções subseqüentes e de modelo para todas as outras intuições racionais evidentes. Da indubitável existência do sujeito que duvida, por isso mesmo consciente de sua imperfeição e limitação, Descartes deduziu a necessária existência de um ser perfeito infinito, Deus. Nada pode originar-se do Nada, nem um efeito possui uma realidade que não tenha derivado de sua causa. O pensamento de Deus era de tal magnitude e perfeição que evidentemente deveria ser derivado de uma realidade além do pensamento finito e circunstancial; daí a certeza de um Deus objetivo onipotente. Somente pressupondo esse Deus a confiabilidade da luz natural da Razão humana, ou realidade objetiva do mundo fenomenal, estaria assegurada. Deus é Deus, o que equivale a dizer *um ser perfeito*; não poderia iludir o Homem e a Razão que lhe dá verdades evidentes.

De igual conseqüência, o *cogito* também revelou uma divisão e uma hierarquia fundamental no mundo. O Homem racional conhece sua própria consciência para estar seguro, e inteiramente distinto do mundo externo da substância material, que epistemologicamente é menos segura e perceptível apenas como objeto. Assim, a *res cogitans* — a substância pensante, experiência subjetiva, espírito, consciência, aquilo que o Homem percebe interiormente — era entendida como fundamentalmente diferente e separada da *res extensa*, a substância extensa, o mundo objetivo, matéria, corpo físico, as plantas, os animais, as pedras e as estrelas; todo o universo físico, tudo o que o Homem perceber como exterior à sua mente. Somente no homem as duas realidades se reúnem como corpo e espírito. A capacidade cognitiva da Razão humana, a realidade objetiva e a ordem do mundo natural encontraram sua fonte em Deus.

Por um lado, no dualismo de Descartes, a alma é entendida como o espírito da consciência humana, distintamente pensante. Os sentidos inclinam-se ao fluxo e ao erro, a imaginação é presa de fantástica distorção, as emoções são insignificantes para a compreensão racional segura. Do outro lado desse dualismo, ao contrário da mente, todos os objetos do mundo exterior são desprovidos de consciência subjetiva, propósito ou espírito. O universo físico é inteiramente desprovido de qualidades humanas. Ao contrário, como objetos puramente materiais, todos os fenômenos físicos podem ser vistos como as máquinas — como os autômatos, que pareciam vivos, e as engenhosas máquinas, fontes, relógios e moinhos, que estavam sendo construídos e eram tão apreciados pelos europeus do século XVII. Deus criou o Universo e definiu suas leis mecânicas, mas depois disso o sistema passou a movimentar-se por si, a máquina suprema construída pela suprema inteligência.

Portanto, o Universo não era um organismo vivo, como supunham Aristóteles e os escolásticos, dotado de formas e motivado por um objetivo teleológico. Se tais preconceitos fossem deixados de lado e apenas a Razão analítica do Homem fosse empregada para intuir a mais simples e mais evidente descrição da Natureza, ver-se-ia que o Universo se compunha de matéria atomística sem vida. Esta substância seria melhor compreendida em termos mecânicos, analisada redutivamente em suas partes mais simples e entendida exatamente nos termos dos arranjos e movimentos dessas partes: "As leis da Mecânica são idênticas às leis da Natureza." Dizer que o Homem vê formas imanentes e objetivas na Natureza era afirmar uma heresia metafísica, reivindicando direto acesso à mente divina. O mundo físico era inteiramente objetivo, solidamente material, sem nenhuma ambigüidade, e assim, inerentemente mensurável. Portanto, o mais poderoso instrumento para a compreensão do Universo era a Matemática, ao alcance da luz própria da Razão humana.

Para apoiar sua metafísica e sua epistemologia, Descartes usou a distinção de Galileu entre as propriedades elementares e mensuráveis dos objetos e as propriedades secundárias, mais subjetivas. Ao buscar compreender o Universo, o cientista não deve concentrar sua atenção nas qualidades meramente perceptíveis pelos sentidos, responsáveis pelo julgamento subjetivo equivocado e pela distorção humana — deve estar atento apenas às qualidades objetivas que podem ser percebidas clara e distintamente e podem ser analisadas em termos quantitativos: extensão, forma, número, duração, gravidade específica, posição relativa. Com esta base, usando o experimento e a hipótese, a Ciência poderia avançar. Para Descartes, a Mecânica era uma espécie de "matemática universal" que permitiria analisar e manipular plena e eficazmente o universo físico para servir à saúde e ao conforto da Humanidade. A mecânica quantitativa regeria o mundo, o que justificava a fé absoluta na Razão humana. Essa seria a base para uma filosofia prática — não a filosofia especulativa das escolas, mas uma que proporcionaria ao Homem a compreensão direta das forças da Natureza de modo a voltá-la para seus próprios fins.

A Razão humana primeiro determina sua própria existência a partir da necessidade experimental, depois a existência de Deus, a partir da necessidade lógica; daí, Deus garantiria a realidade do mundo objetivo e sua ordem racional. Descartes destacava a Razão humana como suprema autoridade em questões de conhecimento, capaz de distinguir a verdade metafísica segura e de obter a segura compreensão científica do mundo material. A infalibilidade, uma vez circunscrita apenas à Sagrada Escritura ou ao supremo pontífice, agora fora transferida para a própria Razão humana. Na verdade, Descartes iniciou sem querer uma revolução copernicana teológica, pois seu método de raciocínio mostrava que a existência de Deus era estabelecida pela Razão humana e não o contrário. Embora a evidente certeza da existência de Deus estivesse garantida pela benevolente veracidade do próprio Deus na criação de uma Razão humana confiável, esta conclusão só poderia ser afirmada com base no critério da *idéia clara e distinta*, em que a autoridade estivesse fundamentalmente enraizada numa opinião emanada do intelecto individual humano. Na questão religiosa fundamental, a última palavra vinha da luz da Razão humana, não da Revelação divina. Até Descartes, a verdade revelada mantivera uma autoridade objetiva exterior à opinião humana, mas agora sua validade começava a sujeitar-se à afirmação pela Razão. Descartes agora anunciava mais universalmente a independência metafísica que Lutero exigia nos parâmetros da religião cristã. A base da certeza de Lutero estava em sua fé na Graça salvadora de Deus revelada na Bíblia, enquanto a certeza de Descartes tinha os alicerces em sua fé na clareza dos procedimentos do raciocínio matemático aplicado à impossibilidade de duvidar do próprio pensamento.

Além do mais, afirmando a dicotomia essencial entre substância pensante e substância extensa, Descartes ajudou a emancipar o mundo material de sua demorada associação com a crença religiosa, liberando a Ciência para desenvolver sua análise desse mundo sem a "contaminação" de qualidades espirituais ou humanas e sem as restrições do dogma teológico. O espírito humano e o mundo natural tinham agora uma autonomia sem precedentes, separados de Deus e separados entre si.

Aqui temos, pois, a declaração prototípica da personalidade moderna, estabelecida como uma entidade plenamente separada e autodefinidora, para quem sua própria consciência pessoal e racional era absolutamente elementar, primária, essencial — duvidando de tudo menos de si mesma, opondo-se não apenas às autoridades tradicionais, mas ao mundo, como sujeito contra objeto, como um ser pensante e observador, que media e manipulava, totalmente distinto de um Deus objetivo e de uma Natureza exterior. O fruto do dualismo entre sujeito racional e mundo material era a Ciência, inclusive sua capacidade em proporcionar o conhecimento seguro desse mundo e fazer do Homem "dono e senhor da Natureza". Para Descartes, certeza epistemológica, identidade humana, Ciência, Razão e progresso estavam inextricavelmente ligados entre si e associados à concepção de um Universo mecanicista e objetivo; sobre esta síntese fundamentou-se o caráter paradigmático da cultura moderna.

* * *

Bacon e Descartes — profetas de uma civilização científica, rebeldes contra um passado ignorante e dedicados estudantes da Natureza — anunciaram as bases epistemológicas gêmeas da cultura moderna. Em seus respectivos manifestos de empirismo e racionalismo, o significado do mundo natural e da Razão humana, que há muito se desenvolvia, iniciado pelos gregos e recuperado pelos escolásticos, chegou à expressão moderna definitiva. Sobre essa fundamentação dualista a filosofia avançou e a Ciência triunfou: não foi por acaso que Newton empregou sistematicamente uma síntese prática do empirismo indutivo de Bacon e do racionalismo matemático dedutivo de Descartes, levando à plenitude o método científico iniciado por Galileu.

Depois de Newton, a Ciência passou a imperar como autoridade definidora do Universo e a Filosofia definiu-se em relação à Ciência — predominantemente como apoio, de vez em quando crítica e provocadora, às vezes independente e preocupada com áreas diferentes e, afinal, já não podendo negar as descobertas cosmológicas e as conclusões da ciência empírica, que agora mais e mais dominava a visão de mundo ocidental. A obra de Newton determinou a moderna compreensão do Universo físico — mecânico, matematicamente ordenado, concretamente material, desprovido de propriedades humanas ou espirituais e não especialmente cristão em sua estrutura — e a moderna compreensão do Homem, cuja inteligência racional percebera a ordem natural do mundo e o que era um ser nobre, não por estar no centro de um plano divino conforme a revelação da Escritura, mas porque com sua própria Razão apreendera a lógica subjacente da Natureza e obtivera o domínio sobre suas forças.

A nova filosofia não refletia apenas o novo sentido da autoridade do Homem. Seu significado como filosofia e causa de sua grande influência na cultura ocidental reside especialmente na corroboração científica e, depois, tecnológica. Como jamais ocorrera, uma maneira de pensar produzia resultados espetacularmente tangíveis. Dentro de um referencial poderoso como esse, o progresso parecia inevitável. O destino feliz do Homem parecia enfim assegurado, como resultado de sua própria racionalidade e de suas realizações concretas. Estava agora evidente que a busca seria impelida pelas análises e manipulações do mundo natural cada vez mais sofisticadas, por esforços sistemáticos de estender a independência intelectual e existencial do Homem em todos os domínios — físico, social, político, religioso, científico, metafísico. A adequada educação da mente humana num ambiente bem planejado produziria indivíduos racionais, capazes de entender o mundo e a si mesmos, capazes de agir do modo mais inteligente para o bem de todos. Com o espírito livre de superstições e preconceitos tradicionais, o homem poderia apreender a verdade evidente e assim estabelecer para si um mundo racional em que tudo e todos poderiam prosperar. O sonho da liberdade e da realização nesse mundo agora estava ao alcance do Homem. Finalmente, a humanidade atingira uma era iluminada.

Os Alicerces da Visão de Mundo Moderna

Entre os séculos XV e XVI, o Ocidente presenciou a emergência de um ser humano autônomo e dotado de uma consciência de si mesmo — curioso em relação ao mundo, confiante em sua capacidade de discernimento, cético quanto às ortodoxias, rebelde contra a autoridade, responsável por suas crenças e ações, apaixonado pelo passado clássico e ainda mais empenhado num futuro maior, orgulhoso de sua humanidade, consciente de sua distinção, ciente de sua força artística e individualidade criativa, seguro de sua capacidade intelectual para compreender e controlar a Natureza e bem menos dependente de um Deus onipotente. Essa emergência do pensamento moderno, enraizado na rebelião contra a Igreja medieval e as antigas autoridades, mas ainda condicionando e desenvolvendo-se a partir dessas duas matrizes, assumiu as três formas distintas e dialeticamente relacionadas do Renascimento, da Reforma e da Revolução Científica. Juntas, encerraram a hegemonia cultural da Igreja Católica na Europa e determinaram o espírito mais individualizado, cético e leigo da Era Moderna. Dessa profunda transformação cultural, a ciência emergiu como a nova crença do Ocidente.

Quando a titânica batalha das religiões não conseguia chegar a uma solução e já não havia mais nenhuma estrutura monolítica de crença dominando a civilização, a Ciência apareceu de repente como a liberação da Humanidade — uma redenção empírica, racional, que apelava para o bom senso e para uma realidade concreta que todos poderiam tocar e medir por si mesmos. Fatos verificáveis, teorias comprovadas e a discussão entre iguais substituíam a revelação dogmática hierarquicamente imposta por uma Igreja institucional. A busca pela verdade era agora conduzida na base da cooperação internacional, no espírito de curiosidade disciplinada, com o desejo mesmo de transcender cada vez mais os limites do conhecimento. Oferecendo uma nova possibilidade de certeza epistemológica e consenso objetivo, novos poderes de previsão experimental, invenção técnica e controle da Natureza, a Ciência apresentava-se como a graça salvadora da cultura moderna. Enobrecia o espírito, mostrando-lhe a capacidade de entender diretamente a ordem racional da Natureza — de início afirmada pelos gregos —, mas a um nível que em muito transcendia as realizações dos antigos e dos escolásticos medievais. Neste momento, nenhuma autoridade tradicional definia dogmaticamente o panorama da cultura, nem tal autoridade era necessária, pois todos possuíam os recursos para a obtenção do conhecimento seguro: sua própria razão e a observação do mundo empírico.

A Ciência pareceu levar o pensamento ocidental à maturidade independente, fora da estrutura abrangente da Igreja medieval, além das glórias clássicas de gregos e romanos. Do Renascimento em diante, a cultura moderna evoluiu e deixou para trás as visões de mundo antiga e medieval, consideradas agora primitivas, supersticiosas, infantis, nada científicas e opressoras. Pelo final da Revolução Científica, a cultura ocidental conquistara uma nova maneira de adquirir conhecimento e uma nova cosmologia. O mundo se expandira com os esforços físicos e intelectuais do próprio Homem — intensamente, de forma sem precedentes. Surgira agora na psique cultural a mais espantosa de todas as mudanças globais: a Terra se movimenta. A evidência direta dos sentidos ingênuos, a certeza teológica e científica daqueles séculos inocentes — de que o sol se levanta e se põe e de que a Terra sob os pés de todos é totalmente estacionária no centro do Universo — estava agora superada pelo raciocínio crítico, pelos cálculos matemáticos e pela observação tecnicamente aperfeiçoada. Não apenas a Terra, mas o próprio Homem se movimentava, como nunca: ele saía do Universo aristotélico-cristão hierárquico, finito e estático e entrava em novos e desconhecidos territórios. A natureza da realidade fora alterada de maneira fundamental para o Homem do Ocidente, que agora percebia e habitava um cosmo de proporções, estrutura e significado existencial inteiramente novos.

Estava aberto o caminho para a visualização e o estabelecimento de uma nova sociedade, baseada em princípios claros de racionalidade e liberdade individuais. As estratégias e os princípios que a Ciência mostrara ser de tanta utilidade para a descoberta da verdade também tinham evidente pertinência em relação ao campo social. Assim como a antiquada estrutura ptolomaica dos céus — com seu complicado, desajeitado e (por fim) insustentável sistema de artificiosos epiciclos — fora substituída pela simplicidade racional do Universo newtoniano, as antiquadas estruturas da sociedade também poderiam mudar — o poder monárquico absolutista, o privilégio aristocrático, a censura do clero, leis arbitrárias e opressoras, economias ineficazes — para serem substituídas por novas formas de governo baseados em direitos individuais racionalmente definíveis e contratos sociais mutuamente benéficos, e não em alguma suposta sanção divina ou em pressupostos tradicionais herdados. A aplicação do pensamento crítico sistemático à sociedade só poderia indicar a necessidade de uma reforma; portanto, no momento em que a Razão moderna trazia à Natureza uma revolução científica, ela também trazia à sociedade uma revolução política. Assim, John Locke e, em seguida, os filósofos franceses do Iluminismo aprenderam as lições de Newton e as estenderam ao campo do humano.

***

A essa altura, a base e a orientação da cultura moderna já estavam bastante definidas. É o caso, então, de resumir alguns dos mais importantes princípios da moderna visão de mundo, como já fizemos em relação ao panorama da Grécia e ao da cristandade medieval. Para isso, teremos de definir com precisão onde concentraremos nossa atenção. Como as precedentes, a visão de mundo moderna não era uma entidade estável, mas uma forma de viver a vida em permanente evolução: as idéias de Newton, Galileu, Descartes, Bacon e outros eram basicamente uma síntese do moderno e do medieval. Em outras palavras, uma solução conciliatória entre um Deus Criador cristão medieval e um moderno cosmo mecanicista, entre a mente humana como princípio espiritual e o mundo como materialidade objetiva e assim por diante. Nos dois séculos que seguiram à formulação cartesiano-newtoniana, a cultura moderna continuava a separar-se de sua matriz medieval. Os autores e eruditos do Iluminismo — Locke, Leibniz, Spinoza, Bayle, Voltaire, Montesquieu, Diderot, d'Alembert, Holbach, La Mettrie, Pope, Berkeley, Hume, Gibbon, Adam Smith, Wolff, Kant — sofisticaram-se filosoficamente, foram amplamente divulgados e culturalmente estabeleceram a nova visão de mundo. Para realizar seu objetivo, a razão humana autônoma deslocara completamente as fontes tradicionais de conhecimento sobre o Universo e, em seu lugar, definira seus próprios limites, confinados às restrições e métodos da ciência empírica. A revolução industrial e a democrática, a ascensão do Ocidente à hegemonia global, produziram as concretas concomitâncias tecnológicas, econômicas, sociais e políticas dessa visão de mundo, que assim afirmou-se e se elevou em sua soberania cultural. E o triunfo apoteótico da ciência moderna sobre a religião tradicional, a teoria da evolução de Darwin, trouxe a origem das espécies da Natureza e a do próprio Homem para dentro do círculo de abrangência da ciência natural e do panorama moderno. Neste ponto, a capacidade da Ciência para entender o mundo aparentemente atingira dimensões insuperáveis; a visão de mundo moderna podia afirmar seu amadurecimento.

A sinopse do mundo moderno apresentada a seguir reflete não apenas sua formulação cartesiano-newtoniana, mas também sua forma posterior conforme a cultura moderna se configurava no decorrer dos séculos XVIII e XIX. Enquanto o referencial cartesiano-newtoniano chegava à sua conclusão lógica, as implicações da nova sensibilidade e as novas concepções iniciadas no Renascimento e na Revolução Científica aos poucos se esclareciam. Podemos descrever a "moderna" visão de mundo como aquela que mais se destacou das antecedentes, tendo sempre em mente que, na realidade, a última (ou seja, a perspectiva judaico-cristã) continuou com o papel de protagonista na compreensão da cultura, de maneira talvez latente, e que um panorama do indivíduo particular na era moderna poderia ocupar qualquer posição em um vasto espectro — desde uma fé religiosa infantil minimamente influenciada até um obstinado ceticismo laico sem possibilidade de conciliação.

(1) Ao contrário do cosmo cristão medieval, que não apenas foi criado, mas era contínua e diretamente governado por um Deus pessoal que exercia sua onipotência, o Universo moderno era um fenômeno impessoal, regido por leis regulares naturais e compreensíveis em termos exclusivamente físicos e matemáticos. Deus agora havia sido afastado para grande distância do universo físico, como criador e arquiteto, e já não era tanto um Deus de amor, milagre, redenção ou intervenção histórica, mas uma suprema inteligência e causa primeira, que estabelecera o Universo e suas leis imutáveis e depois abandonara a atuação direta. Embora o cosmo medieval sempre estivesse na dependência de Deus, o moderno sustentava-se mais por si mesmo, com sua própria realidade ontológica maior e uma redução de qualquer realidade divina, fosse esta transcendental ou imanente. Mais tarde, essa realidade divina residual desapareceu por inteiro, ao perder o apoio da investigação científica do mundo visível. A ordem encontrada no mundo natural, inicialmente atribuída e garantida pela vontade de Deus, foi depois entendida como resultante de regularidades mecânicas inatas geradas pela Natureza, sem nenhum objetivo superior ou sublime. Além disso, se na visão de mundo cristã da Idade Média a mente humana talvez não compreendesse a ordem do Universo sem a ajuda da revelação divina, que era, em última análise, sobrenatural, na visão de mundo moderna, passaria a entender a ordem do Universo através de suas próprias faculdades racionais, e a consideraria inteiramente natural.

(2) A dualista ênfase cristã na supremacia do espiritual e transcendental sobre o material e concreto agora se invertia; o mundo físico se tornara o foco predominante da atividade humana. A aceitação entusiástica desse mundo e dessa vida como palco de todo o drama humano substituía então a tradicional renúncia religiosa à existência mundana como infeliz provação temporária de preparação para a vida eterna. Agora a aspiração humana estava cada vez mais centrada na realização secular. O dualismo cristão entre espírito e matéria, Deus e o mundo, gradualmente transformava-se no moderno dualismo de espírito e matéria, Homem e Cosmo: uma consciência pessoal e subjetiva em oposição a um mundo material impessoal e objetivo.

(3) A Ciência substituía a Religião como autoridade intelectual proeminente, sendo agora definidora, juiz e guardiã da visão cultural do mundo. A Razão e a observação empírica substituíam a doutrina teológica e a Revelação da Escritura como principal meio para a compreensão do Universo. Os domínios da religião e da metafísica compartimentalizavam-se aos poucos, considerados pessoais, subjetivos, especulativos e fundamentalmente distintos do público conhecimento objetivo do mundo empírico. A Fé e a Razão estavam agora definitivamente cindidas. Concepções que envolviam uma realidade transcendental eram cada vez mais consideradas além da competência do conhecimento humano; eram paliativos úteis para a natureza emocional do Homem; criações inventivas esteticamente satisfatórias; pressupostos heurísticos potencialmente valiosos; baluartes necessários para a coesão moral ou social; propaganda político-econômica; projeções psicologicamente motivadas; eram ilusões que empobreciam a vida, superstições... coisas sem importância, desprovidas de significado. Em lugar de explicação religiosa ou metafísica, as duas bases da epistemologia moderna, o racionalismo e o empirismo, acabaram produzindo suas aparentes decorrências metafísicas: enquanto o moderno racionalismo indicava, depois afirmava e se baseava na concepção do Homem como a suprema ou maior inteligência, o moderno empirismo fazia o mesmo com a concepção do mundo material, como realidade essencial ou única — ou seja, humanismo secular e materialismo científico, respectivamente.

(4) Em relação ao panorama da Grécia clássica, o universo moderno possuía uma ordem intrínseca, embora não emanando de uma inteligência cósmica em que o espírito humano participasse direta-

mente, mas sim uma ordem empiricamente derivada dos padrões materiais da Natureza por meio dos próprios recursos da mente humana. Esta ordem não era simultânea e inerentemente compartilhada pela Natureza e pelo espírito humano, como pensavam os gregos. A ordem moderna não era uma ordem unitária, transcendental e difusa que informasse tanto ao espírito como ao mundo exterior, na qual o reconhecimento de uma necessariamente significasse o conhecimento do outro. Esses dois reinos, espírito subjetivo e mundo objetivo, estavam agora fundamentalmente separados e funcionavam segundo diferentes princípios. Qualquer ordem percebida era agora simplesmente a identificação de regularidades inatas da Natureza (ou, segundo Kant, uma ordem fenomenal constituída pelas próprias categorias da mente). O pensamento moderno era concebido como distinto e superior em relação a todo o resto da Natureza.[4] A ordem da Natureza era exclusivamente inconsciente e mecânica. O próprio Universo não era dotado de objetivo ou inteligência consciente; somente o Homem possuía essas qualidades. A capacidade racional para manipular forças impessoais e objetos materiais na Natureza tornou-se o paradigma do relacionamento do Homem com o mundo.

(5) Ao contrário da ênfase grega implícita na diversidade dos métodos de cognição, a ordem do moderno cosmo a princípio só era agora compreensível através das faculdades racionais e empíricas do Homem; os demais aspectos da natureza humana — emocionais, estéticos, éticos, volitivos, relacionais, criativos, epifânicos — eram geralmente considerados sem importância ou distorciam uma compreensão objetiva do mundo. O conhecimento do Universo era agora basicamente uma questão para a investigação científica impessoal e realista; quando bem-sucedida, não resultava tanto de uma experiência de libertação espiritual (como acontecia no pitagorismo e no platonismo), mas do domínio intelectual e do aperfeiçoamento material.

(6) A cosmologia da era clássica havia sido geocêntrica, finita e hierárquica, os céus que a tudo circundavam eram o *locus* de forças arquetípicas transcendentais que definiam e influenciavam a existência humana segundo os movimentos celestiais; a cosmologia medieval mantivera essa mesma estrutura geral, reinterpretada segundo o simbolismo cristão — mas a cosmologia moderna postulava uma Terra planetária num espaço neutro infinito, eliminan-

do totalmente a tradicional dicotomia celestial-terrestre. Os corpos celestes movimentavam-se agora pelas mesmas forças naturais e mecânicas e se compunham das mesmas substâncias materiais encontradas na Terra. Com o fim do cosmo geocêntrico e a ascensão do paradigma mecanicista, a Astronomia foi enfim separada da Astrologia. Ao contrário das visões de mundo da Antigüidade e da Idade Média, os corpos celestiais do Universo moderno não possuíam nenhum significado numinoso ou simbólico; eles não existiam para iluminar o caminho do Homem ou para dar significado à sua vida. Eram claramente entidades materiais, cujo caráter e movimentos eram produtos de simples princípios mecânicos, sem nenhuma relação especial com a existência humana em si ou com qualquer realidade divina. Admita-se agora que todas as características especificamente humanas ou pessoais anteriormente atribuídas ao mundo físico exterior eram ingênuas projeções antropomórficas, a serem eliminadas da percepção científica objetiva; e que todos os atributos divinos eram igualmente influência de superstições primitivas e da racionalização de desejos, também eliminadas do discurso científico sério. O Universo era impessoal, não era pessoal; as leis da Natureza eram naturais, não eram sobrenaturais. O mundo físico não possuía nenhum significado intrínseco mais profundo: era materialmente impermeável à Razão, não era a expressão visível de realidades espirituais.

(7) Com a integração da teoria da evolução e suas múltiplas conseqüências em outros campos, agora se compreendia que a Natureza, a origem do Homem e a dinâmica das transformações só poderiam ser atribuídas a causas naturais e a processos empiricamente observáveis. O que Newton havia realizado para o cosmo físico, baseado nos avanços que ocorreram na Geologia e na Biologia (e mais tarde, com a ajuda do trabalho de Mendel na genética), Darwin realizara para a natureza orgânica.[5] A teoria newtoniana estabelecera a nova estrutura e a nova extensão da dimensão espacial do Universo, enquanto a teoria darwiniana estabelecera a nova estrutura e a nova extensão da dimensão temporal da Natureza — a imensa duração e o fato de ser o palco das transformações qualitativas. Com Newton, entendeu-se que o movimento planetário era sustentado pela inércia e definido pela gravidade; com Darwin, compreendeu-se que a evolução biológica era sustentada pela variação do acaso e definida pela seleção natural. A Terra saiu do centro da criação e

tornou-se mais um planeta; o Homem agora saía do centro da criação e se tornava mais um animal.

A evolução darwiniana apresentava uma continuação, uma justificativa aparentemente final do impulso intelectual estabelecido na Revolução Científica, mas também acarretava um significativo rompimento com o clássico paradigma daquela revolução. A teoria evolucionista provocava uma alteração fundamental daquela harmonia uniforme, ordenada e previsível do mundo cartesiano-newtoniano, admitindo a mudança, a luta e o incessante desenvolvimento da Natureza. Com esta perspectiva judaico-cristã, o darwinismo ao mesmo tempo incrementava as conseqüências secularizadoras da Revolução Científica e anulava o empenho desta revolução. A descoberta científica da mutabilidade das espécies ia contra a descrição bíblica de uma criação estática, em cujo centro e cujo ápice estava o Homem. Agora era menos certo que o Homem viesse de Deus do que de formas inferiores de primatas. A mente humana já não era mais um dom divino, mas um instrumento biológico. A estrutura e o movimento da Natureza já não eram tanto conseqüências de um plano divino benevolente com algum objetivo, mas uma luta amoral, fortuita e brutal pela sobrevivência, em que o sucesso não decorria da virtude, mas da força física. Agora a origem das permutações da Natureza estava nela própria, não em Deus ou em algum Intelecto transcendental. Agora a seleção natural e o acaso regiam os processos da vida, não mais as formas teleológicas de Aristóteles ou a Criação dotada de objetivo da Bíblia. O velho conceito moderno de um Criador deísta que iniciara e depois abandonara um mundo plenamente formado e eternamente ordenado — a última solução conciliatória cosmológica entre a revelação judaico-cristã e a Ciência Moderna — recuava agora, diante de uma teoria evolucionária que proporcionava uma explicação naturalista dinâmica para a origem das espécies e todos os outros fenômenos naturais. Seres humanos, animais, organismos, rochas, montanhas, planetas, estrelas, galáxias — todo o Universo podia ser agora entendido como resultado evolucionário de processos inteiramente naturais.

Nessas circunstâncias, parecia cada vez mais questionável a crença, essencial para a visão de mundo grega e a cristã, de que o Universo fora propositadamente planejado e regulado pela inteligência divina. A doutrina cristã da divina intervenção do Cristo na História — a encarnação do Filho de Deus, o Segundo Adão, a Virgem Mãe, a Ressurreição, a Segunda Vinda — parecia implausível no contexto de uma evolução darwiniana voltada para a sobrevivência em um vasto cosmo mecânico newtoniano. Era igualmente implausível a existência de um reino metafísico atemporal de Idéias platônicas transcendentais. Virtualmente tudo no mundo empírico parecia explicável sem que se recorresse a uma realidade divina. O Universo moderno era agora um fenômeno inteiramente secular. Além do mais, era um fenômeno secular ainda em mutação e criando a si mesmo: não um objetivo divinamente construído com uma estrutura estática eterna, mas um processo que se desdobrava sem nenhum objetivo absoluto e sem nenhuma base absoluta, não ser a matéria e suas permutações. Sendo a Natureza a única origem da orientação evolucionária e o Homem o único ser racional consciente na Natureza, seu futuro estava enfaticamente em suas próprias mãos.

(8) Finalmente, ao contrário da visão de mundo cristã medieval, a independência— intelectual, psicológica, espiritual — do homem moderno estava radicalmente afirmada; havia uma depreciação crescente de qualquer fé ou estrutura institucional religiosa que inibisse o direito natural e potencial do Homem à autonomia existencial e à expressão individual. Para o cristão medieval, o objetivo do conhecimento havia sido melhor obedecer à vontade de Deus, agora era melhor adaptar a Natureza à vontade do próprio Homem. Segundo a doutrina cristã da redenção espiritual baseada na manifestação histórica de Cristo, pensou-se primeiro que a futura Segunda Vinda apocalíptica coincidisse com o progressivo avanço da civilização humana sob a divina providência, a conquista do Mal pela razão divinamente dotada ao Homem; mais adiante essa doutrina foi se extinguindo gradual e inteiramente, à luz da crença de que a Razão e a realização científica aos poucos trariam uma era secular utópica marcada pela paz, a sabedoria racional, a prosperidade material e o domínio humano sobre a Natureza. Recuavam agora a impressão cristã do Pecado Original, a Queda e a culpa coletiva, em benefício de uma afirmação otimista da auto-realização humana e de um eventual triunfo da Razão e da Ciência sobre os males sociais, a ignorância e o sofrimento humano.

A visão de mundo da Grécia clássica enfatizara o objetivo da atividade intelectual e espiritual como a essencial unificação (ou reunificação) do Homem ao Cosmo e sua inteligência divina; a meta cristã era reunir o Homem e o mundo com Deus — mas o objetivo da modernidade era criar a maior liberdade possível para o Homem em relação à

Natureza, às estruturas opressivas econômicas, sociais ou políticas, em relação às crenças repressoras metafísicas ou religiosas, à Igreja, ao Deus judaico-cristão, ao Cosmo aristotélico-cristão estático e finito, ao escolasticismo medieval, às antigas autoridades gregas, a todas as concepções primitivas do mundo. Deixando para trás a tradição em favor do poder do intelecto humano autônomo, o Homem moderno pôs-se a caminho por conta própria, decidido a encontrar os princípios do funcionamento do novo Universo, a explorar e ampliar suas novas dimensões e a cumprir seu destino secular.

***

O resumo acima é necessariamente uma simplificação útil, pois existiram outras importantes tendências intelectuais paralelas ou mesmo contrárias ao caráter dominante do pensamento moderno forjado no período iluminista. Nos últimos capítulos, esboçaremos um retrato mais completo, mais complexo e mais paradoxal da sensibilidade moderna. Devemos, no entanto, examinar primeiro, e com maior precisão, a extraordinária dialética ocorrida no momento em que essa visão de mundo moderna se formava a partir de suas antecessoras mais importantes: a clássica e a cristã.

Antigos e Modernos

O pensamento da Grécia clássica proporcionara à Europa do Renascimento a maior parte do equipamento teórico necessário para a produção da Revolução Científica: a intuição inicial dos gregos de uma ordem racional no Cosmo, a matemática pitagórica, o problema dos planetas platonicamente definido, a geometria euclidiana, a astronomia ptolomaica, outras teorias cosmológicas de uma Terra em movimento, a exaltação neoplatônica do Sol, o materialismo mecanicista dos atomistas, o esoterismo hermético e subjacente a tudo, com uma base de empirismo, naturalismo e racionalismo aristotélico e pré-socrático. Contudo, o caráter e a orientação da cultura moderna cada vez mais negavam os antigos como autoridades científicas ou filosóficas, depreciando-os como primitivos, cuja visão de mundo não merecia ser levada a sério. As dinâmicas intelectuais que provocavam essa descontinuidade eram complexas e muitas vezes contraditórias.

Um dos motivos mais produtivos que levaram os cientistas europeus dos séculos XVI e XVII a empenhar-se na observação e na mensuração minuciosa de fenômenos naturais originava-se das ardentes controvérsias entre a física aristotélica escolástica ortodoxa e o heterodoxo renascimento do misticismo matemático pitagórico-platônico. Não deixa de ser bastante irônico que Aristóteles, cuja obra sustentou a ciência ocidental durante dois milênios, fosse alijado pela nova ciência sob o ímpeto de um romântico renascimento do platonismo — de Platão, o idealista especulador que mais sistematicamente desejou largar o mundo dos sentidos. No entanto, quando as universidades contemporâneas desacreditaram em Aristóteles, o platonismo dos humanistas conseguiu abrir a imaginação científica para um renovado sentido da aventura intelectual. Contudo, em um nível mais profundo, a orientação empiricista voltada para esse mundo de Aristóteles foi estendida e realizada *ad extremum* pela Revolução Científica; embora o próprio Aristóteles tenha sido derrubado nessa revolução, pode-se dizer que este fato foi apenas uma rebelião edipiana da ciência moderna, da qual ele era o pai antigo.

Tão decisiva quanto esta, foi a derrubada de Platão. Se Aristóteles foi deposto em efígie e mantido em espírito, Platão foi defendido em teoria, mas inteiramente negado em espírito. De Copérnico a Newton, a

Revolução Científica dependeu e foi inspirada por uma série de estratégias e hipóteses diretamente originadas em Platão, em seus predecessores pitagóricos e seus sucessores neoplatônicos: a busca pelas formas matemáticas atemporais subjacentes ao mundo fenomenal, a crença axiomática de que os movimentos planetários se ajustavam a figuras matemáticas contínuas e regulares, a recomendação de evitar ser equivocado pelo aparente caos dos céus empíricos, certa confiança na beleza e na elegância simples da verdadeira solução para o problema dos planetas, a exaltação do Sol como imagem da divindade criativa, as propostas de cosmologias não-geocêntricas, a crença de que o Universo era permeado pela Razão divina e de que a glória de Deus se revelava especialmente nos céus. Euclides, cuja geometria servira de base para a filosofia racionalista de Descartes e todo o paradigma copernicano-newtoniano, fora um platonista com uma obra toda construída em cima dos princípios platônicos. O próprio método científico moderno desenvolvido por Kepler e Galileu baseava-se na fé pitagórica de que a linguagem do mundo físico era uma linguagem de números, propiciando um fundamento lógico para a convicção de que a observação empírica da Natureza e o teste de hipóteses deveriam ser sistematicamente enquadrados através da mensuração quantitativa. Além do mais, toda a Ciência Moderna baseava-se implicitamente na hierarquia fundamental da realidade de Platão, em que uma Natureza material diversificada e em constante mutação era considerada obediente a determinadas leis e princípios unificadores que transcendiam os fenômenos que regem. Sobretudo, a Ciência Moderna era a herdeira da crença platônica fundamental na inteligibilidade racional da ordem do mundo e na nobreza essencial da busca humana pela descoberta dessa ordem. No entanto, as hipóteses e estratégias platônicas acabaram levando à criação de um paradigma cujo naturalismo deixava pouco espaço para o teor místico da metafísica platônica. A numinosidade dos padrões matemáticos, celebrada pela tradição pitagórico-platônica, agora desaparecia, considerada restrospectivamente impossível de verificação empírica e vista como um acréscimo supérfluo para a compreensão científica direta do mundo natural.

A reivindicação pitagórico-platônica do poder explanatório da Matemática na verdade era constantemente justificada pela Ciência Natural; esta aparente anomalia — por que deveria a Matemática funcionar de modo tão consistente e elegante no reino dos fenômenos materiais irracionais? — causava certa perplexidade entre os ponderados filósofos da Ciência. A maioria dos cientistas praticantes depois de Newton considerava essas consistências matemáticas representantes de certa tendência mecânica à regularidade de padrões, sem nenhum significado mais profundo em si. Raramente eram vistas como Formas reveladoras, pelas quais o espírito humano compreendesse o espírito de Deus. O padrão matemático simplesmente estava "na natureza das coisas" ou fazia parte da natureza do espírito humano; não era interpretado à luz platônica, como prova de um mundo eterno e imutável de espírito puro. As leis da Natureza, embora talvez atemporais, agora sustentavam-se por si mesmas sobre uma base material, dissociada de qualquer causa divina.

Assim, com a desconcertante exceção da Matemática, a corrente platônica da Filosofia deixou de ser considerada uma forma de pensamento viável no contexto moderno, e o caráter quantitativo da Ciência passou a ter um significado inteiramente laico. Diante do indiscutível sucesso da Ciência Natural, mecanicista e da ascendência do empirismo positivista e do nominalismo na filosofia, as alegações idealistas da metafísica platônica — as Idéias eternas, a realidade transcendental em que residia o verdadeiro significado e a existência, a natureza divina dos céus, o governo espiritual do mundo, o significado religioso da Ciência — eram agora deixados de lado como produtos de complexa sofisticação do espírito primitivo. Paradoxalmente, a filosofia platônica servira de condição para uma visão de mundo que parecia opor-se de modo direto aos pressupostos platônicos. Assim, "a ironia do destino construiu a filosofia mecânica do século XVIII e a filosofia materialista do século XIX a partir da mística teoria matemática do século XVII".[6]

Há mais uma ironia na derrota moderna dos gigantes clássicos — Aristóteles e Platão — pelas mãos das antigas tradições minoritárias. No final do período clássico e no medieval, o atomismo mecanicista e materialista de Leucipo e Demócrito; as heterodoxas cosmologias (não-geocêntricas ou não-geostáticas) de Filolau, Heráclides e Aristarco; o ceticismo radical de Pirro e Sextus Empiricus — elas todas foram obscurecidas, quase pisoteadas e eliminadas, pelo culturalmente mais poderoso triunvirato filosófico de Sócrates, Platão e Aristóteles e pela cosmologia aristotélico-ptolomaica dominante.[7] Não obstante, os humanistas retomaram as visões minoritárias durante o Renascimento, o que serviu para mais tarde inverter essa hierarquia no mundo da Ciência; muitos de seus preceitos gozaram de inesperada valoração nas conclusões teóricas e no conteúdo filosófico da Revolução Científica e do período seguinte. Semelhante renascimento ocorreria com os sofistas, cujo humanismo laico e ceticismo relativista encontrou renovado favorecimento no clima filosófico do Iluminismo e no pensamento moderno que veio a seguir.

No entanto, as percepções isoladas e aparentemente acidentais de alguns poucos teóricos especuladores não bastaram para fazer a Ciência Moderna iniciar uma avaliação crítica da cultura antiga. A utilidade de diversas premissas das tradições platônica e aristotélica também não bastaram para servir de contrapeso ao que era considerado sua base equivocada e insuficientemente empírica. A reverência retrospectiva dos pensadores medievais e renascentistas para com o espírito e as realizações dos luminares da era dourada clássica já não parecia mais adequada num momento em que, de todos os lados, o Homem moderno estava provando sua superioridade prática e intelectual. Assim, depois de extrair tudo o que fosse útil para suas atuais necessidades, o pensamento moderno concebeu novamente a cultura clássica em termos respeitosos por suas realizações literárias e humanistas, deixando de lado em geral a Cosmologia, a Epistemologia e a Metafísica dos antigos, considerando-as cientificamente ingênuas e equivocadas.

Os elementos esotéricos da tradição antiga (Astrologia, Alquimia, Hermetismo), que também haviam sido instrumentais na gênese da Revolução Científica, foram descartados de modo mais extenso. O nascimento antigo da Astronomia e da própria Ciência havia estado perfeitamente entrelaçado à compreensão astrológica primitiva dos céus como reino superior de significado divino, onde os movimentos planetários eram cuidadosamente observados por sua importância simbólica para as questões humanas. Nos séculos seguintes, os elos que prendiam a Astrologia à Astronomia foram essenciais para o progresso técnico desta, pois os pressupostos astrológicos é que deram à Astronomia sua importância social e psicológica e ainda sua utilidade militar e política em questões de Estado. As previsões astrológicas exigiam dados astronômicos os mais exatos possíveis, de modo que a Astrologia forneceu aos astrônomos seu mais convincente motivo para tentar resolver o problema dos planetas. Não foi por acaso que antes da Revolução Científica a Astronomia teve seu mais rápido desenvolvimento, precisamente nos períodos em que a Astrologia era mais amplamente aceita: a era helênica, a Alta Idade Média e o Renascimento.

Os principais protagonistas da Revolução Científica também não se mobilizaram para cortar esse antigo laço. Copérnico não fazia nenhuma distinção entre Astronomia e Astrologia em seu *De Revolutionibus*, referindo-se a elas em conjunto, como "a primeira de todas as artes liberais". Kepler confessou que sua pesquisa astronômica foi inspirada por sua busca pela "música das esferas" celestiais. Embora francamente crítico em relação à ausência de rigor na Astrologia contemporânea, Kepler foi o mais importante teórico astrológico em seu tempo; ele e Tycho de Brahe foram astrólogos reais do Sacro Império Romano. Como a maioria dos astrônomos do Renascimento, até mesmo Galileu rotineiramente calculava mapas astrológicos, inclusive um para seu patrono, o duque da Toscana, em 1609, ano de suas descobertas telescópicas. Newton contou que foi seu interesse inicial pela Astrologia que estimulou suas memoráveis pesquisas na Matemática, e que mais tarde estudou bastante a Alquimia. Às vezes é difícil determinar-se hoje a real extensão do empenho desses pioneiros na Astrologia ou na Alquimia, mas o moderno historiador da Ciência procura em vão uma clara demarcação entre o científico e o esotérico.

A norma no Renascimento era realmente uma especial colaboração entre a Ciência e a tradição esotérica, que desempenhou um papel indispensável no nascimento da Ciência Moderna: além do misticismo matemático neoplatônico e pitagórico e da exaltação do Sol que ocorreu em todos os grandes astrônomos copernicanos, encontramos Roger Bacon, o pioneiro da ciência experimental, cuja obra estava saturada de princípios alquímicos e astrológicos; Giordano Bruno, o polímata esotérico que defendia um cosmo copernicano infinito; Paracelso, o alquimista que lançou as primeiras bases da Medicina e da Química modernas; William Gilbert, cuja teoria do magnetismo da Terra baseava-se em sua comprovação de que a alma do mundo estava encarnada nesse ímã; William Harvey, que acreditava que sua descoberta da circulação do sangue revelava que o corpo humano fosse um microcósmico reflexo dos sistemas de circulação da Terra e dos movimentos planetários do Cosmo; a afiliação de Descartes ao místico rosa-cruzianismo; a afiliação de Newton aos platonistas de Cambridge e sua crença de que trabalhava com uma antiga tradição de sabedoria secreta que datava do tempo de Pitágoras e antes; e, finalmente, a própria lei da gravitação universal, modelada nas afinidades da filosofia hermética. Em muitos aspectos, a modernidade da Revolução Científica era ambígua.

O novo Universo que emergiu a partir da Revolução Científica não era tão ambíguo e parecia deixar pouco espaço para a realidade dos princípios astrológicos e outros esoterismos explícitos. Os primeiros revolucionários não chamavam atenção para os problemas que o novo paradigma impunha à Astrologia, mas tais contradições logo se tornaram aparentes para outros. Uma Terra planetária era algo que minava as bases do pensamento astrológico, pois este pressupunha que a Terra fosse o centro absoluto das influências planetárias. Era difícil ver como, sem a privilegiada posição de centro fixo do Universo, a Terra continuaria merecedora de tal atenção cósmica distintiva. Toda a cosmografia tradicional delineada de Aristóteles a Dante se rompera; agora, a Terra em movimento invadia os domínios celestiais anteriormente exclusivos de forças planetárias específicas. Depois de Galileu e Newton, a divisão entre Céu e Terra já não poderia ser sustentada e, sem essa dicotomia primordial, as premissas metafísicas e psicológicas que ajudaram a apoiar o sistema de crença astrológico desmoronavam. Agora sabia-se que os planetas eram prosaicos objetos materiais movidos pela inércia e a gravidade; já não eram símbolos arquetípicos movidos por alguma inteligência cósmica. Havia, na verdade, poucos pensadores renascentistas que não estavam suficientemente convencidos da validade essencial da Astrologia, mas uma geração depois de Newton poucos acreditavam que ela merecesse alguma atenção. Cada vez mais marginalizada, a Astrologia passou ao submundo, sobrevivendo apenas em pequenos grupos esotéricos e entre as massas sem poder de crítica.[8] Depois de ser a "rainha das ciências" clássicas, orientadora de imperadores e reis durante boa parte de dois milênios, a Astrologia perdera o crédito.

Com exceção dos românticos, a cultura moderna também superou gradualmente o fascínio do Renascimento pelo mito antigo como dimensão autônoma da existência. Os deuses não passavam de ficções coloridas da fantasia pagã — do Iluminismo em diante, era algo que não precisava de grande argumentação. Assim como as Formas platônicas desapareceram na Filosofia e tiveram seu lugar preenchido por qualidades empíricas objetivas, conceitos subjetivos, categorias cognitivas ou "semelhanças de família" lingüística, os deuses antigos assumiram o papel de personagens literários, imagens artísticas, metáforas úteis, sem nenhuma razão para exigir qualquer realidade ontológica.

A Ciência moderna eliminara do Universo todas as propriedades humanas e espirituais anteriormente nele projetadas. Agora o mundo era neutro, desprovido de inteligência e material; portanto, era impossível qualquer diálogo com a Natureza — fosse por magia, misticismo ou alguma autoridade divinamente outorgada. Somente o emprego impessoal do intelecto racional crítico e com base empírica do Homem poderia obter uma compreensão objetiva da Natureza. Ainda que, uma espantosa diversidade de fontes epistemológicas houvesse convergido, para possibilitar a Revolução Científica, mais tarde elas passaram a ser consideradas significativas apenas no contexto da descoberta científica: o enorme salto criativo (e antiempírico) para a concepção de uma Terra planetária,[9] as crenças estéticas e místicas neoplatônicas e pitagóricas, o sonho revelador e a visão de Descartes de uma nova ciência universal e sua missão de forjá-la, o conceito da atração gravitacional de inspiração hermética de Newton, todas as descobertas acidentais dos antigos manuscritos (Lucrécio, Arquimedes, Sextus Empiricus, os neoplatônicos), o caráter essencialmente metafórico das diversas teorias e explicações científicas. No contexto da justificativa científica da afirmação do valor de verdade de qualquer hipótese, apenas as evidências empíricas e a análise racional poderiam ser consideradas legítimas bases epistemológicas; na esteira da Revolução Científica, esses métodos dominavam as iniciativas científicas. As epistemologias por demais flexíveis, sincréticas e místicas do período clássico e suas complexas conseqüências metafísicas eram agora repudiadas.

A cultura clássica permaneceria por muito tempo um reino sublime pairando sobre a criatividade e a estética do Ocidente; ela continuaria a inspirar idéias e modelos políticos e morais aos pensadores modernos. A Filosofia grega, o Latim e o Grego, os eventos e as personalidades da história antiga continuariam a evocar na cultura moderna um ávido interesse e o respeito, muitas vezes beirando a reverência. Não obstante, a nostalgia humanista pelo classicismo não disfarçava sua crescente perda de importância ou pertinência para a cultura moderna. Em se tratando de uma rigorosa análise filosófica e científica da realidade, a despeito da importância da visão de mundo clássica e de suas virtudes em termos estéticos ou imaginativos, nela não haveria termos comparativos favoráveis em relação à eficácia e rigor intelectual com que o Homem moderno pudesse justificar sua compreensão.

Contudo, a antiga cultura grega ainda saturava a moderna. A Grécia sobrevivia na preocupação quase religiosa do cientista em busca do conhecimento, em suas hipóteses muitas vezes inconscientes sobre a inteligibilidade racional do mundo e a capacidade do Homem em sua revelação, em sua independência crítica de opinião e sua ambição para expandir o conhecimento humano ultrapassando horizontes ainda mais distantes.

O Triunfo do Secularismo

Ciência e Religião: a Concórdia Inicial

O destino da cristandade depois da Revolução Científica não deixava de ter alguma semelhança com o destino do pensamento, nem de ser um tanto paradoxal. Os gregos haviam fornecido a maioria das bases teóricas para a Revolução Científica; a Igreja Católica, com todas as suas restrições dogmáticas, servira de matriz necessária para que a cultura ocidental pudesse desenvolver-se e dali emergir a percepção científica. A natureza da contribuição da Igreja era ao mesmo tempo prática e doutrinária: desde o início da Idade Média, os monastérios eram o único refúgio do Ocidente em que as realizações da cultura clássica foram preservadas e deram continuidade a seu espírito. A partir da virada do primeiro milênio, a Igreja oficialmente apoiara e estimulara o vasto empreendimento escolástico de erudição e ensino sem o qual a intelectualidade moderna talvez não houvesse despertado.

Este importante patrocínio eclesiástico justificava-se por uma singular configuração de posturas teológicas. Na visão da Igreja medieval, a compreensão profunda e precisa da doutrina cristã exigia uma correspondente capacidade de clareza lógica e perspicácia intelectual. Além desse fundamento lógico, emergiu outro: com a crescente compreensão do mundo físico na Alta Idade Média, surgiu a correspondente percepção do papel favorável que um entendimento científico teria na avaliação da maravilhosa criação de Deus. Apesar de toda a cautela em relação à vida secular e a "este mundo", a religião judaico-cristã dava grande ênfase à realidade ontológica desse mundo e a seu relacionamento com um Deus bom e justo. A cristandade levava a sério esta vida; nisso residia um significativo ímpeto religioso pela busca científica, que não dependia apenas de um sentido da grande responsabilidade do ser humano neste mundo, mas também uma crença na realidade deste mundo, em sua ordem e, no início da Ciência moderna, em seu consistente relacionamento com um Deus onipotente e infinitamente sábio.

A contribuição dos escolásticos também não foi apenas uma imperfeita recuperação cristianizada que apoiasse as idéias gregas. O exaustivo exame e a crítica dos escolásticos a essas idéias e sua criação de novas teorias e conceitos alternativos — rudimentares formulações das leis da inércia e do impulso, a aceleração uniforme de corpos em queda livre, hipotéticos argumentos em defesa de uma Terra em movimento — é que permitiram que a Ciência moderna começasse a forjar seu novo paradigma, de Copérnico e Galileu em diante. O resultado mais conseqüente talvez não tenha sido a natureza específica das inovações teóricas dos escolásticos, nem sua revitalização do pensamento helênico, mas a atitude existencial mais intangível que os pensadores medievais passaram a seus descendentes modernos: a confiança teologicamente fundamentada, mas decidida e firme, em que o dom divino da Razão proporcionava ao Homem a capacidade de compreender o mundo natural — o que também era o dever religioso. A relação intelectual do Homem com o Logos criativo e o privilégio da posse da luz divina de um intelecto capaz — a *lumen intellectus agentis* de Tomás de Aquino — eram, do ponto de vista cristão, precisamente o que mediava o entendimento do Cosmo. A luz natural da Razão humana de Descartes era a herdeira um tanto secularizada e direta dessa concepção medieval. O próprio Tomás de Aquino escrevera na *Summa theologica*: "a autoridade é a mais fraca das provas" — máxima essencial para os protagonistas da independência da cultura moderna. Racionalismo, naturalismo e empirismo moderno tinham todos raízes escolásticas.

Contudo, a escolástica com que se depararam os filósofos naturais dos séculos XVI e XVII era uma estrutura senil de dogmatismo pedagógico que já não dizia nada ao espírito inovador da era. Pouco ou nada de novo emergia de seus limites. A obsessão com Aristóteles, suas distinções verbais e enigmas lógicos por demais sutis, além de sistematicamente não submeter a teoria aos testes da experimentação — todos esses fatores marcaram o final do período escolástico, uma instituição antiquada, encravada, cuja autoridade devia ser derrubada para não sufocar o valente bebê da Ciência. Depois de Bacon, Galileu, Descartes e Newton, a autoridade dos escolásticos fora devidamente posta em dúvida e sua reputação jamais se recuperou. Daí em diante, a Ciência e a Filosofia podiam seguir em frente sem justificativa teológica, sem a colossal superestrutura de apoio da metafísica e da epistemologia escolástica.

Apesar do caráter inequivocamente secular da ciência moderna, mais tarde cristalizado com a Revolução Científica, os primeiros revolucionários da Ciência continuaram a agir, pensar e falar de seu trabalho em termos claramente impregnados de iluminação religiosa. Eles percebiam suas inovações intelectuais como contribuições fundamentais a uma sagrada missão. Suas descobertas científicas eram como que um triunfante despertar espiritual para a arquitetura divina do mundo, revelações da verdadeira ordem cósmica. A jubilosa exclamação de Newton — "Oh, Deus, penso os teus pensamentos!" — era apenas a culminação de uma longa série de semelhantes epifanias que marcaram o nascimento da ciência moderna. Em *De revolutionibus*, Copérnico celebrava a Astronomia como "ciência mais divina do que humana", mais próxima a Deus na nobreza de seu caráter; para ele, a teoria heliocêntrica revelava a verdadeira grandiosidade e precisão estrutural do cosmo divino. Os textos de Kepler fulguravam com sua impressão de estar divinamente iluminados no momento em que os mistérios interiores do cosmo se desvendavam a seus olhos.[10] Kepler declarou que os astrônomos eram "sacerdotes do supremo Deus em relação ao Livro da Natureza" e via seu papel como "a honra de, com minha descoberta, ser um guardião da porta do templo de Deus, onde Copérnico serve diante do grande altar". Em *Sidereus Nuncius*, Galileu dizia que suas descobertas telescópicas foram possíveis pela graça divina que iluminou sua mente. Mesmo o profano Bacon via o progresso na ciência em termos claramente religiosos e pietistas; para ele, o aperfeiçoamento material da Humanidade correspondia à aproximação espiritual ao milênio cristão. Descartes interpretava sua visão da nova ciência universal, e teve sonho em que a ciência lhe era simbolicamente apresentada, como uma ordem divina para a realização de sua obra: Deus indicara o caminho para o conhecimento seguro e lhe garantira o sucesso de sua investigação científica. Com a realização de Newton, considerou-se terminado o nascimento divino. Um novo Gênese fora escrito. Alexander Pope escreveu sobre o Iluminismo:

> A Natureza e as leis da Natureza escondem-se à noite;
> Deus disse: "Faça-se Newton" e tudo foi luz.

A grande paixão pela descoberta das leis da Natureza sentida pelos cientistas revolucionários vinha também da sensação de estarem recuperando um conhecimento divino perdido na Queda. Finalmente, a mente humana compreendera os princípios do funcionamento divino. As leis eternas que regem a Criação e o próprio artesanato divino agora haviam sido desvendados pela ciência. Através dela, o Homem contribuíra para a maior glória de Deus, demonstrando a beleza Matemática e a complexa precisão, a fabulosa ordem que reinava nos céus e na Terra. A luminosa perfeição do novo Universo das descobertas obrigavam-nos à reverência diante da transcendental inteligência que atribuíam ao Criador desse cosmo.

A religiosidade dos grandes pioneiros da Ciência também não era um sentimento generalizado com pouca e específica relação com a cristandade. Newton estava tão ardorosamente absorto na Teologia cristã e nos estudos das profecias bíblicas quanto na Física. Galileu estava empenhado em poupar a Igreja de um erro dispendioso e, apesar de seu confronto com a Inquisição, permaneceu firme em sua devoção católica. Descartes viveu e morreu como um católico devoto; seus pressupostos cristãos estavam intelectualmente impregnados e incrustados na própria trama de suas teorias científicas e filosóficas. Descartes e Newton construíram seus sistemas cosmológicos pressupondo a existência de Deus. Para Descartes, o mundo objetivo existia como realidade estável porque existia na mente divina; a Razão humana era epistemologicamente confiável por causa do intrinsecamente verídico caráter divino. Da mesma forma, para Newton, a matéria não podia ser explicada em seus próprios termos, mas exigia um primeiro motor, um criador, um supremo regente e arquiteto. Deus estabelecera o mundo físico e suas leis; aí residia a permanente ordem e existência desse mundo. Devido a certos problemas não solucionados em seus cálculos, Newton chegou à conclusão de que a intervenção divina era periodicamente necessária para manter-se a regularidade do sistema.

Conciliação e Conflito

O acordo inicial entre a Ciência e a cristandade já apresentava tensões e contradições; tirando-se a ontologia criacionista que ainda servia para corroborar o novo paradigma, o Universo científico — com suas forças mecânicas, o céu material e a Terra planetária — não era lá muito congruente com as concepções cristãs tradicionais do Cosmo. Qualquer enfoque mais fundamental do novo Universo sustentava-se apenas pela fé religiosa, não pela comprovação científica. A Terra e a Humanidade talvez fossem o eixo metafísico da criação de Deus, mas esta posição não poderia apoiar-se em uma compreensão puramente científica, que via o Sol e a Terra como simples corpos entre incontáveis outros, movimentando-se por um vazio neutro ilimitado. "Estou aterrorizado pelo silêncio eterno desses espaços infinitos", disse Pascal, um matemático intensamente religioso. Sensíveis intelectuais cristãos tentaram dar nova interpretação e modificar sua compreensão religiosa para incluir um universo drasticamente diferente do descrito pelas cosmologias antiga e medieval em que se desenvolvera o Cristianismo, mas o hiato metafísico estava cada vez mais amplo. No cosmo newtoniano do Iluminismo, Céu e Inferno haviam perdido suas localizações físicas, os fenômenos naturais perderam sua importância simbólica, milagres e intervenção divina em questões humanas pareciam cada vez mais implausíveis, contradizendo a suprema ordem de um universo que funcionava como um relógio. Não obstante, os princípios da fé cristã, profundamente enraizados, não poderiam ser negados por inteiro.

Surgiu então a necessidade psicológica de um Universo de dupla verdade. A Razão e a Fé pertenciam a reinos diferentes; filósofos, cientistas e o público mais amplo que recebera instrução cristã não percebiam nenhuma integração legítima entre realidade científica e realidade religiosa. Unida na Alta Idade Média pelos escolásticos, culminando em Tomás de Aquino, dividida no final do período medieval entre Ockham e o nominalismo, a Fé passara para uma direção com a Reforma, Lutero, a Escritura tomada literalmente, o protestantismo fundamentalista e o catolicismo da Contra-Reforma — enquanto a Razão foi em outra direção com Bacon, Descartes, Locke, Hume, a ciência empírica, a filosofia racional e o Iluminismo. As tentativas de relacioná-las em geral deixavam de preservar o caráter de uma ou outra, como acontecia na delimitação kantiana da experiência religiosa ao impulso moral.

Sendo Ciência e Religião simultaneamente vitais mas discrepantes, a visão de mundo da cultura necessariamente bifurcou-se, refletindo um cisma metafísico existente tanto no indivíduo como na coletividade. A religião foi cada vez mais compartimentalizada, considerada menos importante para o mundo exterior do que para o eu interior, menos para o espírito contemporâneo do que para a tradição venerada, menos para a vida do que para a vida após a morte, menos para os dias da semana do que para o domingo. Muitos ainda acreditavam na doutrina cristã; como em reação ao universo mecânico abstrato dos físicos e filósofos do Iluminismo, emergiu uma legião de fervorosos movimentos religiosos emocionais, que encontraram vasto apoio popular nos séculos XVII e XVIII — o pietismo na Alemanha, o jansenismo na França, *quakers* e metodistas na Inglaterra, o grande despertar nos Estados Unidos. A religiosidade devota nos moldes tradicionais cristãos continuava disseminada; esses foram os anos em que a música religiosa do Ocidente chegou ao apogeu com Bach e Haendel — ambos nascidos meses depois da divulgação dos *Principia* de Newton. Contudo, em meio a esse pluralismo, em que os temperamentos científico e religioso seguiam suas vias em separado, a direção cultural mais importante estava muito clara: indiscutivelmente ascendia o racionalismo, demonstrando ser o soberano de áreas cada vez mais vastas da experiência humana.

Dois séculos depois de Newton, o panorama da modernidade estava completamente secularizado. O materialismo mecanicista havia provado de modo impressionante sua força explanatória e sua eficácia utilitária. Experiências e fatos que pareciam desafiar princípios científicos aceitos — supostos milagres e curas pela fé, êxtases espirituais e revelações religiosas, profecias, interpretações simbólicas de fenômenos naturais, encontros com Deus ou o demônio — eram cada vez mais considerados efeitos da loucura ou do charlatanismo, ou de ambos. Questões relativas à existência de Deus ou a uma realidade transcendental deixavam de ter papel decisivo na imaginação científica, que se tornava o principal fator na definição do sistema de crenças compartilhado pelo público instruído. Já para Pascal no século XVII, diante de suas próprias dúvidas religiosas e de seu ceticismo filosófico, o salto de fé necessário para sustentar a crença cristã se tornara uma aposta — mas para muitos que lideravam o pensamento ocidental parecia uma aposta perdida.

O que provocou, então, essa mudança da religiosidade aberta dos cientistas revolucionários dos séculos XVI e XVII para o igualmente enfático secularismo do intelecto ocidental nos séculos XIX e XX? Com toda certeza, a incongruidade metafísica das duas visões de mundo, a dissonância cognitiva resultante da tentativa de manter juntos tais sistemas e percepções, inerentemente divergentes, terminou forçando a questão em uma ou outra direção. O caráter e as implicações da revelação cristã simplesmente não aderiam bem aos da revelação científica. A crença na ressurreição física de Cristo depois da morte era essencial para a fé cristã; um fato que, com seus testemunhos e interpretações apostólicos, era a própria base da cristandade. Entretanto, com a aceitação quase universal da explicação científica de todos os fenômenos em termos de leis naturais regulares, esse milagre e os outros fenômenos sobrenaturais contados na Bíblia já não impunham uma fé inquestionável. Tudo isso parecia cada vez mais improvável para a mente moderna; eram fatos que tinham muitas semelhanças com outras histórias, míticas ou lendárias, da imaginação arcaica: a ressurreição dos mortos, curas e exorcismos milagrosos, um salvador divino-humano, maná dos céus, vinho da água, água das pedras, abertura de mares.

Emergiu também uma crítica nociva da revelação da verdade cristã com a nova disciplina acadêmica da erudição bíblica, o que era demonstrado pelas variadas fontes manifestamente humanas. Os teólogos humanistas do Renascimento e da Reforma haviam insistido no retorno às fontes originais gregas e hebraicas da Bíblia, o que levou a uma leitura mais crítica e a novas avaliações da integridade e autenticidade histórica desses textos originais. Ao longo de diversas gerações desse estudo, a Escritura começou a perder sua aura sagrada de inspiração divina. A Bíblia era agora identificada menos como a Palavra de Deus inquestionavelmente autorizada e incorrupta do que como uma heterogênea coleção de textos escritos em variados gêneros literários tradicionais, compostos, compilados e alterados por inúmeras mãos humanas no decorrer dos séculos. A crítica textual bíblica foi logo seguida por estudos históricos também críticos do dogma cristão e da Igreja, e por investigações históricas sobre a vida de Jesus. As habilidades intelectuais desenvolvidas para analisar história e literatura seculares eram agora aplicadas às bases sagradas da cristandade, com perturbadoras conseqüências para os fiéis.

No momento em que juntou-se a esses estudos a teoria darwiniana que desacreditava a narrativa da criação encontrada no *Gênese,* a validade da revelação da Escritura tornara-se totalmente problemática. Era muito difícil que o Homem houvesse sido moldado à imagem de Deus, se ele também era descendente biológico de primatas sub-humanos. O que impeliu a evolução não fora a transfiguração espiritual, mas a luta pela sobrevivência biológica. Até Newton, o peso da Ciência tendera a dar suporte ao argumento pela existência de Deus com base nas evidências de um plano no Universo; depois de Darwin, o peso da ciência era lançado contra esse argumento. A evidência da história natural parecia mais plausivelmente compreensível em termos dos princípios evolucionários da seleção natural e da mutação fortuita do que em termos de um Planejador transcendental.

Certamente, alguns cientistas de convicção cristã perceberam a afinidade entre a teoria da evolução e a noção judaico-cristã do plano divino de uma história progressiva e providencial. Estes compararam a concepção, presente no Novo Testamento, de um processo evolucionário imanente de encarnação divina no Homem e na Natureza e chegaram a procurar contornar algumas falhas teóricas de Darwin com princípios explicativos religiosos. Contudo, para uma cultura habituada a entender sua Bíblia ao pé da letra, a mais flagrante contradição entre a estática criação das espécies conforme o original do *Gênese* e as evidências darwinianas de sua transmutação ao longo da eternidade do tempo chamava maior atenção, em última análise estimulando o abandono em massa de agnósticos do rebanho religioso. No fundo, a fé cristã em um Deus que agia através da Revelação e da Graça parecia bastante incompatível com tudo o que diziam o bom senso e a ciência sobre a maneira como realmente funcionava o mundo. Com Lutero, a estrutura monolítica da Igreja cristã medieval rachara; com Copérnico e Galileu, a própria cosmologia cristã se rompera — e com Darwin, a visão de mundo cristã apresentava sinais de desmoronar por inteiro.

Numa era iluminada pela Razão de modo tão sem precedentes, a "boa nova" da cristandade tornava-se uma estrutura metafísica cada vez menos convincente, uma base menos segura sobre a qual construir uma vida, além de menos necessária psicologicamente. A cabal improbabilidade de todo o nexo dos fatos tornava-se aflitivamente óbvia: imagine, um Deus eterno e infinito que de repente se tornasse um determinado ser humano em específicos momento e lugar históricos só para ser ignominiosamente executado!... O fato de uma única "vidinha" breve ocorrida há dois milênios em uma obscura nação primitiva, num planeta que agora se sabia ser um pedaço de matéria relativamente insignificante girando em volta de uma estrela entre milhões de outras no meio de um universo impessoal inconcebivelmente vasto — imagine!... um evento tão modesto já não poderia mais ter algum avassalador significado cósmico ou eterno e não poderia ser uma crença convincente para qualquer pessoa ponderada. Era totalmente implausível que todo o Universo tivesse qualquer interesse mais urgente nessa minúscula parte de sua imensidão — se é que havia alguma espécie de "interesse". Sob a luz da moderna exigência de corroboração pública, empírica e científica de todas as afirmações de fé, a essência da cristandade definhava.

Na opinião do intelecto crítico moderno, era provável que o Deus judaico-cristão fosse uma combinação especialmente duradoura de fantasia e projeção antropomórfica — feita à imagem do próprio Homem, para mitigar a dor e corrigir os erros que este considerasse intoleráveis em sua existência. Se, em compensação, a Razão desprovida de sentimentos pudesse aderir intimamente às evidências concretas, não havia nenhuma necessidade de postular a existência desse Deus e de boa parte do muito que se dizia contra ele. Os dados científicos indicavam claramente que o mundo natural e sua história eram expressões de um processo impessoal. Dizer exatamente o que causou esse complexo fenômeno, portador de indícios de ordem e caos, evidente e impressionantemente desprovido de objetivo, fora de controle no sentido da ausência de um governo divino — chegar a postular e definir o que havia por trás dessa realidade empírica teria de ser considerado um desequilíbrio intelectual, mero sonho com o mundo. A antiga preocupação com planos divinos e propósitos divinos, terminando em questões metafísicas, caindo nos *porquês* dos fenômenos, era algo que agora já não prendia a atenção dos cientistas. Era bem mais produtivo concentrar-se nos *cosmos*, os mecanismos materiais, as leis da Natureza, os dados concretos que poderiam ser medidos e testados.[11]

A Ciência não insistia perversamente nos fatos reais e em uma visão "mais estreita" por simples miopia. Ao contrário, acontece que apenas os *comos*, as correlações empíricas e as causas tangíveis, é que poderiam ser confirmados através de experimentos. Planos teleológicos e causas espirituais não poderiam sujeitar-se a testes, não poderiam ser sistematicamente isolados e, portanto, não se poderia saber se existiam ou não. Era melhor tratar apenas de categorias empiricamente comprováveis do que permitir que princípios transcendentais, por mais nobre que fosse a sua abstração, entrassem na discussão científica: na análise final, não poderiam ser mais corroborados do que um conto de fadas. Deus não era uma entidade passível de teste. De qualquer maneira, o caráter e o *modus operandi* da divindade judaico-cristã não cabiam muito bem no mundo real descoberto pela ciência.

Com suas profecias apocalípticas e rituais sagrados, o herói humano divinizado, suas histórias de milagres e a veneração de santos e relíquias, a cristandade seria melhor compreendida como um mito folclórico singularmente bem-sucedido — que inspirava a esperança nos crentes, dava ordem e significado às suas vidas, mas era desprovido de fundamentação ontológica. Sob essa luz, os cristãos poderiam ser considerados bem-intencionados, mas crédulos. Com a vitória do darwinismo (e, o que é notável, logo após o famoso debate de Oxford, em 1860, entre o bispo Wilberforce e T.H. Huxley), a Ciência inequivocamente obtivera sua independência em relação à Teologia. Depois de Darwin, parecia haver pouca possibilidade de quaisquer outros contatos entre a Ciência e a Teologia; a primeira concentrava-se cada vez mais e com maior sucesso no mundo objetivo, a segunda, virtualmente incapacitada fora de círculos intelectuais religiosos cada vez menores, concentrava-se exclusivamente nas preocupações espirituais interiores. Diante do rompimento final do Universo cientificamente inteligível das antigas verdades espirituais, a teologia moderna adotou uma posição cada vez mais subjetiva. A primitiva crença cristã de que a Queda e a Redenção não pertenciam apenas ao Homem mas a todo o Cosmo, doutrina enfraquecida depois da Reforma, agora desaparecia por completo: se o processo da Salvação tinha algum significado, era unicamente a relação pessoal entre Deus e o Homem. As recompensas interiores da fé cristã agora eram enfatizadas, com uma radical descontinuidade entre a experiência de Cristo e a do mundo do dia-a-dia. Deus era totalmente diferente do Homem e desse mundo, nisso residia a experiência religiosa. O "salto da fé" constituía a principal base para a convicção religiosa, não a evidência do mundo criado ou a autoridade objetiva da Escritura.

Sob tais limitações, a cristandade moderna assumia um novo papel intelectual bem menos abrangente. Em sua antiga capacidade como paradigma explicador do mundo visível e, ao mesmo tempo, código religioso universal para a cultura ocidental, a Revelação cristã perdera sua força. Em todo caso, a ética cristã não era tão depreciada pelas novas conceituações. Para muitos não-cristãos, mesmo para os abertamente agnósticos e ateus, os ideais morais ensinados por Jesus permaneciam admiráveis como os de qualquer outro sistema ético. No entanto, o conjunto da revelação cristã — a infalível Palavra de Deus na Bíblia, o plano da Salvação divina, milagres e assim por diante — não podia ser levado a sério. Cada vez parecia mais óbvio que Jesus fosse um simples homem, embora bastante convincente. A compaixão pela Humanidade ainda era considerada um ideal social e individual, mas agora sua base era mais secular e humanista do que religiosa. Um liberalismo humanitário sustentava assim determinados elementos do *ethos* cristão sem a fundamentação transcendental. Assim como a cultura moderna admirava a altivez de espírito e o tom moral da filosofia platônica, simultaneamente negando sua metafísica e epistemologia, a cristandade também continuava a receber um tácito respeito e era até seguida com rigor por seus preceitos éticos, mas também cada vez mais posta em dúvida por suas reivindicações religiosas e metafísicas mais amplas.

Também é verdade que, para muitos cientistas e filósofos, a própria Ciência continha significado religioso, estaria aberta a uma interpretação religiosa ou poderia servir de introdução a uma avaliação religiosa do Universo. Para algumas pessoas, havia questões que requeriam a existência de uma inteligência divina e da força da sofisticação miraculosa: a beleza das formas da Natureza, o esplendor de sua variedade, o extraordinariamente complexo funcionamento do corpo humano, a evolução do olho ou da mente humana, o padrão matemático do Cosmo, a inimaginável magnitude dos espaços celestiais. Contudo, muitos outros diziam que esses fenômenos eram resultados diretos e relativamente acidentais das leis naturais da Física, da Química e da Biologia. A psique humana, ansiosa pela segurança de uma providência cósmica e suscetível à personificação e projeção de sua própria capacidade de valorizar e objetivar, talvez desejasse ver algo mais no plano da Natureza, mas a ciência estava deliberadamente muito além dessa antropomorfização racional: todo o panorama da evolução cósmica parecia explicável como conseqüência direta do acaso e necessidade, mútua influência de leis naturais. Sob essa luz, quaisquer aparentes implicações religiosas teriam de ser julgadas como extrapolações poéticas, mas cientificamente injustificáveis, com as evidências disponíveis. Deus era "uma hipótese desnecessária".[12]

Filosofia, Política, Psicologia

Avanços paralelos na Filosofia, nesses séculos, reforçaram a mesma progressão secular. Durante a Revolução Científica e no início do Iluminismo, a Religião continuava tendo seus fiéis entre os filósofos, mas já estava sendo transformada pelo caráter da mentalidade científica. Deístas do Iluminismo, como Voltaire, preferiam a cristandade bíblica tradicional e defendiam uma "religião racional" ou uma "religião natural". Esta não seria mais adequada apenas para uma apreensão racional da ordem da Natureza e da exigência de uma primeira causa universal, mas também para o encontro do Ocidente com as religiões e sistemas éticos de outras culturas — encontro esse que para muitos já indicava a existência real de uma sensibilidade religiosa universal baseada na experiência comum da vida humana. Em tal contexto, as reivindicações absolutas da cristandade não poderiam desfrutar de qualquer privilégio especial. A arquitetura cósmica de Newton pedia um arquiteto cósmico, mas os atributos desse Deus só poderiam derivar do exame empírico de sua criação, não de extravagantes pronunciamentos de Revelação. As primeiras concepções religiosas — primitivas, bíblicas, medievais — poderiam ser consideradas agora etapas infantis no percurso em direção à compreensão mais amadurecida da modernidade sobre uma divindade racional e impessoal que dominava uma criação ordenada.

Entretanto, o Deus racionalista logo começou a perder o apoio filosófico. A existência de Deus fora afirmada em Descartes pela Razão, não pela Fé; mas sobre essa base, a existência segura de Deus não poderia ser sustentada indefinidamente, como observaram de maneiras diferentes Hume e Kant, os mais importantes filósofos do Iluminismo. Há quatrocentos anos, Ockham já advertira que a filosofia racional não poderia pretender pronunciar-se em questões que até então transcendiam o intelecto de base empírica. No início do Iluminismo, pelo final do século XVII, Locke utilizara sistematicamente as orientações empíricas de Bacon, fundamentando todo o conhecimento do mundo na experiência sensorial e na posterior reflexão baseada nesta experiência. As inclinações de Locke eram deístas; ele mantinha a certeza cartesiana de que a existência de Deus era logicamente demonstrável a partir de intuições óbvias. No entanto, o empirismo que ele defendia necessariamente limitava a capacidade da Razão do Homem ao que poderia ser testado pela experiência concreta. Conforme sucessivos filósofos extraíam conclusões cada vez mais rigorosas de bases empíricas, tornava-se claro que a Filosofia já não poderia fazer afirmações justificáveis sobre Deus, a liberdade e imortalidade da alma ou quaisquer outras proposições que transcendessem a experiência concreta.

Hume e Kant no século XVIII sistematicamente refutavam os argumentos filosóficos tradicionais para a existência de Deus, apontando para a ausência de garantias no uso do raciocínio causal quando se passava do sensível ao supra-sensível. Apenas o reino da existência possível, das particularidades registradas na sensação é que ofereciam algum fundamento para conclusões filosóficas válidas. Para Hume, um pensador totalmente leigo, cujo ceticismo era menos inequívoco, a questão era muito simples: defender a existência segura do bom Deus onipotente da cristandade a partir das evidências problemáticas deste mundo era um absurdo filosófico. Mesmo Kant, embora muito religioso e tencionando preservar os imperativos morais da consciência cristã, reconhecia que o louvável ceticismo filosófico de Descartes terminara de modo por demais abrupto com suas afirmações dogmáticas sobre a existência segura de Deus derivadas do *cogito*. Para Kant, Deus era um transcendental incognoscível — mas ponderável — servindo apenas ao sentido interior de dever moral do Homem. Nem a Razão humana nem o mundo empírico poderiam proporcionar qualquer indicação direta ou inequívoca de uma realidade divina. O homem poderia ter fé em Deus, poderia crer na liberdade e imortalidade da alma, mas não poderia afirmar que essas convicções interiores fossem racionalmente corretas. Para o rigoroso filósofo moderno, as certezas metafísicas sobre Deus e outras análogas eram falsas, desprovidas de uma boa base para verificação. O inevitável resultado natural do Empirismo e também da filosofia crítica foi a eliminação de qualquer substrato teológico da filosofia moderna.

Ao mesmo tempo, os audaciosos pensadores do Iluminismo francês tendiam cada vez mais ao ceticismo e, além deste, ao materialismo ateu, considerado por eles a conseqüência mais intelectualmente justificável das descobertas científicas. Diderot, o editor responsável pela *Encyclopédie*, o grande projeto de educação cultural do Iluminismo, ilustrava com sua própria vida a gradativa transformação de um homem que refletia, passando da crença religiosa ao deísmo, ao ceticismo e por fim ao materialismo ambiguamente combinado a uma ética deísta. Menos conciliador era o médico La Mettrie, que descrevia o Homem como uma entidade puramente material, máquina orgânica cuja ilusão de possuir uma alma ou mente independente era simplesmente produzida pela recíproca influência de seus componentes físicos. O hedonismo foi a conseqüência ética dessa filosofia, que La Mettrie não deixou de defender. O barão de Holbach, um naturalista, igualmente afirmava os determinismos da matéria como a única realidade inteligível, declarando o absurdo da crença religiosa diante da experiência: dada a ubiqüidade do Mal no mundo, qualquer Deus que existisse deveria ter alguma deficiência, fosse em poder ou em justiça e compaixão. Por outro lado, a ocorrência fortuita do Bem e Mal estava em perfeito acordo com um Universo de matéria impessoal sem nenhum administrador providencial. O ateísmo era necessário para eliminar as quimeras da fantasia religiosa que colocavam em risco a raça humana. O Homem deveria ser trazido de volta à Natureza, à experiência e à razão.

O século XIX traria o avanço laico do Iluminismo à sua conclusão lógica quando Comte, Mill, Feuerbach, Marx, Haeckel, Spencer, Huxley e, em espírito um tanto diferente, Nietszche fizeram soar o dobre da morte da religião tradicional. O Deus judaico-cristão era criação do próprio Homem e a necessidade dessa criação necessariamente se reduzira com o moderno amadurecimento humano. A História poderia ser entendida como a progressão de uma fase mítica e teológica, que passava por uma fase metafísica e abstrata até chegar ao apogeu triunfal da Ciência, baseada no natural e no concreto. Este mundo do Homem e matéria era nitidamente a única realidade demonstrável. Especulações metafísicas a respeito de entidades espirituais "superiores" eram simples fantasias intelectuais tediosas, um desserviço à Humanidade e seu destino atual. O dever da Era Moderna era a humanização de Deus — mera projeção da natureza interna do próprio Homem. Talvez se pudesse falar de "um Incognoscível" por trás dos fenômenos do mundo, mas era o máximo a que se poderia atingir com alguma legitimidade. O fato mais imediatamente aparente, que mais contribuía para a moderna visão de mundo, eram os fenômenos estarem sendo magnificamente entendidos pela Ciência, para grande benefício da Humanidade; os termos dessa compreensão eram fundamentalmente naturalistas. Restava a questão de saber quem ou o que dera início a todo o fenômeno do Universo, mas a honestidade intelectual excluía quaisquer conclusões seguras ou mesmo qualquer avanço nesse tipo de investigação. Sua resposta estaria epistemologicamente muito além do alcance do Homem e, diante dos objetivos intelectuais mais imediatos e mais alcançáveis, cada vez mais distante de seu interesse. Com Descartes e Kant, a relação filosófica entre a fé cristã e a racionalidade humana estava mais atenuada. No final do século XIX, com poucas exceções, esta relação estava efetivamente ausente.

Havia também muitos fatores não-epistemológicos — políticos, sociais, econômicos, psicológicos — pressionando a favor dessa mesma secularização da cultura moderna e seu desligamento da fé religiosa tradicional. Mesmo antes da Revolução Industrial demonstrar a superioridade utilitária da Ciência, outros fatores culturais recomendaram um exame científico do religioso. A Revolução Científica nascera em meio ao imenso torvelinho e destruição das guerras de religião posteriores à Reforma, guerras que por mais de um século, em nome de absolutismos cristãos divergentes, causaram a crise na Europa. Em tais circunstâncias, lançara-se muita dúvida sobre a integridade do conhecimento cristão ou sua capacidade de promover um mundo de relativa paz e segurança, para não falar em compaixão universal. Apesar do aumento do fervor religioso — fosse luterano, zwingliano, calvinista, anabatista, anglicano, puritano ou católico — entre a populaça européia, na esteira da Reforma, para muitos estava claro que a impossibilidade de um consenso da cultura em torno de uma verdade religiosa universalmente válida criara a necessidade de outro código religioso, menos controversamente subjetivo e mais racionalmente persuasivo. Assim, o exame neutro e empiricamente comprovável do mundo, característico da ciência leiga, logo encontrou intensa receptividade na classe instruída, oferecendo um quadro de referências conceituais bastante aceitável, que pacificamente atravessava todas as fronteiras políticas e religiosas. Quando as grandes perturbações da sangria pós-Reforma terminavam de se consumar, a Revolução Científica estava quase concluída. Na década final da Guerra dos Trinta Anos, 1638-48, foram publicados o *Diálogo sobre duas Novas Ciências* de Galileu e os *Princípios de Filosofia* de Descartes; Newton nasceu nesse período.

Circunstâncias de natureza mais especificamente política também participariam do afastamento moderno da Religião. Durante séculos, existira uma funesta associação entre a hierárquica visão de mundo cristã e as estruturas sócio-políticas estabelecidas da Europa feudal, centralizada nas figuras da autoridade tradicional de Deus, do Papa e do Rei. No século XVIII, esta associação tornara-se mutuamente desvantajosa. As implausibilidades cada vez mais aparentes de um lado e as injustiças do outro combinaram-se para produzir a imagem de um sistema cuja opressividade senil exigia revolta para o maior bem da Humanidade. Os filósofos franceses — Voltaire, Diderot, Condorcet — e seus sucessores entre os revolucionários franceses reconheciam a própria Igreja em sua riqueza e poder como bastião das forças reacionárias, inextricavelmente aliadas a instituições conservadoras do antigo regime. Para os filósofos, a força do clero organizado impunha um formidável obstáculo ao progresso da civilização. Além da questão da exploração social e econômica, o clima de censura, intolerância e rigidez na vida intelectual contemporânea, abominado pelos filósofos, poderia ser diretamente atribuído às pretensões dogmáticas e aos investimentos de capital do estabelecimento eclesiástico.

Voltaire constatara, pessoalmente admirado, as conseqüências da tolerância religiosa da Inglaterra — que, com os superiores esclarecimentos intelectuais de Bacon, Locke e Newton, apresentou entusiasticamente ao Continente europeu para serem emulados. Munido de Ciência, Razão e fatos empíricos, o Iluminismo se considerava empenhado em uma nobre luta contra a escuridão cada vez maior do dogma da Igreja e da superstição popular, atados a uma estrutura política antiquada e tirânica de privilégio corrupto.[13] A autoridade cultural da religião dogmática era reconhecida como inimiga inerente da liberdade pessoal e da livre especulação e descoberta intelectual. Por implicação, a própria sensibilidade religiosa — a não ser na forma deísta racionalizada — poderia muito bem ser considerada contrária à liberdade humana.

Contudo, um filósofo, o suíço Jean-Jacques Rousseau, apresentou um ponto de vista muito diferente. Como seus companheiros do Iluminismo, Rousseau argumentava com as armas da Razão crítica e do zelo reformista. Todavia, o avanço da civilização que eles celebravam parecia-lhe a origem de grande parte dos males do mundo. O Homem sofria por causa das sofisticações da civilização, que o alienavam de sua condição natural de simplicidade, sinceridade, igualdade, bondade e verdadeira compreensão. Ademais, Rousseau acreditava que a Religião era intrínseca à condição humana. Ele argumentava que os filósofos exaltavam a

Razão e descuidavam a natureza real do Homem — sentimentos, impulsos profundos, intuição e fome espiritual que transcendiam todas as fórmulas abstratas. Certamente, Rousseau não dava crédito às igrejas e ao clero organizado, e considerava absurda a fé ortodoxa cristã de que sua forma de veneração fosse exclusiva e eternamente autêntica — a única religião aceitável para o Criador de um mundo em que a maioria dos habitantes jamais ouvira falar de Cristianismo. Nem mesmo a própria cristandade entrava em consenso sobre qual seria a forma exclusivamente correta para a veneração. Mais do que pela mediação dos dogmas teológicos, as hierarquias sacerdotais e o sectarismo hostil, Rousseau acreditava que a Humanidade poderia aprender melhor a venerar o Criador, voltando-se para a Natureza, pois ali havia uma sublimidade que todos poderiam entender e sentir. O Deus racionalmente demonstrável dos deístas era insatisfatório, pois o amor a Deus e a consciência moral eram basicamente sentimentos, não argumentos. A divindade que Rousseau admitia não era uma primeira causa impessoal, mas um Deus de amor e beleza a quem a alma humana poderia conhecer em seu próprio interior. Os constituintes da verdadeira religião eram o temor reverente diante do Cosmo, a fruição da solidão meditativa, as intuições diretas da consciência moral, a espontaneidade natural da compaixão humana, um "teísmo" vindo do fundo do coração.

Rousseau apresentou então uma posição de grande influência além da ostentada pela Igreja ortodoxa e pelos filósofos céticos, combinando a religiosidade da primeira e o reformismo racional dos segundos, mas crítico em relação às duas partes: se uma restringia com seu dogmatismo estreito, os outros não menos, com suas áridas abstrações. Estava aí a semente para o desenvolvimento da contradição, pois Rousseau ao mesmo tempo reafirmava a natureza religiosa do Homem e incentivava a sensibilidade moderna em seu afastamento gradativo da ortodoxia cristã. Ele dava um apoio racional de reformista ao impulso religioso que pairava sobre a mente moderna, mas dava a esse impulso novas dimensões que serviam ao propósito iluminista de solapar a tradição cristã. Ao adotar uma religião cuja essência era mais universal do que exclusiva, mais fundamentada na Natureza, nas emoções subjetivas e intuições místicas do Homem do que na revelação bíblica, Rousseau dava início a uma corrente espiritual na cultura ocidental que levaria primeiro ao Romantismo e, bem mais adiante, ao Existencialismo.

Assim, fosse pelo deísmo anticlerical de Voltaire, o ceticismo racionalista de Diderot, o empirismo agnóstico de Hume, o materialismo ateu de Holbach ou o misticismo da Natureza e religiosidade emocional de Rousseau, o avanço do século XVIII aos olhos dos europeus reduzia cada vez mais a reputação da cristandade.

No século XIX, tanto a religião organizada como o próprio impulso religioso em si foram submetidos por Karl Marx a uma penetrante crítica sócio-política bastante convincente — e profeticamente voltada para a adoção da causa revolucionária. Para Marx, todas as idéias e formas culturais refletiam motivações materiais — mais especificamente, a dinâmica da luta de classe; a religião não era exceção. Apesar de suas nobres doutrinas, as igrejas organizadas raramente pareciam preocupar-se com a situação dos trabalhadores ou dos pobres. Esta aparente contradição, dizia Marx, era na verdade essencial para o caráter das igrejas, pois o verdadeiro papel da religião era manter em ordem as classes inferiores. Como ópio social, a religião efetivamente servia os interesses da classe dominante contra as massas, estimulando-as a renunciar à responsabilidade de alterar o mundo presente de injustiça e exploração em troca da falsa segurança da divina providência e da falsa promessa de vida imortal. A religião organizada constituía um elemento essencial para que a burguesia controlasse a sociedade, pois as crenças religiosas adormeciam o proletariado na inação derrotista. Falar de um Deus e construir a vida sobre tais fantasias era trair o Homem. Em compensação, uma legítima filosofia de ação deve começar a partir do Homem vivo e suas necessidades tangíveis. Para transformar o mundo, realizar os ideais de justiça e comunidade humana, é preciso despojar-se da ilusão religiosa.

As vozes mais moderadas do liberalismo do século XIX, características das sociedades ocidentais adiantadas, também defendiam a redução da influência da religião organizada na vida política e intelectual, divulgando o ideal de um pluralismo que abrangesse a mais ampla liberdade de crença, consoante a ordem social. Pensadores liberais de convicção religiosa não apenas admitiam a necessidade política da liberdade de culto; ou melhor, não a liberdade de cultuar, numa democracia liberal, mas também a necessidade religiosa dessa liberdade. Ser coagido à religião, muito menos a uma determinada religião, não era estímulo para uma abordagem verdadeiramente religiosa da vida.

Contudo, nesse ambiente liberal e pluralista, uma sensibilidade mais secular tornava-se cada vez mais o resultado normal, para muitos, o único resultado natural. A tolerância religiosa metamorfoseou-se gradativamente em indiferença religiosa. Já não era imperativo ser cristão na sociedade ocidental e, coincidindo com esta crescente liberdade, um número cada vez menor de membros dessa cultura achava o código religioso cristão intrinsecamente convincente ou satisfatório. A filosofia liberal utilitária e a socialista radical pareciam conter programas bem mais convincentes para a ação humana na era contemporânea do que as religiões tradicionais. O materialismo também não era exclusivo do marxismo; enquanto o capital fora inicialmente estimulado por determinados elementos da sensibilidade protestante, a preocupação cada vez maior das sociedades capitalistas com o progresso material só enfraquecia a pressão da mensagem salvacionista cristã e o empenho no espiritual, de modo geral.[14] Embora a observância religiosa continuasse amplamente sustentada como pilar da integridade social e dos valores civilizados, em geral não se distinguia muito das convenções da moral vitoriana.

As igrejas cristãs, sobretudo, involuntariamente contribuíram para seu próprio declínio. A Igreja Católica Romana, em sua resposta contrareformista à heresia protestante, reforçara sua estrutura conservadora cristalizando o passado — tanto doutrinária, quanto institucionalmente — o que a deixou relativamente impossibilitada de responder às mudanças tornadas necessárias pela evolução da era moderna. O catolicismo manteve certa força inquestionável entre a sua coletividade ainda bastante extensa, mas às custas de seu chamamento à crescente sensibilidade moderna. As igrejas protestantes, ao contrário, em sua reação reformista ao catolicismo haviam estabelecido uma estrutura menos autoritária e mais descentralizada, derrubando o passado em sua forma católica monolítica e apresentando a Escritura literal como nova base exclusiva. No entanto, com isto, o protestantismo tendia a esfiapar-se em um sectarismo cada vez mais diversificado, o que mais tarde deixou seus membros mais suscetíveis às influências secularizantes da Era Moderna, especialmente sob o impacto de descobertas científicas opostas às interpretações literais da Bíblia. Em qualquer desses casos, o Cristianismo perdeu boa parte de sua importância na cultura contemporânea. No século XX, milhares de pessoas abandonaram silenciosamente a religião herdada, o que reduziu *in extremis* sua importância cultural.

Agora a cristandade não se via apenas como igreja dividida, mas como uma igreja que encolhia e desaparecia frente à incisiva investida do secularismo. A religião cristã estava agora diante de uma situação histórica não muito diferente da que havia enfrentado em seu início, quando era apenas a única fé num imenso ambiente sofisticado e urbanizado — um mundo ambivalente em relação à Religião de modo geral e distanciado das afirmações e preocupações da Revelação cristã em particular. O outrora acalorado antagonismo existente entre protestantismo e catolicismo, o mútuo afastamento entre todas as diversas seitas da cristandade, agora diminuíam, num momento em que admitiam sua afinidade diante de um mundo cada vez mais leigo. Afinidade estendida ao Judaísmo, por tanto tempo o proscrito do mundo cristão, e que voltara a ser mais calorosamente reconhecido. No mundo moderno, todas as religiões pareciam ter mais em comum — uma preciosa verdade que se estiolava — do que em disputa. Muitos comentaristas da Modernidade acreditavam que a Religião estivesse em sua fase terminal; seria apenas uma questão de tempo até o momento em que as irracionalidades religiosas afrouxassem o poder sobre o espírito humano.

Contudo, a tradição judaico-cristã sustentou-se. Milhões de famílias continuaram a criar seus filhos dentro das teses e imagens da fé herdada. Os teólogos continuaram a elaborar interpretações mais historicamente matizadas das Escrituras e da tradição da Igreja, aplicações mais flexíveis e criativas de princípios religiosos à vida no mundo contemporâneo. A Igreja Católica começou a abrir-se para a modernidade, o pluralismo, o ecumenismo e a nova liberdade nas questões de fé e de culto. Em geral, as igrejas cristãs passaram a abranger congregações mais amplas tornando suas estruturas e doutrinas mais pertinentes aos problemas da existência moderna — fossem intelectuais, psicológicos, sociológicos ou políticos. Houve esforços para reconstruir-se a imagem de um Deus de caráter mais imanente e evolucionário do que o tradicional, um Deus mais coadunado com a atual cosmologia e com as tendências intelectuais. Filósofos, cientistas, escritores e artistas preeminentes continuaram a proclamar o significado pessoal e o conforto espiritual no quadro de referências judaico-cristão. Todavia, o movimento geral da elite intelectual da cultura, da modernidade em sua totalidade — a criança educada na religião, que atingia uma maturidade cética e laica ao mesmo tempo — ia numa direção muito diferente.

Além dos anacronismos institucionais e escriturais que desestimulavam uma continuidade universal da fé cristã, havia uma discrepância psicológica mais geral entre a tradicional auto-imagem judaico-cristã e a do Homem moderno. Já no início dos séculos XVIII e XIX, o peso da mancha do pecado original deixara de ser sentido como elemento dominante na vida dos nascidos no luminoso mundo do progresso moderno; tal doutrina não combinava com a concepção científica do Homem. A tradicional imagem do Deus semítico-agostiniano-protestante, criador de um Homem fraco demais para resistir à tentação do Mal e que predestina a maioria de suas criaturas humanas à danação eterna, pouco levando em conta suas boas ações ou tentativas honestas de virtude, deixaram de ser palatáveis ou plausíveis para muitos dos membros mais sensíveis da cultura moderna. A libertação interior da culpa e do medo religioso era, na visão de mundo secular, um elemento que exercia a mesma atração da liberação externa anterior das estruturas políticas e sociais opressivas da Igreja. Cada vez mais também se admitia que o espírito humano ou se expressava na vida secular ou não se expressava de modo algum — qualquer divisão entre o espiritual e o laico seria um artificialismo e mútuo empobrecimento. Localizar o espírito humano em outra realidade, transcendental ou do outro mundo, era o mesmo que subverter inteiramente esse espírito.

A memorável declaração de Friedrich Nietzsche da "morte de Deus" culminou essa longa evolução da psique ocidental, servindo como presságio do ânimo existencial do século XX. Com notável e firme percepção, Nietzsche apresentou um sombrio reflexo da alma da cristandade — sua inculcação de atitudes e valores que se opunham à existência presente, ao corpo, à Terra, à coragem e ao heroísmo, ao prazer e à liberdade, à própria vida do Homem. "Eles teriam de cantar melhores canções para me fazer acreditar em seu Redentor: seus discípulos teriam de parecer mais redimidos!" Muitos concordavam com essa crítica. Para Nietzsche, a morte de Deus não significava apenas o reconhecimento de uma ilusão religiosa, mas o fim da visão de mundo de toda uma civilização que por muito tempo impedira o Homem de adotar com ousadia libertadora a totalidade da vida.

Com Freud, a moderna avaliação psicológica da religião chegava a um novo nível de análise teórica sistemática e penetrante. A descoberta do inconsciente e a tendência da psique humana em projetar arranjos traumáticos da memória nas experiências posteriores abria uma nova dimensão decisiva para entender-se criticamente a crença religiosa. À luz da psicanálise, o Deus judaico-cristão podia ser visto como uma projeção psicológica reificada, baseada na ingênua visão que a criança tinha do pai ou mãe libidinalmente repressor e, para todos os efeitos, onipotente. Essas novas concepções de muitos aspectos da fé e do comportamento religiosos pareciam compreensíveis como sintomas de uma neurose cultural obsessivo-compulsiva profundamente enraizada. A projeção de uma divindade patriarcal moralmente autoritária podia ser considerada uma necessidade social nas etapas primitivas do desenvolvimento humano, correspondendo à necessidade cultural da psique de uma poderosa força "exterior" para apoiar as exigências éticas da sociedade. Internalizadas essas exigências, o indivíduo psicologicamente maduro poderia identificar a projeção pelo que era e descartá-la.

Importante papel na desvalorização da religião tradicional também foi desempenhado pela questão da experiência sexual. Com a ascensão de uma perspectiva de grande abertura da mente psicologicamente informada, o antigo ideal cristão de ascetismo assexuado ou anti-sexual parecia mais sintomático de uma psiconeurose cultural e pessoal do que de uma lei espiritual eterna. A mortificação da carne, como outras práticas medievais, passaram a ser consideradas mais aberrações patológicas do que exercícios de santificação. As atitudes sexuais da era vitoriana eram consideradas inibições provincianas. A tradição puritana do protestantismo e a continuada repressão da Igreja Católica, especialmente sua proibição ao controle da natalidade, afastaram milhares de pessoas do rebanho. As exigências e os prazeres do *eros* humano fizeram as atitudes religiosas tradicionais parecerem repressão nada saudável. Conforme as percepções de Freud se integravam ao sempre crescente movimento de libertação pessoal e auto-realização, emergia no Ocidente um poderoso impulso dionisíaco. Mesmo para os mais sossegados, não havia muito sentido em que os seres humanos sistematicamente negassem e reprimissem essa parte de sua existência, seu organismo físico, que não era apenas um legado evolucionário, mas seu fundamento existencial. O Homem moderno se prendera a este mundo, com todos os vínculos dessa opção.

Por fim, mesmo o longo período de instrução da cultura ocidental no sistema de valores cristãos colaborou para terminar solapando a posição da cristandade na era moderna. Do Iluminismo em diante, o permanente desenvolvimento da consciência social ocidental, sua crescente identificação de preconceitos e injustiças inconscientes e seu conhecimento histórico cada vez mais amplo lançaram nova luz à prática real da religião cristã ao longo dos séculos. A exortação cristã de amar e servir a toda Humanidade e a grande valorização da alma humana agora apareciam em nítido contraponto em relação à longa história de fanatismo e intolerância da cristandade — as conversões forçadas de outros povos, a cruel repressão de outras perspectivas culturais, a perseguição aos hereges, cruzadas contra os muçulmanos, a opressão contra os judeus, a depreciação da espiritualidade feminina e a exclusão das mulheres de posições de autoridade religiosa, a associação com a escravidão e a exploração colonialista, o disseminado espírito preconceituoso e a arrogância religiosa contra todos os que estivessem fora do rebanho. Medida segundo seus próprios padrões, a cristandade lamentavelmente deixava muito a desejar em termos de grandeza ética; muitos sistemas alternativos, desde o antigo estoicismo ao moderno Liberalismo e Socialismo pareciam proporcionar programas igualmente inspiradores para a atuação humana, sem o peso da crença implausível no sobrenatural.

A Personalidade Moderna

A passagem de uma visão de mundo cristã para a laica foi um avanço decisivo. A força que impelia o secularismo talvez não estivesse de modo geral em algum fator específico ou alguma determinada combinação de fatores — discrepâncias científicas na revelação bíblica, conseqüências metafísicas do empirismo, críticas sócio-políticas da religião organizada, a crescente sutileza psicológica, a mudança nos costumes sexuais, e assim por diante — qualquer desses seria viável, pois o eram para muitos que haviam permanecido cristãos devotos. O secularismo refletia a mudança mais geral no caráter da psique ocidental, mudança essa visível em cada um dos diversos fatores, transcendendo e subordinando-os em sua lógica global. A nova constituição psicológica da personalidade moderna desenvolvia-se desde a Alta Idade Média, emergira visível no Renascimento, foi bastante esclarecida e reforçada pela Revolução Científica, estendida e consolidada no Iluminismo; no século XIX, depois da Revolução Democrática e da Industrial, atingira o amadurecimento. A orientação e a característica dessa personalidade refletia a mudança gradual e, enfim, radical: uma fidelidade psicológica que passava de Deus para o Homem, da dependência para a independência, do outro mundo para este, do transcendental para o empírico, de mito e crença para Razão e fato, das universalidades para as particularidades, de um Cosmo estático determinado pelo sobrenatural para um Cosmo em evolução determinado pela Natureza e de uma Humanidade decadente para uma progressista.

O conteúdo da cristandade já não servia à prevalecente evolução do Homem independente e à maneira como este dominava seu mundo. A capacidade do Homem moderno para entender a ordem natural e dobrar essa ordem em seu próprio benefício não reduzia o antigo sentido da dependência em relação a Deus. Utilizando sua verdadeira inteligência e sem a ajuda da divina revelação das Sagradas Escrituras, o Homem penetrara nos mistérios da Natureza, transformara seu universo e melhorara sua existência de modo incomensurável. Combinado com a característica aparentemente não-cristã da ordem natural cientificamente revelada, esse novo sentido de força e dignidade humana inevitavelmente levou o Homem a seu ego laico. Tudo minorava a luta incessante e a ansiedade relativa à salvação no outro mundo: a imediação tangível desse mundo, a capacidade do Homem para nele encontrar um significado correspondente a suas exigências e sentir o progresso. O Homem era o responsável por seu próprio destino terrestre. Sua inteligência e sua vontade poderiam mudar este mundo. A Ciência deu-lhe uma nova fé, não apenas no conhecimento científico, mas em si mesmo. Foi especialmente esse emergente clima psicológico que tornou a progressiva seqüência de avanços filosóficos e científicos tão potencialmente eficaz para reduzir a importância do papel da religião na moderna visão de mundo — fosse por meio de Locke, Hume e Kant ou Darwin, Marx e Freud. As atitudes cristãs tradicionais já não eram psicologicamente adequadas à personalidade moderna.

A natureza da entrega da personalidade à Razão teve muitas conseqüências nesta secularização. A cultura moderna exigia e regozijava-se de uma independência de opinião sistematicamente crítica — postura existencial não muito compatível com a piedosa entrega exigida para a crença na revelação divina ou a obediência aos preceitos de uma hierarquia sacerdotal. A moderna emergência de uma opinião pessoal autônoma, prototipicamente encarnada em Lutero, Galileu e Descartes, tornava cada vez mais impossível qualquer continuação da deferência universal do intelecto medieval às autoridades externas, como a Igreja e Aristóteles, culturalmente legitimados pela tradição. Conforme o Homem moderno amadurecia, sua luta pela independência intelectual tornava-se mais absoluta.

O avanço da Era Moderna trouxe grande alteração no vetor psicológico da autoridade existente. Em períodos anteriores da História, a sabedoria e a autoridade localizavam-se no passado — profetas bíblicos, bardos antigos, filósofos clássicos, os apóstolos e os primeiros padres da Igreja — mas a consciência moderna cada vez mais situava essa autoridade no presente, em suas próprias realizações sem precedentes, em sua própria consciência de ser a vanguarda evolucionária da experiência humana. As eras anteriores examinavam o passado, mas a era moderna examinava a si mesma e visava ao futuro. A complexidade, produtividade e sofisticação da cultura moderna situavam-na claramente numa classe muito além de suas predecessoras. Caracteristicamente, a autoridade passada estivera associada a um princípio transcendental — Deus, as divindades míticas, uma inteligência cósmica — mas a consciência moderna transformava-se agora nessa autoridade, subordinava esse poder, tornava o transcendental imanente em si mesmo. O teísmo medieval e o antigo cosmicismo davam lugar ao Homem moderno.

Continuidades Ocultas

O Ocidente "perdera sua fé" mas havia encontrado uma nova, na Ciência e no Homem. Paradoxalmente, boa parte da visão de mundo cristã continuou viva no novo panorama secular ocidental, embora muitas vezes sob formas não reconhecidas. Assim como a compreensão cristã não se separou completamente de sua antecessora helênica em sua evolução mas, ao contrário, empregava e integrava muitos de seus elementos essenciais, a moderna visão de mundo secular — em geral de modo menos consciente — retinha elementos essenciais da cristandade. Os valores éticos cristãos e a fé na Razão e na inteligibilidade do Universo empírico desenvolvidos pelos escolásticos estavam evidentes entre estes, mas mesmo uma doutrina judaico-cristã tão fundamentalista como a ordem, no Gênese, para que o Homem exercesse o domínio sobre a Natureza encontrava uma afirmação moderna nos avanços da ciência e da tecnologia, às vezes explícita — como em Bacon e Descartes.[15] A alta consideração judaico-cristã pela alma individual (dotada de direitos "sagrados" inalienáveis e dignidade intrínseca) também continuava existindo nos ideais humanistas seculares do liberalismo moderno — além de outros temas, tais como a responsabilidade moral pessoal, a tensão entre o ético e o político, o imperativo para proteger os desamparados e menos afortunados e a suprema unidade da Humanidade. A fé do Ocidente em si como a cultura privilegiada — e a mais historicamente significativa — ecoava o tema judaico-cristão do Povo Escolhido. A expansão global da cultura do Ocidente como a melhor e mais adequada para toda a Humanidade representava uma continuação leiga do conceito de universalidade que tinha de si a Igreja Católica Romana. A civilização moderna substituía agora a cristandade como norma e ideal de cultura a que todas as outras sociedades deveriam ser comparadas e convertidas. Ao superar e suceder o Império Romano, os cristãos tornaram-se centralizadas, hierárquica e politicamente motivados pela Igreja Católica Romana; ao superar e sucedê-la, o moderno Ocidente leigo incorporou e inconscientemente deu nova continuidade a muitas dessas interpretações católicas do mundo.

Talvez o componente mais difundido e mais especificamente judaico-cristão retido na moderna visão de mundo fosse a crença no progresso histórico-linear voltado para a suprema realização humana. O Homem moderno via-se como um ser enfaticamente teleológico; a Humanidade movimentava-se num desenvolvimento histórico desde um passado rudimentar caracterizado pela ignorância, o primitivismo, a pobreza, o sofrimento e a opressão, e dirigia-se a um futuro luminoso caracterizado pela inteligência, sofisticação, prosperidade, felicidade e liberdade. A fé nesse movimento baseava-se amplamente numa confiança no efeito salvacionista do conhecimento humano em expansão: a futura realização da Humanidade seria atingida num mundo reconstruído pela Ciência. A expectativa fatalista judaico-cristã transformara-se aqui numa fé secular. A fé religiosa na salvação divina da Humanidade — fosse a chegada de Israel à Terra Prometida, a chegada da Igreja ao final do milênio, o progressivo aperfeiçoamento da Humanidade trazido pelo Espírito Santo ou a Segunda Vinda do Cristo — tornava-se agora uma confiança evolucionária ou uma crença revolucionária, uma utopia neste mundo, cuja realização ocorreria por meio da aplicação hábil da Razão à Natureza e à sociedade.

Mesmo quanto à expectativa cristã do final dos tempos, a espera e a esperança de que a ação divina desse início à transfiguração do mundo passara gradativamente, no início da Era Moderna, à sensação de que a própria ação e a iniciativa do homem eram necessárias para preparar uma utopia social cristã adequada para a Segunda Vinda. No Renascimento, Erasmo de Roterdã propusera uma nova maneira de ver o fatalismo cristão: o homem poderia chegar à perfeição nesse mundo, a História realizaria sua meta do Reino de Deus numa pacífica sociedade terrestre — não com apocalipse, intervenção divina e fuga para outro mundo, mas por meio de uma divina imanência na evolução histórica do Homem. Com semelhante espírito durante a Revolução Científica, Bacon anunciara a chegada da civilização científica, um movimento para a redenção material do Homem que coincidia com o milênio cristão. Conforme avançava a secularização na Era Moderna, a base e o elemento cristão da utopia futura enfraqueceram e sumiram, embora a expectativa e o esforço tenham permanecido. Com o tempo, o enfoque numa utopia social transformou-se aos poucos em futurologia, que substituiu as visões e expectativas do Reino dos Céus de eras anteriores. O "planejamento" substituiu a "esperança" enquanto a razão e a tecnologia demonstravam sua miraculosa eficácia.

A confiança no progresso humano, relacionada à fé bíblica na evolução espiritual e futura realização da Humanidade, era tão essencial para a visão de mundo moderna, que aumentou de maneira notável com o declínio da cristandade. As expectativas da próxima realização da Humanidade encontraram forte expressão mesmo no momento em que a cultura moderna atingia suas etapas mais determinadamente seculares em Condorcet, Comte e Marx. A suprema afirmação da crença na divinização evolucionária do Homem foi encontrada no mais fervoroso antagonista do Cristianismo, Nietzsche, cujo "super-homem" nasceria com a morte de Deus e a derrota do velho Homem limitado.

Entretanto, sem levar em conta a atitude em relação à cristandade, a convicção de que o Homem se aproximava firme e inevitavelmente da entrada num mundo melhor, de que ele progressivamente melhorava e se aperfeiçoava através de seus próprios esforços, foi um dos princípios mais característicos, mais fortes e mais conseqüentes da sensibilidade moderna. O Cristianismo já não parecia ser a força que impelia a iniciativa humana. Para a vigorosa civilização do Ocidente, em plena modernidade, eram a Ciência e a Razão — não a Religião e a Fé — que impulsionavam o progresso. A vontade do Homem, não a de Deus, era reconhecida como origem da evolução do mundo e da liberação cada vez maior da Humanidade.

VI

A Transformação da Era Moderna

Aproximamo-nos agora das últimas etapas de nossa narrativa. Resta observar o desenvolvimento da trajetória da cultura contemporânea a partir das bases e premissas da moderna visão de mundo que acabamos de examinar. Talvez o mais importante paradoxo relacionado ao caráter da Era Moderna seja a estranha maneira como seu progresso, depois da Revolução Científica e do Iluminismo, trouxe ao Homem ocidental liberdade, poder, expansão, amplitude de conhecimento, uma profundidade de percepção sem precedentes e o êxito material que ao mesmo tempo serviu para enfraquecer a posição existencial do ser humano em virtualmente todas as frentes — primeiro, de forma sutil e depois, decisivamente: metafísica, cosmológica, epistemológica, psicológica e, finalmente, até mesmo a frente biológica. Uma irreversível oscilação, um entrelaçamento indissolúvel entre positivo e negativo pareceu marcar a evolução da modernidade. Tentaremos compreender aqui a natureza dessa complexa dialética.

A Imagem Mutante do Ser Humano, de Copérnico a Freud

O peculiar fenômeno de conseqüências contraditórias, resultante do mesmo avanço intelectual, era visível desde o início da Era Moderna, quando Copérnico tirou a Terra do centro da criação. No mesmo instante em que se libertou da ilusão geocêntrica de todas as gerações precedentes, efetivou-se um deslocamento cósmico fundamental e totalmente novo. O Universo já não estava mais centrado nele, a posição cósmica do Homem já não era fixa nem absoluta. Cada etapa subseqüente da Revolução Científica — e seu resultado — acrescentava mais uma dimensão ao feito de Copérnico, dando maior força a essa libertação e ao mesmo tempo intensificando esse deslocamento.

Com Galileu, Descartes e Newton, a nova ciência foi forjada e paralelamente definida uma nova cosmologia, abrindo-se um novo mundo em que a inteligência do Homem podia atuar com liberdade e eficácia. Contudo, esse novo mundo encontrava-se simultaneamente desencantado de todas as qualidades pessoais e espirituais que por milênios haviam proporcionado aos seres humanos um sentido de significado cósmico. O novo Universo era uma máquina, um mecanismo auto-suficiente de força e matéria, sem objetivos ou propósito, privado de inteligência ou consciência; seu caráter era fundamentalmente diferente da natureza humana. O mundo pré-moderno fora permeado de inúmeras categorias espirituais, míticas, teístas e outras de significado humano, consideradas projeções antropomórficas pela percepção moderna. Espírito, matéria, psique e mundo eram realidades distintas. A libertação científica do dogma teológico e da superstição animista vinha acompanhada por uma nova sensação de estranhamento em relação ao mundo que já não correspondia aos valores do Homem, nem oferecia um contexto redentor em que se pudesse entender as questões mais amplas da existência humana. Da mesma forma, a Ciência proporcionava a análise quantitativa do mundo; seu método para evitar as distorções subjetivas era acompanhado pela redução ontológica de todas as características que mais pareciam próprias do ser humano — emocionais, estéticas, éticas, sensoriais, criativas, intencionais. O Homem percebia essas perdas e ganhos, mas havia um paradoxo aparentemente inevitável, se ele se mantivesse fiel a seu próprio rigor intelectual: a Ciência revelava um mundo frio e impessoal, mas um mundo verdadeiro. Apesar de qualquer nostalgia pelo ventre cósmico, venerável mas agora desaprovado, já não era possível voltar atrás.

Darwin consolidou tais conseqüências e amplificou-as. Quaisquer pressupostos teológicos que porventura ainda restassem a respeito do divino governo do mundo e da especial posição espiritual do Homem eram objetos de sérias controvérsias pela nova teoria e pelas novas evidências: o Homem era um animal que dera muito certo. Não era a nobre criação de Deus com um destino divino, mas o experimento da Natureza com um destino incerto. Agora se pensava que a consciência, outrora regendo e permeando o Universo, teria surgido por acidente durante a evolução da matéria; sua existência seria relativamente nova, era característica de uma parte limitada e relativamente insignificante do Cosmo, o *Homo sapiens*, cujo destino evolutivo não possuía nenhuma garantia de ser de alguma forma diferente do destino de milhares de outras espécies extintas.

O mundo não era mais uma criação divina; parecia ter perdido certa nobreza espiritual, empobrecimento esse que também necessariamente dizia respeito ao Homem, outrora o apogeu da Natureza. A teologia cristã sustentara que a história natural existia em nome da história humana e que a Humanidade estava essencialmente à vontade num Universo planejado para seu desenvolvimento espiritual; contudo, a nova compreensão do processo evolutivo refutava essas duas teorias como ilusões antropocêntricas. Tudo fluía. O Homem não era um absoluto, os valores que prezava não tinham fundamentação fora dele. O caráter, a mente e a vontade humanas vinham de baixo, não de cima. Não apenas as estruturas da religião, mas as da sociedade, da cultura e da própria razão pareciam agora expressões relativamente arbitrárias da luta pelo sucesso biológico. Assim, Darwin ao mesmo tempo libertava e reduzia o Homem; este agora sabia estar na crista do avanço da evolução, a mais complexa e impressionante realização da Natureza — mas também era apenas um animal sem nenhum objetivo mais "sublime". O Universo não assegurava nenhum sucesso indefinido para as espécies e era certa a extinção do indivíduo com a morte física. Na escala macroscópica a longo prazo, a crescente impressão moderna das contingências da vida foi ainda mais reforçada quando, no século XIX, os físicos formularam a segunda lei da termodinâmica, que mostrava um Universo que se movimentava espontânea e irreversivelmente da ordem para a desordem até uma condição final de entropia máxima ou "morte pelo calor". Até o presente, os principais fatores que davam um fortuito apoio à história humana eram as circunstâncias biofísicas e a sobrevivência dos instintos, sem nenhum aparente significado ou contexto mais amplo; nenhuma providência do alto fornecia qualquer segurança cósmica.

Freud apressara a marcha dos acontecimentos ao atribuir à perspectiva de Darwin maior relação com a psique humana, apresentando convincentes evidências da existência de forças inconscientes que determinavam o comportamento e a consciência do Homem. Com isso, ele aparentemente livrara a mente moderna de sua ingênua inconsciência (ou melhor, de estar totalmente inconsciente de sua inconsciência), proporcionando um grau muito mais profundo na compreensão de si mesmo, mas também colocando a mente diante de uma visão sombria e menos gloriosa de seu verdadeiro caráter. Por um lado, a Psicanálise serviu como virtual epifania para a cultura do início do século XX: trouxe à luz as profundezas arqueológicas da psique; revelou a inteligibilidade de sonhos, fantasias e sintomas psicopatológicos; iluminou a etiologia sexual da neurose; demonstrou a importância da experiência da infância no condicionamento da vida adulta; descobriu o complexo de Édipo; desvendou a pertinência psicológica da mitologia e do simbolismo; identificou os componentes psíquicos estruturais do ego, do superego e do id; mostrou os mecanismos de resistência, repressão e projeção, além de uma série de outras percepções que deixaram em aberto o caráter e a dinâmica interna da mente. Freud representava assim um brilhante apogeu do projeto do Iluminismo, trazendo até mesmo o inconsciente humano para a luz da investigação racional.

Por outro lado, no entanto, Freud destruiu radicalmente todo esse projeto iluminista ao revelar que, por baixo ou além da mente racionalista, existia um repositório de forças irracionais avassaladoras que não se entregavam espontaneamente à análise racional ou à manipulação consciente, em relação às quais o ego consciente do homem era um epifenômeno delicado e frágil. Freud assim levou adiante o processo cumulativo moderno de moldagem do Homem a partir dessa posição cósmica privilegiada que sua auto-imagem racional moderna retivera da visão de mundo cristã. O Homem já não podia duvidar que, não apenas seu corpo, mas sua psique e também poderosos instintos biológicos (amorais, agressivos, eróticos, "perversos polimórficos") fossem os principais fatores de sua motivação, diante dos quais as altivas virtudes humanas de racionalidade, consciência moral e sentimentos religiosos concebivelmente não passavam de formações e ilusões de reação do autoconceito civilizado. Dada a existência desses determinantes inconscientes, o sentido de liberdade pessoal do Homem poderia muito bem ser falso. O indivíduo psicologicamente consciente agora sabia estar condenado à divisão interna, à repressão, neurose e alienação, como todos os membros da civilização moderna.

Com Freud, a luta darwiniana com a Natureza assumia novas dimensões; o Homem via-se agora obrigado a conviver em eterna luta com sua própria natureza. Não apenas Deus era agora exposto como projeção infantil primitiva, mas o próprio ego humano consciente com sua louvável virtude da razão — último bastião a separar o Homem da Natureza — caíra, não passando agora de evolução recente e precária do id primordial. O verdadeiro manancial das motivações humanas era um caldeirão efervescente de impulsos irracionais e animais — e os fatos históricos contemporâneos começavam a apresentar evidências perturbadoras que comprovavam essa tese. Não apenas a divindade do Homem, mas sua humanidade estava sendo questionada. Conforme a mente científica emancipava o Homem moderno de suas ilusões, ele parecia ser cada vez mais engolido pela Natureza, desprovido de suas antigas dignidades, desmascarado como criatura de instintos inferiores.

Marx já indicara semelhante esvaziamento. Assim como Freud revelou o inconsciente pessoal, sua contribuição expôs o inconsciente social: os valores filosóficos, religiosos e morais de cada época poderiam ser plausivelmente compreendidos como determinados por variáveis econômicas e políticas; o controle dos meios de produção estava nas mãos da classe dominante. Seria possível considerar-se toda a superestrutura da crença humana como um reflexo da luta mais básica pelo poder material. A elite da civilização ocidental, com todo o seu sentido de realização cultural, poderia identificar-se no sombrio retrato de Marx como um opressor imperialista burguês que se auto-iludia. O programa do futuro previsível era a luta de classes e não o progresso civilizado — mais uma vez, os fatos históricos contemporâneos pareciam confirmar essa análise. Entre Marx e Freud, com Darwin por trás, a *intelligentsia* moderna aos poucos percebia os valores culturais do Homem, as motivações psicológicas e a consciência como fenômenos historicamente relativos, derivados de inconscientes impulsos políticos, econômicos e instintivos de características inteiramente naturais. Os princípios e as diretrizes da Revolução Científica — a busca de explicações materiais, impessoais e seculares para todos os fenômenos — encontraram novas aplicações esclarecedoras nas dimensões psicológicas e sociais da experiência humana. Contudo, nesse processo, a otimista auto-estima do Homem moderno — resultante do Iluminismo — estava sujeita à repetida contradição e redução por força do avanço de seus próprios horizontes intelectuais.

Esses horizontes também se haviam expandido imensamente sob a força de descobertas científicas que, assim como as idéias de Darwin, Marx e Freud, aplicavam um modelo histórico e evolucionário de mudança a uma série cada vez mais ampla de fenômenos. Esse modelo emergira no Renascimento e no Iluminismo, quando a recentemente livre curiosidade intelectual do Homem europeu juntou-se a um novo sentido enfático de seu progresso dinâmico. Daí surgira um grande interesse pelo passado clássico e antigo dos quais ele desenvolveu e aperfeiçoou o estudo e a investigação histórica. Desde Valla, Maquiavel, Voltaire e Gibbon a Vico, Herder, Hegel e Ranke, aumentou a atenção em relação à História, a consciência da mutação histórica e a identificação de princípios em que o desenvolvimento da mudança histórica poderia ser entendida. Da mesma forma, os exploradores do globo expandiram o conhecimento geográfico dos europeus, que assim também entraram em contato com outras culturas e outras histórias. Com o constante desenvolvimento da informação nessas áreas, aos poucos tornou-se evidente que a história humana estendia-se a um passado bem mais distante do que era anteriormente pressuposto; existiam muitas outras culturas importantes no passado e no presente, dotadas de visões de mundo amplamente divergentes da européia — não havia nada absoluto, imemorial ou certo a respeito da presente posição ou dos valores do Homem ocidental moderno. Para uma cultura há muito acostumada a uma concepção estática, abreviada e eurocêntrica da história humana — na verdade, da história universal (como acontecia na célebre datação do arcebispo Ussher, para quem 4004 a.C. seria o ano da Criação no Gênese) — as novas perspectivas eram desorientadoras tanto em amplitude como em caráter. O trabalho de arqueólogos ainda levara para horizontes mais distante no tempo, descobrindo civilizações cada vez mais antigas, cuja ascensão e queda haviam ocorrido muito antes do surgimento da Grécia e de Roma. A lei da história era um desenvolvimento e diversidade infinitos; sua trajetória era perturbadoramente longa.

Quando a perspectiva do desenvolvimento e da história foi aplicada à Natureza, como fizeram Hutton e Lyell na Geologia, Lamarck e Darwin na Biologia, os espaços de tempo em que se sabia haverem existido a vida orgânica e a Terra foram exponencialmente expandidos a milhares de milhões de anos, em relação aos quais toda a história humana ocorrera num período de impressionante brevidade. Mas isto foi apenas o começo, pois os astrônomos, reforçados por instrumentos técnicos cada vez mais poderosos, aplicaram tais princípios à compreensão do próprio Cosmo, o que resultou em mais uma expansão temporal e espacial sem precedentes. No século XX, a Cosmologia situava o sistema solar como parte absolutamente insignificante de uma gigantesca galáxia com centenas de bilhões de outras estrelas, cada uma delas comparável ao Sol; o Universo observável continha centenas de bilhões de outras galáxias, cada uma comparável à Via-Láctea. Por sua vez, cada uma dessas galáxias era parte de conjuntos galáticos muito maiores, que aparentemente eram também partes de superconjuntos galáticos bem mais vastos — o espaço celestial só poderia ser adequadamente medido em termos das distâncias viajadas em anos na velocidade da luz, as distâncias entre os conjuntos de galáxias calculados em centenas de milhões de anos-luz. Todas essas estrelas e galáxias tiveram processos de formação e decadência imensamente longos; o Universo em si teria surgido a partir de uma explosão primordial que mal se poderia conceber (muito menos explicar) ocorrida há cerca de dez ou vinte bilhões de anos.

Essas dimensões macroscópicas obrigaram a consciência humana a um sentido — perturbadoramente humilde — de sua própria insignificância relativa no tempo e no espaço, eclipsando todo o empreendimento humano (não se falando em vidas individuais) a proporções tremendamente minúsculas. Suplantadas por tais imensidões, as anteriores expansões do mundo realizadas por Colombo, Galileu e mesmo Darwin pareciam relativamente mínimas. Assim reunidos, os esforços de exploradores, geógrafos, historiadores, antropólogos, arqueólogos, paleontologistas, geólogos, biólogos, físicos e astrônomos serviram para expandir o conhecimento do Homem e reduzir sua estatura cósmica. As distantes origens da Humanidade entre primatas e primitivos, em relação à idade da Terra, relativamente os aproximava; o imenso tamanho da Terra e do Sistema Solar, em relação ao da galáxia, minúsculo; a inacreditável expansão dos céus, em que as galáxias vizinhas à Terra eram tão inimaginavelmente remotas, que sua luz hoje visível na Terra partira da fonte há mais de cem mil anos, quando o *Homo sapiens* ainda estava na primeira Idade da Pedra — diante desse quadro, as pessoas ponderadas tinham boa razão para refletir sobre a aparente insignificância da existência humana no plano maior das coisas.

Contudo, não foi apenas a extrema redução temporal e espacial da vida humana realizada pelo avanço da ciência que ameaçou a auto-imagem do Homem moderno, mas também a desvalorização qualitativa de seu caráter essencial. Assim como o reducionismo foi empregado com êxito para analisar a Natureza, e depois a própria natureza humana, o homem foi também reduzido. A sofisticação crescente da Ciência tornava provável e talvez até necessário que as leis da Física em certo sentido estivessem no fundo de tudo. Os fenômenos da Química podiam ser reduzidos a princípios da Física, os da Biologia, à Química e Física; para muitos cientistas, os do comportamento e mesmo os da consciência, reduzidos à Biologia e à Bioquímica. A própria consciência tornava-se mero epifenômeno da matéria, uma secreção do cérebro, uma função de circuitos eletroquímicos que atendiam a imperativos biológicos. O programa cartesiano da análise mecanicista começou a superar até mesmo a divisão entre *res cogitans* e *res extensa*, sujeito pensante e mundo material, no momento em que La Mettrie, Pavlov, Watson, Skinner e outros argumentavam que, assim como o mundo, o Homem também poderia ser entendido como uma máquina. O comportamento humano e o funcionamento da mente talvez fossem apenas atividades de reflexo, baseadas em princípios mecanicistas de estímulo e reação, compostos por fatores genéticos, em si cada vez mais passíveis de manipulações científicas. Regido por determinismos estatísticos, o Homem era um sujeito adequado ao terreno da teoria da probabilidade. O futuro do Homem, sua própria essência, parecia ser tão contingente e desprovido de mistério quanto um problema de engenharia. Embora a divulgada hipótese de que todas as complexidades da vida humana e do mundo em geral seriam cada vez mais explicáveis em termos de princípios científicos naturais fosse, a rigor, apenas um pressuposto regulador, inconscientemente ela assumiu o caráter de um princípio científico bem fundamentado em si, com profundas decorrências metafísicas.

Quanto mais o Homem moderno lutava para controlar a Natureza por meio da compreensão de seus princípios e para livrar-se de sua força, para distinguir-se de seu determinismo e erguer-se acima deste, sua ciência nela e em seu caráter mecanicista e impessoal mais o submergia por completo. Se o Homem vivia num Universo impessoal, se sua existência estava inteiramente fundamentada e subordinada a esse Universo, é porque ele também era essencialmente impessoal e sua experiência particular como indivíduo era uma ficção psicológica. Sob esse aspecto, o Homem tornava-se pouco mais do que uma estratégia genética para a continuação de sua espécie; conforme progredia o século XX, a cada ano o êxito dessa estratégia tornava-se mais incerto. A ironia do progresso intelectual da modernidade foi a descoberta de sucessivos princípios do determinismo — cartesiano, newtoniano, darwiniano, marxista, freudiano, behaviorista, genético, neuropsicológico, sociobiológico — que invariavelmente reduziam a crença do homem em sua própria liberdade racional e volitiva, ao mesmo tempo em que eliminavam sua impressão de não passar de um acidente periférico e efêmero da evolução material.

A Autocrítica do Pensamento Moderno

Esses fatos paradoxais tiveram equivalente no simultâneo avanço da filosofia moderna, que examinava a natureza e extensão do conhecimento humano com crescente rigor, sutileza e compreensão. Ao mesmo tempo em que o Homem moderno estendia e ampliava seu real conhecimento do mundo, sua epistemologia crítica inexoravelmente revelava os inquietantes limites além dos quais esse conhecimento não penetrava.

De Locke a Hume

Com a síntese de Newton, o Iluminismo teve início com imensa confiança na Razão humana; o sucesso da nova ciência na explicação do mundo natural influenciou de duas maneiras a Filosofia: em primeiro lugar, localizando a base do conhecimento humano no encontro da mente com o mundo físico; em segundo, voltando a atenção da filosofia para uma análise da mente capaz desse conhecimento.

Mais do que todos, John Locke, contemporâneo de Newton e herdeiro de Bacon, estabeleceu a tônica do Iluminismo afirmando o princípio que fundamentava o empirismo: não há nada no intelecto que não tenha passado antes pelos sentidos (*Nihil est in intellectu quod non antea fuerit in sensu*). Estimulado para a filosofia pela leitura de Descartes, mas também influenciado pela ciência empírica contemporânea de Newton, Boyle e da Royal Society, e ainda pelo empirismo atômico de Gassendi, Locke não aceitava a crença racionalista cartesiana nas idéias inatas. Para ele, todo o conhecimento humano em última análise baseava-se na experiência sensorial. Combinando impressões sensoriais simples ou "idéias" (definidas como conteúdos mentais) em conceitos mais complexos, através da reflexão depois da sensação, a mente pode chegar a conclusões corretas. Os sentidos impressionam e a reflexão interioriza essas impressões: "Essas são as fontes do conhecimento, de onde surgem todas as idéias que temos ou podemos ter naturalmente." A mente é inicialmente uma *tabula rasa*, sobre a qual se escreve a experiência. Ela é intrinsecamente um receptor passivo da experiência, e recebe as impressões sensoriais atomísticas que representam os objetos materiais externos que as provocam. A partir dessas impressões, a mente pode construir seu entendimento conceitual por meio de suas próprias operações introspectivas de combinação, já que possui poderes inatos, mas não idéias inatas. A cognição começa com a sensação.

A exigência do empirista inglês de que a experiência sensorial fosse a fonte última do conhecimento do mundo opunha-se à orientação racionalista do continente europeu, epitomizada em Descartes e elaborada de maneiras diferentes em Spinoza e Leibniz, que afirmavam que apenas a mente poderia obter o conhecimento seguro, ao reconhecer verdades claras, distintas e evidentes por si mesmas. Para os empiristas, esse racionalismo empiricamente subterrâneo, como disse Bacon, assemelhava-se a uma aranha que produzia sua teia a partir de sua própria substância. O imperativo característico do Iluminismo (que dentro de pouco tempo Voltaire levaria da Inglaterra para os enciclopedistas franceses) afirmava que a Razão necessitava da experiência sensorial para conhecer qualquer coisa do mundo além de suas próprias invenções. O melhor critério para a verdade era, portanto, sua base genética — na experiência sensorial — e não apenas sua aparente validade racional intrínseca, que poderia ser falsa. No pensamento empirista subseqüente, o racionalismo era cada vez mais limitado em suas reivindicações legítimas: a mente sem a comprovação sensorial não pode obter o conhecimento do mundo, mas apenas especular, definir termos ou realizar operações matemáticas e lógicas. Da mesma forma, a crença racionalista de que a Ciência poderia obter o conhecimento seguro de verdades gerais sobre o mundo era cada vez mais deslocada por uma postura menos absolutista, mostrando que a ciência não pode dar a conhecer a estrutura real das coisas mas, com base em hipóteses a respeito das aparências, apenas descobrir verdades prováveis.

Esse ceticismo nascente na posição empirista já era visível nas próprias dificuldades de Locke em sua teoria do conhecimento. Locke admitia que não havia nenhuma garantia de que todas as idéias humanas das coisas se parecessem legitimamente com os objetos exteriores que supostamente representavam. Ele também não era capaz de reduzir todas as idéias complexas, como a idéia da substância, a idéias simples ou sensações. Havia três fatores no processo do conhecimento humano: o espírito, o objeto físico e a percepção ou idéia mental que representa esse objeto. O Homem conhece diretamente apenas a idéia mental, não o objeto. Ele apenas conhece o objeto através da mediação da idéia. Fora da percepção do Homem existe somente um mundo de substâncias em movimento; não é possível a confirmação absoluta de que as diversas impressões do mundo externo que o Homem sente na cognição pertençam ao mundo em si.

No entanto, Locke procurou uma solução parcial para esses problemas através da distinção (seguindo Galileu e Descartes) entre características primárias e secundárias — entre as qualidades inerentes a todos os objetos materiais extensos que seriam objetivamente mensuráveis, como peso, forma e movimento, e as que são inerentes apenas à experiência subjetiva humana desses objetos, como sabor, cheiro e cor. As características primárias produzem na mente idéias que legitimamente se parecem com o objeto externo; as secundárias produzem idéias que são simples conseqüências do aparelho de percepção do sujeito. Concentrando-se nas qualidades básicas mensuráveis, a Ciência pode obter um conhecimento confiável do mundo material.

Seguindo Locke, o bispo Berkeley mostrou que, se a análise empírica do conhecimento humano é realizada com todo o rigor, deve-se admitir que *todas* as características registradas pela mente humana, sejam elas primárias ou secundárias, são basicamente percebidas como idéias mentais e não pode haver nenhuma inferência conclusiva quanto ao fato de algumas dessas qualidades "legitimamente" representarem ou se parecerem com um objeto externo. Não pode realmente haver nenhuma inferência conclusiva sequer a respeito da existência de um mundo de objetos materiais fora da mente que produza essas idéias, pois não há nenhum meio justificável pelo qual se possa distinguir objetos de impressões sensoriais — e assim não se pode afirmar que alguma idéia na mente "se pareça" com uma coisa material de modo que esta seja representada na mente. Como jamais se pode sair da mente para comparar a idéia ao objeto real, toda a noção da representação é desprovida de base. Os mesmos argumentos que Locke usou contra a precisão representativa das características secundárias eram igualmente aplicáveis às primárias; no final das contas, os dois tipos de qualidades devem ser considerados experiências da mente.

Portanto, a doutrina da representação de Locke era insustentável. Na análise de Berkeley, toda experiência humana é fenomênica, limitada às aparências na mente. A percepção da Natureza na experiência mental do Homem e conseqüentemente todos os elementos dos sentidos devem ser enfim considerados "objetos para o espírito" e não a representação de substâncias materiais. Enquanto Locke reduzira todos os conteúdos mentais a uma base última na sensação, Berkeley agora reduzia mais todos os dados dos sentidos a conteúdos mentais.

A distinção lockeana entre características da mente e características que pertencem à matéria não poderia ser sustentada; com esse desdobramento, Berkeley, que era um religioso, procurava superar a tendência contemporânea ao "materialismo ateu" que sentia haver surgido sem justificativa com a Ciência Moderna. O empirista afirma corretamente que todo conhecimento baseia-se na experiência. Contudo, no final, como Berkeley mostrava, toda a experiência não passa de experiência — todas as representações mentais de supostas substâncias materiais são afinal idéias na mente — e, portanto, a existência de um mundo material exterior à mente é um pressuposto sem garantia. Tudo o que se pode ter a certeza de existir é a mente e suas idéias, inclusive as idéias que parecem representar um mundo material. De um ponto de vista rigorosamente filosófico, "ser" não significa "ser uma substância material", "ser" significa "ser percebido pela mente" (*esse est percipi*).

No entanto, Berkeley sustentava que a mente de cada indivíduo não determina subjetivamente sua experiência do mundo, como se este fosse uma fantasia vulnerável aos caprichos do momento de qualquer um. A razão pela qual existe essa objetividade, por estarem diferentes indivíduos percebendo continuamente um mundo semelhante e ter este uma inerente ordem confiável, pelo fato de que o mundo e sua ordem dependem do espírito que transcende as mentes individuais e é universal, ou seja: do espírito de Deus. Essa mente universal produz nas mentes individuais idéias sensoriais com certa regularidade, cuja experiência constante gradualmente revela ao Homem as "leis da Natureza". E essa situação viabiliza a Ciência, que não é tolhida pela identificação da base imaterial dos dados dos sentidos, pois pode levar adiante sua análise de objetos e o conhecimento crítico de que para a mente eles são objetos — não substâncias materiais externas, mas grupos recorrentes de qualidades dos sentidos. O filósofo não tem de se preocupar com os problemas criados pela representação de Locke de uma realidade material externa que escapa de uma corroboração segura, porque o mundo material não existe como tal. As idéias no espírito são a verdade final. Berkeley lutava para preservar a orientação empirista e resolver os problemas de representação de Locke, ao mesmo tempo preservando a fundamentação espiritual da experiência humana e da ciência natural.

Por sua vez, no entanto, Berkeley foi seguido por David Hume, o qual levou ao extremo a crítica epistemológica empirista, utilizando a percepção do primeiro, mas em uma direção mais característica da cultura moderna — que refletia o ceticismo muito visível desde Montaigne, passando por Bayle e o Iluminismo. Sendo um empirista que fundamentava toda a experiência humana na experiência dos sentidos, Hume concordava com a orientação geral de Locke e também com a crítica de Berkeley à teoria da representação, mas discordava da solução idealista deste último. A experiência humana era realmente apenas a do fenomênico, das impressões dos sentidos, mas não havia nenhum meio de averiguar o que estava além dessas impressões dos sentidos, das espirituais ou de quaisquer outras. Como Berkeley, Hume não podia aceitar as idéias de Locke sobre a percepção representativa, mas também não podia aceitar a identificação de objetos exteriores com idéias interiores do primeiro, que, em última análise, vinham da mente de Deus.

Para começar sua análise, Hume fazia uma distinção entre impressões sensoriais e idéias: as primeiras são a base de qualquer conhecimento, e surgem com força e vivacidade que as tornam singulares. As idéias são cópias esmaecidas dessas impressões. Pode-se experimentar por meio dos sentidos uma *impressão* da cor azul; com base nessa impressão, pode-se ter uma *idéia* dessa cor pela qual ela pode ser lembrada. Perguntamo-nos então: o que *causa* a impressão sensorial? Se todas as idéias válidas têm como base uma impressão correspondente, a que impressão pode a mente indicar para sua idéia de causalidade? Nenhuma, respondeu Hume. Se a mente analisa sua experiência sem preconceito, ela deve reconhecer que de fato todo o seu suposto conhecimento se baseia numa constante saraivada caótica de sensações isoladas, e que a mente impõe sua própria ordem a essas sensações. De sua experiência, a mente extrai uma explicação que na verdade deriva dela mesma, não da experiência. A mente não pode realmente saber o que causam as sensações, pois jamais experimenta a "causa" como uma sensação. Ela experimenta apenas impressões simples. Ou melhor, através de uma associação de idéias — o que é apenas um hábito da imaginação humana —, a mente pressupõe uma relação causal que de fato não tem nenhuma base na impressão sensorial. Tudo o que o Homem tem para fundamentar seu conhecimento são as impressões na mente; ele não tem como conhecer o que existe além dessas impressões.

Por isso, a relação causal que é a base presumida de todo o conhecimento humano, jamais é ratificada pela experiência direta. Ao contrário, a mente experimenta determinadas impressões que indicam terem sido causadas por uma substância objetiva que tem existência contínua e independentemente da mente — a qual, por sua vez, jamais experimenta essa substância, apenas recebe as impressões que a sugerem. Da mesma forma, a mente pode perceber que um evento, *A*, é repetidamente seguido por outro evento, *B*; com essa base, a mente pode projetar que *A* causa *B*. Mas, de fato, sabe-se apenas que *A* e *B* foram regularmente percebidos em estreita associação. O nexo causal em si jamais foi percebido, nem se pode afirmar que exista fora da mente humana e de seus hábitos internos. A causa deve ser identificada como a simples conjunção repetida de eventos na mente. É a retificação de uma expectativa psicológica, aparentemente afirmada pela experiência, mas jamais legitimamente substanciada.

Mesmo as idéias de espaço e tempo não são realidades independentes, como pressupunha Newton, mas simples resultados da sensação da coexistência ou sucessão de determinados objetos. As noções de tempo e espaço são abstraídas pela mente a partir de repetidas sensações desse tipo; na verdade, espaço e tempo são apenas maneiras de sentir os objetos. Todos os conceitos gerais se originam dessa maneira; a mente parte da sensação de impressões particulares para uma idéia de relacionamento entre essas impressões, uma idéia que ela então separa e reifica. Contudo, o conceito geral, a idéia, é apenas resultado do hábito mental da associação. No fundo, a mente sente apenas particulares; e é ela que trama qualquer relação entre tais particulares no tecido de sua experiência. A inteligibilidade do mundo reflete hábitos da mente, não a natureza da realidade.

Parte da intenção de Hume era refutar as reivindicações metafísicas do racionalismo filosófico e sua lógica dedutiva. Para ele, são possíveis dois tipos de proposições, uma baseada inteiramente na sensação e outra, inteiramente no intelecto. Uma proposição baseada na sensação diz respeito a questões óbvias de fatos concretos (p. ex., "está um dia ensolarado"), que são sempre contingentes (poderiam ser diferentes, mas não são). Por outro lado, uma proposição baseada no intelecto diz respeito às relações entre conceitos (p. ex., "todos os quadrados têm quatro lados iguais") e é sempre axiomática — ou seja, sua negação leva à contradição. Contudo, as verdades da Razão pura, como as da matemática, são necessárias apenas porque existem em um sistema autocontido sem nenhuma referência obrigatória ao mundo externo. Elas são verdadeiras somente por definição lógica, tornando explícito o que está implícito em seus próprios termos, e estes não podem alegar nenhuma relação indispensável com a natureza das coisas. Daí o fato de que somente as verdades de que a Razão pura é capaz são tautológicas. A Razão, por si, não pode afirmar uma verdade sobre a natureza essencial das coisas.

Além da Razão pura não ter nenhuma percepção de questões metafísicas, ela também não pode pronunciar-se sobre a natureza última das coisas através da inferência da experiência. Não se pode conhecer o supra-sensível analisando o sensível, porque o princípio sobre o qual se pode basear esse tipo de julgamento — a causalidade — está afinal baseado apenas na observação de eventos concretos particulares em sucessão temporal. Sem os elementos da temporalidade e da concretude, a causalidade perde o significado. Por isso, todos os argumentos metafísicos que buscam afirmações seguras sobre toda a realidade possível além da experiência temporal concreta já estão pervertidos em sua base. Assim, para Hume, a metafísica era apenas uma forma exaltada da mitologia, sem nenhuma pertinência para o mundo real.

No entanto, outra conseqüência da análise de Hume — e mais perturbadora para a cultura moderna — era a aparente debilitação da própria ciência empírica, pois sua fundamentação lógica, a indução, era agora considerada injustificável. O progresso lógico da cultura, indo de muitos particulares para uma certeza universal, jamais poderia ser legitimado absolutamente: não importa quantas vezes se observe uma determinada seqüência de eventos, jamais se pode ter a certeza de que esta é causal e sempre se repetirá nas observações subseqüentes. Só porque sempre se observou que o evento *B* sempre seguiu o evento *A* no passado, não se pode garantir que faça o mesmo no futuro. Qualquer aceitação desta "lei" e qualquer crença de que a seqüência representa um verdadeiro relacionamento causal é apenas uma rematada persuasão psicológica, não uma certeza lógica. A aparente indispensabilidade causal nos fenômenos é apenas a indispensabilidade de convicção subjetiva — da imaginação humana controlada por sua constante associação de idéias. Não tem nenhum fundamento objetivo. Pode-se perceber a regularidade dos eventos, mas não sua inevitabilidade. Esta não passa de um sentimento subjetivo induzido pela aparência de aparente regularidade. Em tal contexto, a Ciência é possível, mas é apenas uma ciência do fenomênico, das aparências registradas na mente; sua certeza é subjetiva, determinada não pela natureza, mas pela psicologia humana.

Paradoxalmente, Hume começara com a intenção de aplicar rigorosos princípios newtonianos "experimentais" de investigação ao homem, para levar os bem-sucedidos métodos empíricos da ciência natural a uma ciência do Homem. Contudo, ele terminou questionando a certeza objetiva de toda a ciência empírica. Se todo o conhecimento humano se baseia no empirismo, ainda que a indução não possa ser justificada pela lógica, o Homem não pode obter nenhum conhecimento seguro.

Com Hume, a ênfase empirista na percepção dos sentidos que há muito se desenvolvia (desde Aristóteles, Tomás de Aquino, Ockham, Bacon, Locke) foi levada a seu máximo extremo, em que apenas existia a rajada e o caos dessas percepções; qualquer ordem a elas imposta seria arbitrária, humana e desprovida de qualquer base objetiva. Em termos da fundamental distinção de Platão entre o "conhecimento" (da realidade) e a "opinião" (sobre as aparências), para Hume todo conhecimento humano devia ser considerado opinião. Platão sustentava que as impressões sensoriais seriam cópias esmaecidas das idéias e Hume sustentava que as idéias eram cópias esmaecidas das impressões sensoriais. Na longa evolução da cultura ocidental — desde o antigo idealista ao empirista moderno —, a base da realidade foi inteiramente invertida: a verdade estava na experiência dos sentidos, não na apreensão ideal; a verdade era inteiramente problemática. Somente as percepções podem ser reais para a mente; jamais se poderia saber o que havia além delas.

Locke mantivera certa fé na capacidade da mente humana para apreender, por mais imperfeitamente que fosse, as grandes linhas gerais de um mundo externo por meio de suas operações combinadas. No entanto, Hume acreditava que a mente humana não era apenas "menos do que perfeita", mas que esta jamais poderia alegar ter acesso à ordem do mundo — que não existiria fora da mente. Essa ordem não era inerente à sua natureza, mas resultava das próprias tendências associativas da mente. Se não havia nada na mente que não fosse em última análise derivado dos sentidos, e se todas as idéias complexas válidas se baseassem em idéias simples derivadas das idéias sensoriais, era porque a própria idéia de causa, e portanto o conhecimento seguro do mundo, deveria ser criticamente reconsiderada, pois a causa jamais fora percebida assim. Ela jamais poderia derivar de uma impressão direta simples. Mesmo a experiência de uma substância continuamente existente era apenas uma crença produzida pela recorrência regular de muitas impressões, que produzia a ficção de uma entidade duradoura.

Indo mais adiante nessa análise psicológica da experiência humana, Hume concluiu que a mente era em si apenas um apanhado de percepções desconexas, que não poderia reivindicar unidade real, existência contínua ou coerência interna e muito menos conhecimento objetivo. Toda ordem e coerência, incluindo a que dava origem à idéia do ego humano, seriam constructos fictícios da mente. Os seres humanos precisavam dessas ficções para viver, mas o filósofo não podia justificá-las. Com Berkeley, não havia uma base material indispensável à experiência, embora a mente houvesse mantido uma certa força espiritual derivada da mente divina e o mundo percebido pela mente extraísse sua ordem dessa mesma fonte. Todavia, com o ceticismo mais secular de Hume, nada era considerado objetivamente necessário — nem Deus, nem a ordem, nem a causalidade, nem as existências concretas, nem a identidade pessoal, nem o conhecimento real. Tudo era contingente. O homem só conhece os fenômenos, as impressões caóticas; a ordem ali percebida é imaginada, por motivos de hábito psicológico e necessidade instintiva — e depois, projetada. Hume assim articulou o argumento cético paradigmático da filosofia, que por sua vez estimularia Immanuel Kant a desenvolver a posição filosófica central da era moderna.

Kant

Era aparentemente impossível superar o desafio intelectual que Immanuel Kant enfrentou na segunda metade do século XVIII: de um lado, conciliar as reivindicações da Ciência ao conhecimento seguro e legítimo do mundo com a alegação da Filosofia de que a experiência jamais permitiria tal conhecimento; por outro, conciliar a reivindicação religiosa de que o Homem era moralmente livre, com a alegação da Ciência de que a Natureza era inteiramente determinada por leis inevitáveis. Com essas diversas reivindicações em conflito tão complicado e sério, emergira uma crise intelectual de profunda complexidade. A solução de Kant para essa crise era igualmente complexa e brilhante; suas conseqüências tiveram o peso correspondente.

Kant conhecia muito bem a ciência newtoniana e seus triunfos, para duvidar que o Homem tivesse acesso a um certo conhecimento. No entanto, do mesmo modo ele sentia a força da inquieta análise que Hume fez da mente humana. Também ele chegara à desconfiança em relação aos pronunciamentos absolutos sobre a natureza do mundo, para os quais uma metafísica especulativa exclusivamente racional pretendia competência, o que entrara em conflito interminável e aparentemente insolúvel. Segundo Kant, a leitura da obra de Hume o despertara de seu "sono dogmático", resíduo de sua longa instrução na escola racionalista alemã de Wolff, o sistematizador acadêmico de Leibniz. Ele agora admitia que o Homem só poderia conhecer o fenomênico, e que quaisquer conclusões metafísicas a respeito da natureza do Universo que ultrapassassem a experiência eram infundadas. Kant demonstrou que seria impossível opor-se a tais proposições da Razão pura de imediato, por estarem apoiadas num argumento lógico. Sempre que a mente procurasse afirmar algo além da experiência sensorial — como Deus, a imortalidade da alma ou a infinitude do Universo — era inevitável que se emaranhasse em contradição ou ilusão. Assim, a história da metafísica era um registro de controvérsia e confusão, inteiramente desprovido de progresso cumulativo. A mente requeria a comprovação empírica antes de ser capaz do conhecimento, mas Deus, a imortalidade e outras questões metafísicas do gênero jamais poderiam tornar-se fenômenos: não eram empíricas. Portanto, a metafísica estava além das forças da Razão.

No entanto, em Hume a dissolução da causalidade parecia também solapar as exigências da ciência natural quanto a verdades gerais axiomáticas sobre o mundo, já que a ciência newtoniana baseava-se na hipotética realidade do agora incerto princípio causal. Se todo o conhecimento humano necessariamente vinha da observação de certos exemplos, estes jamais poderiam ser generalizados em determinadas leis, pois somente exemplos isolados eram percebidos, jamais sua conexão causal. Contudo, Kant estava convencido além de qualquer dúvida de que Newton, com a ajuda de experimentos, apreendera um conhecimento real de absoluta certeza e generalidade. Quem estava certo — Hume ou Newton? Se Newton houvesse obtido o conhecimento seguro e, mesmo assim, Hume demonstrasse a impossibilidade de tal conhecimento, como Newton o obtivera? Como seria possível o conhecimento seguro num universo fenomênico? Essa era a idéia central da *Crítica da Razão Pura* de Kant; sua solução satisfaria as reivindicações de Hume e de Newton, de ceticismo e ciência — e, com isso, resolveria a dicotomia fundamental da epistemologia moderna entre empirismo e racionalismo.

A clareza e a rigorosa inevitabilidade das verdades matemáticas há muito proporcionara aos racionalistas — acima de todos, Descartes, Spinoza e Leibniz — a certeza de que, no mundo da dúvida moderna, o espírito humano tinha pelo menos uma sólida base para obter o conhecimento seguro. O próprio Kant há muito se convencera de que a ciência natural era científica até o exato ponto em que se aproximava do ideal da Matemática. Baseado em tal convicção, o próprio Kant realmente prestara importante contribuição à cosmologia newtoniana, demonstrando que através de forças físicas mensuráveis estritamente imperativas, o Sol e os planetas se haviam consolidado e incorporado os movimentos definidos por Copérnico e Kepler. Para falar a verdade, na tentativa de estender o método do raciocínio matemático à metafísica,

Kant convenceu-se da incompetência da Razão pura nessas questões. Nos limites da experiência sensorial, como acontecia na ciência natural, a verdade matemática estava muito clara.

Contudo, porque a ciência natural preocupava-se com o mundo exterior proporcionado pelos sentidos, ela abria-se assim à crítica de Hume, de que todo o seu conhecimento seria então circunstancial e sua aparente necessidade, apenas psicológica. Na argumentação de Hume, com a qual Kant tinha de concordar, as leis seguras da geometria euclidiana não poderiam derivar da observação empírica. No entanto, a ciência newtoniana baseava-se claramente na geometria de Euclides. As leis da Matemática e da Lógica eram consideradas originárias da mente humana, mas como se poderia dizer que elas pertencessem com certeza ao mundo? Racionalistas como Descartes haviam mais ou menos pressuposto uma simples correspondência entre a mente e o mundo, mas Hume submetera esse pressuposto a uma crítica nociva. Contudo, uma correspondência entre o espírito e o mundo era claramente pressuposta (e aparentemente se sustentava) nas realizações newtonianas, das quais Kant estava seguro.

A extraordinária solução de Kant foi propor que a correspondência entre mente e mundo realmente se sustentasse na ciência natural, embora não no sentido antes suposto, mas no sentido crítico de que a ciência do "mundo" explicava um mundo já ordenado pelo próprio aparato cognitivo da mente. Isso porque, para Kant, a mente humana é de tal natureza que não recebe passivamente os dados dos sentidos. Ao contrário, ele rapidamente os digere e estrutura; portanto, o Homem conhece a realidade objetiva exatamente até onde esta se adapta às estruturas fundamentais da mente. O mundo conhecido pela Ciência corresponde a princípios na mente, porque o único mundo disponível para esta já está organizado segundo seus próprios processos. Toda a cognição humana do mundo é canalizada pelas categorias da mente humana. A necessidade e a certeza do conhecimento científico derivam da mente e estão incrustados em sua percepção e entendimento do mundo, não derivam de sua natureza independente, que de fato jamais pode ser conhecida. O Homem conhece apenas um mundo permeado por seu conhecimento; a causalidade e as leis inevitáveis da Ciência formam-se gradualmente no quadro de referências de sua cognição. Apenas as observações não proporcionam ao Homem as leis seguras; ao contrário, são essas leis que refletem a organização mental humana. No ato da cognição, a mente não se adapta às coisas; também, ao contrário, são as coisas que se adaptam à mente.

E como Kant chegou a essas decisões que fizeram época? Ele começou percebendo que, se todo o conteúdo que poderia derivar da experiência fosse extraído de juízos matemáticos, as idéias de tempo e espaço permaneceriam. Disso, inferiu que qualquer evento percebido pelos sentidos é automaticamente localizado num quadro de referências de relações espaciais e temporais. O espaço e o tempo são "formas axiomáticas da sensibilidade humana": elas condicionam qualquer coisa apreendida pelos sentidos. A Matemática poderia descrever com precisão o mundo empírico porque os princípios matemáticos necessariamente envolvem um contexto de espaço e tempo, e o espaço e o tempo estão na base de toda experiência sensorial: eles condicionam e estruturam qualquer observação empírica. Assim, o espaço e o tempo não vêm da experiência, mas estão pressupostos na experiência. Jamais são observados como tais, mas constituem o contexto em que todos os eventos são observados. Não se pode saber se existem na Natureza sem a mente, mas a mente não pode conhecer o mundo sem eles.

Portanto, não se pode considerar espaço e tempo características do mundo, pois são em si contribuições ao ato da observação humana. Epistemologicamente, eles se baseiam na natureza da mente, não ontologicamente na natureza das coisas. Como as proposições matemáticas estão fundamentadas em intuições diretas de relações espaciais, elas são "axiomáticas" — construídas pelo espírito e não derivadas da experiência — e, mesmo assim, são também válidas para a experiência, que necessariamente deverá adaptar-se à forma axiomática do espaço. É verdade que a Razão pura inevitavelmente se enreda em contradição quando tenta aplicar essas idéias ao mundo em seu conjunto — para garantir o que é verdade além de toda a possível experiência —, como acontece quando tenta decidir se o Universo é finito ou infinito no tempo ou no espaço. Contudo, no que se refere ao mundo fenomênico que o Homem percebe através dos sentidos, o tempo e o espaço não são apenas conceitos aplicáveis: são componentes intrínsecos de toda a experiência humana desse mundo, quadros de referência imperativos para a cognição.

Além disso, uma análise maior revela que são tais o caráter e a estrutura da mente, que os eventos que ela percebe no tempo e no espaço estão sujeitos a outros princípios axiomáticos — ou seja, as categorias do entendimento, como a lei da causalidade. Por sua vez, essas categorias emprestam sua necessidade ao conhecimento científico. O fato de todos os eventos estarem relacionados no mundo fora da mente é algo que não pode ser assegurado; mas, porque o mundo que o Homem vivencia é necessariamente determinado pelas predisposições de sua mente, pode-se assegurar que os eventos no mundo fenomênico estão ligados por uma relação de causalidade, e assim a Ciência pode seguir em frente. A mente não obtém causa e efeito das observações — mas já percebe suas observações num contexto em que causa e efeito são realidades pressupostas: a causalidade na cognição humana não vem da experiência, mas é trazida à experiência.

O que acontece com causa e efeito, acontece também em relação a outras categorias do entendimento, como substância, quantidade e relação. Sem esses quadros de referência fundamentais, princípios interpretativos axiomáticos, a mente humana seria incapaz de conhecer o mundo. A experiência humana seria um caos impossível, um desdobramento múltiplo e inteiramente informe, a não ser pelo fato de que, por sua própria natureza, a sensibilidade e o entendimento humano transfiguram esse desdobramento em percepção unificada, situam-no em referências de tempo e espaço e o sujeitam aos princípios ordenadores de causalidade, substância e outras categorias. A experiência é um constructo da mente imposto à sensação.

As formas e categorias axiomáticas servem como condição absoluta da experiência. Elas não são interpretadas a partir da experiência, mas *na* experiência. São axiomáticas, mas empiricamente aplicáveis — e apenas empiricamente aplicáveis, não metafisicamente. O único mundo que o Homem conhece é o empírico mundo dos fenômenos, das "aparências", e esse mundo só existe na medida em que o homem participa de sua construção. Só podemos conhecer as coisas relativas a nós mesmos. O conhecimento se restringe aos efeitos sensíveis que as coisas têm sobre nós e essas aparências ou fenômenos são, por assim dizer, pré-digeridos. Ao contrário do pressuposto habitual, a mente jamais experimenta o que está "lá fora", separado de si, em algum reflexo claro e sem distorção da realidade objetiva. Ou melhor, a "realidade" para o Homem é necessariamente a que ele mesmo criou; o mundo em si deve permanecer algo que somente pode ser pensado, jamais conhecido.

Assim, a ordem que o Homem percebe no mundo não está fundamentada naquele mundo, mas em sua mente que, por assim dizer, obriga o mundo a obedecer a sua própria organização. Toda a experiência sensorial foi canalizada por um filtro de estruturas humanas axiomáticas. O homem pode obter um conhecimento seguro do mundo, não porque tenha força para penetrar e apreender o mundo em si, mas porque o mundo que ele percebe e compreende já é um mundo saturado com os princípios de sua própria organização mental. Essa organização é que é absoluta, não o mundo em si que, afinal, permanece além da cognição. Como a organização mental humana é realmente absoluta, pressupunha Kant, o Homem pode conhecer com legítima certeza o único mundo que pode experimentar, o mundo fenomênico.

Assim, o Homem não recebe todo seu conhecimento da experiência, mas seu conhecimento em certo sentido já se introduz nessa experiência no processo de cognição. Embora Kant criticasse Leibniz e os racionalistas por acreditarem que a Razão por si, sem a experiência dos sentidos, pode calcular o Universo (pois, argumentava Kant, o conhecimento requer o trato com os particulares), ele também criticava Locke e os empiristas por acreditarem que sozinhas, sem os conceitos axiomáticos do entendimento, as impressões dos sentidos poderiam algum dia levar ao conhecimento (pois os particulares são desprovidos de sentido sem os conceitos gerais pelos quais são interpretados). Locke estava certo em negar os ideais inatos no sentido de representações mentais da realidade física, mas equivocado ao negar o conhecimento formal inato. Assim como o pensamento sem a sensação é vazio, a sensação sem o pensamento é cega. Somente juntos o entendimento e a sensibilidade podem fornecer o válido conhecimento objetivo das coisas.

Para Kant, a divisão que Hume dava às proposições — umas baseadas no intelecto puro (necessárias e tautológicas) e outras baseadas na pura sensação (factuais, mas não necessárias) — exigia uma terceira categoria mais importante, que envolvia a operação intimamente combinada das duas faculdades. Sem tal combinação, o conhecimento seguro seria impossível. Não se pode conhecer algo sobre o mundo simplesmente pensando; também não é possível fazê-lo apenas sentindo ou mesmo sentindo e depois refletindo sobre as sensações. Os dois modos devem se interpenetrar e ser simultâneos.

A análise de Hume demonstrara que a mente humana jamais poderia atingir o conhecimento seguro do mundo, pois a aparente ordem de toda a experiência passada não poderia garantir a ordem de qualquer experiência futura. A causa não era diretamente perceptível no mundo, a mente não poderia penetrar além do véu da experiência fenomênica de particulares isolados. Portanto, estava claro para Kant que, se recebêssemos todo nosso conhecimento das coisas apenas da sensação, não haveria nenhuma certeza. Kant então ultrapassou Hume, por reconhecer o quanto a história da Ciência progredira baseada apenas em predisposições intelectuais não derivadas da experiência, mas que já estavam na trama da observação científica. Ele sabia que as teorias de Newton e Galileu não poderiam ter derivado simplesmente de observações, pois observações puramente acidentais não arranjadas previamente segundo intuitos e hipóteses humanas jamais teriam levado a leis gerais. O Homem pode deduzir leis universais da Natureza, não acompanhando-a como um discípulo à espera de respostas, mas somente como um juiz bem equipado, fazendo à natureza perguntas inteligentes deliberadamente reveladoras, com muita precisão. As respostas da ciência têm origem na mesma fonte de suas perguntas. Por um lado, o cientista deve realizar experiências para assegurar a validade de suas hipóteses e, assim, verdadeiras leis da Natureza; somente com os testes ele poderá ter a certeza de que não há exceções e de que seus conceitos são legítimos conceitos do entendimento, não apenas imaginários. Por outro lado, o cientista também precisa de hipóteses axiomáticas até mesmo para abordar, observar e testar proveitosamente o mundo. Por sua vez, a situação da Ciência reflete a natureza de toda a experiência humana. O espírito só pode conhecer com certeza aquilo que em algum sentido já experimentou.

Assim, o conhecimento do Homem não se adapta aos objetos, mas estes se adaptam ao conhecimento humano. É possível um certo conhecimento num universo fenomênico porque o espírito humano confere a esse universo sua própria ordem absoluta. E Kant então declarou o que tem sido chamado de sua particular "revolução copernicana": assim como Copérnico explicara o movimento observado dos céus pelo movimento real do observador, Kant explicava a ordem percebida no Universo pela ordem real do observador.[1]

Ao enfrentar a aparentemente insolúvel dialética entre o ceticismo humano e a ciência newtoniana, Kant demonstrou que a observação do mundo jamais era neutra, jamais estava livre de julgamentos conceituais axiomaticamente impostos. O ideal baconiano de um empirismo totalmente livre de "antecipações" era uma impossibilidade. Não poderia funcionar na Ciência, e sequer era possível pela experiência, pois nenhuma observação empírica e nenhuma experiência humana era pura, neutra, desprovida de pressupostos inconscientes ou ordenações axiomáticas. Nos termos do conhecimento científico, não se poderia dizer que o mundo existisse completo em si, com formas inteligíveis que o Homem pudesse empiricamente revelar, se ele no mínimo pudesse limpar sua mente de preconceitos e aperfeiçoar seus sentidos com a experiência. O Homem percebia e julgava um mundo que se formava em seu próprio ato de perceber e julgar. A mente não era passiva, mas criativa, estruturadora. As particularidades físicas não poderiam ser simplesmente identificadas e depois correlacionadas por meio de categorias conceituais; ao contrário, requeriam alguma espécie de categorização prévia para serem identificadas. Para possibilitar o conhecimento, o espírito necessariamente impunha sua própria natureza cognitiva aos dados da experiência e, assim, o conhecimento do Homem não era uma descrição da realidade exterior como tal, mas até certo ponto crucial, era produto do aparato cognitivo do sujeito. As leis dos processos naturais eram produto da organização interna do observador em interação com eventos externos que jamais poderiam ser conhecidos em si mesmos. Por isso nem o empirismo puro (sem estruturas axiomáticas) nem o puro racionalismo (sem a evidência sensorial) constituíam uma estratégia epistemológica viável.

A tarefa do filósofo foi, portanto, radicalmente redefinida. Sua meta já não poderia mais ser a determinação de uma concepção de mundo metafísica no sentido tradicional mas, ao contrário, a de analisar a natureza e os limites da Razão humana. Embora a Razão não pudesse tomar decisões axiomáticas em questões que transcendiam a experiência, ela poderia determinar quais fatores cognitivos são intrínsecos a toda a experiência humana e informar toda a experiência com sua ordem. Assim, a verdadeira tarefa da Filosofia era investigar a estrutura formal da mente, pois somente ali ela encontraria a verdadeira origem e o fundamento para o conhecimento seguro do mundo.

***

As conseqüências epistemológicas da "revolução copernicana" de Kant não deixaram de ter alguns aspectos perturbadores. Kant juntara o conhecedor ao conhecido, mas não o conhecedor a qualquer realidade objetiva ao objeto em si. Conhecedor e conhecido estavam por assim dizer unidos em uma prisão solipsística. O Homem conhece, como Tomás de Aquino e Agostinho disseram, porque ele julga as coisas por meio de princípios axiomáticos; mas não pode saber se esses princípios internos têm qualquer pertinência fundamental em relação ao mundo real ou qualquer existência ou verdade absoluta fora da mente humana. Não havia agora nenhuma garantia divina para as categorias cognitivas da mente, como a *lumen intellectus agentis*, a luz do intelecto atuante de Tomás de Aquino. O Homem não poderia determinar se seu conhecimento tinha alguma relação fundamental com uma realidade universal ou seria apenas mera realidade humana. Somente a necessidade subjetiva desse conhecimento era segura. Para a mente moderna, o resultado inevitável de um racionalismo crítico e um empirismo crítico era um subjetivismo kantiano limitado ao mundo fenomênico: o Homem não tinha nenhuma percepção imprescindível do transcendental, nem do mundo como tal. Ele podia conhecer as coisas apenas em suas aparências, não como eram em si. Pensando retrospectivamente, as conseqüências das revoluções copernicana e kantiana foram essencialmente ambíguas, ao mesmo tempo liberadoras e redutoras. Essas duas revoluções despertaram o Homem para uma nova realidade mais arriscada, mas ambas também deslocaram-no radicalmente — uma, do centro do Universo, e a outra, do legítimo conhecimento desse Cosmo. Assim, a alienação cosmológica juntava-se à alienação epistemológica.

Poder-se-ia dizer que, em certo sentido, a revolução kantiana inverteu a revolução copernicana, pois com aquela o Homem voltou ao centro do Universo em virtude do papel central de seu espírito no estabelecimento da ordem do mundo. No entanto, a reivindicação de ser o centro de seu universo cognitivo era apenas o outro lado da moeda: o reconhecimento de que o Homem já não podia mais pressupor qualquer contato direto entre a mente e a ordem intrínseca do Universo. Kant "humanizou" a Ciência, mas, com isso, eliminou qualquer fundamentação segura da ciência fora do espírito humano, como a ciência cartesiana ou a baconiana (que foram os programas originais da ciência moderna) haviam outrora gozado ou pressuposto. Apesar da tentativa de basear o conhecimento num absoluto inteiramente novo — a mente humana — e, de certo ponto de vista, apesar de certo *status* enobrecedor pelo fato de estar o espírito no novo centro epistemológico, também estava claro que o conhecimento humano era construído subjetivamente; portanto, em relação às certezas intelectuais de outras eras e em relação ao próprio mundo, fundamentalmente deslocado. O Homem estava novamente no centro de seu universo, mas este era agora apenas o *seu* Universo, não *o* Universo.

No entanto, Kant considerava isso um necessário reconhecimento dos limites da Razão humana, o que paradoxalmente exporia uma verdade mais ampla ao Homem. A revolução de Kant tinha dois aspectos em relação a isso, um concentrado na Ciência e o outro na Religião: ele desejava ao mesmo tempo resgatar o conhecimento seguro e a liberdade moral, sua crença em Newton e sua crença em Deus. Por um lado, demonstrando a necessidade das formas e categorias axiomáticas da mente, Kant procurou confirmar a validade da Ciência. Por outro lado, demonstrando que o Homem só pode conhecer os fenômenos e não as coisas em si, ele procurava abrir espaço para as verdades da crença religiosa e da doutrina moral.

Para Kant, a tentativa de filósofos e teólogos de racionalizar a Religião, de proporcionar aos dogmas da fé um fundamento através da Razão pura, só conseguira produzir um escândalo de conflito, casuísmo e ceticismo. Com isso, a restrição kantiana à autoridade da Razão em relação ao mundo fenomênico livrava a religião da canhestra intrusão da Razão — sobretudo, com tal restrição, a Ciência não estaria mais em conflito com a Religião. Como o determinismo causal do quadro do mundo mecânico da Ciência negaria o livre-arbítrio da alma, ainda que essa liberdade devesse estar pressuposta em qualquer legítima atividade moral, Kant argumentava que sua limitação da competência da Ciência ao fenomênico, sua admissão da ignorância do Homem a respeito das coisas em si, abria a possibilidade da fé. A Ciência poderia reivindicar um conhecimento seguro das aparências, mas já não poderia reivindicar com arrogância o conhecimento de toda a realidade; foi precisamente isso que permitiu a Kant conciliar o determinismo científico à crença e moral religiosa. A Ciência não poderia legitimamente excluir a possibilidade de que as verdades da religião também fossem válidas.

Kant sustentou assim que, embora não se pudesse saber que Deus existe, para agir segundo a moral deve-se *acreditar* que ele exista. Portanto, a crença em Deus está justificada, moralmente e na prática, ainda que não seja possível certificá-la. É mais uma questão de fé do que de conhecimento. As idéias de Deus, da imortalidade da alma e do livre-arbítrio não poderiam ser conhecidas como verdades da mesma maneira como poderiam as leis da Natureza estabelecidas por Newton. Contudo, não se poderia justificar o cumprimento dos deveres se não houvesse nenhum Deus, se não existisse o livre-arbítrio ou se a alma perecesse com a morte. Portanto, deve-se acreditar em tais idéias como em verdades. Era necessário postulá-las para uma existência moral. Com os avanços do conhecimento científico e filosófico, a mente moderna já não poderia basear a religião em fundamentos cosmológicos ou metafísicos, mas sim na estrutura da própria situação humana; com essa percepção decisiva, Kant definiu a direção do pensamento religioso moderno, seguindo o espírito de Rousseau e Lutero. O Homem estava livre do externo e do objetivo para formar sua resposta religiosa à vida. A verdadeira base do significado religioso era a experiência pessoal interior, não a demonstração objetiva ou a crença dogmática.

Nos termos de Kant, o Homem poderia considerar-se sob dois aspectos diferentes e até contraditórios: cientificamente, como um "fenômeno" sujeito às leis da Natureza; moralmente, como uma coisa em si, um "númeno", que se poderia pensar (sem conhecer) ser livre, imortal e sujeito a Deus. Aqui as influências de Hume e Newton no desenvolvimento filosófico de Kant entravam em conflito com os ideais morais humanitários universais de Rousseau, que enfatizara a prioridade do sentimento sobre a Razão na experiência religiosa e cujas obras o haviam impressionado consideravelmente, reforçando as raízes mais profundas do sentido de dever moral, provenientes de sua rigorosa infância pietista. A experiência interior do dever, o impulso para a virtude moral altruísta permitiam a Kant transcender as desalentadoras limitações do quadro do mundo que se apresentava para a cultura moderna, que reduzira o mundo conhecido às aparências e ao mecanicismo. Com isso, ele podia resgatar a Religião do determinismo científico, da mesma maneira como resgatara a Ciência do ceticismo radical.

Não obstante, esse resgate era feito ao custo da separação e da restrição do conhecimento humano aos fenômenos e certezas subjetivas. Está claro que, no fundo, Kant acreditava que as leis que movimentavam os planetas e as estrelas permaneciam em alguma relação harmoniosa fundamental com os imperativos morais interiores que sentia: "Duas coisas enchem o coração de temor e admiração sempre novos e crescentes: o céu estrelado acima e a lei moral dentro de mim." Mas Kant também sabia que não poderia demonstrar essa relação e, delimitando o conhecimento humano às aparências, o cisma cartesiano permanecia entre a mente humana e o Cosmo material sob forma nova e mais aprofundada.

No curso seguido pelo pensamento ocidental, a força da crítica epistemológica de Kant tendia a superar suas afirmações explícitas em relação à Religião e à Ciência. Por um lado, o espaço que ele deixara para a crença religiosa começou a parecer um vazio, pois esta perdera agora qualquer apoio externo do mundo empírico ou da Razão pura, parecendo perder cada vez mais plausibilidade e adequação para o caráter psicológico do Homem moderno. Por outro lado, a certeza do conhecimento científico, já sem o apoio de qualquer imperativo independente do espírito exterior depois de Hume e Kant, perdia também o apoio de qualquer imperativo cognitivo interior com a impressionante contestação da Física do século XX às categorias newtonianas e euclidianas que aquele último pressupusera absolutas.

A perspicaz crítica de Kant realmente puxou o tapete das pretensões da mente humana quanto ao conhecimento seguro das coisas em si, em princípio eliminando qualquer cognição da base do mundo. Posteriormente, os progressos da cultura ocidental — os relativismos introduzidos por Einstein, Bohr, Heisenberg; por Darwin, Marx e Freud; por Nietzsche, Dilthey, Weber, Heidegger e Wittgenstein; por Saussure, Lévi-Strauss e Foucault; por Gödel, Popper, Quine, Kuhn e uma legião de outros cientistas e pensadores — amplificaram de modo radical este efeito, eliminando totalmente as bases da certeza subjetiva ainda sentida por Kant. Toda a experiência humana era realmente estruturada por princípios em grande parte inconscientes, que não eram absolutos e atemporais. Ao contrário, fundamentalmente variavam em diferentes eras, diferentes culturas, diferentes classes, diferentes línguas, diferentes pessoas e em contextos existenciais diferentes. Na esteira da revolução copernicana de Kant, a Ciência, a Religião e a Filosofia teriam de encontrar suas próprias bases para a afirmação, pois nenhuma delas poderia reclamar um acesso axiomático à natureza intrínseca do Universo.

O Declínio da Metafísica

A filosofia moderna desdobrou-se sob o impacto das distinções épicas de Kant. Inicialmente, os sucessores de Kant na Alemanha seguiam seu pensamento numa direção inesperadamente idealista. Na atmosfera romântica da cultura européia do final do século XVIII e começo do século XIX, Fichte, Schelling e Hegel diziam que as categorias cognitivas da mente humana eram em certo sentido as categorias ontológicas do Universo — ou seja, que o conhecimento humano não apontava para uma realidade divina, mas era a própria realidade — e sobre esta base construíram um sistema metafísico dotado de uma Mente universal que se revelava através do Homem. Para esses idealistas, o "ego transcendental" (a noção kantiana do *eu* humano que impunha categorias e princípios heurísticos unificadores à experiência para proporcionar o conhecimento) poderia ser estendido de modo extremo e identificado como determinado aspecto de um Espírito absoluto que constituía toda a realidade. Kant sustentara que a mente supria a forma apreendida pela experiência, mas que o conteúdo da experiência é dado empiricamente por um mundo exterior. Entretanto, para seus sucessores idealistas, parecia mais filosoficamente plausível que ambos, conteúdo e forma, fossem determinados pela Mente que a tudo abrangia, de modo que, em certo sentido, a Natureza era mais uma imagem ou símbolo do *eu* do que uma existência totalmente independente.

Entre os pensadores modernos de inclinação mais científica, as especulações dos metafísicos idealistas não poderiam impor uma generalizada aceitação da Filosofia, especialmente depois do século XIX, pois não resistiriam a um teste empírico e para muitos não pareciam representar de modo adequado o teor do conhecimento científico ou a experiência moderna de um Universo material objetivo e ontologicamente distinto. O materialismo, que era a opção metafísica oposta em relação ao idealismo, parecia refletir melhor as características das evidências da ciência contemporânea. Contudo, ele também pressupunha uma substância mais longínqua incontestável — mais matéria do que espírito — e aparentemente deixava de levar em conta a subjetiva fenomenologia da consciência humana e a sensação humana de ser uma entidade volitiva pessoal, de caráter diferente do mundo exterior impessoal e inconsciente. No entanto, como o materialismo, ou pelo menos o naturalismo — a sustentação de que todos os fenômenos basicamente poderiam ser explicados por causas naturais — parecia mais congruente com a descrição científica do mundo, constituia um quadro conceitual mais convincente do que o idealismo. Porém, nessa concepção ainda havia muito que não era inteiramente aceito pela sensibilidade moderna, devido a dúvidas a respeito da completude e certeza do conhecimento científico, devido a ambigüidades na própria evidência científica ou a diversos fatores psicológicos ou religiosos conflitantes.

Portanto, outra opção metafísica possível era alguma forma de dualismo que refletisse a posição cartesiana e a kantiana, a que melhor representasse a experiência moderna comum da disjunção entre o Universo físico objetivo e a consciência humana subjetiva. Com a relutância sempre maior da mente moderna em postular qualquer dimensão transcendental, a natureza da postura cartesiano-kantiana era prevenir ou, na melhor das hipóteses, tornar bastante problemática qualquer concepção metafísica coerente. Dada a descontinuidade da experiência moderna (o dualismo entre Homem e mundo, espírito e matéria) e o dilema epistemológico decorrente dessa descontinuidade (como pode o Homem pretender conhecer o que fundamentalmente está separado e é diferente de sua própria consciência?), a metafísica necessariamente perdeu sua tradicional proeminência na filosofia. Seria possível investigar-se o mundo como cientista; também se poderia evitar a dicotomia admitindo a ambigüidade e contingência insolúveis do mundo humano, discutindo sua transformação existencial ou pragmática por meio de um ato de vontade — mas uma ordem universal racionalmente inteligível para o observador contemplativo agora estava de modo geral fora de questão.

A filosofia moderna, progredindo segundo princípios estabelecidos por Descartes e Locke, terminou suplantando sua própria *raison d'être* tradicional. Se, de um ponto de vista, a entidade problemática para o ser humano moderno era o mundo físico exterior em sua objetificação desumanizada, de outro, a própria mente humana e seus mecanismos cognitivos inescrutáveis tornaram-se algo que não podia exigir plena confiança e aprovação total. O Homem já não poderia mais pressupor que sua interpretação do mundo fosse um reflexo de como eram realmente as coisas. A própria mente poderia ser o princípio alienante. Além do mais, as descobertas de Freud e dos psicólogos aumentaram ao extremo a impressão de que aquilo que o Homem pensava sobre o mundo era regido por fatores não-racionais que ele não poderia controlar e dos quais não teria plena consciência. De Hume a Kant, passando por Darwin, Marx, Freud, tornava-se inevitável uma perturbadora conclusão: o pensamento humano era determinado, estruturado e muito provavelmente distorcido por uma enormidade de fatores que se sobrepunham — categorias mentais inatas mas não-absolutas, hábito, história, cultura, classe social, biologia, linguagem, imaginação, emoção, o inconsciente individual, o inconsciente coletivo. No final das contas, não se podia confiar na mente humana como juiz preciso da realidade. A certeza cartesiana original, que servira de fundamento para a moderna confiança na Razão humana, já não merecia defesa.

Doravante, a Filosofia passou a preocupar-se mais com o esclarecimento de problemas epistemológicos, com a análise da linguagem, com a filosofia da Ciência ou com a análise fenomenológica e existencialista da vida humana. Apesar da disparidade das metas e predisposições entre as diversas escolas filosóficas do século XX, havia o consenso geral num aspecto decisivo: a impossibilidade de apreender-se uma ordem cósmica objetiva com a inteligência humana. Esse ponto de acordo foi abordado a partir das variadas posturas desenvolvidas por filósofos como Bertrand Russell, Martin Heidegger e Ludwig Wittgenstein: porque somente a Ciência empírica poderia tornar verificável ou pelo menos provisoriamente corroborar o conhecimento, e porque esse conhecimento dizia respeito apenas ao mundo natural contingente da experiência dos sentidos, as proposições metafísicas intestáveis e inverificáveis a respeito do mundo como um todo não tinham um significado legítimo (positivismo lógico). Porque a vida humana — finita, condicionada, problemática, individual — era tudo que o Homem poderia saber, a subjetividade humana e a própria natureza do Ser Humano necessariamente permeava, negava ou tirava a autenticidade de quaisquer tentativas de uma concepção do mundo imparcialmente objetiva (existencialismo e fenomenologia). Porque o significado de qualquer termo só poderia ser encontrado em seu uso e contexto específico e porque a experiência humana estaria fundamentalmente estruturada pela linguagem — mas sem que se possa presumir nenhuma relação direta entre a linguagem e uma estrutura mais profunda e independente no mundo — a filosofia só poderia preocupar-se com um esclarecimento terapêutico da linguagem em seus muitos usos concretos, sem nenhum empenho maior em relação a uma abstrata concepção particular da realidade (análise lingüística).

Com base nessas variadas percepções convergentes, a crença de que a mente humana poderia atingir ou deveria tentar chegar a uma visão metafísica objetiva e clara conforme o entendimento tradicional foi virtualmente abandonada. Com poucas exceções, a Filosofia foi redirecionada, voltando-se para a análise de problemas lingüísticos, proposições científicas e lógicas ou dados brutos da experiência humana, sem as decorrências metafísicas no sentido clássico. Se a "metafísica" ainda tinha qualquer função viável, além de servir de apoio para a cosmologia científica, ela só envolveria a análise dos diversos fatores que estruturaram a cognição humana — ou seja, daria continuidade à obra de Kant com uma interpretação ao mesmo tempo mais relativista e mais sensível em relação aos inúmeros fatores históricos que podem influenciar e permeiam a vida humana: sociais, culturais, lingüísticos, existenciais, psicológicos. As sínteses cósmicas já não poderiam ser levadas a sério.

A Filosofia torna-se mais técnica, mais preocupada com a metodologia e mais acadêmica; os filósofos cada vez mais escrevem uns para os outros e nem tanto para o público. A disciplina perdeu boa parte de sua antiga pertinência e importância para o leigo inteligente e, conseqüentemente, boa parte de seu antigo poder cultural. Agora a semântica estava mais intimamente associada à clareza filosófica do que às especulações universais; no entanto, para a maioria dos não-profissionais, a semântica pouco interessava. De qualquer maneira, os preceitos e a situação tradicional da Filosofia foram neutralizados por seu próprio desenvolvimento: não havia nenhuma ordem maior, transcendental ou intrínseca "mais profunda" no Universo, que a mente humana pudesse sustentar com legitimidade.

A Crise da Ciência Moderna

Com a Filosofia e a Religião nessa condição problemática, só a Ciência parecia resgatar o espírito moderno da grande incerteza. A Ciência viveu uma era dourada no século XIX e início do século XX, com extraordinários avanços em todos os seus mais importantes ramos; era comum a organização institucional e acadêmica de pesquisa — houve uma rápida proliferação das aplicações práticas baseadas numa ligação sistemática da Ciência com a Tecnologia. O otimismo da época estava diretamente atado à confiança na Ciência e em seu poder de aperfeiçoar indefinidamente a situação do conhecimento, da saúde e do bem-estar geral.

A Religião e a Metafísica continuaram seu desgaste lento e demorado, mas não se poderia duvidar do progresso constante (e acelerado) da Ciência — cujas reivindicações de deter o conhecimento válido do mundo, ainda que sujeitas à crítica da filosofia pós-kantiana, continuaram parecendo plausíveis e não muito questionáveis. Diante da suprema eficiência cognitiva e da precisão rigorosamente impessoal das estruturas explanatórias da Ciência, a Religião e a Filosofia foram obrigadas a definir suas posições — exatamente como na Era Medieval a Ciência e a Filosofia tiveram de fazer em relação às concepções culturalmente mais poderosas da Religião. Para a mente moderna, era a Ciência que apresentava o quadro mais realista e confiável do mundo — ainda que um quadro limitado ao conhecimento "técnico" dos fenômenos naturais e apesar de suas implicações existencialmente disjuntivas. Dois fatos ocorridos no século XX mudaram de modo radical a posição cognitiva e cultural da Ciência — um, teórico e interior, o outro, pragmático e exterior.

No primeiro caso, a clássica cosmologia cartesiano-newtoniana aos poucos foi sendo desmantelada, até afinal desmoronar subitamente sob o impacto cumulativo dos incontáveis avanços espantosos na Física. Tudo começou no final do século XIX: o trabalho de Maxwell nos campos eletromagnéticos, o experimento Michelson-Morley, Becquerel descobriu a radiatividade; mais tarde, no início do século XX, Planck isolou os fenômenos quânticos, surgiram as teorias especiais e gerais de Einstein sobre a relatividade, que na década de 20 culminaram com a formulação da mecânica quântica de Bohr, Heisenberg e seus colegas — as certezas há muito estabelecidas da clássica ciência moderna foram radicalmente eliminadas. No final da terceira década do século XX, praticamente todos os mais importantes postulados da concepção científica anterior haviam sido contestados: os átomos como blocos sólidos, indestrutíveis e separados da construção da Natureza, o espaço e o tempo como absolutos independentes, a causalidade estritamente mecanicista de todos os fenômenos, a possibilidade da observação objetiva da Natureza. Essa transformação fundamental abalava o quadro do mundo científico; para ninguém isto era mais verdade do que para os próprios físicos. Diante das contradições observadas nos fenômenos subatômicos, Einstein escreveu: "Todas as minhas tentativas de adaptar a base teórica da física a esse conhecimento falharam por completo. Foi como se tirassem o chão, sem nenhuma base firme à vista sobre a qual se pudesse construir qualquer coisa." Da mesma forma, Heisenberg percebeu que "as bases da física começaram a se mexer... [e] este movimento fez-nos sentir que a ciência estaria sem uma base".

As dificuldades em relação aos pressupostos científicos anteriores eram profundas e inúmeras: descobria-se agora que os átomos newtonianos sólidos eram vazios. A matéria sólida já não constituía a substância fundamental da Natureza. A matéria e a energia eram intercambiáveis. O espaço tridimensional e o tempo unidimensional tornaram-se aspectos relativos de um contínuo espaço-tempo de quatro dimensões. O tempo fluía em velocidades diferentes para observadores, movimentando-se em diferentes velocidades. O tempo reduzia sua velocidade perto de objetos pesados e, sob determinadas circunstâncias, podia deter-se inteiramente. As leis da geometria euclidiana já não proporcionavam mais a estrutura universalmente necessária da Natureza. Os planetas movimentavam-se em suas órbitas, não por serem empurrados na direção do Sol por alguma força de tração que atuava a distância, mas porque o próprio espaço em que se moviam era curvo. Os fenômenos subatômicos apresentavam uma natureza essencialmente ambígua: observáveis tanto como partículas quanto como ondas. A posição e o impulso de uma partícula não podia ser medida com precisão simultaneamente. O princípio da incerteza eliminou radicalmente e substituiu o rigoroso determinismo newtoniano. A observação e a explicação científicas não poderiam prosseguir sem afetar a natureza do objeto observado. A noção de substância dissolveu-se em probabilidades e "tendências para existir". As conexões não-locais entre partículas contradiziam a causalidade mecanicista. Relações formais e processos dinâmicos tomavam o lugar de objetos sólidos isolados. Segundo as palavras de Sir James Jeans, o mundo físico da Física do século XX não parecia tanto uma grande máquina, mas um grande pensamento.

As conseqüências dessa extraordinária revolução mais uma vez eram ambíguas. A permanente sensação moderna de progresso intelectual, deixando para trás a ignorância e concepções equivocadas de eras passadas enquanto colhia os frutos de novos resultados tecnológicos concretos, estava novamente amparada. Até mesmo Newton fora corrigido e aperfeiçoado pelo espírito moderno em constante evolução e cada vez mais sofisticado. Além do mais, para os muitos que haviam considerado o universo científico do determinismo mecanicista e materialista como algo oposto aos valores humanos, a revolução quântico-relativista representava uma inesperada abertura bem-recebida de novas possibilidades intelectuais. A substancialidade sólida anterior da matéria dera lugar a uma realidade talvez mais propícia à interpretação espiritual. O livre-arbítrio parecia ter recebido um novo ponto de apoio, já que as partículas subatômicas eram indeterminadas. O princípio de complementaridade que regia as ondas e partículas indicava sua aplicação mais ampla numa complementaridade entre meios de conhecimento mutuamente exclusivos, como a Religião e a Ciência. A consciência humana ou, no mínimo, a observação e interpretação humana pareciam ter um papel mais central no plano mais vasto das coisas, com a nova compreensão da influência do sujeito no objeto observado. A profunda interconexão dos fenômenos estimulava um novo pensamento holístico sobre o mundo, com muitas implicações sociais, morais e religiosas. Um número cada vez maior de cientistas começava a questionar o pressuposto difuso e muitas vezes inconsciente da Ciência de que o esforço intelectual para reduzir toda a realidade aos menores componentes mensuráveis do mundo físico algum dia revelasse o que era mais fundamental no Universo. O programa reducionista, que dominava desde Descartes, parecia agora miopemente seletivo para muitos; havia a probabilidade de não se encontrar o que era mais significativo na natureza das coisas.

No entanto, essas interferências não eram universais ou sequer disseminadas entre os físicos atuantes. A física moderna talvez estivesse aberta para uma interpretação espiritual, mas não a forçava necessariamente. A população em geral também não tinha grande intimidade com as enigmáticas mudanças conceituais realizadas pela nova Física. Por muitas décadas, a revolução na Física não resultara em semelhantes transformações teóricas nas outras ciências naturais e sociais, embora seus programas teóricos se baseassem de modo geral nos princípios mecanicistas da física clássica. Entretanto, muitos sentiam que a antiga visão de mundo materialista fora definitivamente contestada; os novos modelos científicos da realidade ofereciam oportunidades possíveis para uma reaproximação fundamental com as aspirações humanistas do Homem.

Contudo, essas possibilidades ambíguas se depararam com outros fatores ainda mais perturbadores. Para começar, não havia nenhuma concepção coerente do mundo equivalente aos *Principia* de Newton, que integrasse teoricamente a complexa variedade dos novos dados. Os físicos não chegavam a qualquer consenso em relação à maneira como as evidências existentes deveriam ser interpretadas quanto à definição da natureza básica da realidade. Por toda parte havia paradoxos, disjunções e contradições conceituais que teimosamente esquivavam-se a uma solução.[2] Certa racionalidade irredutível, já identificada na psique humana, emergia agora na estrutura do próprio mundo físico. À incoerência, somava-se a ininteligibilidade, pois as concepções derivadas da nova Física não apenas eram de difícil compreensão para o leigo, mas apresentavam ainda obstáculos aparentemente em geral insuperáveis para a intuição humana: um espaço curvo, finito mas ilimitado; um contínuo espaço-tempo em quatro dimensões; propriedades mutuamente exclusivas possuídas pela mesma entidade subatômica; objetos que não eram realmente coisas, mas processos ou padrões de relacionamento; fenômenos que não assumiam nenhuma forma decisiva até serem observados; partículas que pareciam afetar-se entre si à distância, sem nenhuma ligação causal; a existência de flutuações fundamentais de energia em um vazio total.

Além do mais, com toda a aparente abertura da compreensão científica para uma concepção menos materialista e menos mecanicista, não havia nenhuma alteração real no dilema essencial da modernidade: o Universo ainda era uma vastidão impessoal em que o Homem, com sua consciência peculiar, ainda era um pormenor efêmero, inexplicável, produzido pelo acaso. Também não havia nenhuma resposta convincente para a questão que avultava: qual contexto ontológico precederia ou estaria por baixo do nascimento do Universo no *Big-Bang?* Os físicos mais importantes também não acreditavam que as equações da teoria quântica descrevessem o mundo real. O conhecimento científico estava confinado a abstrações, símbolos matemáticos, "sombras". Não era um conhecimento do mundo em si; mais do que nunca, esse mundo parecia estar além dos limites da cognição.

Em certos aspectos, as contradições e os pontos obscuros da nova

Física apenas aumentavam o sentido de alienação e relatividade humanas, crescentes desde a revolução copernicana. O Homem moderno via-se forçado a questionar sua fé clássica, legada pelos gregos, de que o mundo estaria ordenado de maneira claramente acessível à inteligência humana. Nas palavras de P. W. Bridgman: "Talvez a estrutura da Natureza não baste para autorizar-nos a pensar sobre ela com nossos processos de pensamento... O mundo se dissolve e nos ilude... Estamos diante de algo verdadeiramente inefável. Chegamos ao limite da visão dos grandes pioneiros da Ciência — vivemos em um mundo favorável, compreensível para nossa mente."[3] A conclusão da Filosofia também se tornava ciência: a realidade talvez não esteja estruturada de alguma forma que a mente humana possa discernir objetivamente. Assim, a incoerência, a ausência de inteligibilidade e um relativismo inseguro juntaram-se ao inicial pudicismo moderno de alienação humana num *Cosmo* impessoal.

***

Quando a Teoria da Relatividade e a Mecânica Quântica desfizeram a certeza absoluta do paradigma newtoniano, a Ciência demonstrou (de uma maneira que Kant, um newtoniano convicto, jamais teria previsto) a validade do ceticismo de Kant em relação à capacidade da mente humana de obter um conhecimento seguro do mundo em si. Como estava certo da verdade da ciência newtoniana, Kant afirmara que as categorias da cognição humana dessa ciência eram absolutas e somente elas proporcionavam uma base para Newton e para a competência epistemológica do Homem em geral. No entanto, com a Física do século XX, caiu o fundo da última certeza kantiana. Os axiomas kantianos fundamentais — espaço, tempo, substância, causalidade — já não se aplicavam a todos os fenômenos. Depois de Einstein, Bohr e Heisenberg foi preciso admitir que o conhecimento científico, que depois de Newton parecera universal e absoluto, era limitado e provisório. Assim, a Mecânica Quântica também revelou, de modo inesperado, a validade essencial da tese de Kant: a Natureza descrita pela Física não era a própria Natureza em si, mas a relação do Homem com a Natureza — ou seja, a Natureza exposta à forma de questionamento do Homem.

O que estivera implícito na crítica de Kant, mas obscurecido pela aparente certeza da física newtoniana, agora explicitava-se: porque a indução jamais pode explicar as leis gerais, e porque o conhecimento científico é um produto das estruturas interpretativas humanas, em si relativas, variáveis e utilizadas de modo criador e, enfim, porque em certo sentido o ato da observação produz a realidade objetiva que a ciência tenta explicar, as verdades da Ciência não são absolutas nem inequivocamente objetivas. Na esteira da Filosofia do século XVIII, combinada com a da Ciência do século XX, o espírito moderno livrou-se de absolutos, mas também — e de modo desconcertante — de qualquer base sólida.

Essa conclusão problemática foi reforçada por uma interpretação que trazia nova crítica para a história e a filosofia da ciência, acima de tudo influenciadas pela obra de Karl Popper e Thomas Kuhn. A partir das idéias de Hume e Kant, Popper percebeu que a ciência jamais pode produzir um conhecimento seguro, nem ao menos provável. O Homem observa o Universo como um estranho, fazendo adivinhações criativas sobre sua estrutura e funcionamento. Ele não pode abordar o mundo sem dispor de tais conjecturas audaciosas como pano de fundo, pois cada fato observado pressupõe um enfoque interpretativo. Na Ciência, essas conjecturas devem ser constante e sistematicamente testadas; não importa quantos testes tenham sido realizados com sucesso, nenhuma teoria jamais pode ser considerada como algo mais do que uma conjectura imperfeitamente corroborada: em qualquer momento um novo teste pode falsificá-la — nenhuma verdade científica está imune a essa possibilidade. Mesmo os fatos básicos são relativos, sempre potencialmente sujeitos a uma nova interpretação fundamentalmente diferente em um novo quadro de referências. O Homem jamais pode afirmar conhecer as essências reais das coisas. Diante da virtual infinitude dos fenômenos do mundo, a ignorância do Homem é infinita. A melhor estratégia é aprender com os próprios erros, inevitáveis.

Enquanto Popper sustentava a racionalidade da Ciência mantendo um rigoroso empenho fundamental no teste rigoroso das teorias — sua impávida neutralidade na busca da verdade — a análise da Ciência feita por Thomas Kuhn tendia a eliminar até mesmo essa segurança. Kuhn admitia que todo o conhecimento científico exigia estruturas interpretativas baseadas em paradigmas fundamentais ou modelos conceituais que permitissem que os pesquisadores isolassem os dados, elaborassem as teorias e resolvessem os problemas. Citando muitos exemplos na história da Ciência, ele mostrava que a prática real dos cientistas raramente se adaptava ao ideal popperiano de uma autocrítica sistemática por meio de tentativas de falsificação das teorias existentes. Ao contrário, era característico da Ciência procurar a confirmação do paradigma que prevalecia — reunindo fatos à luz daquela teoria, realizando experimentos nela baseados, estendendo o alcance de sua aplicabilidade, articulando ainda mais sua estrutura, tentando esclarecer problemas residuais. Longe de sujeitar o próprio paradigma ao teste constante, a Ciência normal evitava contradizê-lo, interpretando rotineiramente os dados conflitantes de maneira que apoiassem esse paradigma ou deixando inteiramente de lado os dados incômodos. Numa extensão jamais admitida conscientemente pelos cientistas, a natureza da prática científica faz com que seu paradigma valha por si mesmo. O paradigma funciona como uma lente que filtra todas as observações e se mantém como um anteparo autorizado pela convenção. Por meio de professores e textos, a pedagogia científica sustenta o paradigma herdado e ratifica sua credibilidade, tendendo a produzir uma convicção firme e uma rigidez teórica não muito diferentes da educação proporcionada pela teologia sistemática.

Kuhn ainda argumentava que, se a acumulação gradual de dados conflitantes finalmente produz uma crise de paradigma e uma nova síntese criativa passa a ser preferida pelos cientistas, o processo em que ocorre essa revolução está longe do racional. Ele também depende dos costumes estabelecidos na comunidade científica a respeito de fatores estéticos, psicológicos e sociológicos, da presença de metáforas essenciais e analogias populares contemporâneas, de saltos criativos imprevisíveis e de "mudanças da *Gestalt*" mesmo de parte dos cientistas conservadores que estão envelhecendo e morrendo, como acontece em testes e defesas desinteressados. Na verdade, paradigmas opostos raramente são comparáveis; eles se baseiam seletivamente em diferentes modos de interpretação e, assim, em diferentes conjuntos de dados. Cada paradigma cria sua própria *Gestalt*, e esta é tão abrangente que cientistas que usam paradigmas diferentes parecem viver em diferentes mundos. Também não existe qualquer medida comum — como a capacidade para resolver problemas, a coerência teórica ou a resistência à falsificação — com que todos os cientistas concordem como padrão comparativo. O que é um problema importante para um grupo de cientistas, não é para outro. A história da Ciência não é uma história de progresso racional em direção a um conhecimento cada vez mais preciso e completo da verdade objetiva, mas um avanço de mudanças radicais de visão, em que uma série incontável de fatores não-racionais e não-empíricos desempenham papéis decisivos. Enquanto Popper tentara moderar o ceticismo de Hume demonstrando a racionalidade da opção pela hipótese testada com maior rigor, a análise de Kuhn serviu para restaurar esse ceticismo.[4]

Com as críticas da Filosofia e da História e a revolução na Física, tornou-se comum nos círculos intelectuais uma visão mais experimental da ciência. Seu conhecimento ainda era evidentemente eficaz e poderoso mas agora, em muitos sentidos, o conhecimento científico era visto como questão relativa. O conhecimento trazido pela Ciência era relativo para o observador, para seu contexto físico, para o paradigma que prevalecia em sua ciência e para seus pressupostos teóricos. Era também relativo para o sistema de crença que prevalecia em sua cultura, para seu contexto social e suas predisposições psicológicas, para o próprio ato da observação. Os princípios iniciais da Ciência poderiam ser derrubados a qualquer momento, diante de uma nova evidência. Além do mais, no final do século XX, as estruturas de paradigmas convencionais de outras ciências, inclusive a teoria darwiniana da evolução, estavam sob pressão cada vez maior dos dados conflitantes e das teorias alternativas. Acima de tudo, foi abalada a base da certeza da visão de mundo cartesiano-newtoniana, que durante séculos foi a epítome e o modelo do conhecimento humano, ainda difusamente influente na psique cultural. A ordem do mundo pós-newtoniano não era intuitivamente acessível nem internamente coerente — na verdade, nem chegava a ser realmente uma ordem...

***

Por tudo isso, o *status* do conhecimento científico ainda mantinha sua proeminência inquestionada para o espírito moderno. A verdade científica poderia tornar-se cada vez mais esotérica e apenas provisória, mas poderia ser testada, estava sempre sendo aperfeiçoada e formulada com maior precisão; sob a forma de progresso tecnológico na indústria, agricultura, medicina, na produção de energia, na comunicação e no transporte, seus resultados práticos proporcionavam a evidência pública tangível das reivindicações da Ciência de tornar viável o conhecimento do mundo. Paradoxalmente, era essa mesma evidência tangível que se mostraria decisiva em outro fato oposto; quando as conseqüências práticas do conhecimento científico já não poderiam ser exclusivamente consideradas positivas, a mente moderna foi obrigada a reavaliar sua confiança total na Ciência.

Ainda no século XIX, Emerson advertira que as realizações técnicas do Homem talvez não fossem inequivocamente seu maior interesse: "As coisas estão montadas na sela, dominando a Humanidade." Na virada do século, assim como a tecnologia produzia as novas maravilhas como o automóvel e a aplicação generalizada da eletricidade, alguns observadores começaram a sentir que esses fatos poderiam estar indicando uma sinistra inversão dos valores humanos. Em meados do século XX, o novo mundo da ciência moderna começara a sujeitar-se a uma crítica ampla e severa: a tecnologia estava tomando o poder e desumanizando o homem, colocando-o num contexto de substâncias e bobagens artificiais em vez de uma vida natural — seu ambiente era padronizado, desprovido de qualquer sentido estético, ali os meios haviam subordinado os fins, onde as exigências do trabalho industrial acarretavam a mecanização dos seres humanos e todos os problemas poderiam ser resolvidos pela pesquisa técnica, à custa de legítimas respostas existenciais. Os imperativos que propeliam e acumulavam o funcionamento técnico estavam desalojando o Homem e arrancando-o de sua relação essencial com a Terra. A individualidade parecia cada vez mais tênue, desaparecia sob a produção em massa, debaixo da influência dos meios de comunicação de massa; ocorria a disseminação de uma urbanização desoladora, carregada de problemas. Estruturas e valores tradicionais desmoronavam. Com uma interminável corrente de inovações tecnológicas, a vida moderna estava sujeita à mudança de rapidez desorientadora e sem precedentes. Gigantismo, inquietação, excesso de ruídos, velocidade e complexidade dominavam o ambiente humano. O mundo tornava-se impessoal como o Cosmo. Com o anonimato, o vazio e o materialismo da vida moderna cada vez mais difundidos, a capacidade de reter a qualidade humana em um ambiente determinado pela tecnologia parecia cada vez mais duvidosa. Para muitos, a questão da liberdade do Homem, sua capacidade para manter o domínio sobre sua própria criação, tornara-se grave.

Sinais concretos ainda mais perturbadores das conseqüências desfavoráveis da Ciência juntavam-se a essas críticas humanistas. Emergiram problemas terrivelmente graves, de força e complexidade cada vez maiores: a séria contaminação da água, do ar e do solo do Planeta; os incontáveis efeitos nocivos à vida vegetal e animal; a extinção de inumeráveis espécies; a devastação das florestas; a erosão da camada superficial do solo; o esgotamento da água subterrânea; o imenso acúmulo de lixo tóxico; a aparente exacerbação do efeito estufa; a destruição da camada de ozônio na atmosfera; o extremo dilaceramento de todo o ecossistema planetário. Até mesmo de um ponto de vista humano de curto prazo, a acelerada exaustão dos recursos naturais insubstituíveis tornara-se um fenômeno alarmante. A dependência de recursos vitais externos trouxe uma nova precariedade à vida política e econômica global. Continuavam aparecendo novas proibições e ênfases no tecido social, direta ou indiretamente ligadas ao avanço de uma civilização científica: o excesso do desenvolvimento e da população urbana; o desarraigamento social e cultural; o trabalho mecânico entorpecedor; acidentes industriais cada vez mais desastrosos; fatalidades nas viagens aéreas ou rodoviárias; o câncer, as doenças cardíacas; alcoolismo, drogas, a televisão que empobrece a cultura e embota a mente; o aumento da criminalidade, da violência e da psicopatologia. Até mesmo os mais festejados êxitos da Ciência paradoxalmente acarretavam novos problemas urgentes: a medicina reduziu as doenças e a mortalidade e, combinada aos avanços tecnológicos na produção e no transporte do alimento, procurava, por outro lado, a ameaça do excesso de população global. Em outros casos, o avanço da Ciência apresentava novos dilemas faustianos, como as questões em torno dos usos imprevisíveis da engenharia genética. De modo mais geral, a complexidade cientificamente incomensurável de todas as variáveis pertinentes — nos ambientes globais ou locais, nos sistemas sociais ou no corpo humano — tornava as conseqüências da manipulação tecnológica dessas variáveis imprevisíveis e muitas vezes perniciosas.

Todos esses avanços haviam atingido um sinistro clímax proléptico, quando a ciência natural e a história política conspiraram para produzir a bomba atômica. Pareceu suprema e talvez tragicamente irônico que a descoberta einsteiniana da equivalência de massa e energias, em que uma partícula de matéria poderia transformar-se em imensa quantidade de energia — descoberta de um pacifista devotado, que refletia um certo ápice do brilho e da criatividade humana — pela primeira vez na História apresentava a possibilidade da auto-extinção da Humanidade. Com o lançamento das bombas atômicas sobre a população civil de Hiroxima e Nagasáki, já não era possível sustentar a fé na intrínseca neutralidade moral da Ciência, para não se falar em seus ilimitados poderes de progresso benéfico. Durante a demorada tensão do cisma global que veio a seguir na Guerra Fria, o número de mísseis nucleares de poder destrutivo sem precedentes multiplicou-se incansavelmente, a ponto de todo o Planeta poder ser arrasado muitas vezes. A civilização agora estava em perigo, trazido por sua própria genialidade. A mesma Ciência que reduzira de modo impressionante os riscos e sofrimentos da vida humana agora apresentava para sua sobrevivência sua mais séria ameaça.

A enorme seqüência de vitórias e progressos cumulativos da Ciência agora estava obscurecida por um novo sentimento em relação a seus limites, riscos e culpabilidade. O moderno espírito científico viu-se atacado em muitas frentes ao mesmo tempo: críticas epistemológicas, problemas teóricos que surgiam em um número cada vez maior de campos, a necessidade psicológica cada vez mais urgente de integrar o moderno panorama da divisão da Humanidade; acima de tudo, as conseqüências adversas disso tudo e o íntimo envolvimento na crise planetária. A estreita associação da pesquisa científica com os estabelecimentos político, militar e empresarial continuaram desfigurando a imagem tradicional da desprendida pureza da Ciência. Muitos agora criticavam o próprio conceito de "ciência pura" como algo totalmente ilusório. A crença de que o espírito científico tinha um extraordinário acesso à verdade do mundo e podia registrar a Natureza como um espelho perfeito que refletia uma realidade objetiva universal extra-histórica, não era vista somente como epistemologicamente ingênua, mas também como algo que utilizava, consciente ou inconscientemente, um específico plano político e econômico, permitindo muitas vezes que imensos recursos e informações fossem apoderados por programas de domínio social e ecológico. Tudo apontava para a acusação da Ciência e da Razão humana em si, agora aparentemente escrava da irracionalidade autodestrutiva do Homem: a exploração agressiva do ambiente natural, a proliferação do armamento nuclear, a ameaça de uma catástrofe global.

Se todas as hipóteses científicas deveriam ser rigorosa e desinteressadamente testadas, parecia que a "visão de mundo científica" — a meta-hipótese que regia a Era Moderna — estava sendo decisivamente falsificada, por suas conseqüências deletérias e contraproducentes no mundo empírico. Em suas fases iniciais, o empreendimento científico apresentara categoria cultural — filosófica, religiosa, social, psicológica — e provocava agora uma emergência biológica. A crença otimista de que os dilemas do mundo poderiam ser resolvidos por meio do simples avanço da Ciência e pela engenharia social frustrara-se. Novamente o Ocidente perdia sua fé, desta vez não na religião, mas na Ciência e na Razão humana autônoma.

A Ciência ainda era valorizada, em muitos aspectos continuava sendo reverenciada — mas perdera sua imagem imaculada de libertadora da Humanidade. Perdera também a velha pretensão a virtualmente absoluta confiabilidade cognitiva. Suas produções já não eram mais exclusivamente benignas, sua compreensão reducionista do ambiente natural continha deficiências visíveis e estava suscetível à distorções políticas e econômicas: assim, o mérito anteriormente irrestrito do conhecimento científico já não podia mais ser afirmado. Baseado nesses variados fatores que interagiam, algo como o ceticismo epistemológico de Hume —

mesclado a uma acepção kantiana relativizada das estruturas cognitivas axiomáticas — parecia estar publicamente justificado. Depois da séria crítica epistemológica da filosofia moderna, o principal fundamento que restava para a validade da Razão havia sido o apoio empírico da Ciência. A crítica filosófica sozinha fora na verdade um exercício abstrato, sem influência definida sobre a Cultura ou a Ciência de modo geral; teria continuado assim se a iniciativa científica houvesse permanecido em seu avanço prático e cognitivo inequivocamente favorável. No entanto, dadas as conseqüências concretas tão problemáticas da Ciência, agora o último alicerce da Razão perdera sua firmeza.

Muitos observadores ponderados, não apenas filósofos profissionais, viram-se obrigados a reavaliar a situação do conhecimento humano. O Homem poderia muito bem pensar conhecer as coisas, de maneira científica ou de outra forma, mas era evidente que não havia nenhuma garantia para a certeza: ele não obtivera nenhum acesso racional axiomático às verdades universais; os dados empíricos estavam sempre saturados de teoria e eram relativos para o observador; além disso, a visão de mundo científica, antes confiável, estava aberta a um questionamento fundamental, pois seu quadro de referências conceitual evidentemente criava e também exacerbava os problemas da Humanidade em escala global. O conhecimento científico era extraordinariamente eficaz, mas seus efeitos negativos indicavam que boa parte do conhecimento a partir de perspectivas limitadas poderia ser algo muito perigoso.

O Romantismo e seu Destino

As Duas Culturas

Da complexa matriz do Renascimento saíram duas distintas correntes culturais, dois gêneros ou interpretações gerais da existência humana característicos do espírito ocidental. Uma dessas correntes emergira na Revolução Científica e no Iluminismo, enfatizando a racionalidade, a ciência empírica e o secularismo cético. A outra era seu complemento polar, com raízes comuns no Renascimento e na cultura clássica greco-romana (e também na Reforma), mas que tendia a expressar exatamente os aspectos da existência humana eliminados pelo avassalador espírito racionalista do Iluminismo. De início visivelmente presente em Rousseau e, mais tarde, em Goethe, Schiller, Herder e no romantismo alemão, esse aspecto da sensibilidade ocidental emergiu plenamente no final do século XVIII e início do século XIX. Desde então, ela foi sempre uma grande força na cultura e na consciência do Ocidente — de Blake, Wordsworth, Coleridge, Hölderlin, Schelling, Schleiermacher, os irmãos Schlegel, Madame de Staël, Shelley, Keats, Byron, Victor Hugo, Pushkin, Carlyle, Emerson, Thoreau, Walt Whitman e daí, sob diversas formas, a seus descendentes do momento atual, contraculturais e outros.

O temperamento romântico tinha muito a ver com seu oposto iluminista; pode-se dizer que sua complexa interação constitui a sensibilidade moderna. Ambos tendiam a ser "humanistas" por terem em grande conta os poderes do Homem e por sua preocupação com a perspectiva humana do Universo. Ambos consideravam o mundo e a Natureza o cenário do drama humano e centro do esforço do Homem. Ambos estavam atentos aos fenômenos da consciência humana e à natureza de suas estruturas ocultas. Ambos encontraram na cultura clássica uma rica fonte de percepções e valores. Ambos eram profundamente prometéicos — em sua rebelião contra as estruturas tradicionais opressivas, na celebração do espírito individual do Homem, na inquieta busca da liberdade e da realização do homem e na audaz exploração do novo.

Contudo, em cada um desses pontos em comum existiam grandes diferenças. Ao contrário do espírito do Iluminismo, o romântico sentia o mundo mais como um organismo unitário do que uma máquina atomista, exaltava mais a inefabilidade da inspiração do que o esclarecimento da Razão e mais afirmava o inesgotável drama da vida humana do que a tranqüila previsibilidade das abstrações estáticas. O grande valor do gênero iluminista estava em seu intelecto racional sem equivalente e em seu poder de compreender e explorar as leis da Natureza; o romântico valorizava o Homem mais por suas aspirações criativas e espirituais, por sua profundidade emocional, por sua criatividade artística e pela força de sua expressão e criação individualizadas. O gênio celebrado pelo temperamento iluminista era um Newton, um Franklin ou um Einstein; para o romântico, era um Goethe, um Beethoven ou um Nietzsche. Nos dois lados, a vontade de mudar o mundo e o espírito autônomo do Homem moderno eram glorificados, trazendo o culto do herói, a história de grandes homens e seus feitos. O ego ocidental ganhava substância e ímpeto em muitas frentes ao mesmo tempo, fosse nas titânicas auto-afirmações das Revoluções Francesa e de Napoleão, na nova consciência pessoal de Rousseau e Byron, nas novas certezas científicas de Lavoisier e Laplace, na insipiente confiança feminista de Mary Wollstonecraft e George Sand, ou nos muitos aspectos da riqueza da vida e criatividade humana apresentados por Goethe. No entanto, para os dois temperamentos, o iluminista e o romântico, o caráter e os objetivos desse *eu* autônomo eram perfeitamente distintos. A utopia de Bacon não era a de Blake.

Enquanto que para a mente científica do Iluminismo a Natureza era objeto de observação, experimentação, explicação teórica e manipulação tecnológica, para o romântico, ao contrário, ela era um receptáculo vivo do espírito, translucente fonte de mistério e revelação. O cientista desejava também penetrar na Natureza e revelar o seu mistério; mas o método e o objetivo dessa penetração, o caráter dessa revelação, eram diferentes do romântico. Em vez do distanciado objeto de uma análise realista, para o romântico a Natureza era aquilo que a alma humana esforçava-se por incorporar e unir-se na superação da dicotomia existencial; ele não buscava a revelação da lei mecânica, mas da essência espiritual. O cientista buscava a verdade testável e concretamente eficaz; o romântico procurava a sublime verdade que transfigurava o interior. Wordsworth via a Natureza dotada de significado e beleza espiritual; Schiller pensava que os mecanismos impessoais da ciência eram pobres substitutos das divindades gregas que haviam animado a Natureza para os antigos. Os dois temperamentos modernos, o científico e o romântico, examinavam a vida humana e o mundo natural do presente para a realização; mas o que o romântico buscava e encontrava nesses campos refletia um universo radicalmente diferente do universo do cientista.

Igualmente notável era a diferença em suas atitudes relativas aos fenômenos da consciência humana. O exame científico do espírito no Iluminismo era empírico e epistemológico, concentrando-se cada vez mais na percepção dos sentidos, no desenvolvimento cognitivo e em estudos quantitativos behavioristas. Começando com as *Confissões* de Rousseau (seqüência e resposta romântica moderna às antigas *Confissões* do católico Agostinho), o interesse do Romantismo na percepção humana, ao contrário, era impelido por uma renovada consciência intensa de si mesmo, concentrando-se na complexa natureza do *eu* e relativamente livre dos limites da visão científica. A emoção e a imaginação tinham importância primordial, maior do que a razão e a percepção. Surgiu uma nova preocupação voltada não apenas ao exaltado e nobre, mas aos opostos e aos aspectos sombrios da alma: o mal, a morte, o demoníaco, o irracional. Geralmente deixados de lado pela esclarecida luz da ciência racional otimista, esses temas agora inspiravam as obras de: Blake, Novalis, Schopenhauer, Kierkegaard, Hawthorne, Melville, Poe, Baudelaire, Dostoiévski e Nietzsche. Com o Romantismo, o olhar moderno voltava-se para o interior, para discernir as sombras da existência. Os imperativos da introspecção romântica eram a exploração dos mistérios da interioridade, dos humores, das motivações, do amor, desejo, medo, angústia, conflitos e contradições internas, das memórias e dos sonhos, experimentar estados extremos e incomunicáveis de consciência, ser tomado pelo êxtase epifânico interiorizado, sondar as profundezas da alma, trazer o inconsciente à consciência, conhecer o infinito.

Ao contrário da busca científica das leis gerais que definiam uma única realidade objetiva, o romântico exultava-se na ilimitada multiplicidade das realidades que assediavam sua consciência subjetiva e na complexa singularidade de cada objeto, evento e experiência apresentada à alma. A verdade descoberta em perspectivas divergentes era valorizada muito acima do ideal monolítico e unívoco da ciência empírica. Para o romântico, a realidade detinha imensa ressonância simbólica e, portanto, possuía essência polivalente, alternando constantemente a complexidade de significados em muitos níveis, até mesmo opostos. Para o espírito científico iluminista, a realidade era concreta, literal, unívoca. Contra esta visão, o romântico mostrava que mesmo a realidade construída e percebida pela mente científica era no fundo simbólica, mas seus símbolos eram específicos — mecanicistas, materiais, impessoais — e interpretados pelos cientistas como únicos válidos. Do ponto de vista romântico, a visão científica convencional da realidade era essencialmente um "monoteísmo" ciumento em nova roupagem, que não queria outros deuses à sua frente. O literalismo do moderno espírito científico era uma forma de idolatria — que miopemente venerava um objeto ininteligível como a única realidade, em vez de nele perceber um mistério, receptáculo de realidades mais profundas.

A busca pela ordem e significado unificadores permaneceu no centro da visão romântica, mas nessa tarefa os limites do conhecimento humano expandiram-se de modo extremo, indo muito além dos impostos pelo Iluminismo; considerava-se necessário um leque bem mais amplo de faculdades humanas para a legítima cognição. A fantasia e os sentimentos juntavam-se agora aos sentidos e à razão para uma compreensão mais profunda do mundo. Em seus estudos morfológicos, Goethe procurava sentir a forma arquetípica ou a essência de cada vegetal e animal, saturando a percepção objetiva com o conteúdo de sua imaginação. Schelling declarou que "filosofar sobre a Natureza significa criar a natureza", pois o verdadeiro significado da Natureza só poderia ser produzido a partir da "imaginação intelectual" do Homem. Os historiadores Vico e Herder levaram a sério métodos de cognição como o mitológico, que contivera o conhecimento de outras eras, e acreditavam que o historiador deveria imbuir-se do espírito de outros tempos por meio de um "sentido histórico" empático, para compreender, a partir do interior, através da imaginação compreensiva. Hegel discernia um significado racional e espiritual abrangente na vastidão dos dados da história através de uma "lógica da paixão". Coleridge escreveu que "só um homem de profundo sentimento pode pensar em profundidade" e que "a força emblemática da fantasia" do artista dava ao espírito humano a capacidade de apreender as coisas em sua integridade, de criar e moldar conjuntos coerentes com elementos díspares. Wordsworth admitia que a criança inocente era dotada de uma visão numinosa e mais profunda da realidade do que a percepção complicada e desencantada do adulto comum. Blake considerava a "Imaginação" o receptáculo sagrado do infinito, emancipadora do espírito humano escravizado, meio pelo qual as realidades eternas eram expressadas e chegavam à consciência. Para muitos românticos, em certo sentido, a imaginação era toda a existência, a fantasia era a verdadeira base do ser, o meio de expressão de todas as realidades. Ela impregnava a consciência e constituía o mundo.

Como a imaginação, a vontade era também considerada um elemento necessário para a obtenção do conhecimento, uma força que o precedia e livremente conduzia o Homem e o Universo a novos níveis de criatividade e de consciência. Aqui foi Nietzsche que, em uma extraordinária síntese da avassaladora paixão espiritual romântica e na mais radical linhagem do ceticismo iluminista, apresentou a postura paradigmática do Romantismo sobre a relação da vontade com a verdade e o conhecimento: o intelecto racional não podia atingir a verdade objetiva, nem qualquer perspectiva poderia ter qualquer independência de nenhuma espécie de interpretação. "Contra o positivismo, que se detém nos fenômenos — 'só existem os fatos' —, eu diria: não, os fatos são precisamente o que não são, apenas interpretações." Isso não valia somente para as questões da moral, mas também para a Física, que não passava de uma determinada perspectiva e exegese adaptada a específicas necessidades e desejos. Todas as maneiras de ver o mundo eram produto de impulsos ocultos. Qualquer filosofia revelava uma confissão involuntária, e não um sistema de pensamento impessoal. O instinto inconsciente, a motivação psicológica, a distorção lingüística e o preconceito cultural afetavam e definiam todas as perspectivas humanas. Nietzsche expôs um perspectivismo extremado contra a antiqüíssima tradição ocidental de afirmar a validade singular de um sistema de crenças e conceitos — fossem religiosos, científicos ou filosóficos — que sozinho espelha a Verdade: existe uma pluralidade de pontos de vista por meio dos quais o mundo pode ser interpretado, e não existe nenhum critério imperativo independente segundo o qual um determinado sistema pode ser considerado mais válido que outros.

Não obstante, se o mundo era essencialmente indeterminado, ele poderia ser moldado por um ato heróico da vontade para afirmar a vida e causar sua triunfante realização. Nietzsche profetizou que a verdade mais elevada nascia com o Homem por meio da força autocriadora da vontade. Toda a luta do Homem em busca do conhecimento e do poder se realizaria em um novo ser que encarnaria o exato significado do universo. Para conseguir esse nascimento, o Homem teria de crescer além de si mesmo de maneira tão fundamental, que seu atual *self* limitado seria destruído: "A grandeza do homem é o fato de ser ele uma ponte e não um objetivo... O Homem é algo a ser superado." O homem era um meio para novas auroras e novos horizontes muito além do que a era presente abrangia. O nascimento deste novo ser não era uma fantasia do outro mundo empobrecedora da vida, em que se devia acreditar por decreto eclesiástico, mas uma realidade viva e tangível a ser criada, aqui e agora, pela auto-superação do grande indivíduo. Esse indivíduo devia transformar a vida em uma obra de arte, na qual pudesse forjar seu caráter, assumir seu destino e recriar-se como heróico protagonista da epopéia do mundo. Ele teria de se inventar de novo, imaginar-se em existência. Teria de obter pela força da vontade a existência de um drama fictício em que pudesse ingressar e viver, impondo uma ordem redentora no caos de um universo desprovido de significado sem Deus. Só então o Deus que há muito fora projetado no além poderia nascer na alma humana. O Homem poderia então dançar como um deus no fluxo eterno, livre de todas as fundamentações e prisões, acima de todas as restrições metafísicas. A verdade não era algo que se provasse ou desaprovasse, era algo que se *criava*. Em Nietzsche, como em geral no Romantismo, o filósofo tornava-se poeta: uma concepção de mundo não era julgada em termos de racionalidade abstrata ou verificação factual, mas como expressão de coragem, beleza e força imaginativa.

Assim, a sensibilidade romântica apresentou novos padrões e valores para o conhecimento humano. Por meio do poder autocriador da imaginação e da vontade, o ser humano podia representar realidades futuras, penetrar em níveis invisíveis mas inteiramente reais da existência, compreender a natureza, a história e a expansão do Cosmo — participar realmente do próprio processo da criação. Dizia-se que era possível e necessário uma nova epistemologia. Assim, os limites do conhecimento estabelecidos por Locke, Hume e o aspecto positivista de Kant foram audaciosamente desafiados pelos idealistas e românticos que surgiram depois do Iluminismo.

Os dois temperamentos continham atitudes divergentes semelhantes em relação aos dois pilares tradicionais da cultura ocidental — o classicismo greco-romano e a religião judaico-cristã. Com seu desenvolvimento na Era Moderna, o espírito científico passou a utilizar o pensamento clássico apenas onde ele proporcionava bons pontos de partida para novas investigações e construção de teorias; fora disso, em geral considerava-se a metafísica e a ciência antiga deficientes, seu interesse era principalmente histórico. Em compensação, para o romântico, a cultura clássica continuava sendo um reino vivificante de imagens e personalidades do Olimpo, suas criações artísticas de Homero e Ésquilo em diante continuavam sendo modelos exaltados, suas percepções fantasiosas e espirituais ainda estavam cheias de novos significados a serem descobertos. Essas duas perspectivas estimularam a recuperação do passado clássico, mas por motivos diferentes — uma em nome do conhecimento preciso da História e a outra, para reanimar esse passado, dando-lhe vida nova no espírito criativo do Homem moderno.

Ao longo dessas linhas, suas respectivas atitudes para com a tradição de modo geral diferiam. O espírito científico racional encarava a tradição em termos mais céticos, válidos apenas até onde proporcionavam continuidade e estrutura para a evolução do conhecimento; o romântico, por outro lado, embora de caráter não menos rebelde e muitas vezes até bem mais, descobria na tradição algo um tanto mais misterioso — um repositório da sabedoria coletiva, acrescida da percepção da alma do indivíduo, uma força viva e mutante, com sua própria autonomia e dinamismo evolucionário. Essa sabedoria não consistia apenas no conhecimento empírico e tecnológico do espírito científico, mas falava de realidades mais profundas, ocultas na prática e na experimentação mecanicista. Tudo passou, assim, por uma nova avaliação: o passado grecoromano clássico, a Idade Média espiritualmente vibrante, a arquitetura gótica, a literatura folclórica, o antigo e o primitivo, as tradições esotéricas de todos os tipos, o *Volkgeist* dos povos alemães e outros, as fontes dionisíacas da cultura. Emergia agora uma nova consciência do Renascimento, a seguir acompanhada por uma nova consciência do Romantismo em si. Essas questões também diziam respeito ao espírito científico, não por alguma espécie de avaliação ou inspiração empática, mas em virtude de seu interesse histórico e antropológico. Na visão científica do Iluminismo, a civilização moderna e seus valores estavam inequivocamente acima de todos os seus predecessores, enquanto o Romantismo mantinha uma profunda ambivalência em relação à modernidade em suas inúmeras expressões. Com o passar do tempo, essa ambivalência transformou-se em antagonismo: os românticos questionavam a essência da crença do Ocidente em seu próprio "progresso", na inata superioridade de sua civilização, na inevitável realização do Homem racional.

A religião impunha os mesmos contrastes. Em parte, as duas correntes baseavam-se na Reforma, pois o individualismo e a liberdade pessoal de crença eram comuns a ambas, embora cada uma tenha aproveitado aspectos diferentes do legado da Reforma. O espírito iluminista rebelava-se contra as restrições da ignorância e da superstição impostas pelo dogma teológico e pela crença no sobrenatural, favorecendo o conhecimento empírico racional, e adotava o laicicismo libertador. A religião era totalmente rejeitada ou mantida apenas na forma de um deísmo racionalista ou da ética da lei natural. A atitude romântica para com a religião era mais complexa. Também era uma rebelião contra as hierarquias e instituições da religião tradicional, contra a crença forçada, a restrição moralista e o ritual sem sentido. No entanto, a religião em si era um elemento permanente e central para o espírito romântico, sob qualquer forma, como a do idealismo transcendental, neoplatonismo, gnosticismo, panteísmo, religião de mistério, veneração da natureza, misticismo cristão, misticismo hindu-budista, swedenborguianismo, teosofia, esoterismo, existencialismo religioso, neopaganismo, xamanismo, veneração da Mãe-terra, divinização evolucionária do Homem ou algum sincretismo destas. Aqui o "sagrado" permanecia uma categoria viável, quando há muito desaparecera na Ciência. Deus foi redescoberto no Romantismo — não o Deus da ortodoxia ou do teísmo, mas o do misticismo, do panteísmo e do processo cósmico imanente; não o patriarca monoteísta jurídico, mas uma divindade mais inefavelmente misteriosa, pluralista, onipotente, onipresente, neutra ou mesmo feminina; não um criador ausente, mas uma força criativa numinosa na Natureza e no espírito humano.

Além do mais, a própria Arte — Música, Literatura, Teatro, Pintura — agora assumia uma posição virtualmente religiosa para a sensibilidade romântica. No mundo mecânico e sem alma da Ciência, a busca da beleza por si mesma adquiria extraordinária importância psicológica. A Arte proporcionava um excepcional ponto de junção entre o natural e o espiritual; para muitos intelectuais modernos decepcionados com a religião ortodoxa, a Arte se tornou a principal saída e meio espiritual. O problema da Graça, centrado no enigma da inspiração, parecia agora ser uma preocupação mais vital para pintores, compositores e escritores do que para os teólogos. A Arte foi elevada a um papel espiritual sublime, fosse como epifania poética ou êxtase estético, como inspiração divina ou revelação de realidades eternas, uma busca criativa, disciplina imaginativa, devoção às Musas, imperativo existencial ou transcendência libertadora do mundo de sofrimento. O mais leigo dos modernos ainda podia venerar a fantasia artística, manter sagrada a tradição humanista da Arte e da Cultura. Os mestres criativos do passado tornaram-se os santos e profetas dessa cultura; os críticos e ensaístas, seus sumos sacerdotes. Na arte, a psique moderna desencantada ainda podia encontrar uma base para o significado e o valor, um contexto sagrado para seus anseios espirituais, um mundo aberto para a profundidade e o mistério.

A visão de mundo da cultura literária e artística também era uma alternativa, talvez mais complexa e variável, para a visão de mundo da Ciência. A força cultural da novela, por exemplo, ao refletir e moldar a vida humana — de Rabelais, Cervantes e Fielding a Thomas Mann, Hesse, T. H. Lawrence, Virginia Woolf, Joyce, Proust e Kafka, passando por Victor Hugo, Stendhal, Flaubert, Herman Melville, Dostoiévski e Tolstói — era um contraponto freqüente e muitas vezes impossível de assimilar em relação à força dominante da concepção de mundo científica. Tendo perdido a fé nas intrigas mitológicas e teológicas de eras passadas, a cultura letrada do Ocidente moderno voltou sua ânsia instintiva pela coerência cósmica, pela ordem existencial, para as narrativas da ficção criativa. Através da habilidade do artista para dar novo contorno e significado à vida, no cadinho místico da transfiguração estética, era possível fabricar uma nova realidade — uma "criação rival", nas palavras de Henry James. No Romance, no Teatro, na Poesia e nas outras artes, expressava-se agora uma preocupação com os fenômenos da consciência como tal, e também detalhes qualitativos do mundo exterior, de modo que o realismo artístico (mais uma vez, nas palavras de Henry James) podia "examinar todo o campo". Aqui, nos reinos da Arte e da Literatura, buscava-se com penetrante rigor e sutileza aquela ampla fenomenologia da vida humana que também começava a entrar na filosofia formal, através de William James, Bergson, Husserl e Heidegger. Em vez de realizar a análise experimental de um mundo objetificado, essa tradição centrava sua atenção na "existência" em si, no mundo vivido pelo Homem, com sua permanente ambigüidade, sua espontaneidade e autonomia, suas dimensões infinitas, sua complexidade sempre mais profunda.

Nesse sentido, o impulso romântico continuou e expandiu o movimento do espírito moderno na direção do realismo. Sua meta era delinear todos os aspectos da existência, não apenas o aceitável pelas convenções e ratificado pelos sentidos. O Romantismo aumentou seu campo de abrangência e mudou seu enfoque durante o período moderno, procurando refletir o verdadeiro caráter do momento, sem limitar-se ao ideal, ao aristocrático ou aos assuntos tradicionais das fontes bíblicas, mitológicas ou clássicas. Sua missão era transformar o profano e o lugar-comum em arte, perceber o poético e o místico nos detalhes mais concretos da experiência cotidiana, até mesmo no degradado e feio. Sua busca era mostrar "o heroísmo da vida moderna" (Baudelaire) e também seu anti-heroísmo. Expressando com precisão cada vez maior a diversidade da vida humana, o romântico transmitia também sua confusão, sua irresolução e sua subjetividade. Aprofundando-se cada vez mais na natureza da percepção e da criatividade humana, o artista moderno começou a superar a tradicional visão mimética e representativa, a teoria da realidade do "espectador" subjacente na Arte. Esse artista não procurava meramente reproduzir ou descobrir as formas, mas criá-las. A realidade não deveria ser copiada, mas inventada.

Essas concepções da realidade que se expandiam não poderiam integrar-se facilmente com o lado mais positivista do espírito moderno. A abertura característica para as dimensões transcendentais da vida e seu característico antagonismo em relação ao alegado reducionismo racionalista da ciência e sua pretensão à certeza objetiva também separavam o temperamento romântico do científico. Com o passar do tempo, a velha dicotomia medieval entre Razão e Fé, seguida pela dicotomia entre a ciência secular e a religião cristã do início da Era Moderna, tornava-se agora um cisma generalizado entre o racionalismo científico de um lado e a multifacetada cultura romântica humanista de outro; esta última agora incluía uma série de perspectivas religiosas e filosóficas frouxamente aliadas à tradição literária e artística.

A Visão de Mundo Dividida

Esses dois temperamentos expressavam profunda e simultaneamente as atitudes ocidentais e mesmo assim eram bastante incompatíveis; disso resultou uma complexa bifurcação no panorama ocidental. A psique moderna foi muito afetada pela sensibilidade do Romantismo e, em certo sentido, identificava-se com ela; no entanto, como a ciência reivindicava com grande intensidade a verdade, o Homem moderno sentia uma obstinada divisão entre seu espírito e sua alma. A mesma pessoa poderia apreciar, digamos, Blake e Locke, mas não de modo coerente. Não se poderia combinar a visão esotérica que Yeats tinha da história com a história ensinada nas universidades modernas. A ontologia idealista de Rilke ("Somos as abelhas do invisível") não poderia ser prontamente adotada pelos pressupostos da ciência tradicional. Uma sensibilidade caracteristicamente moderna e influente como a de T. S. Eliot estava bem mais próxima de Dante do que de Darwin.

Poetas românticos, místicos religiosos, filósofos idealistas e psicodélicos da contracultura afirmariam (muitas vezes descrevendo em detalhes) a existência de outras realidades além da material, defendendo uma ontologia da consciência humana muito diferente da apresentada pelo empirismo tradicional. No entanto, quando se tratou de definir uma cosmologia básica, o espírito científico secular continuava determinando o centro de gravidade da *Weltanschauung* moderna. Sem a validação consensual, as revelações dos românticos não podiam superar sua aparente incompatibilidade com as verdades comumente aceitas da observação científica, que eram a linha de fundo da fé moderna. O sonhador não apresentava nenhuma rosa perfumada, tangível e pública para demonstrar a todos a verdade de seu sonho.

Assim, enquanto o Romantismo continuava a inspirar a cultura "interior" do Ocidente em sua arte, literatura, visão metafísica e religiosa, seus ideais morais — a Ciência ditava a cosmologia "exterior": o caráter da Natureza, o lugar do Homem no Universo e os limites de seu conhecimento real. Como a ciência regia o mundo objetivo, a percepção romântica estava necessariamente limitada ao subjetivo. As reflexões dos românticos sobre a vida, sua música, poesia e anseios religiosos, de absorvente riqueza e sofisticação cultural como poderiam ser, tiveram de ser atribuídas a uma pequena porção do Universo moderno. As preocupações espirituais, imaginativas, emocionais e estéticas tinham seu lugar, mas não poderiam reivindicar a plena importância ontológica num mundo objetivo, cujos parâmetros eram essencialmente impessoais e impermeáveis. As divisões entre Fé e Razão da Era Medieval e entre Religião e Ciência do início da modernidade haviam se transformado em sujeito-objeto, interno-externo, Homem-mundo, Humanidades-Ciência: agora se estabelecera uma forma nova do universo da dupla verdade.

Em conseqüência desse dualismo, a percepção que o Homem moderno tinha do mundo natural e de sua relação com ele foi paradoxalmente invertida no correr do período moderno — as correntes do Romantismo e da Ciência refletiam-se uma na outra, em oposição. Para início de conversa, nos dois lados era visível uma gradual imersão do Homem na Natureza. Do lado romântico — por exemplo, em Rousseau, Goethe ou Wordsworth — havia uma luta poética pela unidade consciente, instintiva e cheia de paixão, com a Natureza. Do lado científico, a imersão do Homem na Natureza era percebida na descrição científica do Homem em termos cada vez mais (e depois inteiramente) naturalistas. Contra as harmoniosas aspirações dos românticos, a união do Homem com a Natureza estava aqui situada no contexto de uma luta darwiniano-freudiana com uma natureza de inconsciência bruta — uma luta pela sobrevivência, pela integridade do ego, pela civilização. Na visão de mundo científica, o antagonismo do Homem com a Natureza (e daí a necessidade de exploração exterior e repressão interior da Natureza) era a conseqüência inevitável da evolução biológica do Homem, que sobressaía em relação a tudo que havia nela.

A longo prazo, no entanto, a inicial harmonia romântica com a Natureza sofreu mais uma transformação distinta no decorrer da Era

Moderna. Aqui o temperamento romântico era complexamente influenciado por sua própria evolução interna, pelas divisões impostas pela civilização industrial e a história moderna e pela visão científica da Natureza como algo impessoal, não-antropocêntrico e fortuito. A Natureza era percebida de modo quase oposto ao ideal romântico inicial: o Homem moderno agora sentia cada vez sua alienação do ventre da Natureza, sua queda do ser unitário, seu confinamento a um absurdo universo de acaso e necessidade. Já não mais o espiritualmente glorioso filho da Natureza, o Homem moderno era o confuso habitante de uma implacável imensidão desprovida de sentido. A visão de Wordsworth fora deslocada pela de Frost:

> O espaço incomoda a nós, modernos: estamos cansados de espaço.
> Sua contemplação nos faz pequenos.
> Como rápida epidemia de micróbios,
> que parecem arrastar-se em um bom vidro
> a pátina desse globo mínimo.

Em compensação, e por diferentes razões, o temperamento aliado à Ciência e ao desenvolvimento tecnológico enaltecera a separação da Natureza. A liberdade do Homem em relação às restrições da Natureza, sua capacidade de controlar o ambiente e a capacidade intelectual para observar e compreender a Natureza sem a projeção antropomórfica eram valores indispensáveis para a mente científica. Contudo, essa mesma estratégia paradoxalmente levou a Ciência a uma consciência mais profunda da unidade intrínseca do Homem com a Natureza: sua inevitável dependência e o envolvimento ecológico com o ambiente natural, seu inter-relacionamento epistemológico com uma Natureza que ele jamais poderia objetificar completamente e os riscos palpáveis da tentativa de realizar tal separação e objetificação. Assim, em sua avaliação da unidade do Homem com a Natureza, a Ciência começou a passar a uma posição não muito diferente da romântica inicial — embora de modo geral sem as dimensões transcendentais ou espirituais e sem resolver efetivamente os problemas teóricos e práticos da ainda fundamental divisão entre o Homem e o mundo.

Nesse meio tempo, a posição romântica sucumbira à alienação exigida pelo cisma. A Natureza ainda era impessoal e não-antropocêntrica; a perspicaz consciência da psique moderna ainda não se dera conta desse estranhamento cósmico da insipiente abordagem científica parcial. No século XX, cientistas e artistas simultaneamente sentiram a quebra e a dissolução das velhas categorias de tempo, espaço, causalidade e substância. Não obstante, as descontinuidades mais profundas entre o universo científico e a aspiração humana permaneciam sem solução. A vida moderna continuava atormentada por uma grande incoerência; as dicotomias dos temperamentos romântico e científico pareciam uma disjunção intransponível entre a consciência humana e o cosmo inconsciente, refletindo a *Weltanschauung* ocidental. Em certo sentido, as duas culturas, essas duas sensibilidades, estavam presentes em proporções variadas em todo indivíduo pensante do Ocidente moderno. Conforme se definiam o caráter e as implicações da visão de mundo científica, essa divisão interior era percebida como sendo a da psique sensível, situada num mundo incompatível com o significado do Homem. O Homem moderno era um animal dividido, inexplicavelmente consciente de si num universo indiferente.

A Tentativa da Síntese: de Goethe e Hegel a Jung

Alguns procuraram transpor o cisma ligando os imperativos científicos e humanistas tanto no método como na teoria. Goethe liderou um movimento, *Naturphilosophie,* que se empenhava em unir a observação empírica e a intuição espiritual numa ciência mais reveladora do que a de Newton — uma ciência capaz de apreender as formas arquetípicas orgânicas da Natureza. Para Goethe, o cientista não poderia chegar às verdades mais profundas da Natureza separando-se dela e empregando abstrações frias para compreendê-la, registrando o mundo exterior como uma máquina. Esse tipo de abordagem fazia com que a realidade observada fosse uma ilusão parcial, um quadro cuja profundidade foi eliminada por um filtro inconsciente. Somente levando a observação e a intuição criativa a uma interação estreita, o Homem conseguiria penetrar nos mistérios da Natureza e descobrir sua essência. Somente assim se faria surgir a forma arquetípica de cada fenômeno, somente assim o universal poderia ser identificado no particular e novamente unido a ele.

Goethe justificava sua abordagem com uma postura filosófica nitidamente divergente da de Kant, seu contemporâneo mais velho. Como Kant, ele admitia o papel construtivo da mente humana no conhecimento; entretanto, para Goethe, a verdadeira relação do Homem com a Natureza ia além do dualismo kantiano. Em sua visão, a Natureza permeia tudo, inclusive o espírito e a imaginação humana. Assim, a verdade da

Natureza não existe como algo independente e objetivo, mas se revela no próprio ato da cognição humana. O espírito humano não impõe simplesmente sua ordem à Natureza, como pensava Kant. Ao contrário, o espírito da Natureza produz sua própria ordem através do Homem, que é o órgão da auto-revelação da Natureza. A Natureza não é distinta do espírito, mas é o espírito em si, não apenas inseparável do Homem, mas também de Deus — que não existe como um distante senhor da Natureza, mas "a mantém próxima a seu peito", de modo que seus processos respiram o espírito e a força do próprio Deus. Goethe, assim, unia poesia e ciência numa análise da Natureza, que refletia sua religiosidade fortemente sensual.

Da mesma forma, as especulações metafísicas dos idealistas alemães depois de Kant culminaram na extraordinária realização filosófica de Georg W. F. Hegel. Utilizando a filosofia clássica grega, o misticismo cristão e o romantismo alemão para construir seu sistema universal, Hegel apresentou uma concepção da realidade que procurava relacionar e unificar Homem e Natureza, espírito e matéria, humano e divino, tempo e eternidade. Na base do pensamento de Hegel estava sua interpretação da dialética, segundo a qual tudo se desvendava em um processo evolucionário constante, onde cada estado da existência inevitavelmente produz seu oposto. A interação entre esses opostos gera então uma terceira fase em que os opostos se integram — são ao mesmo tempo superados e realizados — em uma síntese mais rica e mais sublime que, por sua vez, torna-se a base para outro processo dialético de oposição e síntese.[5] Hegel afirmava que através da compreensão filosófica desse processo fundamental todos os aspectos da realidade — o pensamento humano, a história, a Natureza, a própria realidade divina — tornavam-se inteligíveis.

Hegel desejava principalmente conter todas as dimensões da existência dialeticamente integradas em um todo unitário. Para ele, todo o pensamento e toda a realidade humana estão saturados de contradição, e somente esta permite atingir-se a estados sublimes de consciência e de existência. Cada fase do ser contém uma autocontradição; é isto que gera seu movimento em direção a uma fase mais elevada e mais completa. Através de um contínuo processo dialético de oposição e síntese, o mundo está sempre em processo de completar-se. Enquanto na maior parte da história da filosofia ocidental, de Aristóteles em diante, os opostos eram em essência definidos como logicamente contraditórios e mutuamente exclusivos, para Hegel todos os opostos são logicamente necessários e mutuamente implicavam elementos em uma verdade maior. Portanto, a verdade é extremamente paradoxal.

Contudo, para Hegel, em seu ponto mais elevado, a mente humana era plenamente capaz de compreender essa verdade. Ao contrário da visão mais circunscrita de Kant, Hegel tinha uma profunda fé na Razão humana, acreditando que ela estivesse essencialmente fundamentada na própria Razão divina. Embora Kant argumentasse que a Razão não poderia penetrar o véu dos fenômenos para chegar à realidade final, já que a Razão finita do Homem inevitavelmente entrava em contradição sempre que tentava fazê-lo, Hegel considerava-a fundamentalmente uma expressão de um Espírito (*Geist*) ou Mente universal, cuja força permitia que se transcendesse todos os opostos numa síntese mais sublime.

Hegel ainda argumentava que a revolução filosófica de Kant não estabelecia os limites finais ou as fundamentações necessárias do conhecimento humano, mas era antes parte de uma longa seqüência desse tipo de revoluções através das quais o Homem como sujeito repetidamente admitia que aquilo que pensara ser um ser em si mesmo na verdade recebia seu conteúdo por meio da forma que lhe foi dada pelo sujeito. A história do pensamento humano sempre reapresentava esse drama do sujeito que se tornava consciente de si mesmo e a conseqüente eliminação da forma de consciência, anteriormente não criticada. As estruturas do conhecimento humano não eram fixas e atemporais, como supunha Kant, mas etapas historicamente determinadas que evoluíam em uma dialética contínua até que a consciência atingisse o absoluto conhecimento de si mesmo. O que em algum momento foi considerado fixo e certo era constantemente superado pela mente em evolução, abrindo assim novas possibilidades e maior liberdade. Cada etapa da filosofia, dos antigos pré-socráticos em diante, cada forma do pensamento na história humana, era ao mesmo tempo uma visão incompleta e ainda assim um passo necessário na grande evolução intelectual. A visão de mundo de cada período era tanto uma verdade válida em si mesmo, mas também uma etapa imperfeita no processo mais amplo do desdobramento da verdade absoluta.

Esse mesmo processo dialético também caracterizava a percepção metafísica e religiosa de Hegel. Ele concebia o ser primordial do mundo, a Mente ou Espírito universal, desdobrando-se por meio de sua criação e finalmente chegando à realização no espírito humano. Para Hegel, o Absoluto inicialmente situa-se na imediação de sua própria consciência interior, depois nega essa primeira condição, expressando-se nas particularidades do mundo finito de espaço e tempo e, por fim, "negando a negação", recupera-se em sua essência infinita. Assim a Mente supera seu estranhamento do mundo, um mundo que ela mesma constituiu. Desse modo, o movimento do conhecimento evolui da consciência do objeto separado do sujeito, para o conhecimento absoluto em que conhecedor e conhecido tornam-se um.

Somente através de um processo de autonegação o Absoluto poderia completar-se. Enquanto para Platão o secular e imanente era ontologicamente preterido em favor do transcendente e espiritual, para Hegel o mundo era a própria condição da auto-realização do Absoluto. Em sua concepção, Natureza e História estão em eterno progresso na direção do Absoluto: o Espírito universal se expressa no espaço como Natureza e no tempo como História. Todos os processos da Natureza e todos os da História, inclusive o desenvolvimento intelectual, cultural e religioso do Homem, constituem o plano teleológico da busca da auto-realização do Absoluto. Assim como somente através da experiência da alienação de Deus o Homem poderia sentir a alegria e o triunfo da redescoberta de sua própria divindade, somente através do processo em que Deus se torna finito, na Natureza e no Homem, é que a natureza infinita de Deus poderia expressar-se. Por essa razão, Hegel declarou que a essência de sua concepção filosófica estava expressa na revelação cristã da encarnação de Deus, clímax da verdade religiosa.

O mundo é a história do desvendamento divino, um constante processo do vir a ser, um imenso drama em que o Universo se revela para si mesmo e obtém sua liberdade. Toda a luta e a evolução resolvem-se na realização do *télos* do mundo, sua meta e propósito. Nesta grandiosa dialética, todas as potencialidades estão incorporadas em formas de complexidade sempre maior; tudo o que estava implícito no estado original do ser gradualmente se torna explícito. O Homem — seu pensamento, cultura, história — é o centro desse desdobramento, receptáculo da glória de Deus. Por isso, para Hegel a teologia era substituída pela compreensão da História: Deus não está além de sua criação, mas é o próprio processo criativo. O Homem não é o espectador passivo da realidade, mas seu co-criador atuante, a História é a matriz de sua realização. A essência universal, que constitui e permeia a todas as coisas, finalmente chega à consciência de si mesma no Homem. No apogeu de sua longa evolução, o Homem obtém a posse da verdade absoluta e admite sua unidade com o espírito divino que nele se realizou.

Quando tudo isso foi apresentado no início do século XIX, e durante muitas décadas depois, muitos consideravam a grande estrutura do pensamento de Hegel a mais satisfatória e realmente definitiva concepção filosófica na história do pensamento ocidental, a culminação de um demorado desenvolvimento, que vinha ocorrendo desde os gregos Todos os aspectos da existência e da cultura humana encontraram um lugar nessa concepção de mundo, dentro de sua abrangente totalidade. A influência de Hegel foi grande, inicialmente na Alemanha e mais tarde nos países de língua inglesa, estimulando um renascimento dos estudos clássicos e históricos a partir de uma perspectiva idealista e proporcionando um baluarte metafísico para que os intelectuais de disposição espiritual enfrentassem as forças do materialismo secular. Isto gerou uma nova atenção à História e à evolução das idéias; em última análise, a História seria motivada pela consciência em si, pelo espírito ou mente, pelo pensamento que se desdobrava e pela força das idéias — e não simplesmente por fatores materiais, políticos, econômicos ou biológicos.

Hegel também despertou muita crítica. Para alguns, as conclusões absolutistas de seu sistema pareciam limitar as imprevisíveis possibilidades do Universo e da autonomia pessoal do indivíduo. Sua ênfase no determinismo racional do Espírito Absoluto e a superação final de todas as oposições pareciam cortar a problemática contingência e irracionalidade da vida, deixando de lado a realidade concreta emocional e existencial da experiência humana. Suas abstratas certezas metafísicas pareciam evitar a sombria realidade da morte, menosprezando a experiência humana da inescrutabilidade e alheamento de Deus. Os críticos religiosos objetavam que a crença em Deus não era simplesmente a solução de um problema filosófico, mas exigia um salto livre e corajoso de fé em meio à ignorância e incerteza profunda. Outros interpretavam sua filosofia como justificativa metafísica para o *status quo* e criticavam-na como traição do impulso da Humanidade pelo aperfeiçoamento político e material. Mais tarde, outros críticos observaram que sua exaltada visão da cultura ocidental, no contexto da história do mundo e de uma civilização racional que se impunha sobre as contingências da Natureza, poderia ser interpretada como justificativa para a arrogância do Homem, um ser dominador e explorador. Conceitos hegelianos fundamentais, como os que dizem respeito à natureza de Deus, Espírito, Razão, História e Liberdade pareciam estar abertos a interpretações completamente opostas.

Às vezes os julgamentos históricos de Hegel pareciam dogmáticos, suas implicações políticas e religiosas, ambíguas, sua linguagem e estilo, algo complicados. Suas idéias científicas, apesar de eruditas, não eram nada ortodoxas. Em nenhum caso o idealismo hegeliano aderia muito facilmente à visão de mundo naturalista corroborada pela Ciência. Depois de Darwin, a evolução já não parecia exigir um Espírito onipresente, nem a visão da evidência convencional científica indicava a existência de algum. Por fim, os fatos históricos subseqüentes proporcionaram base para a confiança na inevitável consumação espiritual do homem ocidental através da história.

Hegel falara com a confiança autocrática de alguém que tivera uma visão da realidade cuja verdade absoluta transcendesse o ceticismo e as exigências de detalhados testes empíricos que outros sistemas poderiam requerer. Para seus críticos, a filosofia de Hegel não tinha fundamento, era fantasiosa. O pensamento moderno realmente incorporou boa parte da obra de Hegel; acima de tudo, a compreensão da dialética e seu reconhecimento da força da História e da difusão da evolução. Em seu conjunto, o pensamento moderno não sustentou a síntese hegeliana. Entretanto, na realização de sua própria teoria, por assim dizer, o hegelianismo foi mais tarde submergido pelas mesmas reações que ajudou a provocar: irracionalismo e existencialismo (Schopenhauer e Kierkegaard), materialismo dialético (Marx e Engels), pragmatismo pluralista (James e Dewey), positivismo lógico (Russell e Carnap) e análise lingüística (Moore e Wittgenstein) — todos movimentos que refletiam cada vez o teor geral da vida moderna. Com o declínio do prestígio de Hegel, saiu da arena intelectual moderna o último sistema metafísico culturalmente forte que reivindicava a existência de uma ordem universal acessível à consciência do Homem.

No século XX, cientistas com inclinação metafísica como Henri Bergson, Alfred North Whitehead e Pierre Teilhard de Chardin procuraram unir o quadro científico da evolução às concepções filosóficas e religiosas de uma realidade espiritual subjacente, em linhas semelhantes às de Hegel. Seu destino também foi semelhante; embora considerados desafios brilhantes e abrangentes à visão científica convencional, para outros, essas especulações não tinham uma base empírica suficientemente demonstrável. Dada a natureza do caso, parecia não haver nenhum meio decisivo para a verificação de conceitos como o do *élan* vital criativo de Bergson, que atuava no processo evolucionário; o Deus evolutivo de Whitehead, interdependente em relação à Natureza e seus processos do vir a ser; ou a "cosmogênese" de Teilhard de Chardin, em que a evolução do mundo e humana se realizaria num "ponto ômega" da consciência unitiva de Cristo. Embora cada uma dessas teorias de um processo evolutivo de inspiração espiritual obtivesse ampla resposta do público e mais tarde começasse a influenciar o pensamento moderno de maneiras às vezes sutis, a tendência cultural era notoriamente contrária — em especial no meio acadêmico.

A redução do interesse pela especulação metafísica também indicava o declínio da explicação histórica especulativa; esforços épicos, como os de Oswald Spengler e Arnold Toynbee, embora não deixassem de ter seus admiradores, terminaram sendo depreciados, como já acontecera com Hegel. A história acadêmica livrava-se da tarefa de discernir seus grandes padrões e uniformidades abrangentes. O programa hegeliano de descobrir o "significado" da história e o "propósito" da evolução cultural era agora considerado impossível e equivocado. Historiadores profissionais viam sua competência mais adequadamente limitada a estudos especializados cuidadosamente definidos, a problemas metodológicos derivados das ciências sociais, a análises estatísticas de fatores mensuráveis como os níveis populacionais e índice dos rendimentos. A atenção do historiador estaria melhor dirigida aos detalhes concretos da vida das pessoas e dos povos — especialmente a seus contextos econômicos e sociais — "a história a partir do fundo" — e não à imagem idealista de princípios universais que funcionassem através de grandes personalidades para forjar a história do mundo. Seguindo as diretrizes do Iluminismo, os historiadores das universidades viam a necessidade de eliminar inteiramente a História dos contextos teológicos, mitológicos e metafísicos em que ela estivera encrustada por muito tempo. Como a Natureza, a História também era um fenômeno nominalista, a ser empiricamente examinado, sem preconceitos espirituais.

Contudo, mais adiante, o Romantismo voltaria a empenhar o espírito moderno de um campo inteiramente diferente. A queda do interesse por Hegel e pela visão metafísica e histórica originara-se num ambiente intelectual onde a Física era a força dominante na determinação da compreensão cultural da realidade. No entanto, quando a própria Ciência começou a ser revelada epistemológica e pragmaticamente como forma relativa e falível de conhecimento, a Filosofia e Religião já haviam perdido sua antiga proeminência cultural, e muitas pessoas ponderadas começaram a voltar-se para dentro, para fazer um exame de consciência como fonte potencial de significado e identidade num mundo que, de outro modo, estaria desprovido de valores. Essa nova atenção ao funcionamento interior da psique também refletia uma preocupação cada vez mais sofisticada com essas estruturas inconscientes na mente do sujeito que determinavam a natureza ostensiva do objeto — uma continuação do projeto kantiano a um nível mais abrangente. Assim, de todos os exemplos de uma ciência influenciada pelo Romantismo (excetuando-se o complexo débito da teoria evolucionária moderna em relação às idéias românticas de uma evolução orgânica na Natureza e na História, da realidade como um constante processo do vir a ser), o mais duradouro e mais criativo é a psicologia profunda de Freud e Jung, ambos fortemente influenciados pela corrente do Romantismo alemão que fluía de Goethe passando por Nietzsche.

Investigando as paixões e forças básicas do inconsciente (imaginação, emoção, memória, mito, sonhos, introspecção, psicopatologia, motivos ocultos e ambivalência), a psicanálise levou as preocupações do Romantismo a um novo nível de análise sistemática e significado cultural. Em Freud — que voltou-se para a ciência médica depois de ouvir a *Ode à Natureza* de Goethe quando estudante e que durante toda sua vida colecionou obsessivamente estatuária religiosa e mitológica — a influência romântica estava muitas vezes oculta ou invertida pelos pressupostos racionalistas e iluministas impregnados em sua visão científica. No entanto, com Jung, o legado romântico tornou-se mais explícito, com a expansão e aprofundamento das descobertas e conceitos de Freud. Quando analisou um vasto leque de fenômenos psicológicos e culturais, Jung descobriu a evidência de um inconsciente coletivo, comum a todos os seres humanos e estruturado segundo vigorosos princípios arquetípicos. Embora fosse claro que a vida humana se condicionasse localmente por uma grande diversidade de fatores biográficos, históricos e culturais, subordinados a um nível mais profundo ao que pareciam ser determinados padrões ou modos de experiência universais, formas arquetípicas que organizavam permanentemente os elementos da experiência humana em configurações típicas, proporcionando uma continuidade dinâmica à psicologia coletiva da Humanidade. Esses arquétipos persistiam como formas simbólicas apriorísticas e ao mesmo tempo adotavam o costume do momento em cada indivíduo e cada era cultural, permeando cada vida, cada cognição e cada visão de mundo.

A descoberta do inconsciente coletivo e seus arquétipos estendeu radicalmente a amplitude do interesse e da percepção da Psicologia. A experiência religiosa, a criatividade artística, os sistemas esotéricos e a imaginação mitológica eram agora analisados em termos não-redutivos, que muito lembravam o Renascimento neoplatônico e o Romantismo. Com a compreensão junguiana da tendência da psique coletiva a configurar as oposições arquetípicas na história antes de passar para uma síntese em outro nível, emergiu uma nova dimensão da compreensão da dialética histórica de Hegel. Um grande número de fatores anteriormente deixados de lado pela Ciência e pela Psicologia agora eram reconhecidos como significativos na psicoterapia e recebiam uma clara formulação conceitual: a criatividade e continuidade do inconsciente coletivo; a realidade psicológica e a potência das formas simbólicas e figuras míticas autônomas produzidas espontaneamente; a natureza e a força das imagens refletidas; a centralidade psicológica da busca do significado; a importância de elementos teleológicos e auto-reguladores nos processos da psique; o fenômeno da sincronicidade. Assim, a psicologia profunda de Freud e Jung oferecia um fértil terreno intermediário entre a Ciência e a Humanidade — sensível a muitas dimensões da experiência humana, preocupada com a Arte, a Religião e as realidades interiores, com as condições qualitativas e os fenômenos subjetivamente significativos, embora lutando pelo rigor empírico, pela irrefutabilidade racional, pelo conhecimento prático e terapeuticamente eficaz num contexto de pesquisa científica coletiva.

No entanto, exatamente porque a Psicologia se baseara inicialmente na mais ampla e profunda *Weltanschauung* científica, sua influência filosófica era limitada no início. Essa limitação não se devia ao fato de a psicologia profunda encontrar-se vulnerável à crítica por ser insuficientemente "científica" em relação, por exemplo, à psicologia behaviorista ou à mecânica estatística. (Dizia-se às vezes que as impressões clínicas não poderiam constituir evidência objetiva, não contaminada pelas teorias psicanalíticas.) Essas críticas partiam dos cientistas mais conservadores, mas chegaram a afetar de modo significativo a aceitação cultural da Psicologia, já que a maioria dos que se familiarizaram com suas percepções descobriram que estas eram óbvias e continham uma certa lógica interior, muitas vezes até com o caráter de iluminação. No entanto, mais coercitiva para a influência da Psicologia era a própria natureza de seu estudo: dada a dicotomia essencial sujeito-objeto do pensamento moderno, as percepções da Psicologia teriam de ser julgadas relevantes apenas para a psique, para o aspecto subjetivo das coisas, não para o mundo como tal. Mesmo quando consideradas "objetivamente" verdadeiras, elas só o eram em relação a uma realidade subjetiva, e não mudavam o contexto cósmico em que o ser humano procurava a integridade psicológica, nem poderiam fazê-lo.

Essa limitação foi mais reforçada pela moderna crítica epistemológica de todo o conhecimento humano. Jung, embora metafisicamente mais flexível do que Freud, era epistemologicamente mais exigente; durante toda sua vida afirmou repetidamente os limites epistemológicos fundamentais de suas próprias teorias (ainda que também lembrasse aos cientistas mais convencionais que a sua situação epistemológica não era muito diferente). Com sua fundamentação epistemológica mais baseada na tradição kantiana do que no materialismo racionalista mais convencional de Freud, Jung viu-se forçado a admitir que sua psicologia não tinha nenhuma implicação metafísica relevante. Jung realmente atribuiu um *status* de fenômenos empíricos à realidade psicológica, o que foi um grande passo além de Kant, pois assim ele dava substância à experiência "interior" — como Kant à experiência "exterior": *toda* a experiência humana, não apenas as impressões dos sentidos, teria de ser incluída para um empirismo de fato abrangente. Contudo, no espírito kantiano, Jung afirmava que fossem quais fossem os dados proporcionados pelas investigações psicoterapêuticas, eles jamais permitiam garantias sólidas para as hipóteses relativas ao Universo ou a realidade como tais. As descobertas da Psicologia não poderiam revelar nada com certeza sobre a verdadeira constituição do mundo, não importa o quão convincentes fossem as evidências de uma dimensão mística, uma *anima mundi* ou uma divindade suprema. O que quer que a mente humana produzisse só poderia ser considerado um produto da mente humana, sem nenhuma espécie de correlações objetivas ou universais necessárias. O valor epistemológico da Psicologia reside mais em sua capacidade de revelar fatores estruturais inconscientes, os arquétipos, que pareciam reger todo o funcionamento mental e portanto todas as perspectivas humanas do mundo.

Assim, a natureza do campo e dos conceitos de Jung pareciam exigir uma interpretação exclusivamente psicológica de suas descobertas. Eram realmente empíricas, mas apenas psicologicamente empíricas. A Psicologia talvez tenha apresentado um mundo interior mais profundo ao Homem moderno, mas o universo objetivo conhecido pela Ciência continuava necessariamente ininteligível, sem dimensões transcendentais. Existiam muitos paralelos impressionantes entre os arquétipos junguianos e os platônicos; contudo, para o pensamento antigo, os arquétipos platônicos eram cósmicos, enquanto os arquétipos junguianos modernos eram apenas psíquicos. Reside aí a diferença fundamental entre o grego clássico e o moderno romântico: havia a intervenção de Descartes, Newton, Locke e Kant. Com a bifurcação do pensamento moderno entre a interioridade romântica e a Psicologia, de um lado, e do outro a cosmologia naturalista das ciências físicas, parecia não haver nenhuma possibilidade de uma legítima síntese de sujeito e objeto, psique e mundo. Não obstante, as contribuições terapêuticas e intelectuais da tradição freudiano-jungianas para a cultura do século XX foram muitas e obtinham significado maior a cada década.

A psique moderna parecia exigir os serviços da Psicologia com urgência cada vez maior, no momento em que se disseminavam uma profunda sensação de alienação espiritual e outros sintomas de perturbações sociais e psicológicas. Como as perspectivas religiosas tradicionais já não ofereciam conforto eficaz, a própria Psicologia e suas inúmeras derivações assumiram a característica de uma religião — uma nova fé para o Homem moderno, uma via para a cura da alma, trazendo a regeneração e o renascimento, epifanias de repentina compreensão e conversão espiritual (e também outras facetas da religião, com a celebração dos profetas fundadores da psicologia e suas revelações iniciáticas, a criação de dogmas, elites sacerdotais, rituais, cismas, heresias, reformas e a proliferação de seitas protestantes e gnósticas). Parecia que a salvação para a psique cultural não estava sendo amplamente realizada — como se os instrumentos da psicologia profunda fossem empregados num contexto enigmático, cheio de uma patologia mais abrangente do que a psicoterapia subjetivista poderia ter a esperança de tratar.

Existencialismo e Niilismo

Conforme avançava o século XX, a consciência moderna sentia-se presa em um processo intensamente contraditório de expansão e contração simultâneas. Uma extraordinária sofisticação intelectual e psicológica era acompanhada por uma debilitante sensação de anomia e mal-estar. A ampliação dos horizontes e uma exposição à vida alheia sem precedentes coincidiam com uma alienação particular de proporções não menores. Uma fantástica quantidade de informações sobre todos os aspectos da vida estava agora disponível — o mundo contemporâneo, o passado histórico, outras culturas, outras formas de vida, o mundo subatômico, o macrocosmo, o espírito e a psique humana — e mesmo assim havia menos ordem na visão, menos coerência, menos compreensão, menos certeza. O grande impulso avassalador que definia o Homem ocidental desde o Renascimento — a busca pela independência, pela autodeterminação e o individualismo — realmente trouxera esses ideais para muitas vidas; no entanto, ele também resultara num mundo onde a espontaneidade e a liberdade individual estavam sendo cada vez mais sufocadas, enquanto na teoria, por um cientificismo reducionista, na prática se lhe contrapunha ubíqua coletividade e conformismo das sociedades de massa. Os grandes projetos políticos revolucionários da Era Moderna, que anunciavam libertação pessoal e social, gradualmente levaram a condições em que o destino individual era cada vez mais dominado pelas superestruturas comerciais e políticas. Assim como o Homem se tornara um átomo sem sentido no Universo moderno, as pessoas se tornavam números insignificantes nos estados modernos — milhões a manipular e coagir.

A qualidade da vida moderna parecia invariavelmente equivocada. Poderes espetaculares eram contrabalançados por uma difusa sensação de desamparo angustiado. A profunda sensibilidade estética e moral enfrentava espantosa crueldade e desperdício. O preço do avanço acelerado da tecnologia aumentava cada vez mais. Atrás de cada prazer e cada realização avultava a vulnerabilidade sem precedentes da Humanidade. Sob a direção e o ímpeto do Ocidente, o Homem moderno irrompera para diante e para fora, com imensa força centrífuga, complexidade, diversidade e velocidade. No entanto, parecia que ele se atirara em um pesadelo terrestre e num deserto espiritual, um laço muito apertado, uma encruzilhada sem solução.

Nada encarnava melhor a moderna condição do que o problema do fenômeno do existencialismo, a disposição de ânimo e a filosofia expressadas nos textos de Heidegger, Sartre e Albert Camus, entre outros, que essencialmente refletiam uma difusa crise espiritual na cultura moderna. A angústia e alienação da vida no século XX receberam articulação plena quando os existencialistas dedicaram-se às preocupações mais cruas e fundamentais da existência humana: sofrimento, morte, solidão, medo, culpa, conflito, vazio espiritual, insegurança ontológica, o deserto de valores absolutos ou contextos universais, a impressão de um absurdo cósmico, a fragilidade da razão, o trágico impasse da condição humana. O Homem estava condenado a ser livre, diante da necessidade de escolha e assim conhecia o permanente peso do erro. Vivia na constante ignorância de seu futuro, lançado numa existência finita, limitada em cada extremo pelo nada. A infinidade da aspiração humana estava derrotada diante da finitude da possibilidade humana. O Homem não possuía nenhuma essência determinante: tinha somente sua existência, uma existência tragada pela mortalidade, pelo risco, medo, tédio, contradição, incerteza. Nenhum Absoluto transcendental assegurava a realização da vida ou da história humana. Não havia nenhum plano eterno ou propósito da providência. As coisas existiam simplesmente porque existiam, e não por alguma razão "mais sublime" ou "mais profunda". Deus estava morto, o Universo era cego para as preocupações humanas, desprovido de significado ou objetivo. O Homem estava abandonado, por sua própria conta. Tudo era acidental. Para ser autêntico, era preciso admitir e optar livremente por enfrentar a pura realidade da ausência de sentido na vida. Só a luta dava um significado.

A busca romântica pelo êxtase espiritual, a união com a Natureza e a realização do *eu* e da sociedade, anteriormente escorada pelo progressivo otimismo dos séculos XVIII e XIX, encontrara as sombrias realidades do século XX; a situação existencialista era sentida por muitos. Até mesmo os teólogos — talvez *especialmente* os teólogos — eram sensíveis ao espírito existencialista. A crença num Deus sábio e onipotente que regesse a História para o bem de todos parecia ter perdido qualquer base defensável num mundo assolado por duas guerras mundiais, pelo totalitarismo, o holocausto e a bomba atômica. Dadas as novas dimensões trágicas dos fatos históricos contemporâneos, dada a queda da Escritura como fundamento inabalável da Fé, dada a ausência de qualquer argumento filosófico mais convincente para a existência de Deus e, acima de tudo, a quase universal crise da fé religiosa numa era secular, tornava-se impossível para muitos teólogos falar de Deus de algum modo significativo para a sensibilidade moderna: surgia então a teologia da "morte de Deus" — aparentemente autocontraditória, mas singularmente representativa.

As narrativas contemporâneas cada vez mais retratavam personagens presas num ambiente atordoadoramente problemático, tentando inutilmente forjar significado e valor num contexto desprovido de sentido. Diante da inexorável impessoalidade do mundo moderno — uma sociedade de massa mecanizada ou um Cosmo sem alma —, a única resposta que restava ao romântico parecia ser o desespero ou a rebeldia auto-aniquiladora. Agora o niilismo em múltiplas inflexões penetrava na vida cultural com insistência crescente. A antiga paixão romântica de fundir-se com o Infinito começou a voltar-se contra si mesma, invertida, transformada em compulsão de negá-la. O espírito desencantado do Romantismo expressava-se cada vez mais na fragmentação, no deslocamento e na paródia de si mesmo; suas únicas verdades possíveis eram as da ironia e do paradoxo sinistro. Alguns diziam que toda a Cultura era psicótica em sua desorientação, os que eram chamados de loucos estavam mais perto da verdadeira sanidade. A revolta contra a realidade comum começou a assumir novas formas, ainda mais extremadas. As primeiras reações modernas de realismo e naturalismo deram lugar ao absurdo e surreal, a dissolução de todas as bases estabelecidas e todas as categorias consolidadas. A busca pela liberdade tornou-se mais radical do que nunca; seu preço era a destruição de qualquer padrão ou estabilidade.

Assim como as ciências físicas desmantelaram certezas e estruturas há muito existentes, a Arte encontrou a Ciência na agonia do relativismo epistemológico do século XX.

Já no início do século, o tradicional cânone artístico do Ocidente, enraizado nas formas e ideais da Grécia clássica e do Renascimento, começara a ser dissolvido e atomizado. Enquanto a natureza da identidade humana refletida nos romances dos séculos XVIII e XIX transmitia um forte egoísmo esboçado sobre grandes cenários coerentes de narrativa linear lógica e seqüência histórica, a novela típica do século XX era notável por um constante questionamento de suas próprias premissas, uma incessante erosão da coerência narrativa e histórica, uma confusão de horizontes, uma dúvida sofisticada e confusa, que deixava personagens, autor e leitor em estado de irredutível perplexidade. Não era humanamente possível determinar identidade e realidade, que também não eram ontologicamente absolutas, como precocemente percebera Hume há duzentos anos. Eram hábitos fictícios, psicológica e pragmaticamente convenientes; na consciência intensamente introspectiva, cautelosa e relativista do pensamento ocidental contemporâneo já não poderiam mais ser pressupostos de maneira confiante. Para muitos, eram também falsas prisões, que deveriam ser desvendadas e transcendidas: onde havia incerteza, também havia liberdade.

Meio refletiva e meio profeticamente, a dissonância, a disjunção, a extrema liberdade e a incerteza radical do século XX tiveram expressão plena e muito precisa em suas artes. A vida palpável em todo o seu fluxo e caos substituíram as convenções formais de eras anteriores. O maravilhoso na Arte era procurado no aleatório, no espontâneo e no casual. Na Pintura, na Poesia, na Música ou no Teatro, o amorfo e o indeterminado regiam a expressão artística. A incoerência e a perturbadora justaposição constituíam a nova lógica estética. O anômalo se tornou o normativo: o incôngruo, fragmentado, estilizado, trivial, o alusivamente obscuro. A preocupação com o irracional, o subjetivo e o impulso dominante de livrar-se das convenções e expectativas muitas vezes deixava a Arte ininteligível para uns poucos esotéricos — ou de tão complicada inescrutabilidade, que impedia totalmente a comunicação. Cada artista se tornara o próprio profeta de sua nova ordem e disposição, corajosamente rompendo as leis antigas e forjando o Novo Testamento.

A missão da Arte era "tornar o mundo estranho", para chocar a sensibilidade apática, para forjar uma nova realidade fragmentando o velho. Na Arte e nas práticas sociais, a rebelião contra uma sociedade repressora e espiritualmente destituída exigia a zombaria convincente, sistemática, dos valores e pressupostos tradicionais. O sagrado, abrandado e esvaziado por séculos de pia convenção, parecia mais bem expressado através do profano e blasfemo. A paixão e a sensação pura melhor extrairiam das fontes primitivas do espírito criativo. Em Picasso, como no século que ele refletia, surgiu um misto dionisíaco de erotismo ilimitado, agressão, desmembramento, morte e nascimento. Por outro lado, a revolta artística assumiu a forma da simulação do mundo moderno em sua aridez metálica; os minimalistas imitavam o positivista científico em sua luta por uma arte desprovida de expressão — um objetivismo impessoal despido de interpretação e gestos, formas, tons cruamente descritivos e desprovidos de inteligibilidade ou significado. Para muitos artistas, não apenas a inteligibilidade e significado, mas a própria beleza deveria ser repudiada, pois ela também era uma tirana, uma convenção a ser destruída.

Não que as velhas fórmulas estivessem simplesmente esgotadas ou que os artistas procurassem novidades a qualquer custo. Ao contrário, a natureza da vida contemporânea exigia a queda das velhas estruturas e dos velhos temas, a criação de novos ou a renúncia a qualquer forma ou conteúdo discernível. Os artistas se tornaram realistas de uma novíssima realidade — de uma crescente multiplicidade de realidades. Suas responsabilidades artísticas divergiam bastante das precedentes: a mudança total, na arte e na sociedade, era o tema dominante do século, seu grande imperativo e sua realidade inevitável.

Mas pagou-se um preço. "Renovem", decretara Ezra Pound; depois, refletiu: "Não consigo ser coerente." A mudança radical e a permanente inovação prestavam-se ao caos despojado de estética, à incompreensão e à alienação estéril. O mais recente experimento moderno ameaçava escorregar num solipsismo sem sentido. Os resultados da novidade incessante eram criativos, mas raramente duravam. A incoerência era autêntica, mas raramente satisfatória. O subjetivismo talvez fosse fascinante, mas em geral não tinha a menor importância. A insistente elevação do abstrato acima do representativo às vezes parecia refletir pouco mais do que a crescente incapacidade do artista moderno relacionar-se com a Natureza. Na ausência de formas estéticas ou visões culturalmente aceitas, as artes no século XX tornaram-se notáveis por uma deselegância passageira, uma consciência indisfarçada relativa a sua própria substância e estilo efêmeros.

Em compensação, havia um esforço cada vez mais constante e cumulativo na arte do século XX, para obter-se uma essência descomprometida da Arte que aos poucos eliminava todos os elementos artísticos que pudessem ser considerados periféricos ou acidentais — representação, narrativa, personagem, melodia, tonalidade, continuidade estrutural, relação temática, forma, conteúdo, significado, finalidade — e inevitavelmente movimentava-se em direção a um ponto final onde tudo o que restava era uma tela branca, um palco vazio, o silêncio. A volta a formas e padrões de um passado distante pareciam ser a única saída, mas estas mostraram ter vida curta, incapazes de lançar raízes profundas na inquieta psique moderna. Como os filósofos e os teólogos, os artistas tornaram-se enfim preocupados apenas com a reflexão bastante anestesiante sobre seus processos criativos e procedimentos formais — e, o que não deixava de ter certa freqüência, a destruição dos resultados. A antiga fé modernista no grande artista que sozinho era soberano em um mundo desprovido de sentido deu lugar à perda pós-modernista da fé na transcendência do artista.

> O autor contemporâneo... é obrigado a partir do zero: a realidade não existe, o tempo não existe, a personalidade não existe. Deus era o autor onisciente, mas está morto; agora ninguém conhece o enredo e, como a nossa realidade não tem a sanção de um criador, não há nenhuma garantia quanto à autenticidade da versão recebida. O tempo se reduz à presença, conteúdo de uma série de momentos descontínuos. O tempo já não é intencional; assim, não há nenhuma densidade, apenas o acaso. A realidade é simplesmente a nossa experiência e a objetividade é, naturalmente, uma ilusão. Depois de passar por uma fase de consciência desajeitada de si mesma, a personalidade tornou-se... mero *locus* da experiência. Diante dessas aniquilações, não é de surpreender que a literatura também não exista — e como poderia? Só existe o ler e o escrever... maneiras de manter um respeitável tédio diante do abismo.[6]

A subjacente impotência do indivíduo na vida moderna levou muitos artistas e intelectuais a se retirarem do mundo, abandonando a arena pública. Poucos sentiam-se capazes de se envolver em questões fora das imediatas para o *eu* e sua luta particular pela subsistência, muito menos para o empenho em visões morais universais que já não pareciam sustentáveis. A atividade humana — artística, intelectual, moral — foi obrigada a encontrar sua base num vácuo sem critérios. O significado não passava de um constructo arbitrário, a verdade uma simples convenção, a realidade impossível. Começou-se a dizer que o homem era uma emoção inútil.

Sob o clamor superficial de um cotidiano em geral frenético e hiper-estimulado, um tom apocalíptico começou a invadir muitos aspectos da vida cultural; conforme avançava o século XX, escutava-se com freqüência e intensidade aceleradas funestas declarações sobre o declínio e a queda, desconstrução e desmoronamento de praticamente todos os grandes projetos intelectuais e culturais do Ocidente: o fim da Teologia, o fim da Filosofia, o fim da Ciência, o fim da Literatura, o fim da Arte, o fim da própria Cultura. Exatamente como o lado científico-iluminista do pensamento moderno viu-se debilitado por seu próprio avanço intelectual e radicalmente questionado por suas conseqüências tecnológicas e políticas no mundo, o lado romântico, reagindo a semelhantes circunstâncias mas com uma sensibilidade diferente e em geral mais profética, também se encontrou desiludido interiormente e frustrado pelo exterior, destinado aparentemente a manter aspirações transcendentais num contexto cósmico e histórico desprovido de significado transcendental.

Assim, o Homem ocidental representou uma dialética extraordinária no decorrer da Era Moderna — passando de uma confiança quase ilimitada em seus próprios poderes, seu potencial espiritual, sua capacidade de obter o conhecimento seguro, seu domínio sobre a Natureza e seu destino progressivo, para o que muitas vezes parecia ser uma condição brutalmente oposta: uma debilitante sensação de insignificância metafísica e inutilidade pessoal, a perda espiritual da fé, a incerteza no conhecimento, uma relação mutuamente destrutiva com a Natureza e uma insegurança intensa a respeito do futuro da Humanidade. Nos quatro séculos da existência do Homem moderno, Bacon e Descartes transformaram-se em Kafka e Beckett.

Algo estava realmente terminando... e assim, o pensamento ocidental, em resposta a esses inúmeros fatos complexamente entrelaçados, seguira uma trajetória que no final do século XX havia dissolvido grande parte das bases da moderna visão de mundo, despojando cada vez mais o pensamento contemporâneo das certezas estabelecidas, mas também essencialmente aberto de maneiras jamais ocorridas antes. A sensibilidade intelectual que hoje reflete e expressa essa inovadora situação, o resultado excessivamente determinado do extraordinário desenvolvimento do espírito moderno de sofisticação e autodesconstrução cada vez maiores, é o que se denomina Espírito Pós-moderno.

O Pensamento Pós-moderno

Cada uma das grandes transformações épicas na história do pensamento ocidental parece ter-se iniciado por um tipo de sacrifício arquetípico. Como se para consagrar o surgimento de uma visão cultural nova e fundamental, em cada caso seu profeta central sofreu algum tipo de julgamento e martírio simbolicamente ressonante: o julgamento e execução de Sócrates quando nascia o espírito da Grécia clássica, o julgamento e crucifixão de Jesus quando nasceu a cristandade, o julgamento e condenação de Galileu quando surgiu a ciência moderna. Diz-se que o profeta mais importante do pensamento pós-moderno foi Friedrich Nietzsche, com seu ponto de vista radicalizado, sua sensibilidade crítica soberana e sua vigorosa antevisão dolorosamente ambivalente do niilismo que emergia na cultura ocidental. Há uma estranha (e talvez adequada) analogia pós-moderna desse tema do sacrifício e martírio arquetípico no extraordinário julgamento e aprisionamento interior — intensa provação intelectual, extremo isolamento psicológico, chegando à loucura paralisante — sofrida no surgimento do pensamento pós-moderno por Nietzsche, que assinou suas últimas cartas como "O crucificado" e morreu no início do século XX.

Como Nietzsche, a situação intelectual pós-moderna é profundamente complexa e ambígua — talvez esta seja sua verdadeira essência. O que é chamado de pós-moderno varia bastante segundo o contexto; contudo, em sua forma mais geral e difusa, podemos considerar o espírito pós-moderno como sendo um conjunto de atitudes abertas e indeterminadas que foi moldado por uma grande diversidade de correntes intelectuais e culturais: pragmatismo, existencialismo, marxismo, psicanálise, feminismo, hermenêutica, desconstrução e a filosofia pós-empirista da Ciência — para mencionar apenas algumas das mais proeminentes. Desse turbilhão de tendências e impulsos imensamente desenvolvidos, muitas vezes divergentes, emergiram alguns princípios funcionais compartilhados pela maioria deles. Há uma avaliação da plasticidade e da mudança constante da realidade e do conhecimento, uma ênfase na prioridade da experiência concreta sobre os princípios abstratos fixos e uma convicção de que nenhum sistema de pensamento axiomático deva reger a crença ou a investigação. Admite-se que o conhecimento humano é subjetivamente determinado por uma imensidão de fatores; que as essências objetivas, ou as coisas em si mesmas, não são nem acessíveis, nem postuláveis; e que o valor de todas as verdades e pressuposições devem estar sempre sujeitos ao teste direto. A busca decisiva pela verdade está obrigada a ser tolerante em relação à ambigüidade e ao pluralismo; seu resultado necessariamente será um conhecimento relativo e falível, em vez de absoluto ou seguro.

Por esse motivo, a busca pelo conhecimento deve ser interminavelmente auto-revisada. Deve-se tentar o novo teste experimental e explorador contra as conseqüências subjetivas e objetivas, deve-se aprender com os próprios erros, não se deve confiar em nenhum pressuposto, tratar a todos como provisórios, não pressupor nenhum absoluto. A realidade não é um processo fechado e autocontido, mas um processo fluido em permanente desdobramento, um "universo aberto", sempre afetado e moldado pelas ações e crenças do indivíduo. É mais uma possibilidade do que um fato. Não se pode ver a realidade como um espectador diante de um objeto fixo; ao contrário, estamos sempre e necessariamente envolvidos na realidade, ao mesmo tempo transformando-a e sendo transformados por ela. Embora intransigente ou exasperante em muitos aspectos, em certo sentido a realidade deve ser esculpida pelo espírito e a vontade humana, por si já enredados naquilo que busca entender e afetar. O ser humano é um agente materializado, que age e julga num contexto que jamais pode ser totalmente objetificado, com orientações e motivações que jamais podem ser completamente apreendidas ou controladas. O sujeito consciente jamais está separado do corpo ou do mundo, que constituem o pano de fundo e a condição de todo ato cognitivo.

A capacidade inerente ao ser humano de formar conceitos e símbolos é reconhecida como elemento fundamental e necessário na compreensão, na previsão e na criação da realidade. A mente não reflete passivamente um mundo exterior e sua ordem intrínseca, mas é ativa e criativa no processo da percepção e da cognição. Em certo sentido, a realidade é construída pela mente, não simplesmente percebida por ela; são possíveis muitas dessas construções, nenhuma das quais necessariamente soberana. Embora o conhecimento humano seja obrigado a adaptar-se a determinadas estruturas subjetivas inatas, há nestas um certo grau de indeterminância que, combinado à vontade e imaginação humana, admite um elemento de liberdade na cognição. Aqui há implícito um empirismo crítico e um racionalismo crítico relativizados — que admitem a indispensabilidade tanto da investigação concreta, de crítica e argumento rigorosos, e de formulação teórica, mas também admitindo que nenhum procedimento pode reclamar qualquer fundamento absoluto: não há nenhum "fato" empírico que já não esteja carregado de teorias, não existe nenhum argumento lógico ou princípio formal certo *a priori*. Todo o entendimento humano é interpretação; nenhuma interpretação é definitiva.

A prevalência do conceito kuhniano de "paradigmas" no discurso atual é bastante característica do pensamento pós-moderno, refletindo uma consciência crítica da natureza essencialmente interpretativa da cultura. Essa consciência não apenas afetou a abordagem pós-moderna das visões de mundo da cultura do passado e da história das teorias científicas mutantes, mas também influenciou a própria autocompreensão da pós-modernidade, estimulando uma atitude mais solidária em relação às perspectivas reprimidas ou não-ortodoxas e uma visão mais autocrítica das atualmente vigentes. Os constantes avanços na Antropologia, Sociologia, História e Lingüística salientaram a relatividade do conhecimento humano, fazendo com que se admitisse cada vez mais o caráter "eurocêntrico" do pensamento ocidental e as distorções cognitivas produzidas por fatores como classe, raça, etnicidade. A análise do gênero como fator decisivo na determinação e nos limites do que pode ser considerado verdade tem sido especialmente perspicaz. Diversas formas de análise psicológica, cultural e individual desmascararam ainda mais os determinantes inconscientes da vida e do conhecimento humano.

Refletindo e corroborando todos esses avanços, há um radicalismo no âmago da sensibilidade pós-moderna: um ponto de vista enraizado nas epistemologias desenvolvidas por Hume, Kant, Hegel (em seu historicismo) e Nietzsche, mais tarde articulado sob as formas do pragmatismo, da hermenêutica e do pós-estruturalismo. Nessa perspectiva, não se pode dizer que o mundo possui quaisquer aspectos a princípio anteriores à interpretação. O mundo não existe como coisa em si, independente da interpretação; ao contrário, ele somente passa a existir nas interpretações e através delas. O sujeito do conhecimento já está materializado no objeto do conhecimento: a mente humana jamais está fora do mundo, julgando-o de um ponto de observação externo. Todo objeto do conhecimento já é parte de um contexto previamente interpretado; além desse contexto só existem outros contextos previamente interpretados. Todo o conhecimento humano é mediado por signos e símbolos de proveniência incerta, constituídos por predisposições histórica e culturalmente variáveis e influenciados por interesses humanos muitas vezes inconscientes.

Assim, a natureza da verdade e da realidade, na Ciência não menos do que na Filosofia, na Religião ou na Arte, é profundamente ambígua. O sujeito jamais pode tomar a liberdade de transcender as multiformes predisposições de sua subjetividade. No máximo se pode tentar fundir os horizontes, uma aproximação jamais completa entre sujeito e objeto. De modo menos otimista, deve-se reconhecer o insuperável solipsismo da consciência humana diante da extrema ilegibilidade do mundo.

O outro lado da abertura e da indeterminância do espírito pós-moderno é então a ausência de qualquer base firme para uma visão de mundo. Tanto a realidade interna quanto a externa ramificaram-se de maneira incomensurável, multidimensional, maleável e ilimitada — instigando a coragem e a criatividade, mas ao mesmo tempo trazendo uma ansiedade potencialmente debilitadora diante do relativismo infinito e da finitude existencial. Muitos fatores contribuem para a condição pós-moderna: conflitos de testes subjetivos e objetivos, uma perspicaz consciência do provincianismo cultural e da relatividade histórica de todo o conhecimento, uma difusa impressão de profunda incerteza e deslocamento, além de um pluralismo que beira a incoerência aflitiva. Até mesmo falar de sujeito e objeto como entidades passíveis de distinção é pretender mais do que pode ser conhecido. Com a ascendência do espírito pós-moderno, a busca do Homem por um significado no Cosmo passou para um empreendimento hermenêutico com uma flutuação desorientadoramente livre: o ser humano pós-moderno existe num Universo cujo significado está ao mesmo tempo inteiramente em aberto e sem nenhuma fundamentação garantida.

Dos inúmeros fatores que convergiram para resultar nessa atitude intelectual, a análise da linguagem foi o que produziu as correntes epistemológicas mais radicalmente céticas no espírito pós-moderno; são essas as correntes que mais articulada e conscientemente se identificaram como "pós-modernas". Mais uma vez, muitas fontes contribuíram para isso — a análise de Nietzsche da relação problemática da linguagem com a realidade; a semiótica de C. S. Peirce, postulando que todo pensamento humano ocorre através de signos; a lingüística de Ferdinand de Saussure, postulando o relacionamento arbitrário entre palavra e objeto, signo e significado; a análise de Wittgenstein da lingüística como estrutura da vida humana; a crítica existencialista e lingüística da metafísica, de Heidegger; a hipótese lingüística de Edward Sapir e B. L. Whorf, segundo a qual a linguagem molda a percepção da realidade tanto quanto a realidade molda a linguagem; as investigações genealógicas de Michel Foucault na construção social do conhecimento; e o desconstrucionismo de Jacques Derrida, questionando a tentativa de estabelecer-se um significado indiscutível em qualquer texto. O desfecho dessas diversas influências, especialmente no mundo acadêmico contemporâneo, tem sido a disseminação dinâmica de uma visão do discurso e do conhecimento humano que relativiza de modo radical as reivindicações do Homem para uma verdade soberana ou permanente e que, assim, dá suporte a uma revisão enfática do caráter e das metas da análise intelectual.

Na base dessa perspectiva está a tese de que todo o pensamento humano é essencialmente gerado por formas de vida culturais e lingüísticas idiossincráticas e a elas está atado. O conhecimento humano é o produto historicamente contingente de práticas lingüísticas e sociais de determinadas comunidades locais de intérpretes, sem nenhuma relação "mais próxima" com uma realidade não-histórica independente. Como a vida humana é lingüisticamente pré-estruturada, ainda que as diversas estruturas da linguagem não tenham nenhuma conexão demonstrável com uma realidade independente, a mente humana jamais poderá reivindicar acesso a qualquer realidade a não ser a determinada por sua forma local de vida. A linguagem é uma "gaiola" (Wittgenstein). Além do mais, o próprio significado lingüístico pode mostrar-se instável em essência, porque os contextos que determinam esse significado jamais são fixos e sob a superfície de todo texto aparentemente coerente pode-se encontrar uma variedade de significados incompatíveis. Nenhuma interpretação de texto pode reclamar autoridade definitiva porque o que está sendo interpretado inevitavelmente contém contradições ocultas que prejudicam sua coerência. Assim, é impossível determinar qualquer significado, não existe um "verdadeiro" significado. Não se pode afirmar nenhuma realidade primordial subjacente que sirva de base para as tentativas de representar-se a verdade. Os textos referem-se apenas a outros textos, em uma regressão infinita, sem nenhum fundamento seguro em algo exterior à linguagem. Jamais se pode fugir do "jogo dos significantes". A multiplicidade das incomensuráveis verdades humanas expõe e derrota o pressuposto convencional de que a mente humana avança e está cada vez mais próxima da apreensão da realidade. Não se pode afirmar nada com certeza a respeito da natureza da verdade, a não ser que, segundo as palavras de Richard Rorty: "O que dizem nossos companheiros nos deixará de fora."[7]

Aqui, em certo sentido, o intelecto cartesiano crítico atingiu seu maior desenvolvimento, duvidando de tudo, aplicando um ceticismo sistemático a qualquer significado possível. Sem nenhuma fundamentação divina para garantir a Palavra, a linguagem não possui nenhuma ligação privilegiada com a verdade. O destino da consciência humana é inevitavelmente nômade, um perambular consciente através do erro. A história do pensamento humano é uma história de planos metafóricos idiossincráticos, de ambíguos vocabulários interpretativos sem base alguma além do que já está saturado por suas próprias categorias metafóricas e interpretativas. Os filósofos pós-modernos podem comparar e cotejar, analisar e discutir os muitos conjuntos de pontos de vista que os seres humanos expressaram, os diversos sistemas de símbolos, as muitas maneiras de juntar as coisas — mas jamais poderão pretender possuir um elemento arquimediano extra-histórico a partir do qual julgar se uma dada perspectiva validamente representa "a Verdade". Como não há nenhuma fundamentação indubitável para o conhecimento humano, o maior valor para qualquer perspectiva é sua capacidade de ser temporariamente útil, edificante, emancipatória ou criativa — embora se admita que, no final das contas, essas avaliações em si não são justificáveis por algo mais do que o gosto pessoal e cultural. A própria justificação é em si apenas mais uma prática social, sem nenhuma outra base além da prática social...

O resultado mais evidente dessas muitas correntes convergentes do pensamento pós-moderno tem sido um ataque multilateral da crítica à essência da tradição filosófica ocidental, do platonismo em diante. Todo o projeto dessa tradição, de apreender e articular uma Realidade fundamental, é criticado como um exercício inútil do jogo da lingüística, um esforço mantido, mas condenado, de superar as complicadas ficções criadas por ele mesmo. Mais precisamente, esse projeto tem sido condenado como algo inerentemente alienador e opressivamente hierárquico — um procedimento intelectualmente arrogante, que produziu um empobrecimento existencial e cultural e que basicamente levou ao domínio tecnocrático da Natureza e ao domínio sócio-político de outros. A compulsão tirânica do espírito ocidental em impor alguma forma de razão totalizadora — teológica, científica, econômica — a cada aspecto da vida é acusada de não ser apenas auto-ilusória, mas destrutiva.

Incentivado por esses e outros fatores relacionados, o pensamento crítico pós-moderno estimulou uma vigorosa rejeição de todo o "cânone" intelectual ocidental há muito definido e favorecido por uma elite mais ou menos exclusivamente européia, masculina e branca. Verdades herdadas a respeito do "Homem", da "Razão", da "Civilização" e do "Progresso" são acusadas de estar moral e intelectualmente falidas. Sob o manto dos valores ocidentais, muitos pecados foram cometidos. Olhos desencantados agora examinam a longa história de expansionismo e exploração implacável do Ocidente — a capacidade escravizadora de suas elites desde os tempos antigos até a modernidade; a prosperidade sistemática à custa de outros; o colonialismo e o imperialismo; escravidão, genocídio, anti-semitismo, opressão das mulheres, dos povos negros, das minorias, dos homossexuais, das classes trabalhadoras, dos pobres; a eliminação das sociedades nativas por todo o mundo; a arrogante insensibilidade em relação a outras tradições e valores; os cruéis desmandos em relação a outras formas de vida; a destruição cega de praticamente todo o planeta.

Nesse contexto cultural profundamente transformado, o mundo acadêmico contemporâneo preocupou-se cada vez mais com a desconstrução crítica de pressupostos tradicionais através de inúmeros modos de análise justapostos: sociológico, político, histórico, psicológico, lingüístico e literário. Textos de todas as categorias são analisados com uma grande sensibilidade para as estratégias retóricas e as funções políticas a que servem. O *éthos* intelectual subjacente desmonta as estruturas estabelecidas, esvazia as pretensões, desmoraliza as crenças, desmascara as aparências — uma "hermenêutica da suspeita" no espírito de Marx, Nietzsche e Freud. Nesse sentido, o pós-modernismo é um "movimento antinômico que pressupõe uma vasta aniquilação do espírito ocidental... a desconstrução, o descentramento, desaparecimento, disseminação, desmistificação, descontinuidade, diferença, dispersão etc. Esses termos... expressam uma obsessão epistemológica com a fragmentação ou o dilaceramento, e um correspondente envolvimento ideológico em relação às minorias na política, no sexo e na linguagem. Pensar bem, sentir-se bem, ler bem, segundo o *épistème* da aniquilação, é recusar a tirania dos conjuntos; a totalização em qualquer esforço humano é potencialmente totalitária".[8] A aspiração a qualquer forma de onisciência — filosófica, religiosa, científica — deve ser abandonada. Magníficas teorias e panoramas universais não podem ser sustentados sem resultar em falsificação empírica e autoritarismo intelectual. Afirmar verdades gerais é impor dogmas espúrios ao caos dos fenômenos. O respeito pela contingência e a descontinuidade limita o conhecimento ao local e específico. Na melhor das hipóteses, qualquer perspectiva abrangente e coerente sustentada não passa de ficção temporariamente útil para disfarçar o caos; na pior das hipóteses, de ficção opressiva que disfarça os relacionamentos de poder, violência e subordinação.

Portanto, para sermos corretos, não existe nenhuma "visão de mundo pós-moderna", nem a possibilidade de existir uma. Por sua natureza, o paradigma pós-moderno é fundamentalmente subversivo em relação a todos os paradigmas, pois em sua essência está a consciência de que a realidade é ao mesmo tempo múltipla, local e temporal, desprovida de qualquer fundamento demonstrável. A situação percebida por John Dewey no início do século de que "o desespero de qualquer perspectiva e atitude integrada é a principal característica intelectual da era atual", foi venerada como a essência da visão pós-moderna, como reza a definição de pós-moderno de Jean-François Lyotard: "a incredulidade para com as metanarrativas".

Paradoxalmente, podemos aqui identificar algo da velha confiança do pensamento moderno na superioridade de seu próprio ponto de vista. Enquanto a convicção de superioridade do pensamento moderno vinha de sua consciência de possuir em sentido absoluto um conhecimento maior do que o de seus predecessores, a impressão de superioridade do pensamento pós-moderno deriva de sua especial consciência de como é pequeno o conhecimento que pode ser reivindicado por qualquer mente, incluído ele mesmo. Contudo, exatamente em virtude dessa consciência crítica que se auto-relativiza, admite-se que uma rejeição quase niilista de qualquer forma de "totalização" e "metanarrativa" — de qualquer ambição de unidade intelectual, integridade ou coerência abrangente — em si é uma posição que não está além do questionamento e, por seus princípios, não pode afinal justificar-se mais do que os diversos panoramas metafísicos em relação aos quais o pensamento pós-moderno se definiu. Essa postura pressupõe uma metanarrativa própria, talvez mais sutil do que as outras, mas no fundo não menos sujeita à crítica desconstrutiva. Em seus próprios termos, a afirmação da relatividade histórica e do elo cultural-lingüístico de toda verdade e conhecimento deve ser considerado em si um reflexo qualquer, mas o reflexo de um ponto de vista mais local e temporal, sem nenhum valor necessariamente extra-histórico e universal. Tudo poderia mudar no futuro. Implicitamente, o único absoluto pós-moderno é a consciência crítica que, desconstruindo tudo, parece forçado por sua própria lógica a desconstruir também a si mesmo. Este é o paradoxo instável que permeia o pensamento pós-moderno.

* * *

No entanto, se o pensamento pós-moderno algumas vezes mostrou-se inclinado a um relativismo dogmático e um ceticismo compulsivamente fragmentário, se o *éthos* cultural que o acompanhou às vezes degenerou em desprendimento cínico e paródia sem graça, é evidente que as características mais significativas da situação intelectual pós-moderna mais ampla — pluralismo, complexidade e ambigüidade — são precisamente as características necessárias para a potencial emergência de uma forma fundamentalmente nova de visão intelectual, que poderia preservar e ao mesmo tempo transcender a presente situação de diferenciação extraordinária. Na política da *Weltanschauung* contemporânea, nenhuma perspectiva (religiosa, científica ou política) tem mais força, ainda que a situação tenha estimulado uma flexibilidade intelectual e um intercâmbio quase sem precedentes, refletidos na difusa exigência e na prática da conversa "aberta" entre diferentes visões, diferentes vocabulários, diferentes paradigmas culturais.

Examinada em seu conjunto, a extrema fluidez e multiplicidade do cenário intelectual contemporâneo não pode ser muito exagerada. Não apenas o próprio pensamento pós-moderno é um turbilhão de diversidades não resolvidas, mas virtualmente todos os elementos importantes do passado intelectual do Ocidente agora estão presentes sob uma ou outra forma, contribuindo para a vitalidade e confusão do *Zeitgeist* contemporâneo. Com tantos pressupostos anteriormente estabelecidos em questionamento, restam poucas (se é que sobra alguma) restrições axiomáticas possíveis; muitas perspectivas do passado voltaram a emergir com renovada importância. Por isso, quaisquer generalizações sobre o pensamento pós-moderno devem caracterizar-se pelo reconhecimento da constante presença ou do ressurgimento recente da maioria de seus mais importantes predecessores, tema de todos os capítulos anteriores deste livro. Inúmeras formas ainda vitais da sensibilidade moderna, do pensamento científico, do Romantismo e do Iluminismo, do sincretismo do Renascimento, do protestantismo, do catolicismo e do judaísmo — todos os quais, em diversas fases do avanço e da interpenetração ecumênica, continuam hoje a ser fatores influentes. Mesmo elementos da tradição cultural do Ocidente desde o período helenista e da Grécia clássica — a filosofia pré-socrática e a platônica, o hermetismo, a mitologia, as religiões de mistério — voltaram a emergir com novos papéis no presente cenário intelectual. Além do mais, a eles juntaram-se, influenciando-os, uma imensidão de perspectivas culturais de fora do Ocidente, como as tradições místicas do budismo e hinduísmo; correntes culturais subterrâneas de dentro do próprio Ocidente, como o gnosticismo e as grandes tradições esotéricas; além de pontos de vista naturais e arcaicos que precedem toda a civilização ocidental, como as tradições neolítica européia e dos indígenas americanos — todas unindo-se no cenário intelectual, como que por alguma espécie de síntese climática.

O papel cultural e intelectual da Religião foi drasticamente afetado pelos fatos secularizadores e pluralistas da Era Moderna; contudo, se em muitos aspectos a influência da religião institucionalizada continuou a diminuir, a sensibilidade religiosa parece ter sido revitalizada pelas novas circunstâncias intelectuais ambíguas da era pós-moderna. A religião contemporânea foi também reanimada por sua própria pluralidade, descobrindo novas formas de expressão e novas fontes de inspiração e iluminação, que iam desde o misticismo oriental e a exploração psicodélica do *eu* à teologia da libertação e à espiritualidade ecológico-feminista. Embora a ascendência do individualismo secular e o declínio da crença religiosa tradicional talvez tenham precipitado a difusa anomia espiritual, é evidente que, para muitos, esses mesmos fatos terminaram estimulando novas formas de orientação religiosa e maior autonomia espiritual. Em números crescentes, as pessoas sentiram-se convencidas e livres para decidir seu relacionamento com as condições essenciais da existência humana, a partir de uma variedade bem mais ampla de recursos espirituais. O desmoronamento pós-moderno do significado contrapunha-se a uma emergente conscientização da responsabilidade pessoal e da capacidade de inovação criativa e autotransformação na resposta espiritual à vida. Depois das idéias implícitas em Nietzsche, a "morte de Deus" começou a ser assimilada e vista novamente como um desdobramento religioso otimista, que permitia a emergência de um sentimento mais autêntico do numinoso, um sentido mais amplo da divindade. Ao nível intelectual, a Religião já não tendia mais a ser entendida de modo redutivo, uma crença psicológica ou culturalmente determinada em realidades inexistentes ou explicada como acidente biológico, mas identificada como atividade humana fundamental, em que todas as sociedades e todos os indivíduos simbolicamente interpretam e se envolvem na natureza essencial da existência.

Embora já não gozando o mesmo grau de soberania que possuíra durante a Era Moderna, a Ciência continua mantendo seus fiéis pela incomparável força pragmática de suas concepções e o impressionante rigor de seu método. Como as antigas reivindicações de conhecimento da ciência moderna foram relativizadas pela filosofia da Ciência e pelas conseqüências palpáveis dos avanços científicos e tecnológicos, esta fidelidade já não está mais desprovida de certa crítica, ainda que nessas novas circunstâncias a própria Ciência pareça estar livre para explorar novas abordagens menos restritas para compreender o mundo. Os partidários de uma "visão de mundo científica" do tipo moderno, supostamente unificada e óbvia, são considerados pessoas que não conseguiram envolver-se na problemática intelectual mais ampla do momento — e, na era pós-moderna, recebem o mesmo julgamento que o ingênuo religioso recebera da Ciência na Era Moderna. Em praticamente todas as disciplinas contemporâneas admite-se que a prodigiosa complexidade, sutileza e polivalência da realidade transcende de longe a apreensão de qualquer interpretação intelectual; somente uma abertura empenhada na interação das muitas perspectivas pode resolver as extraordinárias questões da Era Pós-moderna. A Ciência contemporânea torna-se cada vez mais consciente e crítica em relação a si mesma, inclina-se menos a um cientificismo ingênuo, está mais atenta a suas limitações epistemológicas e existenciais. Ela também já não é mais singular: surgiram várias interpretações do mundo radicalmente divergentes, muitas das quais diferem profundamente da anterior visão de mundo científica e convencional.

Comum a essas novas perspectivas tem sido o imperativo de repensar e reformular a relação do ser humano com a Natureza, imperativo esse levado pelo crescente reconhecimento de que a concepção da Ciência Moderna mecanicista e objetivista da Natureza não era apenas limitada, mas essencialmente equivocada. As grandes intervenções teóricas, como a "ecologia da mente" de Bateson, a teoria da ordem implícita de Bohm, a teoria da causalidade formativa de Sheldrake, a teoria da transposição genética de McClintock, a hipótese de Gaia de Lovelock, a teoria das estruturas dissipativas e da ordem pela flutuação de Prigogine, a teoria do caos de Lorenz e Feigenbaum e o teorema da não-localidade de Bell apontaram para novas possibilidades de uma concepção científica do mundo menos reducionista. A recomendação metodológica de Evelyn Fox Keller de que o cientista deve ser capaz de identificação empática com o objeto que procura compreender reflete uma semelhante orientação do pensamento científico. Mais do que isso: muitos desses progressos na comunidade científica foram reforçados e muitas vezes estimulados pelo retorno e interesse difuso por diversas concepções arcaicas e místicas da Natureza, cuja notável sofisticação é cada vez mais admitida.

Outro avanço decisivo que estimula essas tendências integrativas no meio intelectual pós-moderno tem sido o repensar epistemológico da natureza da imaginação, realizado em diversas frentes — na filosofia da

Ciência, na Sociologia, na Antropologia, nos estudos da Religião — e, talvez acima de tudo, incentivado pela obra de Jung e as percepções epistemológicas da Psicologia pós-junguiana. A imaginação já não é mais concebida como algo simplesmente oposto à Percepção e à Razão; ao contrário, admite-se hoje que Percepção e Razão sempre foram alimentadas pela imaginação. Com essa consciência do papel fundamentalmente mediador da imaginação na experiência humana também surgiu uma avaliação mais elevada da força e complexidade do inconsciente, além de uma nova maneira de ver-se a natureza do padrão e significado arquetípico. O reconhecimento da natureza inerentemente metafórica das declarações filosóficas e científicas pelo filósofo pós-moderno (Feyerabend, Barbour, Rorty) afirmou e articulou-se mais precisamente com a visão do psicólogo pós-moderno das categorias arquetípicas do inconsciente condicionador e estruturador da vida e da cognição (Jung, Hillman). O antiquíssimo problema filosófico das universalidades, parcialmente esclarecido pelo conceito das "semelhanças de família" de Wittgenstein (sua tese de que aquilo que aparenta ser um inequívoco ponto em comum compartilhado em todas as instâncias cobertas por uma única palavra geral, na verdade muitas vezes abrange toda uma série de similitudes e relacionamentos indefinidos e sobrepostos), ganhou nova inteligibilidade na Psicologia com a compreensão dos arquétipos. Nessa concepção, admite-se que os arquétipos são padrões ou princípios resistentes, inerentemente ambíguos e polivalentes dinâmicos, maleáveis e sujeitos a variadas inflexões culturais e individuais, embora possuindo uma subjacente coerência e universalidade formal e distinta.

Uma postura especialmente característica e problemática que emergiu dos avanços modernos e pós-modernos, admitindo-se a autonomia essencial no ser humano e a plasticidade fundamental na natureza da realidade, começa afirmando que a própria realidade tende a desdobrar-se em resposta ao referencial particular e ao conjunto de pressupostos simbólicos empregados pelo indivíduo e pela sociedade. A reserva de dados disponíveis para a mente humana tem tais complexidade e diversidade intrínsecas, que proporciona apoio plausível para inúmeras concepções diferentes da natureza essencial da realidade. Portanto, o ser humano deve escolher entre incontáveis opções potencialmente viáveis; qualquer que seja a sua escolha afetará por sua vez tanto a natureza da realidade como o sujeito que optou. Desse ponto de vista, embora existam muitas estruturas definidoras no mundo e na mente que resistem ou forçam a ação e o pensamento humano de diversas maneiras, no nível considerado fundamental, o mundo tende a ratificar e mostrar-se segundo o caráter da visão que lhe é dirigida. O mundo que o ser humano tenta conhecer e refazer é, em certo sentido, extraído projetivamente do quadro de referências com que é interpretado.

Essa postura enfatiza a imensa responsabilidade inerente à situação humana, e seu imenso potencial. Como as evidências podem ser mencionadas e interpretadas de modo a corroborar uma série virtualmente ilimitada de visões de mundo, o problema humano é ajustar essa visão de mundo ou conjunto de pontos de vista de modo a produzir os melhores resultados para o aperfeiçoamento da vida. Essa "encruzilhada" pode ser considerada a aventura humana: a dificuldade de ser, potencialmente, uma entidade essencialmente autodefinidora — não no contexto da caixa sem saída do existencialista leigo, que inconscientemente pressupunha limites metafísicos axiomáticos, mas num universo verdadeiramente aberto. Como o entendimento humano não é inequivocamente convencido pelos dados a adotar uma posição metafísica de preferência a outra, sobrevém um elemento irredutível de opção humana. Por isso, além do rigor intelectual e do contexto sócio-cultural, entram na equação epistemológica fatores mais indefinidos como a vontade, a imaginação, a fé, a esperança e a empatia. Quanto mais complexamente consciente e mais ideologicamente irrestrito é o indivíduo ou a sociedade, mais livre é a escolha dos mundos e mais profunda sua participação na criação da realidade. Essa afirmação da liberdade epistemológica e da autonomia autodefinidora do ser humano tem uma genealogia que chega no mínimo até o Renascimento e à *Oração*, de Pico della Mirandola, aparecendo sob diferentes formas nas idéias de Emerson, Nietzsche, William James e Rudolf Steiner, entre outros, mas recebeu novo apoio e maiores dimensões depois de uma vasta série de avanços intelectuais contemporâneos, da filosofia da Ciência à sociologia da Religião.

De maneira mais geral, na Filosofia, na Religião ou na Ciência, o literalismo unívoco inclinado a caracterizar o espírito moderno tem sido cada vez mais criticado e rejeitado; em seu lugar surgiu uma valorização maior da natureza multidimensional da realidade, dos muitos aspectos do pensamento e da natureza simbolicamente mediada do conhecimento e da experiência humana. Com essa valorização veio junto um crescente sentimento de que a desintegração pós-moderna dos velhos pressupostos e categorias permitiria a emergência de perspectivas inteiramente novas para a reintegração conceitual e existencial, com a possibilidade de vocabulários interpretativos mais ricos e coerências narrativas mais profundas. Sob o impacto associado das notáveis mudanças e revisões que tomaram lugar em virtualmente todas as disciplinas intelectuais contemporâneas, o cisma fundamental moderno entre Ciência e Religião está sendo eliminado aos poucos. Na esteira desses fatos, o projeto original do Romantismo — a reconciliação de sujeito e objeto, Homem e Natureza, espírito e matéria, consciente e inconsciente, intelecto e alma — voltou a emergir com renovado vigor.

Podemos então discernir dois impulsos opostos na situação intelectual contemporânea; um exige uma total desconstrução e desmascaramento — do conhecimento, das crenças, das visões de mundo — e o outro, uma total integração e reconciliação. De maneiras evidentes esses dois impulsos trabalham um contra o outro; mais sutilmente pode-se ver que trabalham juntos, como tendências polarizadas, mas complementares. Em lugar nenhum essa tensão dinâmica e essa influência recíproca entre o desconstrutivo e o integrativo está em maior evidência do que na rápida expansão das obras produzidas por mulheres inspiradas no feminismo. Carolyn Merchant, Evelyn Fox Keller e outras historiadoras da Ciência analisaram a influência exercida na compreensão científica moderna por estratégias e metáforas com a visão do gênero que apóia uma concepção patriarcal da Natureza — como algo burro, objeto feminino passivo, a ser penetrado, controlado, dominado e explorado. Paula Treichler, Francine Wattman Frank, Susan Wolfe e outras lingüistas examinaram minuciosamente as complexas relações entre linguagem, sexo e sociedade, esclarecendo a grande variedade de maneiras como as mulheres foram excluídas e depreciadas por meio das codificações implícitas nas convenções lingüísticas. Novas percepções vigorosas emergiram dos estudos religiosos de Rosemary Ruether, Mary Daly, Beatrice Bruteau, Joan Chamberlain Engelsman e Elaine Pagels; do estudo da arqueologia de Marija Gimbutas; da psicologia moral e progressista de Carol Gilligan; da psicanálise de Jean Baker Miller e Nancy Chodorow; da epistemologia de Stephanie de Voogd e Barbara Eckman; e de uma legião de estudiosas feministas de História, Antropologia, Sociologia, Direito, Economia, Ecologia, Ética, Estética, Teoria Literária, Crítica Cultural.

Em seu conjunto, a perspectiva e o impulso feministas talvez tenham produzido a análise mais vigorosa, sutil e essencialmente crítica dos pressupostos intelectuais e culturais de toda a Ciência contemporânea. Nenhuma disciplina acadêmica ou área da experiência humana foi deixada intocada pelo reexame feminista de como os significados são criados e preservados, como as evidências são interpretadas seletivamente e as teorias moldadas com uma circularidade mutuamente reforçadora, como determinadas estratégias retóricas e estilos comportamentais sustentaram a hegemonia do sexo masculino, como as vozes das mulheres deixaram de ser ouvidas durante os séculos de dominação social e intelectual masculina — do quanto são problemáticas as conseqüências dos pressupostos masculinos sobre a realidade, o conhecimento, a Natureza, a sociedade, o divino. Por sua vez, essas análises ajudaram a esclarecer as estruturas e padrões de dominação análogos que marcaram outras formas de vida e povos oprimidos. Dado o contexto em que surgiu, o impulso intelectual feminista foi obrigado a afirmar-se com um poderoso espírito crítico, muitas vezes de caráter oposto e polarizador; no entanto, precisamente como resultado dessa crítica, as categorias que há muito sustentaram as oposições e dualismos tradicionais — entre masculino e feminino, sujeito e objeto, humano e natural, corpo e espírito, o *eu* e os outros — foram desconstruídos e voltaram a ser concebidos, permitindo que o pensamento moderno levasse em conta perspectivas alternativas menos dicotomizadas que não poderiam ser previstas nos quadros de referência interpretativos anteriores. Em certos aspectos, as implicações sociais e intelectuais das análises feministas são tão fundamentais que seu significado mal começa a ser percebido e entendido pelo pensamento contemporâneo.

***

Em muitas frentes, a insistência do pensamento moderno a respeito do pluralismo da verdade e na superação de estruturas e fundamentos do passado começou a expandir uma vastidão de possibilidades imprevistas para a interpretação dos problemas intelectuais e espirituais que há muito o preocupavam e confundiam. A Era Pós-moderna é um momento em que não há um consenso sobre a natureza da realidade, mas dotada de uma riqueza de perspectivas sem precedentes com as quais resolver as grandes questões que é preciso enfrentar.

O meio intelectual contemporâneo continua carregado de tensão, indecisão e perplexidade. Os benefícios práticos de seu pluralismo são repetidamente destruídos por insistentes cismas conceituais. Apesar da freqüente congruência de objetivos, não há muita coesão eficaz, nenhum meio aparente que fizesse emergir uma visão cultural compartilhada por todos, nenhuma perspectiva unificadora bastante convincente ou abrangente que satisfaça a florescente diversidade de necessidades e aspirações intelectuais. "No século XX nada está de acordo com nada" (Gertrud Stein). Prevalece um caos de interpretações brilhantes e aparentemente incompatíveis, sem nenhuma solução à vista. Certamente, é um contexto em que há menos obstáculos para o livre exercício da criatividade intelectual do que proporcionaria um paradigma cultural monolítico. Contudo, a fragmentação e incoerência não deixam de ter suas conseqüências inibidoras. A cultura sofre psicológica e pragmaticamente da anomia filosófica que a permeia. Na ausência de qualquer visão cultural viável e abrangente, os velhos pressupostos continuam equivocadamente vigentes — proporcionando uma base cada vez mais inviável e arriscada para o pensamento e a atividade humana.

Diante de uma situação diferenciada e problemática como essa, as pessoas ponderadas empenham-se na tarefa de criar um conjunto de premissas e perspectivas flexíveis, que não reduzam ou eliminem a complexidade e a diversidade das realidades humanas, mas que sirvam também para mediar, integrar e esclarecer. A dificuldade dialética sentida por muitos é desenvolver uma visão cultural dotada de certa profundidade ou universalidade intrínseca, mas que *a priori* não imponha nenhuma espécie de limites no leque possível das interpretações legítimas, que de alguma forma contenha uma verdadeira coerência produtiva emanada da atual fragmentação e também constitua solo fértil para a geração de novas perspectivas e possibilidades imprevistas no futuro. Dada a natureza da situação atual, entretanto, essa é uma tarefa imensa e quase insuperável — não muito diferente de ter de armar o arco odisseiano dos opostos e com ele enviar uma flecha que passe por uma impossível multiplicidade de alvos.

A questão intelectual que paira sobre nosso momento é saber se o presente estado de profunda indecisão metafísica e epistemológica é algo que prosseguirá indefinidamente, talvez assumindo formas bem mais viáveis ou mais radicalmente desorientadoras com o passar do tempo; se é esse, na verdade, o prelúdio entrópico para algum tipo de desnudamento apocalíptico da História; ou se representa a transição para uma nova era, que trará uma nova espécie de civilização e uma visão de mundo inovadora, com princípios e ideais essencialmente diferentes dos que impeliram o mundo moderno em sua impressionante trajetória.

Na Virada do Milênio

Turning and turning in the widening gyre
The falcon cannot hear the falconer;
Things fall apart; the centre cannot hold;
Mere anarchy is loosed upon the world. ...

Surely some revelation is at hand.

William Butler Yeats
A Segunda Vinda

No encerramento deste século XX, há uma difusa sensação de urgência tangível em muitos níveis, como se realmente se aproximasse o fim de mais um *éon.* É um momento de intensa expectativa, de luta, de esperanças e incertezas. Muitos têm a impressão de que a grande força que determina a nossa realidade é o misterioso processo da história em si, que neste século pareceu arremessar-se para uma grande desintegração de todas as estruturas e fundamentações, como um triunfo do fluxo heracliteano. Perto do final de sua vida, Toynbee escreveu:

> O Homem do presente há pouco tempo tornou-se consciente de que a História está se acelerando — e a um ritmo veloz. A geração atual tem consciência desse aumento da aceleração no período de sua própria vida; o avanço do conhecimento que o Homem tem de seu passado revelou, retrospectivamente, que a aceleração começou há cerca de 30.000 anos... e que deu "grandes saltos" sucessivos com a invenção da agricultura, com a aurora da civilização e com o progressivo domínio — especialmente nos últimos dois séculos — das forças titânicas da Natureza. A aproximação do clímax intuitivamente previsto pelos profetas está sendo sentida, e temida, como um evento futuro. Hoje sua iminência não é um artigo de fé: é um dado da observação e da experiência.[9]

Podemos sentir um vigoroso *crescendo* na impressionante série de pronunciamentos de alguns dos grandes pensadores e visionários do

Ocidente, sobre a iminente mudança da era. Nietzsche, em quem "o niilismo tornou-se consciente pela primeira vez" (Camus), que previra o cataclisma que ocorreria na civilização européia no século XX percebeu dentro de si a crise épica que finalmente chegou, no momento em que a mente moderna tomou consciência de sua destruição do mundo metafísico, a "morte de Deus":

> O que fizemos quando soltamos esta Terra de seu Sol? Para onde vai ela agora? Para onde estamos indo? Para longe de todos os sóis? Não estamos permanentemente mergulhando? Para trás, para os lados, para a frente, em todas as direções? Existirá ainda um em cima ou um embaixo? Não estaremos nos desgarrando como se num infinito vazio? Não sentimos o hálito do espaço vazio? Ele não se tornou mais frio? Não está a noite se fechando sobre nós?[10]

Da mesma forma, o grande sociólogo Max Weber, que viu as inevitáveis conseqüências do desencantamento do mundo do espírito moderno, viu também o escancarado vazio do relativismo deixado com a dissolução da modernidade das visões de mundo tradicionais e percebeu que a Razão moderna, em que o Iluminismo colocara todas as suas esperanças de liberdade e progresso humano, ainda que não pudesse em seus próprios termos justificar valores universais para orientar a vida humana, de fato criara uma gaiola de ferro de racionalidade burocrática que permeava todos os aspectos da existência moderna:

> Ninguém sabe quem viverá nesta gaiola no futuro, ou se ao final desse extraordinário progresso surgirão profetas inteiramente novos, se haverá um grande renascimento das velhas idéias e dos velhos ideais, ou nada disso, talvez a petrificação mecanizada, enfeitada com uma espécie de empáfia desordenada. Poder-se-ia muito bem dizer do último estágio desse progresso cultural: "Especialistas sem espírito, sensualistas sem coração; esta nulidade imagina ter atingido um grau de civilização jamais obtido."[11]

"Somente um deus pode nos salvar", disse Heidegger no final de sua vida. Jung, no fim da sua, ao comparar nossa era ao início da Era Cristã há dois milênios, escreveu:

> Um clima de destruição e renovação universal... colocou sua marca em nossa era. Este clima se faz sentir por toda parte, política, social

> e filosoficamente. Vivemos no que os gregos chamavam de *kairos* — o momento certo — para uma "metamorfose dos deuses", dos princípios e símbolos fundamentais. Essa peculiaridade de nosso tempo, que certamente não foi uma escolha nossa, é a expressão do Homem inconsciente dentro de nós que está mudando. As gerações futuras terão de levar em conta esta importante transformação, para que a Humanidade não se destrua por meio de sua própria tecnologia e ciência... Há muito em jogo e muito depende da constituição psicológica do Homem moderno... Será que o indivíduo sabe que *ele* é o contrapeso na balança?[12]

Nosso momento na História é realmente cheio de promessas. Como civilização e como espécie, chegamos ao momento da verdade; o futuro da mente humana e o futuro do Planeta estão na balança. Se alguma vez foram necessárias coragem, profundidade e clareza de visão, entre outras qualidades, é agora. Contudo, essa mesma necessidade talvez possa chamar a coragem e a criatividade de que agora precisamos. Deixemos as últimas palavras desse épico interminado para o *Zaratustra* de Nietzsche:

> E como poderia eu agüentar ser um homem, se o Homem não fosse também poeta e leitor de enigmas e... um caminho para novos inícios.

VII

Epílogo

Talvez estejamos testemunhando o início do processo de reintegração de nossa cultura, uma nova possibilidade de unidade da consciência. Se assim foi, não terá como base nenhuma ortodoxia nova, seja religiosa ou científica. Tal reintegração será lastreada na rejeição de todas as interpretações unívocas da realidade e de todas as identificações de uma concepção da realidade com a própria realidade. Ela aceitará a multiplicidade do espírito humano e a necessidade de traduzir constantemente diferentes vocabulários científicos e criativos. Reconhecerá a propensão do ser humano a ater-se comodamente a alguma simples interpretação literal do mundo e, portanto, a necessidade de estar continuamente aberto ao renascimento em novo céu e nova terra. Ela admitirá que, afinal, tanto na cultura religiosa como na científica, tudo o que temos são os símbolos, mas que há uma imensa diferença entre a letra morta e o mundo vivo.

Robert Bellah
Beyond Belief

Nestas páginas finais, gostaria de apresentar um quadro de referências interdisciplinar que talvez ajude a aprofundar nossa percepção da história extraordinária que acabo de contar. Gostaria também de compartilhar com o leitor algumas reflexões conclusivas sobre a direção a que talvez estejamos condicionados, como cultura. Comecemos por um rápido panorama dos fundamentos de nossa atual situação intelectual.

O Duplo Vínculo Pós-Copernicano

Em sentido mais estreito, podemos entender a revolução copernicana simplesmente como uma específica mudança de paradigma nas modernas Astronomia e Cosmologia, iniciada por Copérnico, estabelecida por Kepler e Galileu e completada por Newton. Contudo, a revolução copernicana também pode ser interpretada num sentido bem mais amplo e significativo. Quando Copérnico reconheceu que a Terra não era o centro fixo absoluto do Universo e, tão importante quanto isso, mostrou que o movimento dos céus poderia ser explicado em termos do movimento do observador, emergiu o que talvez tenha sido a mais importante percepção do espírito moderno. A mudança de conceituação copernicana pode ser considerada a metáfora fundamental de toda a moderna visão de mundo: a profunda desconstrução da compreensão primitiva; o decisivo reconhecimento de que a aparente condição do mundo objetivo estivesse inconscientemente determinada pela condição do sujeito; a conseqüente liberação do antigo e medieval ventre cósmico; o deslocamento radical do ser humano para uma posição relativa e periférica num vasto universo impessoal; o sucessivo desencantamento do mundo natural. Em seu sentido mais amplo — como evento ocorrido não apenas na Astronomia e na Ciência, mas também na Filosofia, na Religião e na psique humana —, a revolução copernicana pode ser vista como constituinte da grande mudança de época na Era Moderna. Foi um evento primordial, ao mesmo tempo destruidor e construtor do mundo.

Na Filosofia e na Epistemologia, essa importante revolução copernicana manifestou-se na impressionante série de avanços intelectuais iniciada com Descartes e culminada em Kant. Diz-se às vezes que Descartes e Kant foram, ambos, inevitáveis no desenvolvimento da cultura moderna; acredito que isso esteja correto. Descartes foi o primeiro a apreender e articular plenamente a experiência da emergência da moderna identidade autônoma como algo fundamentalmente distinto e separado de um mundo exterior objetivo que procura entender e dominar. Descartes "acordou em um universo copernicano"[1] depois de Copérnico, a Humanidade era dona de si, estava solta no Universo, seu lugar cósmico irrevogavelmente relativizado. Descartes, então, deduziu a conseqüência empírica desse novo contexto cosmológico e formulou-a em termos filosóficos, partindo de uma dúvida fundamental diante do mundo e terminando no *cogito*. Com isso, pôs em movimento uma série de eventos filosóficos — de Locke, Berkeley, Hume e culminando em Kant — que vieram a gerar uma grande crise epistemológica. Nesse sentido, Descartes foi o ponto intermediário decisivo entre Copérnico e Kant, entre as duas revoluções copernicanas: uma, na Cosmologia; a outra, na Epistemologia.

Se, em certo sentido, a mente humana — fundamentalmente distinta e diferente do mundo externo — só tivesse acesso direto a uma única realidade, através de sua própria experiência, o mundo apreendido seria apenas o que seu espírito interpretasse. O conhecimento humano da realidade teria de ser eternamente incomensurável em relação a seu objetivo, pois não havia garantia alguma de que a mente humana pudesse alguma vez refletir com razoável precisão um mundo a que estava ligada de modo tão indireto e mediado. Em vez disso, até certo ponto indefinido, tudo o que a mente percebia e poderia julgar seria determinado por seu próprio caráter, suas próprias estruturas subjetivas. A mente só poderia experimentar os fenômenos, não as coisas em si mesmas; as aparências, não uma realidade independente. No universo moderno, o espírito humano era independente.

Kant extraiu de seus predecessores empiristas as conseqüências epistemológicas do *cogito* cartesiano. Naturalmente, o próprio Kant apresentou princípios cognitivos, estruturas subjetivas que acreditou absolutas — formas e categorias axiomáticas — com base nas aparentes certezas da física newtoniana. Com o passar do tempo, o que resistiu de Kant não foi a especificidade de sua solução, mas o profundo problema que ele articulou. Kant havia chamado a atenção para o fato crucial de que todo o conhecimento humano é interpretativo, ao passo que a mente não reivindica nenhum tipo de entendimento que reflita o mundo objetivo — pois o objeto de sua experiência já foi estruturado pela própria organização interna do sujeito. O ser humano não conhece o mundo propriamente dito, mas o mundo-mostrado-pela-mente-humana. Assim, o cisma ontológico de Descartes torna-se mais absoluto e ao mesmo tempo é superado pelo cisma epistemológico de Kant. A lacuna entre sujeito e objeto não poderia ser transposta com segurança. Da premissa cartesiana veio o resultado kantiano.

Na subseqüente evolução da cultura moderna, cada uma dessas mudanças fundamentais — que simbolicamente associo aqui às personalidades de Copérnico, Descartes e Kant — foi sustentada, estendida e inculcada ao máximo. Assim, o radical deslocamento copernicano do ser humano do centro do Universo foi enfaticamente reforçado e intensificado por sua relativização darwiniana no fluxo da evolução — já não mais divinamente ordenada, já não mais absoluta e segura, não mais a coroa da criação, o filho predileto do Universo: apenas mais uma espécie efêmera. Localizado no cosmo amplamente expandido da Astronomia moderna, o ser humano agora rodopia desgovernado; outrora centro do Universo, agora insignificante habitante de um minúsculo planeta que gira em volta de uma estrela não muito diferente das outras — a conhecida ladainha — na beira de uma galáxia entre bilhões de outras, num Universo indiferente e fundamentalmente hostil.

Da mesma forma, o cisma de Descartes entre o sujeito humano pessoal e consciente e o Universo material impessoal e inconsciente foi sistematicamente ratificado e ampliado através da imensa procissão de sucessivos avanços científicos, desde a física newtoniana até a cosmologia contemporânea do *Big Bang*, buracos negros, *quarks*, partículas W e Z e grandiosas teorias da superforça unificada. O mundo revelado pela Ciência moderna tem sido um mundo desprovido de objetivo espiritual, sem transparência, regido pelo acaso e pela necessidade, desprovido de significado intrínseco. A alma humana não se sente à vontade no moderno cosmo: ela pode prezar sua poesia e sua música, sua metafísica e sua religião privada, mas estas não encontram base segura no Universo empírico.

O mesmo acontece com o terceiro elemento dessa trindade da alienação moderna, o grande cisma estabelecido por Kant — e aqui temos o eixo da mudança do moderno ao pós-moderno. Kant reconheceu a subjetiva ordenação que a mente humana faz da realidade e, finalmente, a natureza relativa e sem raízes do conhecimento humano — desde a Antropologia, Lingüística, Sociologia, Física Quântica até à Psicologia, Neurofisiologia, Semiótica e Filosofia da Ciência; de Marx, Nietzsche, Weber e Freud, a Heisenberg, Wittgenstein, Kuhn e Foucault. O consenso é decisivo: em certo sentido muito essencial, o mundo é um constructo. O conhecimento humano é essencialmente interpretativo. Todos os atos de percepção e cognição são eventuais, mediados, situados, contextuais, impregnados de teoria. A linguagem humana não pode estabelecer sua base numa realidade independente. O significado é dado pela mente e não pode ser considerado inerente ao objeto no mundo além dela, pois esse mundo jamais pode ser contatado sem já estar saturado da própria natureza da mente. Tal mundo sequer pode ser justificadamente postulado. Prevalece a incerteza radical; afinal, até um ponto indeterminado, o que alguém conhece e sente é projeção.

Assim, o estranhamento cosmológico da consciência moderna iniciado por Copérnico e o estranhamento ontológico deflagrado por Descartes foram completados pelo estranhamento epistemológico começado por Kant: uma tríplice prisão mutuamente reforçada de alienação moderna.

Gostaria de apontar aqui a impressionante semelhança entre essa situação e a famosa descrição da condição que Gregory Bateson chamou de "duplo vínculo": a situação problemática, de solução impossível, em que exigências mutuamente contraditórias acabam levando a pessoa à esquizofrenia.[2] Na formulação de Bateson, eram necessárias quatro premissas básicas para constituir uma situação de duplo vínculo entre a criança e a mãe "esquizofrenogênica": (1) no relacionamento entre a criança e a mãe, há um relacionamento de dependência vital, o que torna decisivo para a criança receber comunicações muito precisas da mãe; (2) a criança recebe informação contraditória ou incompatível da mãe em níveis diferentes, onde, por exemplo, sua comunicação verbal explícita é fundamentalmente negada pela "metacomunicação" — o contexto não-verbal em que é transmitida a mensagem explícita (a mãe que diz ao filho, com olhos hostis e corpo rígido: "Querido, você sabe que eu adoro você.") — e os dois conjuntos de sinalizações não são coerentemente inteligíveis; (3) a criança não tem nenhuma oportunidade de fazer à mãe perguntas que esclareçam a comunicação ou resolvam a contradição; (4) a criança não pode abandonar o "terreno", ou seja, o relacionamento. Bateson descobriu que, em tais circunstâncias, a criança é forçada a distorcer sua percepção das realidades exterior e interior, com sérias conseqüências psicopatológicas.

Ora, se nessas quatro premissas substituímos mãe por *mundo* e criança por *ser humano*, temos em poucas palavras o duplo vínculo moderno: (1) o relacionamento do ser humano com o mundo é de vital dependência, fazendo com que se torne decisivo para ele o acesso à precisa natureza desse mundo; (2) a mente humana recebe informação contraditória ou incompatível sobre sua situação em relação ao mundo, em que a percepção interior psicológica e espiritual das coisas não é coerente em relação às metacomunicações científicas; (3) epistemologicamente, a mente humana não pode obter a comunicação direta com o mundo; (4) existencialmente, o ser humano não pode abandonar o campo.

As diferenças entre o duplo vínculo psiquiátrico de Bateson e a moderna condição existencial são mais de grau do que de gênero: a condição moderna é um "duplo vínculo" de extraordinária abrangência fundamental, menos evidente de imediato simplesmente em função de sua grande universalidade. Há o dilema pós-copernicano de ser o habitante periférico e insignificante de um cosmo vastíssimo e o dilema pós-cartesiano de ser um sujeito consciente, pessoal e com objetivos diante de um Universo inconsciente, impessoal e desprovido de objetivos — e, além desses, o dilema pós-kantiano de não haver nenhum meio possível pelo qual o sujeito humano possa conhecer o Universo em sua essência. Evoluímos de uma realidade na qual estamos incrustados e que nos define radicalmente diferente da nossa própria; acima de tudo, ela jamais pode ser diretamente contatada pela cognição.

Esse duplo vínculo da consciência moderna tem sido identificado de uma forma ou de outra pelo menos desde Pascal: "Estou apavorado pelo silêncio eterno desses espaços infinitos." Nossas predisposições psicológicas e espirituais estão em absurda discrepância com o mundo revelado por nosso método científico. Parecemos receber duas mensagens de nossa situação existencial: por um lado, a luta, entregar-se à busca pelo significado e realização espiritual; por outro, saber que o Universo, de cuja substância derivamos, é inteiramente indiferente a essa busca, tem um caráter frio, de efeito aniquilador. Ao mesmo tempo, somos estimulados e somos esmagados. Inexplicável e absurdamente, o Cosmo é desumano e nós não somos. É uma situação profundamente ininteligível.

Se acompanhamos o diagnóstico de Bateson e o aplicamos à mais ampla condição moderna, não é de espantar que tipo de respostas a psique moderna tem dado a tal situação quando tenta fugir às contradições inerentes a esse duplo vínculo. Realidades interiores ou exteriores tendem a ser distorcidas: sentimentos interiores são reprimidos e negados, como acontece na apatia e na paralisação psíquica, ou são inflados para compensar, como acontece no narcisismo e no egocentrismo; ou nos submetemos abjetamente ao mundo exterior ou agressivamente o objetificamos e exploramos. Há também a estratégia da fuga, através de diversas formas de escapismo: o consumo econômico compulsivo, a absorção pelos meios de comunicação, modismos, cultos, ideologias, fervor nacionalista, alcoolismo, adesão às drogas. Quando não se tem meios de evitá-los, há ansiedade, paranóia, hostilidade crônica, a vitimização num sentimento de desamparo, uma tendência a suspeitar de todos os significados, o impulso da autonegação, uma sensação de ausência de objetivos e absurdo, um sentimento de contradição interior impossível de resolver, a fragmentação da consciência. No extremo, todas as reações psicopatológicas do esquizofrênico: violência autodestrutiva, estados desiludidos, grande amnésia, catatonia, automatismo, mania, niilismo. O mundo moderno conhece cada uma dessas reações em combinações variadas e formações conciliatórias; sua vida social e política está tristemente determinada por elas.

Também não devemos nos espantar com o fato de que a Filosofia, no século XX, encontre-se na condição que agora constatamos. Naturalmente, a filosofia moderna produziu algumas corajosas respostas intelectuais para a situação pós-copernicana mas, em seu conjunto, a filosofia que dominou o nosso século e nossas universidades se parece um tanto com um obsessivo-compulsivo sentado em sua cama repetidamente amarrando e desamarrando os sapatos, porque jamais consegue fazê-lo corretamente — enquanto isso, Sócrates, Hegel e Tomás de Aquino já chegaram ao alto da montanha e respiram o revigorante ar alpino, diante de novos panoramas inesperados.

Contudo, há uma maneira decisiva em que a situação moderna não é idêntica ao duplo vínculo psiquiátrico: é o fato de que o ser humano moderno não tem sido apenas uma criança desamparada, mas atua na conquista do mundo, usando uma estratégia e um modo de agir muito específicos — um projeto prometéico de libertar-se e controlar a Natureza. A mente moderna exigiu um tipo de interpretação específica do mundo: seu método científico exige explicações concretamente previsíveis para os fenômenos e, portanto, impessoais, mecanicistas, estruturais. Para realizar seus objetivos, essas explanações do Universo têm sido sistematicamente "limpas" de todas as suas qualidades humanas e espirituais. É claro que não podemos ter a certeza de que o mundo seja *de fato* o que essas explanações indicam. Podemos estar certos apenas de que o mundo é *suscetível* a essa forma de interpretação até certo ponto indeterminado. A percepção de Kant é uma espada de dois gumes. Se, por um lado, parece deixar o mundo além do alcance da mente humana, por outro, admite que o mundo frio e impessoal da cognição científica moderna não é necessariamente toda a história. Ou melhor, que o mundo é a única espécie de história que a cultura ocidental considera intelectualmente justificável nesses últimos três séculos. Nas palavras de Ernest

Gellner: "O mérito de Kant foi constatar que esta compulsão [pela explicação mecanicista impessoal] está em nós, não nas coisas" — e "o mérito de Weber foi perceber que historicamente uma espécie de mentalidade específica, não a mente humana como tal, é que está sujeita a essa compulsão".[3]

Assim, uma parte crucial do duplo vínculo moderno não é inexpugnável. No caso da mãe e filho esquizofrenogênicos de Bateson, a mãe mais ou menos segura todas as cartas, pois unilateralmente ela controla toda a comunicação. Mas a lição de Kant é que o *locus* do problema de comunicação — ou seja, do problema do conhecimento humano do mundo — deve ser primeiro examinado como algo centrado na mente humana, não no mundo como tal. Portanto, teoricamente é possível que a mente humana tenha mais cartas do que está usando. O eixo da enrascada moderna é epistemológico; é a isso que devemos examinar para encontrar uma saída.

O Conhecimento e o Inconsciente

Quando Nietzsche, no século XIX, disse que não existe nenhum fato, mas apenas interpretações, ao mesmo tempo ele resumia o legado da filosofia crítica do século XVIII e indicava a tarefa e a promessa da psicologia profunda do século XX. Uma parte inconsciente da psique exerce influência decisiva na percepção, na cognição e no comportamento humano — uma idéia que há muito vinha sendo desenvolvida no pensamento ocidental, mas que Freud trouxe ao primeiro plano da preocupação intelectual moderna. Freud desempenhou um fascinante papel múltiplo no desdobrar da revolução copernicana mais ampla. Por um lado, como ele afirmou no famoso trecho ao final da décima oitava de suas *Palestras Introdutórias,* a psicanálise representava "o terceiro golpe a atingir a soberba ingênua e o amor-próprio do Homem"; o primeiro teria sido a teoria heliocêntrica de Copérnico e o segundo, a teoria da evolução de Darwin. A psicanálise revelou que, assim como a Terra não é o centro do Universo e o Homem não é o centro privilegiado da criação, sua mente — que lhe proporciona o mais valioso sentido de ser um ego racional consciente — é um precário desenvolvimento muito recente do id primordial e não faz dele senhor de sua própria casa. Com essa memorável percepção dos determinantes inconscientes da vida humana, Freud entrou na linhagem copernicana direta do pensamento moderno que progressivamente relativizou a posição do ser humano. Mais uma vez, como Copérnico e como Kant, mas num nível inteiramente novo, Freud trouxe o reconhecimento fundamental de que a aparente realidade do mundo objetivo era inconscientemente determinada pela condição do sujeito.

Contudo, a visão de Freud também foi uma "faca de dois gumes"; em certo sentido muito significativo, ele representou o ponto decisivo crucial na trajetória da modernidade. A descoberta do inconsciente derrubou os velhos limites da interpretação. Como já haviam observado Descartes e os empiristas ingleses pós-cartesianos, o dado essencial na aventura humana é, afinal, a própria experiência humana — não o mundo material e não as transformações sensoriais deste mundo; com a psicanálise, começava a exploração sistemática da sede de toda a experiência e cognição, a psique do Homem. De Descartes a Locke, Berkeley, Hume e, mais tarde, Kant, o progresso da epistemologia moderna dependeu de análises cada vez mais perspicazes do papel da mente humana no ato da cognição. Neste pano de fundo e com os avanços de Schopenhauer, Nietzsche e outros, o trabalho analítico estabelecido por Freud era praticamente inevitável. O imperativo psicológico moderno, a recuperação do inconsciente, coincidiu com o moderno imperativo epistemológico: descobrir os princípios fundamentais da organização mental.

Freud abriu a cortina, mas foi Jung quem percebeu as conseqüências da filosofia crítica nas descobertas da psicologia profunda. Em parte, foi assim porque Jung era epistemologicamente mais sofisticado do que Freud, pois havia mergulhado em Kant e na filosofia crítica desde sua juventude (já na década de 30, Jung era um aplicado discípulo e leitor da obra de Karl Popper — o que, aliás, é surpresa para muitos junguianos).[4] Em parte também porque Jung, por temperamento intelectual, era menos inclinado do que Freud ao cientificismo do século XIX. Acima de tudo, Jung teve uma vida mais intensa, da qual podia retirar maior experiência, e podia enxergar o contexto mais amplo em que funcionava a psicologia profunda. Joseph Campbell costumava dizer que Freud pescava sentado em cima de uma baleia — e não percebeu o que tinha diante de si. E quem consegue? Todos dependemos de nossos sucessores para superar nossas próprias limitações...

Assim, Jung reconheceu que a filosofia crítica, como ele disse, era "a mãe da psicologia moderna".[5] Kant estava certo quando percebeu que a experiência humana não era atomística, como pensara Hume, mas permeada por estruturas axiomáticas; contudo, a formulação kantiana dessas estruturas refletia sua crença absoluta na física newtoniana, inevitavelmente muito limitada e simplista. Em certo sentido, assim como Freud compreendera a mente humana nos limites de seus pressupostos darwinianos, Kant fora limitado por seus pressupostos newtonianos. Jung, sob a influência de experiências bem mais vigorosas e extensas da psique humana — a sua e a de outros —, abriu as perspectivas kantianas e freudianas até alcançar uma espécie de "Santo Graal" da busca interior: a descoberta dos arquétipos universais em toda sua força e complexidade como as estruturas fundamentais determinantes da experiência humana.

Freud descobrira Édipo, Id, Superego, Eros e Tanatos; identificara os instintos em termos essencialmente arquetípicos. Não obstante, em articulações decisivas, seus pressupostos reducionistas restringiram sua visão de maneira drástica. Jung desvendou a polivalência simbólica total dos arquétipos e, assim, o inconsciente pessoal de Freud, que abrangia principalmente os conteúdos reprimidos resultantes de traumas biográficos e da antipatia do ego em relação aos instintos, abriu-se para um vasto inconsciente coletivo de padrões arquetípicos, que não era tanto uma conseqüência das repressões, mas uma base primordial da própria psique. Com seu progressivo desvendamento do inconsciente, a psicologia profunda redefiniu radicalmente o enigma epistemológico apresentado por Kant — primeiro, com Freud, por assim dizer, de maneira estreita e inadvertida, e mais adiante Jung, a um nível mais abrangente e autoconsciente.

Qual era então a verdadeira natureza desses arquétipos, o que era esse inconsciente coletivo, como afetariam eles a moderna visão de mundo científica? Embora a perspectiva arquetípica junguiana houvesse intensamente enriquecido e aprofundado a moderna compreensão da psique, de certa maneira ela também poderia ser considerada mero reforço da alienação epistemológica kantiana. Em sua lealdade kantiana, Jung, durante anos, enfatizou repetidamente que a descoberta dos arquétipos era resultado de investigação empírica dos fenômenos psicológicos e, portanto, sem nenhuma implicação metafísica. O estudo da mente proporcionava o conhecimento da mente, não do mundo além dela. Os arquétipos assim concebidos eram psicológicos e, de certo modo, subjetivos. Como as formas e categorias axiomáticas de Kant, estruturavam a experiência humana sem proporcionar à mente nenhum conhecimento direto da realidade além dela própria; eram estruturas ou disposições herdadas que precediam a experiência humana e determinavam seu caráter, mas não se poderia dizer que transcendessem a psique. Talvez fossem apenas a mais fundamental das inúmeras lentes deformadoras que distanciavam a mente humana do verdadeiro conhecimento do mundo. Talvez fossem apenas os mais profundos padrões da projeção humana.

Naturalmente, o pensamento de Jung era imensamente complexo e sua concepção dos arquétipos teve uma significativa evolução no decorrer de sua longuíssima vida em atividade intelectual. A visão convencional acima descrita, até hoje a mais amplamente divulgada dos arquétipos junguianos, baseia-se nos textos de um período intermediário, quando seu pensamento ainda estava amplamente orientado por pressupostos filosóficos cartesiano-kantianos sobre a natureza da psique e sua separação do mundo externo. Contudo, em seu trabalho posterior, particularmente no estudo das sincronicidades, Jung começou a mudar para uma concepção dos arquétipos como padrões autônomos de significado que parecem estruturar e ser inerentes à psique e à matéria, dissolvendo assim a moderna dicotomia sujeito-objeto. Sob tal ponto de vista, os arquétipos eram mais misteriosos do que como categorias axiomáticas — mais ambíguos em seu *status* ontológico, menos facilmente restritos a uma dimensão específica, mais próximos da concepção original platônica e neoplatônica. Alguns aspectos dessa elaboração junguiana tardia foram levados mais adiante, com brilho e controvérsia, por James Hillman e a escola da psicologia arquetípica, que desenvolveu uma perspectiva junguiana "pós-moderna": reconhecendo o primado da psique e da imaginação, a irredutível realidade psíquica e a força dos arquétipos — mas, ao contrário desse Jung tardio, evitando afirmações metafísicas ou teológicas em favor de uma plena adoção da psique em toda a sua infinita e rica ambigüidade.

Epistemologicamente, o avanço mais significativo na história recente da psicologia profunda, realmente o mais importante em todo esse campo desde os próprios Freud e Jung, foi o trabalho de Stanislav Grof, que nas três últimas décadas não apenas revolucionou a teoria psicodinâmica, mas também apresentou grandes implicações para muitos outros campos, inclusive na Filosofia. Muitos leitores, especialmente na Europa e na Califórnia, estarão familiarizados com a obra de Grof; para os que não a conhecem, darei aqui um breve resumo.[6] Grof começou como psiquiatra psicanalítico; sua formação era freudiana, não junguiana; no entanto, a surpreendente conclusão de sua obra foi ratificar a perspectiva arquetípica de Jung num novo nível, coerentemente sintetizada com a visão biológica e biográfica de Freud, embora num estrato bem mais profundo da psique do que este último identificara.

As descobertas de Grof basearam-se em sua observação de milhares de sessões psicanalíticas, inicialmente em Praga e mais tarde em Maryland, no Institute of Mental Health, em que as pessoas usavam fortíssimas substâncias psicoativas (LSD em especial), e depois uma série de poderosos métodos terapêuticos sem o uso de drogas, que serviram como catalisadores de processos inconscientes. Grof descobriu que os envolvidos nessas sessões tendiam a passar por explorações cada vez mais profundas do inconsciente, durante as quais invariavelmente emergia uma seqüência central de experiências de grande complexidade e intensidade. Nas sessões iniciais, os sujeitos voltavam tipicamente a experiências e traumas biográficos cada vez mais antigos — complexo de Édipo, alimentação, primeiras experiências infantis — em geral inteligíveis nos termos dos princípios psicanalíticos freudianos, parecendo comprovações de laboratório básicas das teorias de Freud. No entanto, depois de reviver e integrar esses diversos complexos da memória, os sujeitos tendiam regularmente a ir a um passado mais distante e chegar a um envolvimento de grande intensidade com o processo do nascimento biológico.

Embora sentido a um nível biológico da maneira mais detalhada e explícita possível, esse processo era informado ou vinha saturado por uma seqüência arquetípica muito distinta de considerável força numinosa. Os sujeitos relatavam que as experiências nesse nível possuíam uma intensidade e universalidade que ultrapassavam em muito tudo aquilo que houvessem anteriormente acreditado ser o limite da experiência de um ser humano. As experiências ocorriam em alto grau de variabilidade, sobrepunham-se umas às outras de maneiras muito complexas, mas, abstraindo essa complexidade, Grof encontrou uma seqüência distinta bastante visível — que passava de uma condição inicial de unidade indiferenciada com o ventre materno, ia para uma sensação de queda súbita e separação daquela unidade orgânica primal, passava a uma violentíssima luta de vida e morte com o útero e o canal do parto em contrações e culminava numa sensação de completo aniquilamento. A isso, quase que imediatamente seguia-se uma sensação de súbita e inesperada libertação global, caracteristicamente percebida não somente como um nascimento físico, mas também como uma renascimento espiritual, ambos misteriosamente entrelaçados.

Devo aqui mencionar que vivi durante mais de dez anos no Instituto Esalen, em Big Sur, na Califórnia, onde fui diretor de programas; nesses anos, virtualmente todas as formas concebíveis de terapia e transformação pessoal, as grandes e as pequenas, passavam por Esalen. Em termos de eficácia terapêutica, Grof era de longe o mais forte, não há comparação. No entanto, o preço era alto; em certo sentido, um preço absoluto: reviver o nascimento de uma pessoa era uma experiência que ocorria num contexto de profunda crise existencial e espiritual, com imensa dor física, intolerável contração e pressão, extremo estreitamento dos horizontes mentais, uma sensação de alienação desamparada e da total ausência de significado da vida, um sentimento de enlouquecer irreversivelmente e, por fim, um esmagador encontro com a morte — com a total perda física, psicológica, intelectual e espiritual. Contudo, depois de integrar essa longa seqüência experiencial, as pessoas normalmente falavam de uma impressionante expansão dos horizontes, uma radical mudança de visão da natureza da realidade, uma sensação de súbito despertar, o sentimento de estar fundamentalmente reconectado ao Universo; e com tudo isso, vinha junto uma profunda sensação de cura psicológica e libertação espiritual. No final dessas sessões e em outras subseqüentes, informavam ter acesso a memórias de existência intra-uterina pré-natal, que tipicamente emergiam associadas a experiências arquetípicas de paraíso, união mística com a Natureza, a divindade ou com a Grande Deusa Mãe, dissolução do ego no êxtase de união ao Universo, absorção ao Um transcendental e outras formas de experiência mística unitiva. Freud chamou de "sentimento oceânico" as indicações que observara nesse nível de experiência, embora se referisse apenas às experiências dos bebês de unidade com a mãe na alimentação ao seio — uma versão menos profunda da consciência primal indiferenciada da condição intra-uterina.

Em termos da psicoterapia, Grof descobriu que a fonte mais profunda de sintomas e perturbações psicológicas ultrapassava bastante os traumas infantis e os eventos biográficos e chegavam à própria experiência do parto, intimamente entrelaçados ao encontro com a morte. Quando bem resolvida, essa experiência tendia a resultar no impressionante desaparecimento de problemas psicopatológicos há muito existentes, inclusive condições e sintomas que se haviam demonstrado totalmente refratários a programas terapêuticos anteriores. Aqui devo enfatizar que essa seqüência de experiências "perinatais" (em torno do parto) tipicamente ocorriam em diversos níveis ao mesmo tempo, mas virtualmente sempre tinham um intenso componente somático. A catarse física envolvida na revivência do trauma do parto era fortíssima e claramente indicava a razão para a relativa ineficácia da maioria das formas de terapia psicanalítica, amplamente baseadas na interação verbal e que, em comparação, mal parecem arranhar a superfície. As experiências perinatais que emergiam no trabalho de Grof eram pré-verbais, celulares, elementais: só ocorriam quando a capacidade normal de controle do ego estivesse superada, fosse através do uso de uma substância psicoativa catalítica, de uma técnica terapêutica ou por meio da força espontânea do material inconsciente.

Essas experiências também tinham um caráter profundamente arquetípico. O choque com essa seqüência perinatal sempre trazia aos sujeitos uma sensação de que a própria Natureza, inclusive o corpo humano, era o repositório e receptáculo do arquetípico, de que os processos da Natureza eram processos arquetípicos — algo de que Freud e Jung tinham chegado muito perto, mas oriundos de direções opostas. O trabalho de Grof forneceu uma base biológica mais clara para os arquétipos junguianos e, da mesma forma, uma base arquetípica mais clara para os instintos freudianos. O encontro com nascimento e morte nessa seqüência parecia representar uma espécie de ponto de transmissão de energia entre dimensões, um eixo que ligava o biológico e o arquetípico, o freudiano e o junguiano, o biográfico e o coletivo, o pessoal e o transpessoal, corpo e espírito. Retrospectivamente falando, pode-se pensar que a evolução da psicanálise gradualmente empurrou a perspectiva freudiana biográfico-biológica para períodos cada vez mais anteriores da vida individual até que, atingindo o próprio momento do parto, essa estratégia culminava em uma decisiva negação do reducionismo freudiano ortodoxo, abrindo a concepção psicanalítica para uma ontologia da experiência humana radicalmente mais complexa e expandida. A conseqüência tem sido uma compreensão da psique irredutivelmente multidimensional, como a própria experiência da seqüência perinatal.

Seria possível discutir-se uma legião de implicações do trabalho de Grof: percepções sobre as raízes do sexismo masculino no medo inconsciente dos corpos femininos que dão à luz; sobre as origens do complexo de Édipo na luta bem mais primordial e fundamental contra as aparentemente punitivas contrações uterinas e o canal do parto contraído para retomar a união com o nutriente ventre materno; sobre a importância terapêutica da luta com a morte; sobre a origem de situações psicopatológicas específicas como a depressão, fobias, neuroses obsessivo-compulsivas, perturbações sexuais, sadomasoquismo, manias, suicídio, vício, diversas condições psicóticas, além das perturbações psicológicas coletivas, como o impulso para a guerra e o totalitarismo. Poder-se-ia discutir a soberbamente esclarecedora síntese da obra de Grof realizada na teoria psicodinâmica, unindo Freud e Jung, mas também Reich, Rank, Adler, Ferenczi, Klein,

Fairbairn, Winnicott, Erikson, Maslow, Perls, Laing. No entanto, minha preocupação aqui não é psicoterapêutica, mas filosófica; embora essa área perinatal constitua o limiar crucial para a transformação terapêutica, ela mostrou ser também o âmago das grandes questões filosóficas e intelectuais. Por isso, limitarei a discussão a conseqüências e implicações específicas da obra de Grof para nossa atual situação epistemológica.

Nesse contexto, algumas generalizações críticas da evidência clínica são relevantes.

Primeiro, a seqüência arquetípica que regia os fenômenos perinatais do ventre ao canal do parto e ao nascimento era sentida acima de tudo como uma vigorosa *dialética* — que passava de um estado inicial de unidade indiferenciada a um estado de contração, conflito e contradição, seguida de uma sensação de separação, dualidade e alienação; finalmente, passava por uma etapa de completa aniquilação e chegava a uma inesperada libertação redentora, que ao mesmo tempo superava e realizava o estado alienado intermediário — restauradora da unidade inicial, mas num novo nível, que preservava a realização de toda a trajetória.

Em segundo lugar, essa dialética arquetípica muitas vezes era sentida simultaneamente no nível individual e, muitas vezes com maior vigor, no nível coletivo, de modo que o movimento a partir da unidade primordial, passando pela alienação e chegando à solução libertadora era sentido em termos da evolução de toda uma cultura, por exemplo, ou de toda a Humanidade — o nascimento do *Homo sapiens* da Natureza não menos importante do que o nascimento de um filho de sua mãe. Aqui o pessoal e o transpessoal estavam igualmente presentes, indissoluvelmente fundidos, de maneira que a ontologia não apenas recapitulava a filogenia, mas em certo sentido a abria para esta.

Finalmente, em terceiro plano, essa experiência arquetípica era sentida ou registrada em inúmeras dimensões — física, psicológica, intelectual, espiritual — e em geral mais de uma delas ao mesmo tempo, ou às vezes tudo simultaneamente, em combinação bastante complexa. Como enfatizou Grof, a evidência clínica não mostra que esta seqüência perinatal se reduza simplesmente ao trauma do parto; ao contrário, aparentemente, o processo biológico do parto é em si a expressão de um processo arquetípico subjacente mais vasto, que pode manifestar-se em muitas dimensões. Assim:

- em termos *físicos*, a seqüência perinatal foi sentida como gestação e parto biológico, passando da união simbiótica com o ventre protetor onipotente, passando por um gradual aumento de complexidade e individualização nessa matriz, para enfrentar as contrações do útero, do canal do parto; por fim, o nascimento;

- em termos *psicológicos*, era uma experiência de movimento a partir de uma condição inicial de consciência pré-egóica para um estado de crescente individualização e separação entre o ego e o mundo, crescente alienação existencial, e por fim um sentimento de morte do ego seguida do renascimento psicológico; muitas vezes tudo em complexa associação com a experiência biográfica de sair do ventre da infância, passar pela dureza da vida e a contração do envelhecimento, até o encontro com a morte;
- no nível *religioso*, a seqüência experiencial assumia formas amplamente diversificadas; era muito freqüente o afastamento simbólico judaico-cristão do Jardim primordial por causa da Queda, o exílio da separação da divindade e a entrada no mundo de sofrimento e morte, seguidos pela crucificação e ressurreição redentoras, que voltavam a reunir o divino e o humano. No nível individual, essa experiência da seqüência perinatal parecia-se muito — talvez fosse mesmo essencialmente idêntica — com a iniciação de morte e renascimento das antigas religiões de mistério;
- por fim, no nível *filosófico*, a experiência era compreensível em termos que poderiam ser chamados neoplatônico-hegeliano-nietzschenianos como uma evolução dialética partindo da Unidade primordial estruturada, passando por uma emanação à matéria de complexidade, multiplicidade e individualização cada vez maiores, por um estado de absoluta alienação — a morte de Deus no sentido conferido tanto por Hegel como por Nietzsche — que era seguida por uma impressionante *Aufhebung*, uma síntese e reunificação com o Ser auto-subsistente que ao mesmo tempo aniquila e realiza a trajetória individual.

Essa seqüência vivencial em muitos níveis é relevante para uma extraordinária série de questões importantes, mas suas implicações epistemológicas têm significado especial em nossa situação intelectual contemporânea.[7] Do ponto de vista sugerido pela evidência, a fundamental dicotomia sujeito-objeto que tem dominado e definido a consciência moderna — que tem *constituído* a consciência moderna, que geralmente se pressupõe ser absoluta, não questionada como base para qualquer perspectiva e experiência do mundo "realista" — parece ter raízes numa específica condição arquetípica associada ao trauma não resolvido do nascimento humano, em que uma consciência original de unidade orgânica indiferenciada com a mãe, uma *participação mística* com a Natureza, desenvolveu-se exageradamente, rompeu-se e foi perdida. Aqui, tanto o nível individual como o coletivo podem ser considerados a fonte do profundo dualismo da mente moderna: entre Homem e Natureza, entre mente e matéria, entre o *eu* e o outro, entre o sentir e o real — essa difusa sensação de um ego isolado irrevogavelmente separado do mundo circundante. Aqui está a dolorosa separação do intemporal ventre abrangente da Natureza, o desenvolvimento da autoconsciência humana, a perda da ligação com a matriz da existência, a expulsão do Jardim, a entrada na História, no Tempo e na materialidade, o desencantamento do Cosmo, a sensação de completa imersão num mundo antitético de forças impessoais; a experiência de um universo essencialmente indiferente, hostil, insondável; o esforço compulsivo para livrar-se do poder da Natureza, de controlar e dominar suas forças e mesmo de vingar-se dela; o medo primal de perder o controle e o domínio, enraizado na consciência totalmente absorvente e no medo da morte — que inevitavelmente acompanha o ego emergente da matriz coletiva. Acima de tudo, aqui está a profunda sensação da separação ontológica e epistemológica entre o *eu* e o mundo.

Esse sentido de separação fundamental estrutura-se então nos princípios interpretativos legitimados da cultura moderna. Não foi por acidente que Descartes, o homem que pela primeira vez formulou sistematicamente o moderno ego racional separado, tenha sido também a mesma pessoa que pela primeira vez formulou sistematicamente o Cosmo mecanicista para a revolução copernicana. Todas as premissas e categorias axiomáticas básicas da Ciência moderna asseguram a construção de uma visão de mundo desencantada e alienante: o pressuposto da existência de um mundo exterior independente a ser investigado por uma razão humana autônoma, a insistência na explicação mecanicista impessoal, a rejeição de qualidades espirituais no Cosmo, o repúdio a qualquer significado ou propósito intrínseco na Natureza, a exigência de interpretação unívoca literal de um mundo de fatos indiscutíveis. Hillman enfatizava: "As evidências que reunimos para apoiar uma hipótese e a retórica usada em sua argumentação já fazem parte da constelação de arquétipos em que vivemos... A idéia 'objetiva' que encontramos no padrão dos dados é também a idéia 'subjetiva' com que examinamos os dados."[8]

Sob esse ponto de vista, os pressupostos filosóficos cartesiano-kantianos que têm dominado a cultura moderna, que informaram e impeliram a moderna realização científica, refletem a dominância de uma vigorosa *Gestalt* arquetípica, de um gabarito experimental que seletivamente filtra e molda a consciência humana de maneira a se perceber uma realidade burra, literal, objetiva e alienada, estranha. O paradigma cartesiano-kantiano ao mesmo tempo expressa e ratifica um estado de consciência em que a experiência das profundezas numinosas unitivas da realidade foi sistematicamente extinta, deixando o mundo desencantado e o ego humano isolado. Essa visão de mundo é, por assim dizer, uma espécie de caixa metafísica e epistemológica, um sistema hermeticamente fechado que reflete o cerceamento do processo arquetípico do nascimento. É a intricada articulação de um específico domínio arquetípico em que a consciência humana é cercada e confinada como se existisse dentro de uma bolha solipsística.

Naturalmente, a grande ironia aqui sugerida é que, justamente quando a cultura moderna acredita ter-se purificado mais completamente de quaisquer projeções antropomórficas, quando ela diligentemente constrói um mundo inconsciente, mecânico e impessoal, justamente aí o mundo é mais intensamente um constructo seletivo da mente humana. A mente humana abstraiu do conjunto toda a inteligência, propósito e significado consciente, reivindicando-os exclusivamente para si; depois, projetou no mundo uma máquina. Essa é a suprema projeção antropomórfica, como Rupert Sheldrake apontou: uma máquina feita pelo homem, algo jamais encontrado de fato na Natureza. Desse ponto de vista, é a própria frieza impessoal da mente moderna que foi projetada de si no mundo — para ser mais preciso, que foi projetivamente extraída do mundo.

No entanto, tem sido destino e responsabilidade da psicologia profunda o fato de essa tradição espantosamente criativa, fundada por Freud e Jung, mediar o acesso da cultura moderna às forças e realidades arquetípicas que reconectam o ego individual com o mundo, dissolvendo a visão de mundo dualista. Restrospectivamente, parece na verdade que a psicologia profunda *teria mesmo de* produzir a consciência dessas realidades na cultura moderna: se o reino do arquetípico não podia ser identificado na Filosofia, na Religião e na Ciência da chamada cultura erudita, teria mesmo de voltar a emergir do mundo subterrâneo da psique. L.L. White observou que a idéia do inconsciente surgiu pela primeira vez, desempenhando um papel cada vez mais importante na história intelectual do Ocidente quase imediatamente depois da época de Descartes, começando sua lenta ascensão até Freud. No início do século XX, Freud apresentou sua obra ao mundo com *A Interpretação dos Sonhos*, abrindo-a com a grande epígrafe de Virgílio que dizia tudo: "Se não posso dobrar os deuses lá em cima, passarei às regiões infernais." Era inevitável a compensação — se não em cima, então embaixo.

Assim, a condição moderna começa como um movimento prometéico em direção à liberdade humana, à autonomia da matriz abrangente da Natureza, à individualização a partir do coletivo, enquanto gradual e inevitavelmente a condição cartesiano-kantiana evolui para um estado kafka-becketiano de isolamento e absurdo existencial — um intolerável duplo vínculo que leva a uma espécie de furor desconstrutivo. Mais uma vez, o duplo vínculo existencial espelha muito de perto a situação do bebê dentro da mãe em trabalho de parto: depois de ter estado simbioticamente unido ao ventre nutritivo, depois de crescer e desenvolver-se dentro dessa matriz, o centro amado de um mundo que a tudo abrangia e a tudo apoiava agora era alienado desse mundo, contraído, desamparado, esmagado, estrangulado e expelido num estado de extrema confusão e ansiedade — uma situação inexplicável e incoerente de grande intensidade traumática.

Contudo, a vivência plena desse duplo vínculo, essa dialética entre a unidade primordial de um lado e o trabalho de parto e a dicotomia sujeito-objeto de outro, inesperadamente causa uma terceira condição: uma reunificação redentora do *eu* individualizado com a matriz universal. Assim, a criança nasce e é abraçada pela mãe, o herói ascende do mundo subterrâneo e volta para casa depois de sua grande odisséia. O individual e o universal estão reconciliados. O sofrimento, a alienação e a morte são agora entendidas como necessárias para o nascimento, para a criação do *eu*: *Oh felix culpa!* Uma situação essencialmente ininteligível é agora admitida como elemento necessário num contexto mais amplo de profunda inteligibilidade. A dialética está realizada, a alienação redimida. A ruptura com a Existência é curada. O mundo é redescoberto em seu encantamento primordial. O *eu* autônomo individual foi forjado e agora está reunido com a base de sua existência.

A Evolução das Visões de Mundo

Tudo isso mostra que é preciso uma nova perspectiva epistemológica, mais sofisticada e abrangente. Embora a epistemologia cartesiano-kantiana tenha sido o paradigma dominante na cultura moderna, não foi o único; quase precisamente no mesmo instante em que o Iluminismo atingia seu clímax filosófico em Kant, começou a emergir uma perspectiva epistemológica radicalmente diferente — inicialmente visível nos estudos das formas naturais de Goethe, foi desenvolvida em outras direções por Schiller, Schelling, Hegel, Coleridge e Emerson, e articulada ainda no século passado por Rudolf Steiner. Cada um desses pensadores deu sua ênfase distinta à nova perspectiva; o comum a todas era a fundamental convicção de que a relação da mente humana com o mundo não era afinal dualista, mas participatória.

Em sua essência, esta concepção alternativa não se opunha à epistemologia kantiana; ao contrário, a sobrepujava, subordinando-a em uma compreensão mais ampla e mais sutil do conhecimento humano. A nova concepção reconheceu plenamente a validade da percepção crítica de Kant, de que todo conhecimento humano do mundo é em algum sentido determinado por princípios subjetivos; no entanto, em vez de considerá-los em última análise pertencentes ao sujeito humano isolado, sem base portanto no mundo independente da cognição humana, essa concepção participatória sustentava que tais princípios subjetivos são de fato uma expressão da própria existência do mundo e que, afinal de contas, a mente humana é o órgão em que se processa a própria auto-revelação do mundo. Sob tal ponto de vista, a realidade essencial da Natureza não está separada, não se contém e não é completa em si mesma, de modo a que a mente humana possa examiná-la "objetivamente" e registrá-la de fora. Ou melhor, a verdade que se desvenda da Natureza só emerge com a real participação do espírito humano. A realidade da Natureza não é meramente fenomenal, nem é independente e objetiva; é algo que passa a existir através do próprio ato da cognição. A Natureza se torna inteligível para si mesma através da mente humana.

Dessa perspectiva, a Natureza a tudo impregna e a própria mente humana em toda sua plenitude é uma expressão de sua existência essencial. Somente quando a mente humana traz de dentro de si toda a força de uma disciplinada criatividade e satura sua observação empírica com a percepção arquetípica é que emerge a realidade mais profunda do mundo. Portanto, uma vida interior desenvolvida é indispensável para a cognição. Em sua mais profunda e autêntica expressão, a criatividade intelectual não projeta simplesmente suas idéias na Natureza a partir de um cantinho de seu cérebro isolado. Ao contrário, de sua profundeza, a imaginação entra diretamente em contato com o processo criativo da Natureza, realiza-o em si mesma e traz sua realidade a uma expressão consciente. Por isso a intuição imaginativa não é uma distorção subjetiva, mas a realização humana da inteireza essencial dessa realidade dilacerada pela percepção dualista. A imaginação humana é em si parte da intrínseca verdade do mundo; em certo sentido, sem ela o mundo está incompleto. As duas grandes formas do dualismo epistemológico — a concepção pré-crítica e a crítica pós-kantiana do conhecimento humano — aqui se opõem e são sintetizadas. Por um lado, a cultura humana não produz apenas conceitos que "correspondem" a uma realidade externa. No entanto, por outro, também não "impõe" sua própria ordem ao mundo. Ao contrário, a verdade do mundo realiza-se na mente humana e através dela.

Essa epistemologia participatória, desenvolvida de maneiras diferentes por Goethe, Hegel, Steiner e outros, pode ser entendida não como regressão à ingênua *participation mystique*, mas como a síntese dialética da longa evolução a partir da consciência primordial indiferenciada através da alienação dualista. Ela incorpora a compreensão pós-moderna do conhecimento e a ultrapassa. O caráter interpretativo e construtivo da cognição humana é plenamente reconhecido, mas o relacionamento íntimo, interpenetrante e totalmente permeante da Natureza com o ser humano e sua mente permite que a conseqüência kantiana da alienação epistemológica seja inteiramente superada. O espírito humano não prescreve meramente a ordem fenomenal da Natureza; é, antes, o espírito da Natureza que produz *sua própria* ordem através do espírito humano, quando este utiliza todas as suas faculdades complementares: intelectual, volitiva, emocional, sensorial, criativa, estética, epifânica. Nesse conhecimento, o espírito humano "vive" na atuação criativa da Natureza. O mundo então expressa o seu significado através da consciência humana. Pode-se então perceber que a própria linguagem está enraizada numa realidade mais profunda, no momento em que reflete o desvendamento do significado do Universo. Através do intelecto humano, em toda a sua luta, individualidade e dependência pessoais, o conteúdo-pensamento evolutivo do mundo obtém sua realização consciente. Sim, o conhecimento do mundo é estruturado pela contribuição subjetiva da mente; mas essa contribuição é teleologicamente provocada pelo Universo para sua própria auto-revelação. O pensamento humano não espelha e nem pode refletir uma verdade objetiva pronta no mundo; é antes a verdade do mundo que obtém sua existência quando surge no espírito. Como a planta, que em certo momento produz sua flor, o Universo produz novos momentos do conhecimento humano. Como Hegel enfatizou, a evolução do conhecimento humano é a evolução da auto-revelação do mundo.

Naturalmente, uma tal perspectiva mostra que o paradigma cartesiano-kantiano e, portanto, o duplo vínculo epistemologicamente reforçado da consciência moderna não é absoluto. Mas se tomamos essa epistemologia participatória e a combinamos à descoberta da seqüência perinatal de Grof e à dialética arquetípica que lhe está subjacente, é então sugerida uma conclusão mais surpreendente: o paradigma cartesiano-kantiano e mesmo toda a trajetória até a alienação tomada pelo espírito do homem não foram simplesmente um equívoco, uma infeliz aberração, mera manifestação da cegueira do Homem — mas, ao contrário, refletia um processo arquetípico bem mais profundo impelido por forças que estão muito além do meramente humano. Desse ponto de vista, a poderosa contração de visão experimentada pelo espírito humano foi em si uma autêntica expressão do desvendamento da Natureza, um processo sancionado cada vez mais pelo independente intelecto humano, que agora atinge um momento grandemente decisivo de transfiguração. Nessa perspectiva, a epistemologia dualista derivada de Kant e do Iluminismo não é o simples oposto da epistemologia participativa derivada de Goethe e do Romantismo, mas antes um subconjunto desta, uma fase necessária na evolução da cultura humana. Se isso é verdade, talvez agora se esclareçam diversos paradoxos filosóficos que há muito permanecem.

Darei enfoque a uma área especialmente significativa. Grande parte do mais interessante trabalho na epistemologia contemporânea veio da Filosofia da Ciência; acima de tudo, da obra de Popper, Kuhn e Feyerabend. Todavia, apesar dessa obra, ou melhor, por causa dela, que de tantas maneiras revelou a natureza relativa e radicalmente interpretativa do conhecimento científico, os filósofos da ciência permaneceram com dois dilemas notoriamente fundamentais: um, deixado por Popper; outro, por Kuhn e Feyerabend.

O problema do conhecimento científico legado por Hume e Kant foi brilhantemente explicado por Popper. Para este, assim como para a mente moderna, o Homem aborda o mundo como um estranho — mas um estranho sedento de explicação e com a capacidade de criar mitos, histórias, teorias e a vontade de testá-los. Às vezes, por sorte e trabalho árduo, com muitos erros, descobre-se que um mito funciona. A teoria poupa os fenômenos; é uma questão de sorte. Esta é a grandeza da ciência: através de uma ocasional combinação feliz de rigor e inventividade, pode-se descobrir que uma concepção inteiramente humana funciona no mundo empírico, pelo menos de modo temporário. Mas resta uma questão atormentadora para Popper: afinal, como serão possíveis as conjecturas bem-sucedidas, os mitos bem-sucedidos? Como a mente humana consegue adquirir o genuíno conhecimento, tratando-se apenas de mitos projetados que são testados? Por que funcionam esses mitos? Se a mente humana não tem acesso a uma certa verdade axiomática, e se todas as observações estão sempre já saturadas por pressupostos não comprovados sobre o mundo, como poderia essa mente conceber uma legítima teoria bem-sucedida? Popper respondeu essa questão dizendo que, no final das contas, é "sorte" — mas esta resposta jamais satisfez. Por que razão a imaginação de um *estranho* seria alguma vez capaz de conceber a partir de si mesmo um mito que funciona de modo tão esplêndido no mundo empírico, que civilizações inteiras podem ser erigidas sobre ele (como aconteceu com Newton)? Como algo pode surgir do nada?

Creio que só existe uma resposta plausível para esse enigma e uma resposta sugerida pelo referencial epistemológico esboçado acima: as conjecturas e os mitos audaciosos que a mente humana produz em sua busca pelo conhecimento vêm de algo muito mais profundo do que uma fonte unicamente humana. Originam-se da fonte da própria Natureza, do inconsciente universal que, através da mente e da imaginação humana, gradualmente desvenda e apresenta sua própria realidade. Segundo esse ponto de vista, as teorias de Copérnico, Newton ou Einstein não se devem somente à sorte de um estranho, mas refletem o fundamental parentesco da mente humana com o Cosmo, o seu papel essencial como veículo do significado do Universo que se desvenda. Segundo essa visão, nem o cético pós-moderno, nem o filósofo estão corretos na opinião compartilhada de que o paradigma científico moderno não tem afinal nenhuma base cósmica. Esse paradigma é, em si, parte de um processo evolutivo mais vasto.

Podemos agora apresentar uma solução para aquele problema fundamental deixado por Kuhn — explicar por que, na história da Ciência, um paradigma é escolhido de preferência a outro, se afinal os paradigmas são incomensuráveis, quando eles jamais podem ser rigorosamente comparados. Como Thomas Kuhn indicou, cada paradigma tende a criar seus próprios dados e sua própria maneira de interpretar esses dados de maneira tão compreensiva e autoválida, que cientistas trabalhando com diferentes paradigmas parecem existir em mundos completamente diferentes. Embora para uma dada comunidade de intérpretes científicos um paradigma pareça superior a outro, não há nenhum meio de justificar esta superioridade, quando cada paradigma rege e satura seu próprio "banco de dados". Também não existe nenhum consenso entre os cientistas a respeito de uma medida ou valor comum — como a precisão conceitual, ou a coerência, ou a amplitude, ou a simplicidade, ou a resistência à falsificação, ou a congruência com teorias usadas em outras especialidades, ou a produtividade em novas descobertas da pesquisa — que pudessem ser utilizados como padrão universal de comparação. O valor considerado mais importante varia de uma era científica para outra, de uma disciplina para outra, ou mesmo até entre cada um dos grupos de pesquisa. O que pode então explicar o progresso do conhecimento científico se, afinal, cada paradigma se baseia seletivamente em modos diferenciados de interpretação, em diferentes conjuntos de dados e diferentes valores científicos?

Kuhn sempre resolveu esse problema dizendo que, na melhor das hipóteses, a decisão está na comunidade científica existente e atuante, que proporciona a base final de justificação. Não obstante, muitos cientistas reclamaram que essa resposta parece minar os próprios alicerces do empreendimento científico, deixando-a à mercê de fatores sociológicos e pessoais que subjetivamente distorcem a análise científica. Como o próprio Kuhn demonstrou, na prática, em geral, os cientistas *não* questionam fundamentalmente o paradigma dominante nem o testam em relação a outras alternativas, por inúmeras razões — pedagógicas, sócio-econômicas, culturais, psicológicas — a maioria delas inconsciente. Como qualquer pessoa, os cientistas se apegam a suas crenças. O que, afinal, explica o avanço da ciência de um paradigma para outro? A evolução do conhecimento científico tem algo a ver com a "verdade" ou é um mero artefato da sociologia? Mais radicalmente, com a expressão de Paul Feyerabend de que "qualquer coisa vale" na batalha dos paradigmas: se *vale qualquer coisa*, então por que, afinal, vale *uma* determinada coisa em vez da outra? Por que razão qualquer paradigma científico é considerado superior? Se qualquer coisa vale, por que vale qualquer coisa?

Proponho uma resposta segundo a qual um paradigma emerge na história da ciência, é reconhecido como superior, verdadeiro e válido, precisamente quando esse paradigma ressoa em relação ao presente estado arquetípico da psique coletiva em evolução. Um paradigma parece contar por mais dados, ou por dados mais importantes, parece mais pertinente, mais convincente, mais atraente, fundamentalmente porque tornou-se mais adequado para aquela cultura ou aquele indivíduo no exato momento em sua evolução. A dinâmica desse desenvolvimento arquetípico parece essencialmente idêntica à dinâmica do processo perinatal. A descrição de Kuhn da dialética vigente entre a Ciência normal e as grandes revoluções de paradigma tem um impressionante paralelo com a dinâmica perinatal descrita por Grof: a busca do conhecimento sempre ocorre num dado paradigma, dentro de uma matriz conceitual — um ventre que proporciona uma estrutura protetora, que promove o crescimento e o desenvolvimento de sua complexidade e sofisticação — até gradualmente sentir-se a contração da estrutura, como que aprisionada, produzindo uma tensão de contradições insolúveis, culminando com a crise. Aparece então algum gênio prometéico inspirado e lhe é concedida a graça de um rompimento interior para uma outra visão que dá ao espírito científico uma nova sensação de estar cognitivamente ligado — *religado* — ao mundo: ocorre uma revolução intelectual e nasce um novo paradigma. Vemos aqui por que esses gênios normalmente sentem seu rompimento intelectual como uma profunda iluminação, uma revelação do próprio princípio criativo, como a exclamação de Newton para Deus: "Penso que pensais por Vós!" — pois o espírito humano segue a via arquetípica numinosa que se desdobra de seu interior.

Aqui vemos também por que o mesmo paradigma, como o aristotélico ou o newtoniano, é percebido como liberação num momento e depois como uma contração, uma prisão, em outro. O *parto* de todo paradigma novo é também uma *concepção* numa nova matriz conceitual, que reinicia todo o processo de gestação, desenvolvimento, crise e revolução. Cada paradigma é um estágio numa seqüência evolutiva que se desdobra; quando esse paradigma realizou seu objetivo, quando foi desenvolvido e explorado em toda a sua extensão, perde sua numinosidade, deixa de estar libidinalmente carregado, torna-se opressivo, limitador, opaco, algo a ser superado — enquanto o novo paradigma que emerge é sentido como nascimento libertador num novo universo luminosamente inteligível. O antigo universo geocêntrico, simbolicamente ressonante de Aristóteles, Ptolomeu e Dante, perde aos poucos sua numinosidade, passa a ser considerado um problema cheio de contradições e, ao lado de Copérnico e Kepler, toda essa numinosidade é transferida para o Cosmo heliocêntrico. Como a evolução das mudanças de paradigma é um processo *arquetípico* e não simplesmente racional-empírico ou sociológico, ela ocorre historicamente dentro e fora, "subjetiva" e "objetivamente". Quando a *Gestalt* interior muda na cultura, começam a aparecer novas evidências empíricas, textos pertinentes do passado são desenterrados, formulam-se justificativas epistemológicas adequadas, coincidem mudanças sociológicas que servem de reforço, surgem novas tecnologias, o telescópio é inventado e por acaso cai nas mãos de Galileu. Simultaneamente novas predisposições psicológicas e novos pressupostos metafísicos emergem da mente coletiva e de muitas mentes individuais, correspondidas e estimuladas pela sincrônica chegada de novos dados, novos contextos sociais, novas metodologias e novos instrumentos que complementam a emergente *Gestalt* arquetípica.

E o que acontece na evolução dos paradigmas, ocorre também em todas as formas do pensamento humano. A emergência de um novo paradigma filosófico, seja de Platão, Tomás de Aquino, Kant ou Heidegger, jamais é simples conseqüência do aperfeiçoamento da argumentação lógica dos dados observados. Mais do que isso, cada filosofia, cada perspectiva e epistemologia metafísica reflete a emergência de uma *Gestalt* global empírica informando a visão dominante nas observações e argumentações do filósofo, o que termina afetando todo o contexto sociológico e cultural onde esta visão toma forma.

A própria possibilidade do aparecimento de uma nova visão de mundo repousa na dinâmica arquetípica subjacente da cultura mais ampla. Assim, a revolução copernicana que emergiu durante o Renascimento e a Reforma refletia o momento arquetípico do nascimento da modernidade, gestada no ventre cósmico-eclesiástico antigo-medieval. No outro extremo, todo o radical rompimento maciço de tantas estruturas no século XX — culturais, filosóficas, científicas, religiosas, morais, artísticas, sociais, econômicas, políticas, atômicas, ecológicas — mostra a necessária desconstrução antes de um novo nascimento. Por que está agora tão evidente um ímpeto cada vez maior e mais disseminado na cultura ocidental para a articulação de uma visão de mundo holística e participativa, visível em praticamente todos os campos? A psique coletiva parece estar nas garras de uma poderosa dinâmica arquetípica em que a mente moderna, há muito alienada, irrompe das contrações de seu processo de nascimento, do que Blake chamou de "algemas forjadas pela mente", para redescobrir seu relacionamento íntimo com a Natureza e com o amplo Cosmo circundante.

Podemos assim identificar uma enorme variedade desse tipo de seqüências arquetípicas em cada revolução científica, em cada mudança de visão de mundo. Talvez possamos também identificar uma dialética arquetípica global na evolução da consciência humana, subordinando todas essas seqüências menores, uma longa metatrajetória, iniciada na *participation mystique* primordial e, em certo sentido, culminando diante de nossos olhos. Sob essa luz, podemos compreender melhor a grande viagem epistemológica da cultura ocidental desde o nascimento da filosofia gerada na consciência mitológica da Grécia antiga, passando pelas Eras Clássica, Medieval e Moderna, até chegar em nossa própria Era Pós-moderna: extraordinária sucessão de visões de mundo, a impressionante seqüência de transformações da apreensão da realidade pela mente humana, a misteriosa evolução da linguagem, a alternância dos relacionamentos entre universal e particular, transcendente e imanente, conceito e percepção, consciente e inconsciente, sujeito e objeto, o *eu* e o mundo — o constante movimento para a diferenciação, a autoridade gradualmente assumida pelo intelecto humano, a lenta fabricação do ego subjetivo e o conseqüente desencantamento do mundo, a supressão e retração do arquetípico, a configuração do inconsciente humano, a alienação global, a desconstrução extremada e, por fim, talvez a emergência de uma consciência participativa dialeticamente integrada e *religada* ao universal.

Para fazer justiça a essa complexa progressão epistemológica e às outras grandes trajetórias dialéticas da história intelectual e espiritual do Ocidente que paralelamente a acompanharam — cosmológica, psicológica, religiosa, existencial — seria preciso outro livro. Em vez disso, gostaria de concluir com um panorama muito amplo e breve de toda essa longa evolução histórica, uma espécie de metanarrativa arquetípica, aplicando em grande escala as percepções e os pontos de vistas apresentados na discussão acima.

Tudo Retorna

Podem-se fazer, hoje, inúmeras generalizações sobre a história da cultura ocidental, porém a mais imediatamente óbvia é o fato de ter sido do início ao fim um fenômeno avassaladoramente masculino: Sócrates, Platão, Aristóteles, Paulo, Agostinho, Tomás de Aquino, Lutero, Copérnico, Galileu, Bacon, Descartes, Newton, Locke, Hume, Kant, Darwin, Marx, Nietzsche, Freud... A tradição intelectual do Ocidente tem sido produzida e canonizada quase inteiramente por homens e constituída principalmente dos pontos de vista masculinos. Essa predominância de pontos de vista masculina certamente não ocorreu na história intelectual do Ocidente porque as mulheres sejam menos inteligentes. Mas isso poderia ser atribuído *unicamente* à restrição social? Penso que não. Creio que há algo mais profundo, algo arquetípico. A masculinidade da cultura ocidental tem sido difusa e fundamental, tanto nos homens como nas mulheres, afetando todos os aspectos do pensamento ocidental, determinando sua concepção mais elementar do ser humano e de seu papel no mundo. Todos os grandes idiomas sob os quais a tradição ocidental se desenvolveu, do grego e do latim em diante, tenderam a personificar a espécie humana com palavras de gênero masculino: *anthropos, homo, l'homme, el hombre, l'uomo, chelovek, der Mensch, man,* homem. A narrativa histórica neste livro o refletiu fielmente, "Homem" isso e "Homem" aquilo: "a ascendência do Homem", "a relação do Homem com Deus", "o lugar do Homem no Cosmo", "a luta do Homem com a Natureza", "a grande realização do Homem moderno" e assim por diante. O "Homem" da tradição ocidental tem sido um herói masculino indagador, um rebelde prometéico biológico e metafísico sempre em busca de liberdade e progresso para si mesmo, em luta constante para diferenciar-se e dominar a matriz de onde emergiu. Esta predisposição masculina na evolução da cultura ocidental, ainda que muito inconsciente, não é apenas uma característica dessa evolução, mas essencial em relação a ela.[9]

A evolução da cultura ocidental tem sido conduzida por um impulso heróico de forjar um ego humano racional e autônomo, separando-o da unidade primordial com a Natureza. Todas as suas perspectivas religiosas, científicas e filosóficas fundamentais foram influenciadas por essa decisiva masculinidade — iniciada há quatro milênios com as grandes conquistas nômades patriarcais na Grécia e no Levante sobre as antigas culturais matriarcais, visível na religião patriarcal do Ocidente desde o Judaísmo, na filosofia racionalista da Grécia, na ciência objetivista da Europa moderna. Todas serviram à causa da autônoma vontade e intelecto humano que evoluía: o ego transcendental, o ego individual autônomo, o ser humano autodeterminado em sua singularidade, isolamento e liberdade. Para realizar tudo isso, a cultura masculina reprimiu a feminina. Quer se constate na antiga subjugação dos gregos e na revisão das mitologias matrifocais pré-helênicas, quer na negação judaico-cristã da Grande Deusa Mãe ou na exaltação do ego racional friamente consciente de si mesmo e radicalmente separado de uma natureza exterior desencantada, a evolução da cultura ocidental baseou-se na repressão do feminino — na repressão da consciência unitária indiferenciada, da *participation mystique* com a Natureza: uma progressiva negação da *anima mundi,* da alma do mundo, da comunidade do ser, do onipresente, do mistério e da ambigüidade, da imaginação, da criatividade, emoção, instinto, Natureza, mulher.

Essa separação necessariamente causa um anseio pela reunião com o que foi perdido — especialmente depois que a heróica busca masculina foi levada a seu extremo máximo e unilateral na consciência da cultura moderna recente — que, em seu isolamento absoluto, tomou para si toda a inteligência consciente no Universo (só o Homem é um ser inteligente, o cosmo é cego e mecânico, Deus está morto). O Homem está diante da crise existencial de ser um ego consciente solitário e mortal lançado num universo basicamente desprovido de sentido e impossível de ser conhecido. Está também diante da crise psicológica e biológica de viver num mundo que veio a ser moldado de maneira a coincidir precisamente com sua visão própria — ou seja, num ambiente artificial, cada vez mais mecanicista, atomizado, frio e autodestrutivo. *A crise do Homem moderno é essencialmente uma crise masculina*, mas acredito que já esteja ocorrendo sua solução, com a extraordinária emergência do feminino em nossa cultura. Visível não apenas na ascensão do feminismo, na crescente autoridade das mulheres e na disseminada abertura para os valores femininos em homens e mulheres, não apenas no rápido desenvolvimento da instrução das mulheres e das perspectivas sensíveis em relação ao gênero em praticamente todas as disciplinas intelectuais, mas também no sentido de unidade cada vez maior para com o planeta e todas as formas da Natureza, na crescente consciência do ecológico e na maior reação contra as políticas públicas e empresariais que apóiam o domínio e a exploração do ambiente, na compreensão cada vez maior da comunidade humana, na acelerada queda de barreiras políticas e ideológicas que há muito tempo separam os povos do mundo, no reconhecimento cada vez mais profundo do valor e da necessidade da parceria, do pluralismo e do intercâmbio de muitas visões. É visível também no impulso difundido de reencontrar o corpo, as emoções, o inconsciente, a imaginação e a intuição, na nova preocupação com o mistério do parto e a dignidade do maternal, no crescente reconhecimento de uma inteligência imanente na Natureza, na ampla popularidade da hipótese de Gaia. Pode ser vista na crescente valorização das perspectivas culturais indígenas e arcaicas, como o *Native American* (o Americano Autêntico), o africano e o europeu antigo, na nova consciência das perspectivas femininas do divino, na recuperação arqueológica da tradição da Deusa e no ressurgimento contemporâneo da veneração à Deusa, na ascensão da teologia judaico-cristã e na declaração papal da *Assumptio Mariae*, no amplamente observado aumento repentino e espontâneo de fenômenos arquetípicos femininos em sonhos individuais e na psicoterapia. Também está evidente na grande onda de interesse pela visão mitológica, pelas disciplinas esotéricas, pelo misticismo oriental, pelo xamanismo, pela psicologia arquetípica e transpessoal, pela hermenêutica e outras epistemologias não-objetivistas, pelas teorias científicas do universo holonômico, campos morfogenéticos, estruturas dissipativas, teoria do caos, teoria dos sistemas, pelo universo participatório — a lista poderia continuar infinitamente. Conforme a profecia de Jung, está ocorrendo uma mudança "épica" na psique contemporânea, uma reconciliação entre as duas grandes polaridades, uma união dos opostos: um *hieros gamos* (casamento sagrado) entre o masculino, há muito dominante e hoje alienado, e o feminino há muito reprimido, mas hoje em ascensão.

Essa impressionante mudança não é apenas uma compensação, um simples retorno do reprimido, pois acredito que essa sempre foi a meta subjacente na evolução intelectual e espiritual do Ocidente. *A paixão mais profunda do espírito ocidental tem sido a de se re-ligar com a essência de seu ser.* O que impeliu a consciência masculina do Ocidente até agora não tem sido a busca dialética apenas por sua própria realização, para forjar sua própria autonomia, mas sim para recuperar sua conexão com o todo, para chegar a bom termo com o princípio feminino na vida: para diferenciar-se mas redescobrir e se reunir com o feminino, com o mistério da vida, da Natureza, da alma. Essa reunião pode agora ocorrer em um novo nível profundamente diferente daquela unidade primordial inconsciente, pois a longa evolução da consciência humana preparou-a para ser capaz de, no mínimo, compreender livre e conscientemente a base e a matriz de sua própria existência. O *télos*, a direção e o objetivo interiores, da cultura ocidental tem sido religar-se ao Cosmo em consistente e madura *participation mystique*, entregar-se livre e conscientemente ao abraço da unidade maior que preserva a autonomia e ao mesmo tempo transcende a alienação humana.

No entanto, para obter essa reintegração do feminino reprimido, o masculino deve passar por um sacrifício, a morte do ego. A mente ocidental deve querer abrir-se para uma realidade cuja natureza poderá estilhaçar suas crenças mais firmes sobre si e sobre o mundo. *Nisso* consiste o verdadeiro ato de heroísmo. Agora será preciso transpor um limiar, que exige um corajoso ato de fé, de imaginação, de confiança numa realidade mais ampla e mais complexa; um limiar que, além disso, exige um discernimento inabalável. Esse é o grande desafio de nosso tempo, o imperativo evolucionário de que o masculino veja além de sua arrogância e unilateralidade e as supere, seja dono de sua própria sombra, escolha entrar num relacionamento de mutualidade fundamentalmente nova com o feminino em todas as suas formas. O feminino será então plenamente reconhecido, respeitado e responderá por si, em vez de ser controlado, negado e explorado. Reconhecido, admitido: não o "outro" objetificado, mas fonte, meta e presença imanente.

Esse é o grande desafio, mas creio que um desafio para o qual a cultura ocidental vem lentamente se preparando para resolver durante toda sua existência. Acredito que o inquieto desenvolvimento interior e a incessantemente inovadora ordenação masculina da realidade vem gradualmente levando, num longo movimento dialético, para uma reconciliação com a unidade feminina perdida, para um profundo casamento em muitos aspectos do masculino com o feminino, uma reunião triunfante e restauradora. Penso também que boa parte do conflito e da confusão de nossa própria era reflete o fato de que esse drama da evolução talvez esteja agora chegando a seu clímax.[10] Nosso tempo está lutando para produzir algo fundamentalmente novo na história humana: é como se estivéssemos testemunhando, sofrendo o trabalho de parto de uma nova realidade, uma forma nova da existência humana, um "filho" que será o fruto desse grandioso casamento arquetípico e que traria dentro de si todos seus antecedentes numa nova forma. Assim, devo professar os indispensáveis ideais expressados pelos que apóiam o feminismo, o ecológico, o arcaico e outras perspectivas contraculturais e multiculturais. Mas gostaria também de citar e reverenciar os que valorizaram e sustentaram a tradição central do Ocidente — toda a trajetória, dos poetas épicos da Grécia e dos profetas hebreus em diante, a longa batalha intelectual e espiritual de Sócrates, Platão, Paulo e Agostinho a Galileu, Descartes, Kant, Freud —, pois acredito que essa tradição, esse fabuloso projeto ocidental deveria ser considerado parte de uma grande dialética e não simplesmente rejeitado como uma conspiração imperialista-chauvinista. Essa tradição não apenas obteve a fundamental diferenciação e autonomia do humano, que isoladamente poderia permitir a possibilidade de uma síntese mais ampla, mas também preparou a duras penas o caminho para sua própria autotranscendência. Além do mais, essa tradição possui recursos, deixados para trás e eliminados por seu avanço prometéico, que mal começamos a integrar — e que, paradoxalmente, somente a abertura para o feminino nos permitirá integrar. Cada perspectiva, masculina e feminina, é aqui afirmada, confirmada e transcendida, reconhecida como parte de um todo maior, cada polaridade requerendo a outra para sua realização. Sua síntese leva a algo além de si mesma: traz uma inesperada abertura para uma realidade maior que não pode ser apreendida antes de chegar, porque é, em si, um ato criativo.

Mas por que a difusa masculinidade da tradição intelectual e espiritual do Ocidente subitamente se torna tão aparente para nós hoje, depois de permanecer invisível para quase todas as gerações anteriores? Creio que isso ocorre somente agora porque, como disse Hegel, a civilização não pode tornar-se consciente de si mesmo, não pode admitir seu próprio significado, antes de amadurecer ao ponto de se aproximar da própria morte.

Estamos vivenciando hoje algo que parece muito a morte do Homem moderno, algo que realmente parece muito a morte do Homem ocidental. Talvez o fim do próprio "homem" esteja acontecendo. O homem é algo a ser superado — e realizado, se adotado integralmente o feminino.

Cronologia

(As datas dos eventos na Antigüidade são aproximadas.)

2000 a.C.	começam as migrações de povos indo-europeus de fala grega na área do Egeu
1950	os patriarcas hebreus migram da Mesopotâmia para Canaã (segundo datação bíblica tradicional)
1800	primeiras observações astronômicas registradas na Mesopotâmia
1700	nos dois séculos seguintes, apogeu da civilização minoana em Creta, influenciando todo o território grego
1600	gradual fusão grega de religiões indo-européias e pré-helênicas
1450	queda da civilização micênica em Creta, depois de invasões e desastres vulcânicos
1400	ascendência da civilização micênica no território grego
1250	conduzidos por Moisés, os hebreus saem do Egito
1200	guerra dos troianos contra os gregos micênicos
1100	invasões dóricas, final da dominação micênica
1000	Davi une o reino de Israel, com a capital em Jerusalém
950	no reinado de Salomão, construção do Templo
900-700	composição dos primeiros livros da Bíblia hebraica; Homero escreve a *Ilíada* e a *Odisséia*
776	primeiros jogos pan-helênicos em Olímpia
750	a colonização grega do Mediterrâneo dissemina-se
740	aparece o primeiro Isaías em Israel
700	*Teogonia* e *Os trabalhos e os dias*, de Hesíodo
600	surge Tales de Mileto: nascimento da filosofia
594	Sólon reforma o governo de Atenas, estabelece regras para o recital público dos poemas de Homero

590	aparece Jeremias em Israel
586-538	cativeiro babilônico dos judeus; com Ezequiel e o Segundo Isaías, emerge a profecia da redenção histórica; início da compilação e redação das Escrituras hebraicas
580	com Safo, floresce a poesia lírica dos gregos
570	com Anaximandro, desenvolve-se a cosmologia sistemática
545	Anaximenes postula a tese das transmutações da substância fundamental
525	Pitágoras começa a fraternidade filosófico-religiosa: desenvolve a síntese de ciência e misticismo
520	com Xenófanes, emerge o conceito do progresso humano, o monoteísmo filosófico, o ceticismo em relação às divindades antropomórficas
508	reformas democráticas instituídas em Atenas por Clístenes
500	com Heráclito, a filosofia do fluxo difuso, o *Logos* universal
499	começam as guerras persas
490	Atenas derrota o exército persa em Maratona
480	os gregos derrotam a frota persa em Salamina
478	estabelecimento da Liga Délia dos Estados Gregos sob a liderança de Atenas; começa o período de ascendência ateniense
472	*os Persas*, de Ésquilo: ascensão da tragédia grega
470	com Píndaro, a poesia lírica grega atinge o auge; Parmênides postula a tese da oposição lógica entre as aparências e a imutável realidade unitária
469	nascimento de Sócrates
465	*Prometeu Acorrentado*, de Ésquilo
460	com Anaxágoras, emerge o conceito da mente universal (*Nous*)
458-429	período de Péricles
450	começam a aparecer os sofistas
447	construção do Partenon (terminado em 432)

446	Heródoto escreve *Histórias*
441	*Antígona*, de Sófocles
431	*Medéia*, de Eurípedes
431-404	guerra do Peloponeso entre Atenas e Esparta
430	com Demócrito, o atomismo
429	*Édipo Rei*, de Sófocles
427	nascimento de Platão
423	*As Nuvens*, de Aristófanes
420	Tucídides escreve a *História da Guerra do Peloponeso*
415	*As Troianas*, de Eurípides
410	Hipócrates lança as bases da medicina antiga
404	Atenas derrotada por Esparta
399	julgamento e execução de Sócrates
399-347	são escritos os *Diálogos* de Platão
387	Platão funda a Academia, em Atenas
367	Aristóteles inicia vinte anos de estudo na Academia de Platão
360	Eudoxus formula a primeira teoria do movimento planetário
347	morte de Platão
342	Aristóteles torna-se preceptor de Alexandre na Macedônia
338	Filipe II da Macedônia subjuga a Grécia
336	morte de Filipe, ascensão de Alexandre
336-323	conquistas de Alexandre Magno
335	Aristóteles funda o Liceu em Atenas
331	fundação de Alexandria no Egito
323	morte de Alexandre; início do período helenístico (até *c.* 312 d.C.)
322	morte de Aristóteles
320	aparece Pirro de Élis, fundador do ceticismo
306	Epicuro funda a escola epicurista em Atenas
300	Zeno da Cítia funda a escola estóica em Atenas

300-100 apogeu de Alexandria como centro da cultura helênica desenvolvimento da Ciência, Astrologia e dos estudos humanistas

295 os *Elementos* de Euclides codificam a geometria clássica

280 o Museu (*Mouseion*) é construído em Alexandria

270 Aristarco propõe a teoria heliocêntrica

260 o ceticismo é ensinado na Academia de Platão pelos próximos dois séculos

250 a Bíblia hebraica é traduzida para o grego por letrados alexandrinos

240 Arquimedes desenvolve a mecânica e a matemática clássica

220 Apolônio de Perga, desenvolve a Astronomia e a Geometria

146 A Grécia é conquistada por Roma

130 Hiparco faz o primeiro mapa abrangente dos céus; desenvolve a Cosmologia geocêntrica clássica

63 Júlio César reforma o calendário;
Cícero denuncia a conspiração de Catilina

60 *De Rerum Natura,* de Lucrécio, expõe a teoria atomista do universo de Epicuro

58-48 César conquista a Gália, derrotando Pompeu

45-44 emerge a obra filosófica de Cícero

44 assassinato de Júlio César

31 Otaviano (Augusto) derrota Antônio e Cleópatra;
início do Império Romano

29 Lívio começa a escrever a história de Roma

23 *Odes,* de Horácio

19 *Eneida,* de Virgílio

8-4 a.C. nascimento de Jesus de Nazaré

8 d.C. *Metamorfoses,* de Ovídio

14 morte de Augusto

15 *Astronomica,* de Manílio

23 *Geografia,* de Estrabão

29-30	morte de Jesus
35	conversão de Paulo a caminho de Damasco
40	com Fílon de Alexandria, a integração do Judaísmo ao platonismo
48	Concílio dos Apóstolos em Jerusalém reconhece a missão de Paulo junto aos gentios
50-60	Paulo escreve suas Epístolas
64-68	apóstolos Pedro e Paulo martirizados em Roma sob o reinado de Nero; primeira grande perseguição aos cristãos
64-70	Evangelho de Marcos
70	templo de Jerusalém é destruído pelos romanos
70-80	Evangelhos de Mateus e Lucas
90-100	Evangelho de João
95	*Institutio Oratoria,* de Quintiliano, codifica a educação humanista em Roma
96	aparece pela primeira vez a fórmula *en Christo Paideia,* que prenuncia a síntese do humanismo clássico com o cristianismo
100	*Introdução à Aritmética,* de Nicômaco
100-200	florescimento do gnosticismo
109	*Historiae,* de Tácito
110	Plutarco escreve *Vidas Paralelas,* biografias comparadas de eminentes gregos e romanos
120	aparece Epiteto, moralista estóico
140	O *Almagesto* e o *Tetrabiblos* de Ptolomeu codificam a Astronomia e Astrologia clássicas
150	primeira síntese de cristianismo e platonismo de Justino, o Mártir
161	Marco Aurélio torna-se imperador
170	Galeno desenvolve a ciência da medicina
175	mais antigo cânone autorizado existente do Novo Testamento
180	a obra *Contra as Heresias* de Irineu critica o gnosticismo;

	Clemente assume a liderança da escola cristã em Alexandria
190	Sextus Empiricus condensa o ceticismo clássico
200 (*circa*)	o *Corpus Hermeticus* é compilado em Alexandria
203	Orígenes sucede a Clemente na chefia da escola catequética
232	Plotino inicia onze anos de estudo com Amônius Sacas, em Alexandria
235-285	invasões bárbaras no Império Romano; tem início uma inflação alta, a praga se dissemina, a população é reduzida
248	o *Contra Celsum* de Orígenes defende o cristianismo contra os intelectuais pagãos
250-260	os imperadores Décio e Valeriano perseguem os cristãos
265	Plotino escreve e ensina em Roma; o neoplatonismo emerge
301	Porfírio compila as *Enéadas* de Plotino
303	Diocleciano dá início à última e mais séria perseguição aos cristãos
312	conversão de Constantino ao cristianismo
313	Edito de Milão determina a tolerância ao cristianismo no Império Romano
324	*História Eclesiástica* de Eusébio: o primeiro relato histórico da Igreja cristã
325	Concílio de Nicéia, convocado por Constantino, estabelece a doutrina ortodoxa cristã
330	Constantino muda a capital imperial para Constantinopla (Bizâncio)
354	nascimento de Agostinho
361-363	Juliano, o Apóstata, restaura por pouco tempo o paganismo no Império Romano
370	começa a grande invasão dos hunos na Europa (até 453)
374	Ambrósio torna-se bispo de Milão
382	Jerônimo começa a tradução da Bíblia para o latim
386	conversão de Agostinho

391	Teodósio proíbe qualquer veneração pagã no Império Romano; destruição do Sarapeum em Alexandria
400	*Confissões*, de Agostinho
410	Roma é saqueada pelos visigodos
413-427	*A Cidade de Deus*, de Agostinho
415	morte de Hipátia em Alexandria
430	morte de Agostinho
439	os vândalos tomam Cartago, o Ocidente é devastado pelos bárbaros
476	fim do Império Romano no Ocidente
485	morte de Próclus, último grande filósofo pagão
498	sob Clóvis, os francos se convertem ao catolicismo
500 (*circa*)	aparece Dionísio, o Areopagita, neoplatonista cristão
524	*O Consolo da Filosofia*, de Boécio
529	Justiniano fecha a Academia platônica em Atenas; Benedito funda o primeiro monastério em Monte Cassino
590-604	Papado de Gregório, o Grande
622	início do Islã
731	*História Eclesiástica do Povo Inglês*, de Bede, populariza o método de datar-se os eventos a partir do nascimento de Cristo
732	forças muçulmanas detidas na Europa por Carlos Martelo, em Poitiers
781	Alcuíno lidera o renascimento carolíngio, estabelece o estudo das sete artes liberais como currículo básico na Idade Média
800	Carlos Magno é coroado imperador do Ocidente
866	*De Divisione Naturae*, de Johannes Scotus Erigena, síntese do cristianismo e do neoplatonismo
1000	a maior parte da Europa encontra-se sob influência cristã
1054	declaração do cisma entre as Igrejas do Ocidente e Oriente

1077	*Meditação sobre Rasoabilidade da Fé*, de Anselmo
1090	Roscellinus ensina o nominalismo
1095	Urbano II dá início à Primeira Cruzada
1117	*Sic et Non*, de Abelardo
1130	Hugo de Saint-Victor escreve a primeira *Summa* medieval
1150	começa a redescoberta da obra de Aristóteles no Ocidente latino
1170	fundação da Universidade de Paris; desenvolvimento de centros intelectuais em Oxford e Cambridge; corte de Eleonora de Aquitânia em Poitiers torna-se o centro da poesia dos menestréis e modelo da vida cortesã
1185	*A Arte do Amor Cortês*, de André le Chapelain
1190	com Joaquim de Fiore, emerge a filosofia trinitária da história
1194	começa a construção da catedral de Chartres
1209	Francisco de Assis funda a ordem franciscana
1210	*Parsifal*, de Wolfram von Eschmbach; *Tristão e Isolda*, de Gottfried von Strassburg
1215	é assinada a *Carta Magna*
1216	Domingos funda a ordem dominicana
1225	nascimento de Tomás de Aquino
1245	Tomás de Aquino começa seus estudos com Albertus Magnus em Paris
1247	Roger Bacon começa a pesquisa experimental em Oxford
1260	consagração da catedral de Chartres
1266	Siger de Brabante torna-se proeminente em Paris
1266-73	*Summa Theologica*, de Tomás de Aquino
1274	morte de Tomás de Aquino
1280	*Roman de la Rose*, de Jean de Meun
1300-30	disseminação do misticismo no Reno, com Meister Eckhart
1304	nascimento de Petrarca

1305	Duns Scotus ensina em Paris
1309	o Papado muda-se para Avignon ("Cativeiro da Babilônia")
1310-14	*Divina Comédia,* de Dante
1319	Ockham torna-se professor em Oxford
1323	Tomás de Aquino é canonizado
1330-50	divulgação do pensamento de Ockham (nominalismo) em Oxford e Paris
1335	é erigido em Milão, primeiro relógio público que bate as horas
1337	começa a Guerra dos Cem Anos entre Inglaterra e França
1340	Buridan é feito reitor na Universidade de Paris
1341	Petrarca é laureado como poeta no Capitolino em Roma
1347-51	a Peste Negra desvasta a Europa
1353	*Decamerão,* de Boccaccio
1377	o *Livro sobre o Céu e o Mundo,* de Oresme, defende a possibilidade teórica de uma Terra em movimento
1378	o Grande Cisma, conflito entre papas rivais (até 1417)
1380	Waycliffe ataca os abusos da Igreja e a doutrina ortodoxa
1400	*Contos de Canterbury,* de Chaucer
1404	*A Respeito dos Estudos Liberais,* de Vergerio: primeiro tratado humanista sobre a educação
1415	o reformador religioso Jan Hus é queimado na fogueira
1429	Joana d'Arc lidera os franceses contra os ingleses; *História de Florença,* de Bruni, inicia a historiografia do Renascimento
1434	Cósimo de Médicis ascende ao poder em Florença
1435	*Da Pintura,* de Alberti, sistematiza princípios de perspectiva
1440	*Da Ignorância Instruída,* de Nicolau de Cusa; *Do Verdadeiro Bem,* de Valla
1452	nascimento de Leonardo da Vinci
1453	Constantinopla cai sob os turcos otomanos; fim do Império Bizantino

1455	é impressa a Bíblia de Gutenberg; começa a revolução da imprensa
1462	Ficino dirige a Academia Platônica de Florença
1469	em Florença, ascensão de Lourenço, o Magnífico
1470	Ficino completa a primeira tradução para o latim dos *Diálogos* de Platão
1473	nascimento de Copérnico
1482	*Theologica Platonica,* de Ficino
1483	nascimento de Lutero;
	A Virgem das Pedras, de Leonardo da Vinci
1485	*O Nascimento de Vênus,* de Botticelli
1486	*Oração sobre a Dignidade do Homem,* de Pico della Mirandola
1492	Colombo chega à América
1497	Vasco da Gama chega à Índia; Copérnico estuda na Itália e faz sua primeira observação astronômica
1498	*A Última Ceia,* de Leonardo da Vinci
1504	*Davi,* de Michelângelo
1506	começa a construção da Basílica de São Pedro em Roma
1508	*Adágios,* de Erasmo
1508-11	*A Escola de Atenas, Parnasso, Triunfo da Igreja,* de Rafael
1508-12	o teto da Capela Sistina, de Michelângelo
1512-14	*Commentariolus,* de Copérnico, primeiro esboço da teoria heliocêntrica
1513	*O Príncipe,* de Maquiavel
1513-14	*O Cavaleiro, a Morte e o Demônio; São Jerônimo em sua Meditação; Melancolia I,* de Dürer
1516	*Utopia,* de Tomás More; Erasmo traduz para o latim o Novo Testamento
1517	Lutero prega as Noventa e Cinco Teses na porta da catedral de Wittenburgo; começa a Reforma

1519	*Da Liberdade Cristã,* de Lutero
1521	Lutero é excomungado e desafia a Dieta de Worms
1524	Erasmo defende o livre-arbítrio contra Lutero
1527	Paracelso dá aulas na Basiléia
1528	*A Cortesã,* de Castiglione
1530	a Confissão das Igrejas Luteranas de Augsburgo de Melanctonio
1532	*Pantagruel,* de Rabelais
1534	Henrique VIII assina o Ato de Supremacia rejeitando o controle do Papa; Lutero termina a tradução da Bíblia para o alemão
1535	*Exercícios Espirituais,* de Inácio de Loiola
1536	*Institutos da Religião Cristã,* de Calvino
1540	Inácio de Loyola funda a Companhia de Jesus; *Narratio Prima,* de Rheticus; primeira obra publicada descrevendo a teoria de Copérnico
1541	*O Julgamento Final,* de Michelângelo
1542	implantação da Inquisição romana
1543	*De Revolutionibus Orbium Coelestium,* de Copérnico; *Sobre a Estrutura do Corpo Humano,* de Vesálio
1545-63	Concílio de Trento: início da Contra-Reforma
1550	*Vida dos Artistas,* de Vasari
1554	primeiro missário de Palestrina
1564	nascimento de Galileu e de Shakespeare
1567	Teresa d'Ávila e João da Cruz promovem a reforma dos carmelitas
1572	Tycho Brahe observa a supernova
1580	*Ensaios,* de Montaigne
1582	instituída a reforma do calendário gregoriano
1584	*Do Universo e dos Mundos Infinitos,* de Giordano Bruno
1590	*Henrique VI,* de Shakespeare
1596	nascimento de Descartes;

	Mysterium Cosmographicum, de Kepler; *Faerie Queene*, de Spenser
1597	*Ensaios*, de Bacon
1600	*Hamlet*, de Shakespeare; a Inquisição executa Giordano Bruno por heresia; *Do Ímã*, de Gilbert
1602	*Dos Fundamentos mais Certos da Astrologia*, de Kepler
1605	*O Progresso do Ensino*, de Bacon; *Dom Quixote*, de Cervantes
1607	*Orfeu*, de Monteverdi
1609	*Astronomia Nova*, de Kepler, as duas primeiras leis do movimento planetário
1610	Galileu anuncia descobertas pelo telescópio, em *Sidereus Nuncius*
1611	tradução para o inglês da Bíblia do rei James; *A Tempestade*, de Shakespeare
1616	a Igreja Católica declara "falsa e errônea" a teoria de Copérnico
1618-48	Guerra dos Trinta Anos
1619	*Harmonia Mundi*, de Kepler: terceira lei do movimento planetário; Descartes apresenta sua visão reveladora de uma nova ciência
1620	*Novum Organum*, de Bacon
1623	*Assayer*, de Galileu; *Mysterium Magnum*, de Boheme
1628	*Do Movimento do Coração e do Sangue nos Animais*, de Harvey
1632	*Diálogo sobre os dois Principais Sistemas do Mundo*, de Galileu
1633	Galileu é condenado pela Inquisição
1635	fundação da Académie Française
1636	fundação da Universidade de Harvard
1637	*Discurso sobre o Método*, de Descartes; *El Cid*, de Corneille

1638	*Duas Novas Ciências,* de Galileu
1640	*Agostinho,* de Jansen: começa o jansenismo na França
1642-48	Guerra Civil na Inglaterra
1644	*Principia Philosophiae,* de Descartes; *Areopagitica,* de Milton
1647	*Astrologia Cristã,* de Lilly
1648	a Paz da Westfália encerra a Guerra dos Trinta Anos
1651	*Leviatã,* de Hobbes
1660	fundação da Royal Society, na Inglaterra; *Novas Experiências Físico-mecânicas,* de Boyle
1664	*Tartufo,* de Molière
1665-66	Newton faz as primeiras descobertas científicas e desenvolve o cálculo
1666	Hooke demonstra a teoria mecânica do movimento planetário; fundação da Académie des Sciences na França
1667	*O Paraíso Perdido,* de Milton
1670	*Pensées,* de Pascal
1675	disseminação do pietismo evangélico na Alemanha
1677	*Ética,* de Spinoza; *Fedra,* de Racine; Leeuwenhoek descobre os organismos microscópicos
1678	*O Progresso do Peregrino,* de Bunyan; *História Crítica do Antigo Testamento,* de Simon, é a primeira crítica textual da Bíblia; Huygens propõe a teoria das ondas de luz
1687	*Principia Mathematica Philosophiae Naturalis,* de Newton; começa a briga entre antigos e modernos na Académie Française
1688-89	"Revolução Gloriosa", na Inglaterra
1690	*Ensaio sobre o Entendimento Humano* e *Dois Tratados sobre o Governo Civil,* de Locke
1697	*Dicionário Histórico e Crítico,* de Bayle

1704	*Ótica,* de Newton
1710	*Princípios do Conhecimento Humano,* de Berkeley
1714	*Monadologia,* de Leibniz
1719	*Robinson Crusoe,* de Daniel Defoe
1721	*As Cartas Persas,* de Montesquieu
1724	*A Paixão segundo São João,* de Bach
1725	*Scienza Nuova,* de Vico
1726	*As Viagens de Gulliver,* de Swift
1734	*Lettres Philosophiques,* de Voltaire; *Essay on Man,* de Pope; Jonathan Edwards começa o Grande Despertar nas colônias norte-americanas
1735	*Systema Naturae,* de Lineu
1738	John Wesley começa a restauração do metodismo na Inglaterra
1740	*Pamela,* de Richardson
1741	*Messias,* de Haendel
1747	*L'Homme-machine,* de La Mettrie
1748	*Investigação sobre o Entendimento Humano,* de Hume; *O Espírito das Leis,* de Montesquieu
1749	nascimento de Goethe *Tom Jones,* de Fielding
1750	*Discurso sobre as Ciências e as Artes,* de Rousseau
1751	começa a publicação da *Encyclopédie,* sob a direção de Diderot e d'Alembert; *Experimentos e Observações sobre a Eletricidade,* de Franklin
1755	*Dictionnary of the English Language,* de Johnson
1756	*Ensaio sobre as Maneiras e Costumes das Nações,* de Voltaire
1759	*Tristam Shandy,* de Laurence Sterne; *Cândido,* de Voltaire
1762	*Emílio* e *Contrato Social,* ambos de Rousseau
1764	*História da Arte da Antigüidade,* de Winckelmann, volta a despertar a admiração pela arte e cultura gregas na Europa

1769-70	nascimento de Beethoven, Hegel, Napoleão, Hölderlin e Wordsworth
1770	*Sistema da Natureza,* de Holbach
1771	*A Verdadeira Religião Cristã,* de Swedenborg
1774	*As Tristezas do Jovem Werther,* de Goethe
1775	começa a revolução norte-americana
1776	Jefferson e outros redigem a Declaração da Independência; *A Riqueza das Nações,* de Adam Smith; *Declínio e Queda do Império Romano,* de Gibbon
1778	*Épocas da Natureza,* de Buffon
1779	*Diálogo sobre a Religião Natural,* de Hume
1780	*Educação da Raça Humana,* de Lessing
1781	*Crítica da Razão Pura,* de Kant; Herschel descobre Urano, o primeiro planeta novo desde a Antigüidade
1784	*Idéias para a Filosofia da História da Humanidade,* de Herder
1787	*Don Giovanni,* de Mozart
1787-88	*O Federalista,* de Madison, Hamilton e Jay
1788	*Crítica da Razão Prática,* de Kant; sinfonia *Júpiter,* de Mozart
1789	começa a Revolução Francesa; é divulgada a Declaração dos Direitos do Homem e do Cidadão; *Canções da Inocência,* de Blake; *Tratado Elementar de Química,* de Lavoisier; *Princípios de Moral e Legislação,* de Bentham
1790	*Metamorfose das Plantas,* de Goethe; *Crítica do Julgamento,* de Kant; *Reflexões sobre a Revolução na França,* de Burke
1792	*Defesa dos Direitos da Mulher,* de Mary Woolstonecraft
1793	*Casamento do Céu e do Inferno,* de William Blake
1795	*Cartas sobre a Educação Estética da Humanidade,* de Schiller;

	Esboço para um Quadro Histórico do Progresso do Espírito Humano, de Condorcet; *A Teoria da Terra,* de Hutton
1796	*Exposição do Sistema do Mundo,* de Laplace
1797	*Hyperion,* de Hölderlin
1798	*Baladas Líricas,* de Wordsworth e Coleridge; os irmãos Schlegel começam o *Athenaeum,* periódico romântico; *Ensaio sobre o Princípio da População,* de Malthus
1799	Napoleão torna-se primeiro cônsul na França; *Sobre a Religião: Discursos para os Instruídos que a Menosprezam,* de Schleiermacher
1800	*A Vocação do Homem,* de Fichte; *Sistema do Idealismo Transcendental,* de Schelling
1802	*Heinrich von Ofterdingen,* de Novalis
1803	Dalton propõe a teoria atômica da matéria
1803-4	sinfonia *Heróica,* de Beethoven
1807	*Fenomenologia da Mente,* de Hegel; *Ode: Intimations of Immortality,* de Woodsworth
1808	*Fausto I,* de Goethe
1809	*Filosofia Zoológica,* de Lamarke
1810	*De l'Allemagne,* de Madame de Staël
1813	*Orgulho e Preconceito,* de Jane Austen
1814	*Waverley,* de Sir Walter Scott
1815	Waterloo; Congresso de Viena
1817	*Poemas,* de Keats; *Biographia Literaria,* de Coleridge; *Princípios de Economia Política e Taxação,* de Davi Ricardo; *Enciclopédia das Ciências Filosóficas,* de Hegel
1819	*O Mundo como Vontade e Representação,* de Schopenhauer
1820	*Prometeu Libertado,* de Shelley
1822	*De l'Amour,* de Stendhal; *Teoria Analítica do Calor,* de Fourier

1824 *Nona Sinfonia,* de Beethoven;
Don Juan, de Byron;
Gauss postula a geometria não-euclidiana

1829 Balzac começa a escrever *A Comédia Humana*

1830 *O Vermelho e o Negro,* de Stendhal;
Curso de Filosofia Positiva, de Augusto Comte;
Sinfonia Fantástica, de Berlioz

1831 *Eugène Onegin,* de Pushkin;
Notre Dame de Paris e *As Folhas do Outono,* ambos de Victor Hugo;
Faraday descobre a indução eletromagnética;
Darwin começa a viagem de cinco anos no Beagle

1832 *Fausto II,* de Goethe;
Indiana, de George Sand

1833 *Princípios de Geologia,* de Lyell;
Emerson viaja à Europa, encontra Coleridge e Goethe

1834 *Sartor Resartus,* de Carlyle

1835 *Exame Crítico da Vida de Jesus,* de Strauss;
A Democracia na América, de Tocqueville;
Babbage formula a idéia da máquina de computação digital

1836 *Natureza,* de Emerson, dá início ao transcendentalismo

1837 o discurso dirigido ao "Cientista americano", de Emerson;
Pickwick Papers, de Charles Dickens

1841 *A Essência da Cristandade,* de Feuerbach

1843 *Ou... ou... Medo e Tremor,* ambos de Kierkegaard;
Sistema da Lógica, de Mill;
Pintores Modernos, de Ruskin

1844 nascimento de Nietzsche;
Ensaios, de Emerson

1845 *A Mulher no Século XIX,* de Fuller;
Contos, de Edgar Alan Poe;
A Sagrada Família, de Marx e Engels

1848 *Manifesto Comunista,* de Marx e Engels;
explodem revoluções por toda a Europa;
movimento sufragista das mulheres começa nos Estados Unidos

1850	Clausius formula o conceito da entropia, segunda lei da termodinâmica; *A Letra Escarlate,* de Hawthorne
1851	*Moby Dick,* de Herman Melville; grande exposição em Londres
1854	*Walden,* de Henry Thoreau
1855	*Folhas de Relva,* de Walt Whitman
1857	*Madame Bovary,* de Flaubert; *As Flores do Mal,* de Baudelaire
1858	Darwin e Wallace propõem a teoria da seleção natural
1859	*A Origem das Espécies,* de Darwin; *Sobre a Liberdade,* de Mill; *Tristão e Isolda,* de Wagner
1860	*A Civilização do Renascimento na Itália,* de Buckhardt; debate sobre a evolução entre Wilberforce e Huxley
1861	*Mother Right,* de Bachofen
1861-65	guerra civil norte-americana
1862	*Os Miseráveis,* de Victor Hugo
1863	proclamação da emancipação norte-americana; o Discurso de Gettysburgo, de Lincoln
1865	Mendel propõe a teoria da herança genética
1866	*Morfologia Geral dos Organismos,* de Haeckel; *Crime e Castigo,* de Dostoiévski
1867	*O Capital,* de Marx
1869	*Guerra e Paz,* de Tolstoi; *Cultura e Anarquia,* de Arnold
1871	*A Ascendência do Homem,* de Darwin
1872	*O Nascimento da Tragédia,* de Nietzsche; *Impressão: o Nascer do Sol,* de Monet; *Middlemarch,* de G. Elliot
1873	*Tratado sobre a Eletricidade e o Magnetismo,* de Maxwell
1875	Helena Blavatski funda a Sociedade Teosófica
1877	Peirce publica os primeiros artigos sobre o pragmatismo

1878	Wundt funda o primeiro laboratório de psicologia experimental
1879	Edison inventa a lâmpada elétrica de filamento de carbono; *Begriffschrift*, de Frege, dá início à lógica moderna; *Casa de Boneca*, de Ibsen
1880	*Os Irmãos Karamázov*, de Dostoiévski
1881	*História Universal*, de Ranke
1883	*Introdução às Ciências Humanas*, de Diltey
1883-84	*Assim falou Zaratustra*, de Nietzsche
1884	*Huckleberry Finn*, de Mark Twain
1886	*Iluminações*, de Rimbaud; *Além do Bem e do Mal*, de Nietzsche; *Análise das Sensações*, de Mach
1887	experimento Michelson-Morley
1889	*Noite Estrelada*, de Van Gogh
1890	*Princípios de Psicologia*, de William James; *O Ramo de Ouro*, de James Frazer
1893	*Aparência e Realidade*, de Bradley
1894	*Filosofia da Liberdade*, de Steiner; *O Reino de Deus está em Ti*, de Tolstói; *Princípios de Mecânica*, de Hertz
1895	*A Importância de ser Ernesto*, de Oscar Wilde; *As Regras do Método Sociológico*, de Durkheim
1896	Becquerel descobre a radioatividade no urânio; *Ubu Rei*, de Jarry; *A Gaivota*, de Chekhov
1897	*Vontade de Acreditar*, de James
1898	série de pinturas do Monte Sainte-Victoire de Cézanne
1900	morte de Nietzsche; *A Interpretação dos Sonhos*, de Freud; Planck inicia a física quântica; *Investigações Lógicas*, de Husserl, dá início à fenomenologia; redescoberta da genética mendeliana
1901	*Os Embaixadores*, de Henry James

1902 *As Variedades da Experiência Religiosa,* de William James

1903 *Refutação do Idealismo* e *Principia Ethica,* ambos de Moore;
Homem e Super-homem, de Bernard Shaw;
os irmãos Wright realizam o primeiro vôo motorizado

1905 ensaios de Einstein sobre a relatividade especial, o efeito fotoelétrico, o movimento browniano;
Três Ensaios sobre a Teoria da Sexualidade, de Freud;
A Ética Protestante e o Espírito do Capitalismo, de Weber

1906 *La Théorie Physique,* de Duhem;
Gandhi pratica a filosofia da não-violência

1907 *Pragmatismo,* de William James;
L'Évolution Créatrice, de Bergson;
Les Demoiselles d'Avignon, de Picasso;
O Esboço do Budismo Mahayana, de Suzuki, introduz o budismo no Ocidente

1909 primeira obra atonal de Schoenberg

1910-13 *Principia mathematica,* de Russell e Whitehead

1912 *Psicologia do Inconsciente,* de Jung: rompimento com Freud;
Wegener propõe a teoria da flutuação dos continentes

1913 Steiner funda a Antroposofia;
Sagração da Primavera, de Stravinski;
Em Busca do Tempo Perdido, de Proust;
Filhos e Amantes, de D.H. Lawrence;
Do Sentimento Trágico da Vida, de Unamuno;
The Problem of Christianity (O Problema do Cristianismo) de Royce;
Ford começa a produção em massa de automóveis

1914 *Retrato do Artista quando Jovem,* de Joyce;
O Processo, de Kafka

1914-18 Primeira Guerra Mundial

1915 *Curso de Lingüística Geral,* de Saussure

1916 teoria Geral da Relatividade, de Einstein

1917 *A Idéia do Sagrado,* de Otto;
a Revolução Russa

1918 *O Declínio do Ocidente,* de Spengler

1919 confirmação experimental da teoria geral da relatividade;
Psychology from the Standpoint of a Behaviorist, de Watson;
Epistle to the Romans, de Barth

1920 "The Second Coming", de Yeats;
Além do Princípio do Prazer, de Freud;
primeira emissão radiofônica pública

1921 *The Analysis of the Mind,* de Russell;
Tractatus Logico-Philosophicus, de Wittgenstein

1922 *The Waste Land,* de T.S. Elliot;
Ulisses, de Joyce;
Economia e Sociedade, de Weber

1923 *Duino Elegies,* de Rilke;
Harmonium, de W. Stevens;
O Ego e o Id, de Freud;
I and Thou, de Buber;
Sceptcism and Animal Faith, de Santayana;
Conditioned Reflexes, de Pavlov

1924 *Judgement and Reasoning in the Child,* de Piaget;
The Trauma of Birth, de Rank;
A Montanha Mágica, de Thomas Mann

1925 *A Vision,* de Yeats;
Experience and Nature, de Dewey;
Science and the Modern World, de Whitehead

1926 Schrödinger desenvolve a equação das ondas implícitas na mecânica quântica

1927 Heisenberg formula o princípio da incerteza;
Bohr formula o princípio da complementaridade;
Lemaître propõe a teoria do *Big Bang;*
O Ser e o Tempo, de Heidegger;
O Futuro de uma Ilusão, de Freud;
A Função do Orgasmo, de Reich;
O Lobo da Estepe, de Herman Hesse

1928 *The Tower,* de Yeats;
The Logical Structure of the World, de Carnap;
O Problema Espiritual do Homem Moderno, de Jung

1929 *Process and Reality,* de Whitehead;

	Manifesto do Círculo de Viena: *Scientific Conception of the World;* *O Som e a Fúria,* de Faulkner; *A Room of One's Own,* de Virginia Woolf
1930	*Civilization and Its Discontents,* de Freud; *A Revolta das Massas,* de Ortega y Gasset; *The Historicity of Man and Faith,* de Bultmann
1931	o Teorema de Gödel prova a indizibilidade de proposições em sistemas matemáticos formalizados; *Philosophy of Symbolic Forms,* de Cassirer
1932	*Philosophie,* de Jaspers; *Psicanálise de Crianças,* de Melanie Klein
1933	Hitler chega ao poder na Alemanha
1934	*Um Estudo de História,* de Toynbee; *A Lógica da Pesquisa Científica,* de Popper; *Arquétipos do Inconsciente Coletivo,* de Jung; *Technics and Civilization,* de Mumford
1936	*Great Chain of Being,* de Lovejoy; *Language, Truth and Logic,* de Ayer; *General Theory of Employment, Interest and Money,* de Keynes
1937	*The Ego and Mechanisms of Defense,* de Anna Freud; *On Computable Numbers,* de Turing
1938	*Galileu,* de Brecht; descoberta da fissão nuclear; *A Náusea,* de Sartre
1939	morte de Freud
1939-45	Segunda Guerra Mundial: o Holocausto
1940	*Essay on Metaphysics,* de Collingwood
1941	*The Nature and Destiny of Man,* de Niebuhr; *Escape from Freedom,* de Fromm; *Ficciones,* de Borges
1942	*O Estrangeiro* e *O Mito de Sísifo,* ambos de Camus
1943	*O Ser e o Nada,* de Sartre; *Four Quartets,* de Eliot
1945	*Phénoménologie de la Perception,* de Merleau-Ponty;

	What's Life? de Schrödinger; é lançada a bomba atômica sobre Hiroshima e Nagasaki; fundação da Organização das Nações Unidas
1946-48	início da Guerra Fria; primeira emissão pública da televisão; desenvolvimento dos primeiros computadores eletrônicos digitais
1947	primeiras pinturas abstratas de Jackson Pollock
1948	*Cibernética* de Wiener; *A Divina Relatividade,* de Hartshorne; *The White Goddess,* de Graves; *The Seven Storey Mountain,* de Merton;
1949	*1984,* de George Orwell; *O Mito do Eterno Retorno,* de Mircea Eliade; *The Hero with a Thousand Faces,* de Campbell; *O Segundo Sexo,* de Simone de Beauvoir
1950	Declaração papal da *Assumptio Mariae*
1951	*Systematic Theology,* de Tillich; *Letters and Papers from Prison,* de Bonhoeffer; *Two Dogmas of Empiricism,* de Quine
1952	*Esperando Godot,* de Beckett; *Resposta a Jó* e *Sincronicidade,* ambos de Jung
1953	*Investigações Filosóficas,* de Wittgenstein; *Introdução à Metafísica,* de Heidegger; *Science and Human Behavior,* de Skinner; Watson e Crick descobrem a estrutura do DNA
1954	*As Portas da Percepção,* de Aldous Huxley; *Theological Investigations,* de Rahner; *Science and Civilization in China,* de Needham
1955	*O Fenômeno do Homem,* de Teilhard de Chardin; *Eros e Civilização,* de Marcuse; *Howl,* de Ginsburg
1956	Bateson e outros formulam a teoria do duplo vínculo
1957	*Syntactic Structures,* de Chomsky;

Saving the Appearances, de Barfield;
The Way of Zen, de Watts;
lançado o satélite Sputnik

1958 *Antropologia Estrutural*, de Lévi-Strauss;
Personal Knowledge, de Polanyi

1959 *Life Against Death*, de Brown;
Two Cultures and the Scientific Revolution, de Snow

1960 *Truth and Method*, de Gadamer;
Word and Object, de Quine

1960-72 surgem o movimento dos direitos civis, o movimento estudantil, o feminismo, o ambientalismo, a contracultura

1961 primeiros vôos espaciais;
Psychotherapy East and West, de Watts;
Histoire de la Folie, de Foucault;
Les Damnés de la Terre, de Fanon

1962 *A Estrutura das Revoluções Científicas*, de Thomas Kuhn;
Conjectures and Refutations, de Popper;
Memórias, Sonhos e Reflexões, de Jung;
Toward a Psychology of Being, de Maslow;
Silent Spring, de Rachel Carson;
A Galáxia de Gutenberg, de McLuhan;
começa o Concílio Vaticano II;
fundação do Esalen Institute, ascensão do movimento do potencial humano;
experimentos psicodélicos de Leary e Alpert em Harvard;
ascensão de Bob Dylan, The Beatles e Rolling Stones

1963 marcha dos direitos humanos em Washington, discurso "Sonhei que...", de Martin Luther King;
Mística Feminina, de Betty Friedan;
E. N. Lorenz publica o primeiro ensaio sobre a teoria do caos

1964 Movimento da *free speech* começa em Berkeley;
Gell-Mann e Zweig postulam os *quarks*;
Religious Evolution, de Bellah;
Essais Critiques, de Barthes;
Autobiografia de *Malcolm X*

1965 ofensiva dos Estados Unidos na guerra do Vietnã;
Penzias descobre a radiação cósmica de fundo e Wilson

	apóia a teoria do *Big Bang;* *Religion in the Secular City,* de Cox; última entrevista de Heidegger, em *Der Spiegel*
1966	*Radical Theology and the Death of God,* de Altizer e Hamilton; *Science and Survival,* de Barry Commoner; *Écrits,* de Lacan; teorema da não-localidade de Bell
1967	*Politics of Experience,* de Laing; *L'Écriture et la Différencence,* de Derrida; *Historical Roots of Our Ecologic Crisis,* de White
1968	*Knowledge and Human Interests,* de Habermas; *Criticism and the Methodology of Scientific Research Programmes,* de Lakatos; *General Systems Theory,* de Von Bertalanffy; *Os Ensinamentos de don Juan,* de Castañeda; *The Whole Earth Catalog,* de Brand; *The Population Bomb,* de Ehrlich
1968-70	rebeliões estudantis, movimento contra a guerra, auge da contracultura
1969	os astronautas descem na Lua; Lovelock propõe a hipótese de Gaia; *The Making of a Counter Culture,* de Roszak; *Sexual Politics,* de Millett; *Desert Solitaire,* de Abbey; *Gestalt Therapy Verbatim,* de Perls; *Semiotikè,* de Kristeva; *The Conflict of Interpretations,* de Ricoeur
1970	"Primeiro Dia da Terra"; *Beyond Belief,* de Bellah
1971	*Teologia da Libertação,* de Gutiérrez; *Our Bodies, Ourselves,* da Boston Women's Health Book Collective *Languages of the Brain,* de Pribram
1972	*Steps to an Ecology of Mind,* de Bateson; *The Limits to Growth,* de Meadows

1973	*Small is Beautiful,* de Schumacher; *A Interpretação das Culturas,* de Geertz; *Beyond God the Father,* de Daly; *The Shallow and the Deep Ecology Movements,* de Naess
1974	*Religion and Sexism,* de Ruether; *The Goddesses and Gods of Old Europe,* de Gimbutas
1975	*Realms of the Human Unconscious,* de Grof; *Re-Visioning Psychology,* de Hillman; *O Tao da Física,* de Capra; *Sociobiology,* de Wilson; *Animal Liberation,* de Singer; *Contra o Método,* de Feyerabend
1978	*Ways of Worldmaking,* de Goodman; *The Reproduction of Mothering,* de Chodorow
1979	*Philosophy and the Mirror of Nature,* de Rorty
1980	surgem os computadores pessoais; desenvolvimento da Biotecnologia; *Wholeness and the Implicate Order,* de Bohm; *From Being to Becoming,* de Prigogine; *The Death of Nature,* de Merchant
1981	*A New Science of Life,* de Sheldrake
1982	*In a Different Voice,* de Gilligan; experimento do aspecto confirma o teorema de Bell; *The Fate of the Earth,* de Schell
1983	descoberta das partículas subatômicas W e Z
1984	*The Postmodern Condition,* de Lyotard
1985	*Reflections on Gender and Science,* de Keller; Gorbachev inicia a *perestroika* na União Soviética
1985-90	incremento acelerado da conscientização com relação à crise ecológica planetária
1989-90	fim da Guerra Fria, desmoronamento do Comunismo no Leste europeu

Notas

Introdução

Como a questão do gênero assume hoje especial significado e afeta diretamente a linguagem desta narrativa, cabe aqui um comentário introdutório. Numa narrativa histórica como esta, a distinção entre o ponto de vista do autor e as variadas visões de mundo que ele descreve pode estar obscurecida, a ponto de se tornar interessante uma nota de esclarecimento. Como outros, considero injustificável que hoje um autor use a palavra "Homem" ou "Humanidade" ou os tradicionais pronomes genéricos "ele" ou "dele" quando se refere diretamente à espécie humana ou à pessoa do ser humano genérico, (como em "o destino do "Homem" ou "o relacionamento do Homem com seu ambiente" e expressões afins). Admito que muitos autores e estudiosos responsáveis — principalmente os homens, mas também algumas mulheres — continuam a empregar essas terminologias assim mesmo; compreendo o problema de mudar hábitos profundamente enraizados, mas a longo prazo não creio que esse costume seja defendido em função de algo que mais se resume a questões de estilo (concisão, elegância, vigor retórico, tradição). O motivo, em si meritório, não basta para justificar a implícita exclusão da metade feminina da espécie humana.

Em todo caso, é um uso apropriado — chega a ser realmente necessário para a precisão semântica e exatidão histórica — quando se tem a tarefa específica de articular o modo de pensar, a visão de mundo e a imagem do ser humano expressa pela maioria dos mais importantes personagens do pensamento ocidental, desde o tempo dos gregos até muito recentemente. Na maior parte de sua existência, a tradição intelectual do Ocidente foi inequivocamente patrilinear. Com uma consistência uniforme que hoje mal podemos avaliar, essa tradição foi formada e canonizada quase exclusivamente por homens que escreviam para outros homens; em conseqüência, o ponto de vista antropocêntrico era considerado "natural". Talvez não por coincidência, a característica de todas as línguas mais importantes — tanto antigas quanto modernas — em que se desenvolveu a tradição intelectual do Ocidente era denotar a espécie humana e o ser humano genérico com palavras masculinas em gênero e, em graus variados, em suas implicações (p. ex., o grego *anthropos*, o latim *homo*, o italiano *l'uomo*, o francês *l'homme*, o espanhol *el hombre*, o português *o homem*, o russo *chelovek*, o alemão *der Mensch*, o inglês *man*). Além disso, as generalizações sobre a experiência humana normalmente eram feitas usando-se palavras que em outros contextos explicitamente denotavam apenas os membros do sexo masculino (p. ex., o grego *aner, andres*; o inglês *man, men*). Há muitas complexidades envolvidas quando analisamos essas tendências: cada língua tem suas próprias convenções gramaticais e peculiaridades, nuances e matizes semânticos próprios; diferentes palavras, em diferentes contextos, sugerem diferentes graus, formas de inclusão e tendências — além de todas essas variáveis diferirem de um autor a outro e de uma época para outra. No entanto, percorrer todas essas complexidades evidencia uma predisposição lingüística masculina pacificamente encravada e intrínseca a quase todo o progresso das visões de mundo discutidas neste livro — predisposição que não pode ser extirpada sem uma distorção do significado e estrutura dessas perspectivas culturais. Essa tendência não representa simplesmente uma peculiaridade lingüística; é antes a manifestação lingüística de uma predisposição masculina profundamente enraizada e sistêmica (quando não, em geral inconsciente) no caráter da cultura ocidental.

Quando os grandes pensadores e autores do passado usavam a palavra "Homem" ou quaisquer outras, genéricas, para indicar a espécie humana — como, por exemplo, em *A Origem do Homem* (Darwin, 1871), ou *De Homine Dignitate Oratio* (*Oração sobre a Dignidade do Homem*, Pico della Mirandola, 1486), ou *Das Seelenproblem des modernem Menschen* (*O Problema Espiritual do Homem Moderno*, Jung, 1928) — o significado da palavra impregnava-se de uma ambigüidade fundamental. É claro que um autor que empregasse tal expressão nesse contexto pretendia personificar toda a espécie humana, não apenas os membros do sexo masculino. Entretanto, a partir do quadro mais amplo de entendimento em que a palavra aparece, também evidencia-se que a expressão em geral tenciona denotar e conotar um perfil decididamente masculino no que o autor entendia como a natureza essencial do ser humano e do empreendimento humano. Essa inconstante e persistente ambigüidade na elocução — incluindo ao mesmo tempo os *dois* gêneros, *mas* voltada para o masculino — deve ser transmitida com muita precisão no momento em que se deseja compreender o caráter inconfundível da história cultural e intelectual do Ocidente. O significado masculino implícito dessas expressões não era acidental, ainda que em boa parte inconsciente. Se a presente narrativa tenciona transmitir a imagem tradicional convencional do Ocidente utilizando de maneira sistemática e invariável expressões de gênero neutro como "espécie humana", "Humanidade", "povos", "pessoas", "mulheres e homens", e "ser humano" (não esquecendo "ela/ele" ou "dele/dela"), em vez do que realmente seria utilizado — homem, *anthropos, andres, homines, der Mensch,* etc. — o resultado seria comparável ao trabalho de um autor medieval que, escrevendo sobre a antiga visão grega do divino, conscientemente usasse a palavra "Deus" todas as vezes que os gregos dissessem "os deuses" — corrigindo assim um uso que, para os ouvidos medievais, pareceria ao mesmo tempo errado e ofensivo.

Nesta narrativa histórica, desejei contar como a visão de mundo ocidental evoluiu no modo em que se articulava na tradição intelectual dominante do Ocidente e procurei fazê-lo o mais possível *do ponto de vista esclarecedor da própria tradição.* Escolhendo com todo o cuidado palavras, expressões e suas variantes em toda a narrativa, utilizando a forma estrutural da língua moderna, procurei captar o espírito de cada perspectiva mais importante que emergia dessa tradição. Portanto, em nome da fidelidade histórica, esta narrativa emprega, onde adequado, determinados termos e expressões — como "Homem", "espécie humana", "Homem e Deus", "o lugar do homem no Cosmo", "o aparecimento do Homem na Natureza" e afins — sempre que tais termos e expressões reflitam o espírito e o estilo característico do discurso da personalidade ou época em discussão. Evitar esse tipo de locuções em tal contexto seria censurar a história da cultura ocidental e desfigurar a essência de seu caráter, tornando ininteligível boa parte dela.

A questão da ideologia do gênero e, mais profundamente, a questão da dialética arquetípica entre o masculino e o feminino é central — e não periférica — para compreender-se o caráter de uma visão cultural de mundo; a linguagem reflete vivamente essas dinâmicas subjacentes. Na análise retrospectiva que segue a narrativa, empenhar-me-ei mais completamente nesta questão decisiva, propondo um novo quadro conceitual para abordá-la.

Parte I. A Visão de Mundo dos Gregos

1. John Finley, *Four Stages of Greek Thought* (Stanford University Press, 1966), 95-96. Intimamente relacionado a essa discussão sobre deuses e Idéias há um argumento importante, originalmente proposto pelo estudioso alemão Wilamowitz-Moellendorf e citado por W. K. C. Guthrie: "... *théos*, a palavra grega que temos em mente quando falamos do deus de Platão, tem sobretudo força predicativa. Ao contrário de cristãos ou judeus, os gregos não afirmavam primeiro a existência de Deus e depois seguiam enumerando seus atributos, dizendo "Deus é bom" ou "Deus é amor" e assim por diante. Mais do que isto, eles tanto se impressionavam ou se atemorizavam com as coisas notáveis da vida ou da Natureza, por prazer ou por medo, que diziam "isto é deus" ou "aquilo é deus". O cristão diz "Deus é amor" — para o grego, "o Amor é *theos*" ou "um deus". Um outro autor explicou: "Dizer que o amor ou a vitória é deus — ou, para ser mais preciso, *um deus* — significava em primeiro lugar e acima de tudo, que é mais do que humano, não está sujeito à morte, é eterno... Assim, qualquer poder ou qualquer força em funcionamento no mundo, que não tenha nascido conosco e continuará depois que nos formos, poderia ser considerada um deus; a maioria era" [Georges M. A. Grube, *Plato's Thought* (Boston: Beacon Press, 1958), 150].

"Nesta mentalidade, e com tal sensibilidade em relação ao caráter sobre-humano de muito do que acontece e nos proporciona repentinos golpes de alegria ou dor que não compreendemos, um poeta grego escreveria: "A acolhida entre amigos é *theos*." É um estado de espírito que evidentemente tem muito a ver com a muito discutida questão do monoteísmo ou politeísmo em Platão, se é que realmente não tira todo o sentido da questão" (W. K. C. Guthrie, *The*

Greek Philosophers: From Thales to Aristotle [Nova York: Harper Torchbook, 1960], 10-11).

2. Na época de Homero, já acontecera uma transformação na sensibilidade mitológica da Grécia, e a mitologia matriarcal mais animista, mística e voltada para a Natureza — imanente, permeando a tudo, orgânica e não-heróica — fora subordinada à mitologia patriarcal olímpica, cujo caráter era mais objetivado, transcendental, articulado, heróico e apoiava a autonomia. Veja, por exemplo, Jane Ellen Harrison, *Prolegomena to Study of Greek Religion* (Cambridge: Cambridge University Press, 1922) e Charlene Spretnak, *Lost Goddesses of Early Greece* (Boston: Beacon Press, 1984). Todavia, como indicou Joseph Campbell em *The Masks of God: Occidental Mythology* (Nova York: Viking, 1964), podem-se ver sinais sugestivos do duplo legado mitológico dos gregos até no próprio cânon homérico, na notável mudança do mundo da *Ilíada* para o da *Odisséia.*

A *Ilíada* é um épico histórico, celebração dos grandes temas patriarcais: a ira de Aquiles, a coragem, orgulho e excelência de nobres guerreiros, a virtude e a força masculina, a arte da guerra. Seu cenário é o cotidiano da atividade pública, onde homens heróicos lutam no campo de batalha da vida. Entretanto, embora gloriosa, essa vida é curta e a morte, tragicamente fatal; além dela nada tem valor. A grandeza da *Ilíada* consiste especialmente em expressar essa trágica tensão. A *Odisséia*, ao contrário, mais do que comemoração de um evento coletivo histórico, é o épico de uma jornada individual de caráter distintamente imaginário; toda ela trata de fenômenos mágicos e fantásticos, tem como base uma diferente idéia da morte e está mais preocupada com o feminino. Odisseu, o mais sábio dos heróis gregos em Tróia, passa por uma série de aventuras e julgamentos transformadores — enfrentando uma sucessão de mulheres e deusas mágicas, penetrando no mundo subterrâneo, sendo iniciado em mistérios enigmáticos, experimentando inúmeras seqüências de morte e renascimento — e, por fim, é capacitado a voltar para casa em triunfo, renascido, para unir-se a Penélope, o amado feminino. Nesta leitura, a mudança da *Ilíada* para a *Odisséia* reflete a ininterrupta dialética do pensamento grego entre as raízes patriarcais e matriarcais, entre a religião pública olímpica e os antigos mistérios. (Veja Campbell, *The Masks of God: Occidental Mythology*, 157-176).

A *Odisséia* comprova ainda a valorização do individual e do heróico na *Ilíada*, enraizada naquela antiga admiração indo-européia pelas façanhas individuais na guerra, que influenciaria de modo tão profundo o caráter e a história do Ocidente; contudo, o heroísmo assumiu uma forma decisivamente nova e mais complexa. Uma importante expressão posterior dessa mesma dialética pode ser encontrada no *Banquete* de Platão, onde a sábia Diotima protagoniza a iniciação de Sócrates no conhecimento transcendental do Belo. Como acontece com o Odisseu de Homero, o elemento do heroísmo individual está claramente presente no Sócrates de Platão, mas em nova metamorfose — mais intelectual, espiritual, voltado para dentro, dono de si.

3. Os dois sucessores de Tales em Mileto, Anaximandro e Anixemenes (ambos do século VI a.C.), deixaram importantes contribuições para o pensamento ocidental. Anaximandro propunha que a substância primária ou natureza essencial do Cosmo (*arché*) fosse uma substância infinita e indiferenciada que chamou de *apeiron* (o "ilimitado"). Do *apeiron* surgiram os opostos quente e frio; sua luta produziu os diversos fenômenos do mundo. Com isso, Anaximandro introduziu a noção, essencial para a filosofia e ciência posteriores, de sobrepujar os fenômenos perceptíveis (como a água) para chegar a uma substância imperceptível e mais fundamental, cuja natureza era mais primitiva e indefinida do que as substâncias conhecidas do mundo visível. Anaximandro também postulava uma teoria da evolução em que a vida se teria originado no mar e parece ter sido o primeiro a tentar desenhar um mapa de toda a Terra habitada.

Por sua vez, Anaximenes, sucessor de Anaximandro, postulava que o ar seria a substância primordial e tentou demonstrar a maneira como aquela substância simples poderia tomar outras formas de matéria através dos processos de rarefação e condensação. Anaximenes propunha que um elemento específico, o ar, e não uma substância indiferenciada como o *apeiron*, seria a origem das coisas; esta seria uma teoria menos sofisticada do que a de Anaximandro — um passo atrás, na direção da água de Tales. No entanto, prosseguindo em sua análise de como um elemento primário se transformava em outros tipos de matéria retendo sua natureza essencial, Anaximenes introduziu a idéia decisiva de que uma essência básica poderia permanecer enquanto o elemento passava por muitas transformações. Assim, a noção do *arché*, que anteriormente significara a causa inicial ou originadora de todas as coisas, assumia agora o significado adicional de "princípio" — algo que mantém eternamente sua própria natureza enquanto se transmuta nos inúmeros fenômenos efêmeros e em mutação do mundo visível. Todos os subseqüentes aperfeiçoamentos filosóficos e científicos relativos aos primeiros princípios, a dependência dos fenômenos de uma realidade primária subjacente e ininterrupta, as leis da conservação na física, devem algo às concepções rudimentares de Anaximandro e Anaximenes. Ambos deixaram contribuições essenciais na astronomia primitiva da Grécia.

4. W.K.C. Guthrie afirma, a respeito deste importante fragmento de Xenófanes: "A ênfase na busca pessoal e na necessidade de tempo marca esta como a primeira afirmação da idéia de progresso nas artes e nas ciências na literatura grega existente, um progresso dependente do esforço humano e não — pelo menos não basicamente — da revelação divina" (*A History of Greek Philosophy*, vol. 1, *The Earlier Presocratics and the Pythagoreans* [Cambridge: Cambridge University Press, 1962], 399-300).

5. Pode-se discernir a evolução da visão grega da história humana e da relação do humano com o divino na mudança da natureza e *status* do Prometeu

mitológico. A mais antiga descrição de Hesíodo, em que Prometeu era o embusteiro que roubou o fogo do Olimpo para a Humanidade contra os desejos de Zeus — foi bastante expandida no *Prometeu Acorrentado* de Ésquilo, cujo titânico protagonista deu à Humanidade todas as artes da civilização, trazendo-a assim de um estado de selvageria primitiva à maestria intelectual e domínio sobre a Natureza. O personagem sério-cômico de Hesíodo tornou-se um herói trágico de estatura universal para Ésquilo: o primeiro que viu a história humana como inevitável regresso de uma era dourada aborígine; o Prometeu de Ésquilo celebrava o progresso da Humanidade para a civilização. Entretanto, ao contrário de concepções posteriores do mesmo mito, a versão de Ésquilo considerava o divino Prometeu a fonte do progresso humano, e não um homem, admitindo assim tacitamente uma prioridade divina no plano das coisas. Embora seja difícil determinar a exata visão de Ésquilo sobre o significado ontológico do mito, dir-se-ia que ele teria concebido Prometeu e o homem essencialmente em termos de originadores mitológicos, como unidade simbólica.

Para os gregos do século V depois de Ésquilo, no entanto, a figura de Prometeu tornou-se apenas uma representação alegórica direta da inteligência do próprio Homem e sua luta sem tréguas. Num fragmento de uma comédia chamada *Os Sofistas*, Prometeu é simplesmente equiparado ao espírito humano; em outra obra, Prometeu é usado como metáfora para "tentar" explicar o progresso da Humanidade para a civilização. Esta desunificação de Prometeu em direção ao *status* de alegoria também está evidente na narrativa do mito do sofista Protágoras no *Protágoras* de Platão. Quando a cultura grega avançou da poesia arcaica para a filosofia humanista — a tragédia clássica marcando um ponto intermediário — a visão grega da História passou do regresso ao progresso, e a fonte da realização humana passou do divino ao Homem. Veja E. R. Dodds, "Progress in Classical Antiquity", em *Dictionary of the History of Ideas*, editado por Philip P. Weiner (Nova York: Charles Scribner's Sons, 1973) 3: 623-626.

6. Sócrates combinava a humanidade intelectual com a fé numa ordem inteligível — o que está muito bem sugerido na frase R. Hackford: "um ideal de conhecimento não atingido" (citado em Guthrie, *The Greek Philosophers*, 75).

7. Para a ligação platônica do irracional e físico ao sexo feminino e do racional e espiritual ao sexo masculino, além da importante associação da epistemologia platônica com o homoerotismo dos gregos, veja Evelyn Fox Keller, "Love and Sex in Plato's Epistemology", em *Reflections on Gender and Science* (New Haven: Yale University Press, 1985), 21-32. Veja também a valiosa discussão do homoerotismo em Platão, no ensaio "The Individual as an Object of Love in Plato", de Gregory Vlastos — em *Platonic Studies* (Princeton: Princeton University Press, 1973), 3-42. Não obstante, Vlastos mostra que o principal argumento de Platão no *Banquete* (206-212) muda subitamente do paradigma

homossexual para um heterossexual procriador, quando Diotima descreve a união conjugal do filósofo com a Idéia da Beleza, que produz o nascimento da sabedoria como a mais elevada realização de Eros. No mesmo ensaio, Vlastos oferece uma esclarecedora análise de como a exaltação de Platão da Idéia universal de Beleza no contexto das relações pessoais tende a depreciar a pessoa do indivíduo concreto amado como objeto de valor, potencialmente merecedor do amor por si mesmo(a) — exatamente como, no contexto da teoria política, a exaltação platônica da república ideal tende a depreciar os cidadãos como fins em si mesmos, privando-os com isso de sua liberdade civil.

8. "A tradição de que as observações astronômicas detalhadas fornecem as pistas mais importantes do pensamento cosmológico, em seus pontos essenciais, é originária da civilização ocidental. Parece ter sido uma das novidades mais significativas e mais peculiares que herdamos da civilização da Grécia antiga" (Thomas S. Kuhn, *The Copernican Revolution: Planetary Astronomy and the Development of Western Thought* [Cambridge: Harvard University Press, 1957], 26).

9. Citado em Sir Thomas L. Heath, *Aristarchus of Samos: The Ancient Copernicus* (Oxford: Clarendon Press, 1913), 140. Veja também as *Leis,* de Platão, VII, 821-822.

10. Finley, *Four Stages of Greek Thought,* 2. Owen Barfield, ao comentar as palestras de Coleridge sobre a história da Filosofia descreveu o fenômeno grego em termos semelhantes: "O aparecimento da consciência, o surgimento da individualidade... ocorriam juntos na aurora da civilização grega... Tudo era como um despertar. Quando acordamos de manhã, temos muita consciência do mundo à nossa volta de um modo que já não temos quando a ela nos acostumamos durante o dia" (Owen Barfield, "Coleridge's Philosophical Lectures, Towards" 3, 2 [1989]: 29).

Parte II. A Transformação da Era Clássica

1. Tem-se sugerido, com base em trechos das *Leis* e do *Epinomis,* que em Platão estaria implícito um apoio à hipótese de uma Terra em movimento como forma de salvar matematicamente as aparências, revelando órbitas planetárias uniformes e singulares; no *Timeu* (40 b-d), ele teria descrito um sistema heliocêntrico. Veja R. Catesby Tagliaferro, Apêndice C em sua tradução do *Almagesto* de Ptolomeu, nos *Great Books of the Western World,* vol. 16 (Chicago: *Encyclopaedia Britannica,* 1952), 477-478.

2. A proeminente e suprema divindade helênica era o greco-egípcio Sarapis, uma síntese de Osíris, Zeus, Dioniso, Plutão, Asclépio, Marduk, Hélio e Iavé.

Estabelecido como deus-regente da cidade de Alexandria por Ptolomeu I (que reinou de 323 a 285 a.C.) e mais tarde venerado por todo o mundo mediterrâneo, Sarapis ilustra a tendência helênica ao sincretismo teológico e ao henoteísmo (veneração de uma divindade sem a negação da existência de outras).

3. Estudos acadêmicos recentes subestimaram o vigor duradouro da tradição pagã no final da era clássica (veja em especial Robin Lane Fox, *Pagans and Christians* [Nova York: Alfred A. Knopf, 1987]), ao contrário de idéias anteriores, que tendiam a sugerir a inevitabilidade do triunfo cristão. Para a imensa maioria dos pagãos, os deuses e deusas antigos continuavam a manter um significado; eles participavam de cerimônias e rituais pagãos com muita devoção. No conjunto, o período helenista foi de intensa religiosidade multiforme, da qual a cristandade era uma expressão característica disso. A fé cristã se disseminou aos poucos entre as populações urbanas sob a forma de pequenas igrejas dirigidas por bispos e fortalecidas por rigorosas normas éticas e doutrinárias, mas no início do século IV ainda não havia penetrado na maior parte das áreas rurais; para muitos intelectuais pagãos, os argumentos do Cristianismo continuavam implausíveis e nada convencionais. Foi a conversão de Constantino (*c.* 312 d.C.) que marcou a grande mudança na sorte da cristandade, embora sua ascendência tenha sido bastante dificultada na geração seguinte pela breve, mas decidida, tentativa do imperador Juliano de restaurar a cultura pagã (361-363).

4. Também se disse que a cultura greco-romana estava implantada na religião judaico-cristã ou que ambas estavam implantadas nos povos bárbaros germânicos, variando em cada caso o que é considerado legado primordial ou fundamental do Ocidente. Todas as três perspectivas têm argumentos em seu favor; a verdade, como o próprio Ocidente, talvez seja melhor compreendida como a complexa síntese das três.

Parte III. A Visão de Mundo Cristã

1. "Iavé" ("YHWH") tem sido traduzido de maneiras diferentes: "Eu sou O que É" ou "Aquele que faz existir tudo o que existe" e "Eu sou/serei que é/será" — por exemplo. A complexa ambigüidade entre presente e futuro não está resolvida; o significado da expressão continua polêmico.

2. Ainda não se sabe se o Jesus histórico teria explicitamente declarado ser o próprio Messias ou o Filho do Homem profetizado. Não parece muito provável que tenha declarado publicamente ser o Filho de Deus, fosse qual fosse a maneira como se via. Existe uma ambigüidade semelhante a respeito de sua intenção de iniciar uma nova religião ou uma reforma escatológica radical do judaísmo. Veja Raymond E Brown, "'Who Do Men Say That I Am?" — A Survey

of Modern Scholarship on Gospel Christology", em *Bibli-cal Reflections on Crises Facing the Church* (Nova York: Paulist Press, 1975:20-37).

3. O outro lado do paradoxo judaico-cristão (a cristandade tivera relativamente pouco sucesso entre o próprio povo de onde emergiu) foi o fato de, nos séculos seguintes, os cristãos se distanciarem, reprovarem, violentarem e perseguirem seus contemporâneos judeus, mas ao mesmo tempo adotarem a antiga escritura e a história judaica como bases indispensáveis de sua própria religião.

4. A integração filosófica do Helenismo ao Judaísmo foi iniciada por Fílon de Alexandria (n. *c.* 15-10 a.C.), que identificou o *Logos* nos termos platônicos da Idéia das Idéias, a soma de todas as Idéias e fonte da inteligibilidade do mundo; e em termos judaicos, como a providencial ordenação divina do Universo e mediador entre Deus e o Homem. Assim, o *Logos* era ao mesmo tempo o agente da criação e o agente através do qual Deus era sentido e compreendido pelo Homem. Fílon ensinou que as Idéias eram os pensamentos eternos de Deus, criadas por ele como seres reais antes da criação do mundo. Mais tarde, os cristãos tinham Fílon em alta consideração por suas visões do *Logos*, que ele chamava de primeiro Filho de Deus gerado, homem de Deus e a imagem de Deus. Fílon parece ter sido o primeiro a tentar integrar revelação e Filosofia, Fé e Razão — à base da escolástica. Pouco reconhecido no pensamento judaico, teve marcante influência no neoplatonismo e na teologia medieval cristã.

5. Esta generalização sobre o sentido cíclico da História para os gregos deve ser comparada à discussão de sua experiência e concepção de progresso na seção "O iluminismo grego" (pp. 40-46) e na nota 5 da Primeira Parte, sobre a figura de Prometeu.

6. Agostinho diferia de Plotino ao postular uma distinção maior entre Criador e criação, além de um relacionamento mais pessoal entre Deus e a alma; ao enfatizar a liberdade e o propósito de Deus na criação; ao manter a necessidade humana da graça e da revelação; e, acima de tudo, ao adotar a doutrina da Encarnação.

7. *Enchiridion*, em Agostinho — *Works*, vol. 9, editado por M. Dods (Edimburgo: Clark, 1871-77), 180-181.

8. Ironicamente, o espírito da dogmática intolerância cristã foi prenunciado pelo próprio Platão em seus diálogos, como os da *República* e os das *Leis*. Atento à necessidade de proteger os jovens da tentação e dos pensamentos desencaminhadores e igualmente certo de estar de posse do conhecimento da Verdade e Bondade absolutas, Platão esboçou uma alentada série de proibições e censuras para seu Estado ideal não muito diferentes das que foram mais tarde estabelecidos pela cristandade.

9. Algumas datas e eventos importantes na transição da Era Clássica para a Medieval: no final do verão de 386, a conversão de Agostinho ao cristianismo, em Milão. Em 391, o Sarapeum, templo de Alexandria dedicado a Sarápis, suprema divindade helênica, foi destruído pelo patriarca Teófilo e seus seguidores, assinalando o triunfo da cristandade sobre o paganismo no Egito e em todo o império. Em 415, na mesma década em que os visigodos invadiram Roma e Agostinho escrevia *A Cidade de Deus*, a multidão cristã assassinou Hipátia — líder da escola de filosofia de Alexandria, filha do último membro que se conhece do Museu e símbolo pessoal do aprendizado pagão. Com sua morte, muitos estudiosos abandonaram a cidade, marcando o início do declínio cultural de Alexandria. Em 485, Proclus, o maior expositor sistemático do final do neoplatonismo clássico e último dos grandes filósofos gregos da Antigüidade, morreu em Atenas. Em 529, o imperador cristão Justiniano fechou a academia platônica em Atenas, último edifício do aprendizado pagão. Esse ano tem sido usado como data adequada para o final do período clássico e início da Idade Média, pois também em 529 Benedito de Núrsia, pai do monasticismo ocidental, fundou o primeiro mosteiro beneditino em Monte Cassino, na Itália (o monastério em que Tomás de Aquino passaria a infância, cerca de setecentos anos depois).

10. Orígenes, neoplatonista cristão de Alexandria (*c.* 185- *c.* 254), foi uma das mais influentes afirmações dessa postura: para ele, o Inferno não poderia ser absoluto, porque Deus, em sua infinita bondade, jamais abandonaria qualquer de suas criaturas. A danação baseava-se na condenação auto-imposta pelo indivíduo, um deliberado afastamento de Deus que realmente cortava a alma do amor divino; o Inferno consistia assim na completa ausência de Deus. No entanto, para Orígenes, essa alienação era, em última análise, uma condição temporária, num processo educacional mais amplo, através do qual as almas se reuniriam a Deus, cujo amor a todos conquistava. Em relação à liberdade inerente à Humanidade, o processo redentor divino seria necessariamente prolongado; mas até ocorrer a redenção universal, a missão de Cristo permaneceria incompleta. Da mesma forma, Orígenes considerava os eventos negativos da existência humana não como retribuição divina, mas como instrumentos de formação espiritual. A devoção popular poderia senti-los como castigo de um Deus vingativo, mas isso se baseava numa compreensão distorcida da ação divina que, afinal, emanava de benevolência sem limites. Como o Inferno, o Céu também não era necessariamente absoluto: dispondo sempre do livre-arbítrio, as almas já redimidas poderiam reiniciar mais uma vez todo o drama da existência. A teologia de Orígenes baseava-se na simultânea afirmação da bondade de Deus e da liberdade da alma; a alma ascendia à divindade marcada por uma hierarquia de etapas, culminando na mística união com o *Logos*: a restauração da alma da matéria ao espírito, da imagem à realidade.

Embora muitos considerassem Orígenes o maior professor da Igreja primitiva depois dos apóstolos, sua ortodoxia foi duramente questionada por outros em diversos aspectos, inclusive em suas doutrinas da salvação universal, da preexistência da alma, da desvalorização neoplatônica do filho como um passo hipostático abaixo do Uno, sua espiritualização da ressurreição do corpo e suas especulações sobre os ciclos do mundo. Veja Henry Chadwick, *Early Thought and the Classical Transition: Studies in Justin, Clement and Origen* (Oxford: Oxford University Press, 1966).

11. Os estudiosos observaram os inúmeros paralelos temáticos entre o bíblico Livro de Jó (*c.* 600-300 a.C.) e *Prometeu Acorrentado*, tragédia de Ésquilo mais ou menos contemporânea. Semelhantes paralelos históricos e literários foram identificados entre os primeiros livros moisaicos da Bíblia e os épicos homéricos.

12. No desejo de estabelecer uma igreja mundial e assim tornar o Evangelho inteligível a diferentes culturas, Paulo modelou seus ensinamentos segundo cada uma delas, falando "como um judeu para os judeus" e "como um grego para os gregos". Para a comunidade eclesiástica em Roma, de forte influência judaica, ele enfatizava a "doutrina da justificação", mas em cartas dirigidas a comunidades de cultura mais helenística, descrevia a Salvação em termos reminescentes das religiões de mistério da Grécia — o novo Homem, filiação a Deus, a transformação divina e assim por diante.

13. O papado de Gregório, o Grande (590-604) estabeleceu muitos dos mais característicos aspectos da cristandade ocidental na Idade Média. Nascido em Roma e profundamente influenciado pelos ensinamentos de Agostinho, Gregório centralizou e reformou a administração papal, elevou a condição social dos sacerdotes, expandiu a preocupação da Igreja com os pobres e infelizes, além de exigir o reconhecimento do papa como chefe ecumênico da cristandade, acima do patriarca bizantino. Ajudou também a estabelecer a autoridade temporal do papado, consolidando o que se tornaria o Estado papal na Itália e, de modo mais geral, esforçando-se por influenciar e submeter as autoridades pelo exercício da autoridade eclesiástica. Seu ideal era construir uma sociedade universal cristã impregnada de caridade e serviço aos outros. Gregório foi quem percebeu a importância dos bárbaros migrantes para o futuro da cristandade no Ocidente, e incentivou intensamente as atividades missionárias na Europa (inclusive a historicamente significativa missão na Inglaterra). Embora às vezes recomendasse atenção respeitosa às práticas e visões de mundo locais, como na Inglaterra, em outros momentos defendia o uso da força na conversão. Foi um papa bastante popular e muito venerado em vida, procurando tornar a fé cristã mais compreensível para as massas européias ignorantes, ao reformar a missa e popularizando os milagres e a doutrina do Purgatório. Estimulou o desenvolvimento do monasticismo e determinou as regras para a vida do clero. O cântico gregoriano, música litúrgica da Igreja Católica, recebeu seu nome, por ter sido codificado em seu reinado.

14. A separação entre Igreja ocidental e oriental começou no século V; em 1054, declarou-se um cisma formal. Enquanto a Igreja Católica Romana insistia no primado romano e papal (com base em sua interpretação das palavras de Cristo a Pedro no Evangelho de Mateus, 16:18), a cristandade ortodoxa oriental permaneceu mais como uma associação ecumênica de igrejas unidas pela comunhão na Fé, onde o laicato desempenhava um papel maior nas questões religiosas. Por outro lado, em vez da dialética ocidental Estado-Igreja (em grande parte criada pelas invasões bárbaras e o conseqüente rompimento cultural e político com o velho Império Romano do Ocidente), a Igreja Oriental permaneceu estreitamente ligada ao sistema político do Império Bizantino. O patriarca de Constantinopla estava subordinado ao imperador oriental, que regularmente exercia sua autoridade nas questões eclesiásticas.

De modo geral, a necessidade de uma ortodoxia autoritariamente definida e meticulosamente detalhada era menos pronunciada no Oriente do que no Ocidente; ali, a maior autoridade era o conselho ecumênico, e não o Papa. A verdade cristã era vista como uma realidade viva sentida dentro da Igreja, e não, como acontecia no Ocidente, um sistema dogmático plenamente articulado que procura conter essa verdade segundo critérios específicos de justificação. A influência dominante no Ocidente latino era Agostinho; a teologia oriental estava enraizada nos ancestrais gregos. Sua tendência doutrinária era mais mística, enfatizando a divinização comunitária do ser humano na Igreja e não sua justificação individual pela Igreja (como no Ocidente), além de sua divinização individual através do ascetismo contemplativo. A relação jurídica entre Deus e o Homem, característica da cristandade ocidental, estava ausente no Oriente, onde os temas soberanos eram a encarnação de Deus, a deificação da Humanidade e a divina transfiguração do Cosmos. A cristandade oriental, em termos gerais, permaneceu mais próxima ao misticismo joanino unitivo na fé cristã; o Ocidente seguiu a mais dualista direção agostiniana.

15. A nova concepção do Reino dos Céus em termos da Igreja refletia uma transformação interior fundamental da fé cristã, iniciada nas primeiras gerações da religião, em resposta ao atraso da Segunda Vinda de Cristo. Os primeiros cristãos tiveram a expectativa da Segunda Vinda, e a chegada do Reino dos Céus seria precedida por um período de rebeliões e flagelos, quando surgiriam falsos profetas e messias, desviando muitos com sinais e maravilhas; ocorreria então um grande apocalipse, seguido por uma impressionante abertura dos céus, reveladora de Deus em toda sua glória; Cristo desceria para abraçar e libertar os fiéis. Já no Novo Testamento, especialmente no Evangelho de João, parecia haver uma progressiva consciência do retardamento da Segunda Vinda — embora ainda fosse considerada próxima — e uma aparente compensação por esse atraso, expressa através de uma interpretação exaltada da vida e morte de Jesus, da vinda do Espírito e do significado da comunidade da jovem Igreja. A presença de Jesus na História era considerada inauguradora da transformação

salvacionista. A ressurreição de Cristo era a da Humanidade, sua vida nova. Através da presença do Espírito, Cristo entrara na vida da nova comunidade dos fiéis, seu corpo místico, a Igreja viva em ascensão. Assim, o retardamento da *Parousia* fora respondido no presente: sua chegada situava-se agora em um futuro mais distante, e o poder espiritual de Cristo já fora proclamado e sentido na vida permanente da Igreja fiel.

No entanto, ao contrário das expectativas, o mundo continuava a sofrer e assim, a Igreja, inicialmente concebida como uma breve existência anterior ao tempo final, viu-se estimulada a assumir um papel mais substantivo, com a correspondente mudança na interpretação que tinha de si mesma: em vez do pequeno conjunto de eleitos que estariam presentes e seriam salvos no iminente Apocalipse, agora reconhecia-se como uma instituição sacramental duradoura em expansão — de batismo, ensino, disciplina, salvação. Dessa base ela se desenvolveu, passando cada vez mais de sua forma anterior de comunidades de fiéis a uma complexa instituição com estruturas muito bem definidas de poder hierárquico e tradição doutrinária, mantendo uma distinção essencial entre a elite eclesiástica e a congregação leiga que presidia.

O resultado final desse processo tornou-se evidente nos últimos séculos da era clássica. Começou a aparecer um novo aspecto da Igreja quando Constantino se converteu e em seguida o Estado romano fundiu-se com a religião cristã: as expectativas fatalistas da antiga comunidade cristã agora imergiam sob uma nova Igreja terrena, cujo triunfo presente obscurecia a necessidade e probabilidade de uma mudança apocalíptica. Sem as perseguições, a necessidade psicológica da comunidade cristã de um apocalipse imediato era menos intensa; o Cristianismo era agora a religião preferencial do império e assim, o papel de Anticristo pré-apocalíptico de Roma já não tinha sentido.

Simultaneamente, sob a influência dos pensamentos alegóricos helênico e neoplatônico, Orígenes e Agostinho reformularam o Reino dos Céus em termos menos literais e objetivos — ao contrário, mais espirituais e subjetivos. Para Orígenes, a autêntica busca religiosa era sentir o Reino dos Céus na alma, uma transformação mais metafísica do que histórica. A visão de Agostinho era igualmente neoplatônica, com uma atitude mais decisivamente polarizada sobre o relacionamento entre este mundo e a Igreja. Vivendo no momento da agonia da civilização clássica, Agostinho considerava o mundo presente um reino intrinsecamente suscetível ao Mal, como pensavam os que há pouco aguardavam o apocalipse; via também a Humanidade juridicamente separada entre os eleitos e os condenados. A solução salvacional não era para ele uma renovação apocalíptica desse mundo, mas uma renovação sacramental da alma através da Igreja. O mundo secular não estava destinado à Salvação; a condição para esta era unicamente espiritual e já estava disponível, mediada pela Igreja.

A previsão cristã de um momento final iminente enfraquecera bastante e desaparecia como força motivadora dominante na religião. Assim, houve a cristalização da Igreja institucional, que passou a se considerar representante histórico permanente do Reino dos Céus na Terra. Entre a Ressurreição e a Segunda Vinda estava o reino da Igreja; seus sacramentos já eram os meios com que os cristãos iniciavam sua própria "ressurreição" e entrada no reino celestial. A relação de cada cristão com Deus e sua condição espiritual interior substituíam a ênfase anterior no coletivo, universal e objetivamente histórico. O sentido coletivo e histórico do fatalismo cristão primitivo estava agora subordinado à Igreja, que decretava seu imperativo histórico por meio de sua responsabilidade pública na preservação e propagação da Fé, proporcionando os sacramentos que outorgavam a Graça à comunidade dos fiéis. As formas estabelecidas do cristianismo da época de Agostinho em diante entendiam o fatalismo de maneira simbólica; sua expectativa histórica literal era considerada uma distorção da revelação bíblica, sem legítima importância na presente condição espiritual da Humanidade.

Entretanto, a força do fatalismo original jamais desapareceu por completo: de um lado, sobrevivia a corrente onde era implícita a História em movimento teleológico para um clímax espiritual; o retorno de Cristo no final dos tempos, embora indiscutível, situava-se num futuro indefinido; de outro, periodicamente reapareciam as expectativas de um iminente Apocalipse e da Segunda Vinda em determinados indivíduos ou comunidades, com acentuada intensificação do fervor religioso baseada em novas interpretações das profecias bíblicas ou novas identificações do Mal e do caráter caótico da era contemporânea. Tais expectativas eram em geral fomentadas às margens da Igreja estabelecida, especialmente por seitas heréticas que sofriam perseguições. A Igreja desestimulava as interpretações literais do fatalismo e recomendava fé em seus sacramentos para superar as ansiedades. Calcular o momento do fim dos tempos era inútil, ensinava ela, já que para Deus mil anos equivalia a um dia e um dia equivalia a mil anos.

Finalmente, com o surgimento do humanismo moderno e a maior consciência da história e da evolução do pensamento contemporâneo, as concepções cristãs da transformação milenar assumiram uma característica mais progressista e imanente; o desenvolvimento moral, intelectual e espiritual da Humanidade culminava agora numa espécie de divinização humana ou cósmica — mudança conceitual visível a partir da época de Erasmo e Francis Bacon, numa formulação mais refinada com pensadores como Hegel e Teilhard de Chardin (e Nietzsche, sob um espírito diferente). Associada a certo simbolismo ambíguo contido em muitas profecias bíblicas, especialmente no Livro da Revelação, e como resposta a diversos fatos históricos (por exemplo: a descoberta e colonização da América pelos europeus; a declaração papal do dogma da Assunção; as ameaças ecológicas e nucleares de catástrofe planetária), ultimamente tem-se dito que a Segunda Vinda ocorrerá ao fim dos dois mil anos da era cristã, no final do século XX (veja, entre outros, a extraordinária discussão de Jung em *Resposta a Jó*, no vol. 11 das *Obras Completas*).

16. Como a Mãe do *Logos*, Maria assumiu atributos da personagem bíblica judaica Sofia, a Sabedoria — descrita no Provérbios e no Eclesíastes como a criação eterna de Deus, um ser feminino celestial que personificava a sabedoria divina e mediava o conhecimento humano de Deus. Na teologia Católica Romana, Maria foi explicitamente identificada com Sofia. Assim, o relacionamento da Sofia do Velho Testamento com o *Logos* do Novo Testamento, ambos representando a sabedoria divina criadora e reveladora, refletiu-se obliquamente no relacionamento de Maria e Cristo. A figura da Virgem Mãe também absorveu parte do significado e da função original do Espírito Santo — um princípio de presença divina na Igreja, como confortadora, mediadora da sabedoria e nascimento espiritual e instrumento da entrada do Cristo no mundo.

De modo mais geral, a parcial transformação de Deus em personagem maternal protetora e clemente levou ao comentário de Erich Fromm: "O catolicismo significou o retorno disfarçado à religião da Grande Mãe que fora derrotada por Iavé" (*The Dogma of Christ and Other Essays on Religion, Psychology, and Culture* [Nova York: Holt, Rinehart & Winston, 1963], 90-91). Na literatura mística da espiritualidade cristã (p. ex., Clemente de Alexandria, João da Cruz), as qualidades explicitamente maternais restringiam-se a Deus e a Cristo. Para uma discussão da presença e supressão do feminino na teologia e devoção cristã, veja John Chamberlain Engelsman, *The Feminine Dimension of the Divine* (Wilmette, Illinois: Chiron, 1987).

17. Apesar da exaltação do feminino sugerida pelos temas da Mãe Igreja e da Virgem Maria, um autoritarismo patriarcal, muitas vezes teologicamente justificado pela descrição no Gênese do papel de Eva na Queda, continuou a expressar-se na sistemática depreciação que a Igreja faz das mulheres, de sua espiritualidade e capacidade de autoridade religiosa e (conforme o pecado de Eva e a idealização da Virgem Maria) de sexualidade humana.

Tanto na organização como na imagem que a Igreja faz de si, há dois aspectos opostos, relacionados ao gênero. Pensada como hierarquia eclesiástica, a Igreja assumiu o papel do Iavé no Velho Testamento, a divina autoridade masculina de Deus, com os traços correspondentes de soberania jurídica, certeza dogmática, guarda e proteção paternal. No oposto, pensada como o conjunto dos fiéis, a Igreja assumiu o papel de Israel do Velho Testamento, a feminina amada de Deus (mais tarde encarnada na Virgem Maria), com a correspondente inculcação cristã de virtudes "femininas" como a compaixão, pureza, humildade e obediência. O Papa, bispos e sacerdotes representavam a autoridade divina na Terra, o corpo leigo representava aquilo que deveria ser instruído, justificado e salvo. É a mesma polaridade contida na expressão "cabeça e corpo" da Igreja. Teologicamente, a polaridade foi superada na interpretação doutrinária de Cristo como realização e síntese desses dois aspectos da Igreja (assim como a de Cristo, fruto do casamento de Iavé com Israel).

18. A Igreja sustentou a antiga ordenação dos eventos segundo ciclos arquetípicos por todo o seu calendário litúrgico, que proporcionava uma vivência ritualizada de todo o mistério cristão no contexto do ciclo anual da Natureza: o advento de Cristo na escuridão do inverno [no hemisfério norte], seu nascimento no Natal (que coincide com o solstício de inverno e o nascimento do sol) [no hemisfério norte; no hemisfério sul é o oposto], o período preparatório de purificação durante a Quaresma no final do verão no hemisfério sul antecipando a Última Ceia na Sexta-Feira Santa, a Crucifixão na Quinta-Feira Santa e, por fim, a Ressurreição no Domingo de Páscoa. Muitos antecedentes do calendário cristão podem ser vistos nas religiões de mistério do paganismo clássico.

19. Aqui deve-se fazer uma importante ressalva a respeito da universalidade do Cristianismo na Europa medieval, dada a permanência de vestígios do animismo e dos mitos pagãos em grande parte da cultura popular, bem como a existência de influências do Judaísmo, gnosticismo, milenarismo, bruxaria e do Islamismo, de diversas tradições esotéricas e outras forças culturais minoritárias e secretas não relacionadas ou resistentes à ortodoxia cristã.

Parte IV: A Transformação da Era Medieval

1. Boécio (*c.* 480-425) foi uma figura central entre a Era Clássica e a Medieval — estadista, um dos últimos filósofos da Antigüidade, "primeiro escolástico cristão" e último leigo na filosofia cristã por quase mil anos. Nascido em Roma de uma antiga família aristocrática já cristã há um século, foi educado em Atenas e tornou-se cônsul e ministro no governo romano. A meta não realizada de Boécio era traduzir e comentar todas as obras de Platão e Aristóteles e moldar a "restauração de suas idéias em uma única harmonia". Sua obra completa — especialmente a parte sobre a lógica aristotélica, alguns breves tratados teológicos e seu manifesto de cunho platônico *O Consolo da Filosofia* — teriam considerável influência no pensamento medieval. Falsamente acusado de traição pelo rei bárbaro, Teodorico, Boécio foi sentenciado à prisão (onde escreveu o *Consolo*) e executado. Quando Cassiodoro, seu colega no senado, decidiu mais tarde retirar-se da vida política para o monastério por ele mesmo fundado, levou sua biblioteca romana e colocou as obras de Boécio na lista de leituras para os monges. Os ideais eruditos da Era Clássica e particularmente da aristocracia romana instruída foram assim transmitidos na tradição cristã monástica. Boécio foi quem primeiro formulou o princípio escolástico fundamental: "Até onde for preciso, junte a Fé à Razão." Foi um trecho de seu comentário sobre o *Isagogo* de Porfírio (uma introdução grega à lógica aristotélica) que deu início à longa controvérsia medieval entre nominalismo e realismo sobre a natureza dos universais.

2. Hugo de Saint-Victor (1096-1141) também ajudou a moldar a nova

consciência medieval da história humana como desenvolvimento temporal de inerente significado. Ele observou, por exemplo, a tendência característica da civilização em movimentar-se de Oriente para Ocidente, com o passar do tempo, — fato que lhe sugeriu a idéia do final dos tempos: o limite do Ocidente aparentemente já fora alcançado na costa atlântica. Hugo argumentava também contra a interpretação do Gênese por Agostinho como metáfora atemporal, afirmando uma verdadeira sucessão temporal de atos criativos; ele sustentava que o valor da realidade concreta da História precedia a imposição das interpretações alegóricas que se pudesse fazer da História. Veja M. D. Chenu, *Theology and the New Awareness of History* em *Nature, Man and Society in the Twelfth Century: Essays on New Theological Perspectives in the Latin West* (Chicago: University of Chicago Press, 1983), 162-201.

3. As ordens mendicantes dominicana e franciscana também representaram uma força para a revolução social na Alta Idade Média. Seu compromisso com a pobreza e a humildade era ao mesmo tempo um retorno à vida apostólica da igreja primitiva e um rompimento com o sistema feudal e sua hierarquia eclesiástica ligada à propriedade individual — com relação à qual, aliás, os frades evangelizadores assemelhavam-se à nova classe urbana de mercadores e artesãos, que também haviam se afastado da economia feudal; era exatamente dessa classe que as falanges atraíam seus contingentes. Houve semelhante analogia na revolução intelectual que emergiu dos teólogos dominicanos e franciscanos. Assim como os movimentos evangelizadores encontravam novas fontes de inspiração no significado literal das Escrituras em contraposição às paráfrases alegóricas dos teólogos tradicionais, essa mesma tendência refletia-se no crescente respeito filosófico dos escolásticos pelo mundo empírico concreto em relação ao idealismo do outro mundo da tradição agostiniano-platônica. Veja Chenu, *The Evangelical Awakening*, ibid., 239-269.

4. Em certo sentido, Tomás de Aquino superou Aristóteles em sua avaliação objetiva do corpo. A doutrina da Ressurreição de Tomás afirmava que o ser humano perfeito era um conjunto completo de corpo e alma; a purificação da alma acarretaria a sua reunião em sua glorificação do corpo. Para os aristotélicos, a íntima relação corpo-alma implicava a mortalidade da alma; para Tomás, essa mesma intimidade assegurava a imortalidade do corpo redimido.

5. A polaridade representada por Tomás de Aquino e Agostinho (e respectivas afinidades com Aristóteles e Platão) pode ser em parte considerada proveniente de suas respostas intelectuais aos conceitos radicalmente diferentes de seus períodos históricos. Se o misticismo platônico de Agostinho e sua ênfase no conhecimento psíquico podem ser considerados uma reação ao sensualismo pagão (e também uma evolução deste) e ao secularismo cético do final da Era Clássica, a adoção do empirismo e da materialidade de Tomás de Aquino po-

dem ser consideradas reação e evolução do antimundanismo cristão e do antiintelectualismo fideísta do início da Era Medieval. O contraste entre o pessimismo de Agostinho relativo à Humanidade e a natureza e a visão mais otimista de Tomás de Aquino também teve reflexos culturais. Vivendo nos últimos anos da Era Clássica, Agostinho enfrentou a decadência e desintegração da civilização romana em meio às invasões bárbaras. Tomás de Aquino, entretanto, viveu quando a civilização européia experimentava uma nova era de estabilização e rápido progresso na Alta Idade Média, quando as forças da Natureza eram cada vez mais dominadas pelo intelecto humano e o continente europeu estava relativamente livre de ameaças externas. Para Agostinho, o espírito do mundo laico à sua volta devia parecer carregado de podridão, sofrimento e mal, a capacidade de autodeterminação segura do ser humano devia ser mínima; o ambiente de Tomás de Aquino era decisivamente mais desenvolvido.

6. O racionalismo de Tomás de Aquino sempre esteve em tensão com um misticismo supra-racional que mostrava a influência de Dionísio, o Areopagita. Provavelmente um monge sírio do século XV que assumiu o nome de um homem convertido por Paulo na Atenas do Novo Testamento, Dionísio apresentou um misticismo cristão neoplatônico que enfatizava a fundamental impossibilidade do conhecimento de Deus: em última análise, quaisquer qualidades que a mente humana atribui a Deus não podem ser consideradas válidas, pois, sendo humanamente compreensíveis, devem estar limitadas à finitude do entendimento humano e, portanto, não podem abranger a infinita natureza de Deus. Mesmo os conceitos de "existência" e "realidade" não podem ser imputados a Deus, pois tais conceitos só poderiam derivar de coisas que Deus criou e a natureza do Criador deve ter um caráter fundamentalmente diferente da natureza de sua criação. Conseqüentemente, qualquer afirmação sobre a natureza de Deus deve ser complementada por sua negação; ambas são finalmente transcendidas por Deus, que supera qualquer coisa que o espírito humano possa conceber. Essas considerações (essenciais para a *via negativa*, a tradição da teologia negativa ou apofática, característica da cristandade oriental) talvez expliquem o que Tomás de Aquino disse depois de sua experiência mística enquanto celebrava a missa, pouco antes de morrer: "... foram-me reveladas tais coisas, que tudo o que escrevi me parece palha."

7. Segundo Aristóteles, qualquer movimento que não seja o causado pelas tendências naturais dos diferentes elementos deve ser causado por uma força aplicada constantemente. Uma pedra em repouso permanecerá em repouso ou se movimentará em direção ao centro da Terra, como convém ao movimento natural de todos os objetos pesados. No entanto, para explicar o difícil caso do movimento do projétil, em que uma pedra lançada continua a movimentar-se muito tempo depois de ter saído da mão que a lançou, sem nenhum impulso constante visível, Aristóteles propôs a idéia de que o ar perturbado pelo movi-

mento da pedra continuava a empurrá-la depois dela haver deixado a mão. Aristotélicos posteriores criticaram essa teoria por seus diversos pontos fracos, mas no século XIV, Buridan apresentou uma solução coerente: quando um projétil é lançado, recebe uma força motriz, com um ímpeto proporcional à sua velocidade e massa, que continua a propelir o projétil depois de deixar o lançador. Além disso, Buridan prenunciou a idéia de que o peso de um corpo em queda imprime igual aumento de ímpeto em intervalos de tempo iguais.

Buridan também dizia que Deus, ao criar os céus, teria imprimido certo ímpeto aos corpos celestiais, que desde então (enquanto Ele descansou no sétimo dia) continuaram em movimento, pois não havia nenhuma resistência a seu movimento. Buridan podia assim descartar a hipótese de inteligências angelicais que movessem os corpos celestiais, pois elas não eram mencionadas na Bíblia nem fisicamente necessárias para explicar os movimentos. Talvez tenha sido esta a primeira grande aplicação de um princípio da física terrestre aos fenômenos celestes. Por sua vez, Oresme, o sucessor de Buridan, concebia um universo semelhante a um relógio mecânico, construído e posto em funcionamento por Deus.

Entre outras contribuições, Oresme introduziu o uso das tabulações matemáticas por grafia equivalente, numa antecipação ao desenvolvimento da Geometria Analítica de Descartes. Em relação ao problema dos movimentos celestes, Oresme argumentava que a aparente rotação de todo o céu poderia ser explicada simplesmente pela rotação da Terra — um movimento menor e mais plausível de um corpo só comparado com o imensamente maior e mais rápido movimento de todos os corpos celestiais por vastos espaços num único dia (o que Oresme considerava "inacreditável e impensável"). Observando as estrelas a cada noite ou o sol a cada dia, o observador só poderia ter a certeza do movimento; o fato de ser este produzido pelos céus ou pela Terra era algo que podia ser decidido pelos sentidos, que registrariam o mesmo fenômeno em qualquer dos casos.

Contra Aristóteles, Oresme também argumentava que os objetos materiais podem cair na Terra — não porque esta seja o centro do Universo, mas porque os corpos materiais naturalmente se movimentam na direção dos outros. Uma pedra lançada cai de volta à Terra em qualquer ponto do Universo em que esteja, porque a Terra está perto da pedra atirada e tem seu próprio centro de atração, ao passo que um planeta em qualquer outro lugar receberia as pedras soltas nas proximidades de seu próprio centro. Portanto, matéria será naturalmente atraída para outra matéria. Essa alternativa teórica à explicação de Aristóteles quanto aos corpos que caem, nos termos de uma Terra central, foi essencial para a posterior hipótese heliocêntrica. Pressupondo ainda a teoria do ímpeto de Buridan, Oresme argumentava que um corpo em queda vertical cairia direto na Terra, mesmo se esta estivesse em movimento, assim como um homem num navio em movimento poderia movimentar sua mão para baixo ao longo de um mastro, sem perceber qualquer desvio. O navio carrega e mantém a linha reta da mão em relação a si mesmo, como a Terra faria com a pedra caindo. Contudo, depois dessa astuta proposição contra Aristóteles e depois de afirmar que somente pela Fé — não pela razão ou a observação, nem pela Escritura — seria possível garantir que a Terra fosse estacionária, Oresme descartou seus argumentos a favor de sua rotação da Terra. Ao contrário de Copérmico e Galileu em contexto científico posterior e diferente.

A obra de Buridan e Oresme no século XIV foi a base imperativa para uma Terra planetária, para a lei da inércia, o conceito do ímpeto, a lei do movimento de aceleração uniforme para os corpos em queda livre, a Geometria Analítica, a eliminação da distinção entre céu e terra e o universo mecânico de um Deus relojoeiro. Veja Thomas S. Kuhn, *The Copernican Revolution: Planetary Astronomy and the Development of Western Thought* (Cambridge: Harvard University Press, 1975), 115-123.

8. O próprio Ockham utilizava formulações um tanto diferentes do que hoje é chamado *o golpe de Ockham*, tais como: "Não se deve pressupor a pluralidade sem a necessidade" ou "O que pode ser feito com menos [hipóteses] é feito inutilmente com mais."

9. Traduzido para o inglês por Mary Martin McLaughlin em *The Portable Renaissance Reader*, editado por J.B. Ross e M.M. McLaughlin (Nova York: Penguin, 1977), 478.

Parte V. A Visão de Mundo Moderna

1. Tycho Brahe também propôs um sistema intermediário entre os de Copérnico e Ptolomeu, em que todos os planetas — menos a Terra — giram em volta do Sol e todo o sistema gira em torno da Terra. Sendo essencialmente modificação do antigo sistema de Heráclides, a primeira parte preservou muitas das mais elevadas percepções copernicanas, ao passo que a segunda continha a Terra central fixa da física aristotélica e a interpretação literal da Bíblia. O sistema de Tycho Brahe promoveu a causa copernicana, explicando algumas de suas vantagens e problemas, uma vez que algumas novas órbitas do Sol e dos planetas intersectavam-se, trazendo a questão da realidade física das esferas etéricas separadas em que se supunha estar envolvido cada planeta. Além disso, suas observações dos cometas, cujas trajetórias são hoje calculadas além da Lua, bem como a descoberta de uma nova trajetória, em 1572, começaram a convencer os astrônomos de que os céus não eram imutáveis, visão essa posteriormente apoiada pelas descobertas do telescópio de Galileu. Como a solução conciliatória de Brahe para as órbitas planetárias, os movimentos observados dos planetas também tornavam menos plausível a existência das esferas etéricas, que Aristóteles considerara compostas de uma substância cristalina sólida, mas invisível.

Agora admitia-se que os cometas moviam-se através dos espaços que tradicionalmente se imaginavam cheios dessas esferas cristalinas, o que lançava maior dúvida sobre sua realidade física. As elipses de Kepler tornariam totalmente insustentáveis as esferas em movimento circular. Veja Thomas S. Kuhn, *The Copernican Revolution: Planetary Astronomy and the Development of Western Thought* (Cambridge: Harvard University Press, 1957), 200-209.

2. Traduzido e citado por James Brodrick, *The Life and Work of Blessed Robert Francis Cardinal Bellarmine, S.J.* vol. 2 (Londres: Longmans, Green, 1950), 359.

3. A obra final de Galileu e sua mais importante contribuição para a Física, *Two New Sciences*, foi terminada em 1634, quando ele contava setenta anos de idade. Publicada quatro anos depois na Holanda, após o manuscrito ter sido contrabandeado da Itália (aparentemente com a ajuda do embaixador francês no Vaticano, o duque de Noailles, antigo discípulo de Galileu). No mesmo ano, 1638, John Milton viajou da Inglaterra para a Itália onde visitou Galileu, fato mais tarde registrado na *Areopagitica*, a clássica defesa de Milton pela liberdade de imprensa: "Sentei entre os homens mais ilustrados (pois esta honra tive) e conto-me entre os felizes que nasceram num lugar de liberdade filosófica, como supunham fosse a Inglaterra, enquanto eles mesmos nada faziam senão resmungar contra o que lhes acontecia; é isto que obscurece a inteligência italiana: há muitos anos nada se escreve ali, a não ser lisonjas em linguagem empolada. Ali encontrei e visitei o famoso Galileu, envelhecido, prisioneiro da Inquisição, por pensar em Astronomia em termos diferentes dos autorizados pelos franciscanos e dominicanos" (John Milton, *Areopagitica and Other Prose Writings*, editado por W. Haller [Nova York: Book League of America, 1929], 41).

4. Implícito nesta divisão entre o espírito humano e o mundo material, nascia um ceticismo em relação à capacidade da mente realmente ultrapassar as aparências e chegar a uma ordem intrínseca no mundo — ou seja, em relação à capacidade do sujeito superar a lacuna e chegar ao objeto. Mencionado por Locke, explicitado por Hume e criticamente reformulado por Kant, este ceticismo de maneira geral não afetou o desenvolvimento da ciência nos séculos XVIII e XIX e mesmo no decorrer do século XX.

5. Deve-se mencionar aqui a formulação independente de Alfred Russell Wallace da teoria da evolução, em 1858, que levou Darwin a divulgar seu trabalho, mantido em segredo por vinte anos. Entre os importantes predecessores de Darwin e Wallace, destacam-se Buffon, Lamarck e Erasmus Darwin, avô de Charles; e ainda Lyell, na Geologia. Além deles, Diderot, La Mettrie, Kant, Goethe e Hegel voltavam-se para uma concepção evolucionária do mundo.

6. W. Carl Rufus, "Kepler as an Astronomer", em *The History of Science Society, Johannes Kepler: A Tercentenary Commemoration of His Life and Work* (Baltimore: Williams & Wilkins, 1931), 36.

7. A sentença tem uma ressalva: as cosmologias não-geocêntricas geralmente vinham da tradição platônico-pitagórica e contrapunham-se mais à cosmologia aristotélico-ptolomaica do que ao platonismo. Veja também a nota 1, parte 2, sobre o possível heliocentrismo de Platão.

8. Análises históricas mais recentes mostraram que o rápido declínio do esoterismo renascentista na Inglaterra da Restauração foi influenciado pelo ambiente social e político bastante carregado que marcou a história daquele país no século XVII. Durante os tumultos revolucionários da guerra civil inglesa e o interregno do período (1642-60), filosofias esotéricas, como a Astrologia e o Hermetismo, eram muito populares; sua estreita associação com os movimentos religiosos e políticos radicais era geralmente considerada ameaça à Igreja estabelecida e às classes proprietárias. Neste período quase sem censura, os almanaques astrológicos vendiam mais do que a Bíblia; astrólogos influentes, como William Lilly, estimulavam as forças rebeldes. Conceitualmente, as filosofias esotéricas apoiavam uma visão de mundo bastante compatível com o ativismo político e religioso antiautoritário dos movimentos radicais; a iluminação espiritual era considerada potencialmente ao alcance de qualquer indivíduo de qualquer classe ou sexo e considerava-se também a natureza viva, permeada pela divindade em todos os níveis e em perpétua transformação. Depois da Restauração em 1660, preeminentes filósofos, médicos e autoridades do clero enfatizavam a importância de uma filosofia natural equilibrada, como a filosofia mecânica publicada na época que falava de partículas materiais inertes regidas por leis fixas e permanentes, para eliminar o "entusiasmo" apaixonado apoiado pela visão de mundo esotérica e pelas seitas radicais.

Com o pano de fundo do espectro do caos social das décadas precedentes, as idéias do Hermetismo eram cada vez mais atacadas; a Astrologia deixou de ter o patrocínio da classe alta e de ser ensinada em universidades; a Ciência desenvolvida na Royal Society (fundada em 1660) sustentava a idéia da Natureza mecanicista e um mundo não-espiritualizado de matéria concreta. Importantes personalidades fundadoras da Royal Society, como Robert Boyle e Christopher Wren, continuaram considerando válida a Astrologia, pelo menos particularmente (como Bacon, pensavam que a Astrologia deveria ser cientificamente reformada, e não rejeitada), mas o clima político era cada vez mais hostil. Boyle, por exemplo, só permitiu que sua defesa da Astrologia fosse publicada após sua morte. Este mesmo contexto parece ter influenciado os inventariantes literários a eliminar a fundamentação hermetista e esotérica das idéias científicas de *Newton.* "Veja David Kubrin, Newton's Inside Out: Magic, Class Struggle, and the Rise of Mechanism in the West", em *The Analytic Spirit*, editado por H. Woolf (Ithaca: Cornell University Press, 1980); Patrick Curry, *Prophecy and Power: Astrology in Early Modern England* (Princeton: Princeton University Press, 1989); Christopher Hill, *The World Turned Upside Down: Radical Ideas During the English Revolution* (Nova York: Viking, 1972); e P. M. Rattansi, "The Intelectual Origins of the Royal Society", em *Notes and Records of the Royal Society of London* 23 (1968): 129-143.

Para outras análises da mesma revolução intelectual, em termos de conflito epistemológico entre dois diferentes pontos de vista, relativos ao gênero (o ideal hermético do conhecimento como união erótica de masculino e feminino, que refletia uma visão do Universo como um casamento cósmico, opondo-se ao programa baconiano da dominância do masculino), veja Evelyn Fox Keller, "Spirit and Reason in the Birth of Modern Science", em *Reflections on Gender and Science* (New Haven: Yale University Press, 1985), 43-65; e Carolyn Merchant, *The Death of Nature: Women, Ecology, and the Scientific Revolution* (São Francisco: Harper & Row, 1980).

9. Galileu, *Diálogo sobre dois importantes sistemas de mundo*, 328: "Perguntai por que há tão poucos seguidores da opinião pitagórica [de que a Terra se move], enquanto eu me espanto de que até hoje ninguém a tenha adotado. Também jamais poderei admirar suficientemente o bom senso dos que abraçaram esta opinião e a aceitaram como verdadeira: com a pura força do intelecto, opuseram-se tão violentamente a seus próprios sentidos, a ponto de preferir o que dizia a razão ao que a experiência sensorial lhes mostrava. Os argumentos contrários [à rotação da Terra] que examinamos são muito plausíveis, como já vimos; o fato de ptolomaicos, aristotélicos e todos os seus discípulos considerarem-nos conclusivos é realmente um bom argumento para sua eficácia. Contudo, as experiências que abertamente contradizem o movimento anual [da Terra em volta do Sol] são tão maiores em sua força aparente que, repito, não há limites para meu assombro quando penso que Aristarco e Copérnico tenham sido capazes de fazer a razão dominar o sentido de tal maneira que, desafiando esta, a primeira tornou-se amante de sua crença."

10. Kepler, *Harmonias do Mundo*, V: "Hoje, desde a madrugada de oito meses atrás, desde a luminosa manhã de três meses atrás e desde alguns dias atrás, quando o sol pleno iluminava minhas especulações deslumbradas, nada me segura. Entrego-me livremente ao sacro arrebatadamente; sinceramente, ouso confessar que roubei as taças douradas dos egípcios para construir um tabernáculo para o meu Deus, longe das amarras do Egito. Se me perdoardes, regozijar-me-ei; se me censurardes, resistirei. A sorte está lançada e escrevo o livro — para ser lido agora ou para a posteridade, não importa. Posso esperar cem anos por um lcitor, assim como Deus esperou seis mil anos por uma testemunha."

11. Aqui talvez estivesse a distinção mais fundamental entre a Ciência Clássica e a Moderna: enquanto Aristóteles postulara quatro causas (material, eficiente, formal e final), a Ciência Moderna considerava apenas as duas primeiras empiricamente justificáveis. Assim, Bacon elogiava Demócrito por eliminar Deus e o espírito do mundo natural, ao contrário de Platão e Aristóteles, que repetidamente introduziam causas finais nas explicações científicas. Veja também a afirmação mais recente do biólogo Jacques Monod: "A pedra de toque do método científico é... a *sistemática* negação de que se pode obter o 'verdadeiro' conhecimento interpretando os fenômenos em termos de causas finais — ou seja, de 'objetivo'" (Jacques Monod, *Chance and Necessity: An Essay on the Natural Philosophy of Modern Biology*, traduzido para o inglês por A. Wainhouse [Nova York: Random House, 1972], 21).

12. Esta foi a famosa resposta do astrônomo e matemático Pierre Simon Laplace a Napoleão, quando questionado sobre a ausência de Deus em sua nova teoria do sistema solar, que aperfeiçoara a síntese newtoniana. Devido a certas irregularidades aparentes nos movimentos planetários, Newton acreditara que o sistema solar exigia certos ajustes divinos para manter a estabilidade. A resposta de Laplace refletia seu êxito ao demonstrar que toda variação secular conhecida (como a mudança nas velocidades de Júpiter e Saturno) era cíclica e que, portanto, o sistema solar era totalmente estável por si mesmo, sem a intervenção divina.

13. O caráter e a composição do clero da Igreja na França também desempenharam papel complexo nesses fatos. Os postos mais elevados do clero eram normalmente ocupados pelos filhos mais jovens da aristocracia, que assumiam esses postos como sinecuras; em geral, levavam uma vida cujo estilo não os distinguia dos aristocratas fora do clero. O fervor religioso não era muito comum neste nível da Igreja, e não era acreditado em outros. Os interesses da Igreja institucional pareciam estar menos na missão pastoral de salvação religiosa do que no reforço da ortodoxia e na preservação das vantagens políticas. Para complicar ainda mais a questão, os membros do próprio clero aristocrático adotavam cada vez mais o racionalismo iluminista, o que dava mais força ao secularismo na estrutura da Igreja. Veja Jacques Barzun, "Society and Politics", em *The Columbia History of the World*, editado por John A. Garraty e Peter Gay (Nova York: Harper & Row, 1972), 694-700.

14. "Aqueles que decidiram servir a Deus e ao dinheiro logo descobrirão que Deus não existe" (Logan Pearsall Smith).

15. Essa idéia era questionada pelos cristãos, que interpretavam a ordem mais como "administração" do que exploração; esta era considerada conseqüência da alienação da Queda.

Parte VI. A Transformação da Era Moderna

1. Com base no segundo prefácio de Kant para a *Crítica da Razão Pura*, muitas vezes se tem dito (por exemplo: entre muitos, Karl Popper, Bertrand Russell, John Dewey e a 15ª edição da Enciclopédia Britânica) que ele chamou sua visão de revolução copernicana. I. B. Cohen observou (em seu *Revolution in Science*. Cambridge: Harvard University Press, 1985, pp. 237-243) que ele não fez exatamente essa afirmação. Por outro lado, Kant comparou explicitamente sua nova estratégia filosófica com a teoria astronômica de Copérnico; embora, a rigor, "revolução copernicana" seja uma expressão posterior a Copérnico e Kant, tanto ela como a comparação são precisas e esclarecedoras.

2. "Posso dizer com certeza que ninguém entende a Mecânica Quântica" (Richard Feynman).

3. Citado em Huston Smith, *Beyond the Post-Modern Mind*. ed. rev. Wheaton, Illinois: Quest, 1989, 8.

4. As idéias de Kuhn, apresentadas em seu *The Structure of Scientific Revolutions* (1962), em parte eram o desenvolvimento de importantes avanços no estudo da história da Ciência de uma geração anterior, notavelmente a obra de Alexandre Koyré e A. O. Lovejoy. Também foram importantes os desdobramentos na Filosofia acadêmica, como os associados ao último Wittgenstein e ao avanço da argumentação na escola do empirismo lógico, de Rudolf Carnap a W. V. O. Quine. A conclusão amplamente aceita desse argumento em essência afirmava uma posição kantiana relativizada: ou seja, em última análise, não se pode logicamente calcular verdades complexas a partir de elementos simples baseados na sensação direta, porque todos esses elementos sensoriais simples fundamentalmente definem-se pela ontologia de uma linguagem específica, e existem inúmeras linguagens, cada uma com seu modo particular de construir a realidade, cada uma seletivamente extraindo e definindo os objetos que descreve. A opção da linguagem a empregar depende da finalidade pretendida, não de "fatos" objetivos que são, em si, constituídos pelos mesmos sistemas teóricos e lingüísticos pelos quais são julgados. Todos os "dados brutos" já estão carregados de teoria. Veja W. V. O. Quine, "Two Dogmas of Empiricism", em *From a Logical Point of View*, 2ª ed. Nova York: Harper & Row, 1961, 20-46.

5. A palavra decisiva com que Hegel expressou seu conceito de integração dialética é *aufhaben*, que significa "levantar" e também "cancelar". No momento da síntese, o estado antitético é ao mesmo tempo preservado e transcendido, negado e realizado.

6. Ronald Sukenick, "The Death of the Novel", em *The Death of the Novel*

and Other Stories (Nova York: Dial, 1969), 41. Em nota menos inócua, talvez se possa dizer que o *ator* seja o epítome do *ethos* artístico pós-moderno, personificando a identidade pós-moderna de modo geral, pois sua realidade permanece deliberada e irredutivelmente ambígua. A ironia permeia a ação; a representação é tudo. O ator jamais está univocamente empenhado em um significado exclusivo, a uma realidade literal. Tudo é "como se".

7. Richard Rorty, *Philosophy and the Mirror of Nature*. Princeton: Princeton University Press, 1979, 176.

8. Ihab Hassan, citado em Albrecht Wellmer, "On the Dialectic of Modernism and Postmodernism", em *Praxis International* 4 (1985: 338). Veja também a discussão de Richard J. Bernstein sobre o mesmo trecho em seu Discurso do Presidente à Metaphysical Society of America ("Metaphysics, Critique, Utopia", em *Review of Metaphysics* 42; 1988: 259-260), onde ele diz que a característica atitude intelectual pós-moderna às vezes se parece com a descrição de Hegel de um ceticismo abstrato que se auto-realiza, "que sempre enxerga apenas o nada puro em seu resultado... e não consegue ir além desse ponto, mas deve aguardar o aparecimento de algo novo, constatar o que seja, para poder lançá-lo também no mesmo abismo vazio" (G.W. Hegel, *The Phenomenology of Spirit*, traduzido para o inglês por A.V. Miller. Oxford: Oxford University Press, 1977, 51).

9. Arnold J. Toynbee, na Enciclopédia Britânica, 15ª ed., verbete *tempo*.

10. Friedrich Nietzsche, *The Gay Science*, traduzido para o inglês por W. Kaufman. Nova York: Random House, 1974, p. 181.

11. Max Weber, *The Protestant Ethic and the Spirit of Capitalism*, traduzido para o inglês por Talcott Parsons. Nova York: Charles Scribner's Sons, 1958, p. 182.

12. Carl G. Jung, "The Undiscovered Self", em *Collected Works of Carl Gustav Jung*, vol. 10, traduzido para o inglês por R. F. C. Hull, editado por H Read et al. Princeton: Princeton University Press, 1970, parágrafos 585-586.

Parte VII. Epílogo

1. John J. McDermott, conferência "Revisioning Philosophy". Big Sur, Esalen Institute Califórnia, junho de 1987.

2. A teoria do duplo vínculo foi uma aplicação da teoria dos tipos lógicos de Bertrand Russell (do *Principia Mathematica*, de Russell e Alfred North Whitehead) a uma análise das comunicações da esquizofrenia. Veja Gregory Bateson e outros, "Toward a Theory of Schizophrenia", em Bateson, *Steps to an Ecology of Mind*. Nova York: Ballantine, 1972, pp. 201-227.

3. Ernest Gellner, *The Legitimation of Belief.* Cambridge: Cambridge University Press, 1975, pp 206-207.

4. Vincent Brome, *Jung: Man and Myth.* Nova York: Athenaeum, 1978, pp. 14.

5. Jung, *Psychological Commentary on* "The Tibetan Book of the Great Liberation", em *Collected Works of Carl Gustav Jung,* vol. 11, traduzido (para o inglês) por R. F. C. Hull, editado por H. Read e outros. Princeton· Princeton University Press, 1969, parágrafo. 759.

6. As apresentações mais abrangentes das constatações clínicas de Grof e suas implicações teóricas podem ser encontradas em Stanislav Grof, *Realms of the Human Unconscious: Observations from LSD Research* (Nova York: Viking, 1975) e *LSD Psychotherapy* (Pomona, Califórnia: Hunter House, 1980). Há uma versão mais simplificada em seu *Beyond the Brain: Birth, Death, and Transcendence in Psychotherapy.* Albany: State University of New York Press, 1985.

7. A evidência clínica da pesquisa de Grof relativa à experiência perinatal não deve ser equivocadamente entendida como obra de uma espécie de causalidade linear mecanicista freudiana, em que o trauma individual do nascimento mecanicamente produz síndromes psicológicas e intelectuais da mesma maneira, mais ou menos "hidráulica", como os psicanalistas tradicionais pensavam que um trauma edipiano da infância produzia específicos sintomas patológicos. Ao contrário, a evidência mostra o que poderia ser chamado de forma arquetípica de causa, em que a revivência do processo de nascimento parece intermediar a participação num processo arquetípico, de morte e vida, muito mais amplo e transpessoal onde os níveis individual e coletivo se interpenetram de modo radical. A seqüência perinatal aparentemente não está baseada na experiência original do nascimento biológico do indivíduo, nem é redutível a esta; ao contrário, o próprio nascimento biológico parece refletir uma realidade arquetípica mais abrangente, a que têm acesso direto os que passam pelo processo perinatal, espontaneamente (no caso das experiências pessoais da "escura noite da alma"), em ritual religioso ou na psicoterapia experimental. Aqui a experiência do parto é considerada não a origem última, a causa reducionista num sistema fechado, mas o eixo amplificador, um ponto de transmissão experiencial entre a realidade pessoal e a transpessoal.

Portanto, a evidência de Grof mostra uma compreensão mais complexa da causa do que a oferecida pela moderna concepção científica convencional de causalidade mecânico-linear e, segundo os dados e teorias recentes, vindos de diversos outros campos, aponta para uma concepção que incorpora formas de causalidade participatórias, mórficas e teleológicas — mais próximas em seu caráter das clássicas noções platônicas e aristotélicas de causalidade, bem como da posterior compreensão arquetípica junguiana. Os princípios organizadores dessa epistemologia são simbólicos, não-literais e têm caráter radicalmente polivalente, sugerindo uma ontologia não-dualista metaforicamente padronizada "para baixo" — uma compreensão desenvolvida nessas últimas décadas por pensadores tão diferentes como Owen Barfield, Norman O. Brown, James Hillman e Robert Bellah.

8. James Hillman, *Re-Visioning Psychology*. Nova York: Harper & Row, 1975, p. 126.

9. Autores e editores hoje muitas vezes comentam as dificuldades na revisão de muitas sentenças originalmente escritas com o "homem" tradicional genérico, que procuram substituir por alguma expressão sem a distorção do gênero. A dificuldade em parte é criada pelo fato de que nenhum outro termo denota simultaneamente a espécie humana (ou seja, todos os seres humanos) e um único ser humano genérico. Quer dizer, a palavra "homem" é a única a indicar metaforicamente a entidade singular e pessoal que também é intrinsecamente coletiva em caráter: "homem" denota um indivíduo universal, uma figura arquetípica, de maneira que não o fazem "seres humanos", "humanidade", "pessoas", "povos" e "homens e mulheres". No entanto, creio que a razão mais profunda para essa dificuldade na revisão de tais sentenças é porque, em sua concepção original, estavam implicitamente estruturadas em torno dessa específica imagem do arquétipo humano masculino. Uma leitura mais cuidada dos muitos textos importantes — greco-romanos, judaico-cristãos e os modernos científico-humanistas — deixa muito claro, tanto em sua estrutura sintática como no significado essencial de sua linguagem, que a grande maioria dos pensadores ocidentais acostumaram-se a representar a condição humana e o empreendimento humano, inclusive seu drama, seu *páthos* e sua arrogância, inextricavelmente associados à presença inconsciente desse personagem arquetípico, o "homem". Em determinado nível, o "homem" da tradição ocidental pode ser considerado simplesmente um "falso universal" socialmente construído, cujo uso ao mesmo tempo refletiu e ajudou a moldar uma sociedade dominada pelo masculino. Em maior profundidade, entretanto, "homem" também tem representado um arquétipo vivo de que participam os membros de ambos os sexos, querendo ou não. Toda uma civilização e todo um mundo foram arrumados por esta presença atuante, criativa, problemática. Este livro realmente contou a história do "homem ocidental" em toda sua glória trágica, cegueira e, penso, desenvolvimento em direção à autotranscendência.

Em algum momento futuro, é muito provável que desapareça o uso impensado do genérico masculino. Se este livro for lido nesse novo contexto, o papel desempenhado na narrativa pela particular construção do humano transmitida pelo genérico "homem" permanecerá ainda mais visível e as inúmeras ramificações desse hábito histórico — psicológico, social, cultural, intelectual, espiritual, ecológico, cosmológico — estará incomensuravelmente mais evidente. Quando a linguagem distorcida pelo gênero já não for a norma vigente, toda a visão de mundo terá ingressado numa nova era. Todas as velhas sentenças, o caráter da imagem que o humano tem de si, a própria natureza de seu drama estarão radicalmente transformados. Conforme a linguagem, a visão de mundo — e vice-versa...

10. Talvez devam-se mencionar aqui duas grandes complexidades nessa abrangente dialética. Em primeiro lugar, como indicaram a narrativa e diversas notas, pode-se considerar que a evolução da cultura ocidental foi marcada em todas as suas etapas por um complexo intercâmbio de masculino e feminino; significativas reuniões parciais com o feminino coincidiram com as grandes linhas divisórias criativas da cultura ocidental, do nascimento da civilização grega em diante. Cada síntese e cada nascimento constituiu uma etapa na dialética bem mais ampla entre o masculino e o feminino, que acredito englobar toda a história da cultura ocidental.

Entrelaçado a essa evolução masculino-feminino em desdobramento, há um segundo processo dialético, que desempenhou um papel mais explícito na narrativa histórica e que envolve uma polaridade arquetípica básica na própria natureza do masculino. Por um lado, o princípio masculino (repito: tanto no homem como na mulher) pode ser entendido em termos do que pode ser chamado de impulso prometéico: inquieto, heróico, rebelde e revolucionário, individualista e inovador, eternamente em busca da liberdade, autonomia, mudança e do novo. Por outro lado, existe seu complemento e oposto, que pode ser chamado de impulso saturnino: conservador, estabilizador, controlador, dominador, que procura sustentar, ordenar, conter e reprimir — ou seja, o lado jurídico-estrutural-hierárquico do masculino que se expressou no patriarcado.

Os dois lados do masculino — Prometeu e Saturno, filho e pai — são implicações um do outro. Cada um exige, produz e se transforma no oposto. Em grande escala, pode-se pensar que a tensão dinâmica entre os dois princípios constitui a dialética que impele a "história" (política, intelectual, espiritual). Essa dialética deu a força que impeliu o drama interior em toda *A Epopéia da Cultura Ocidental*: o incessante intercâmbio dinâmico entre ordem e mudança, autoridade e rebeldia, controle e liberdade, tradição e inovação, estrutura e revolução. Entretanto, estou sugerindo que essa vigorosa dialética, no final das contas, impele e é impelida (por assim dizer, está a serviço dela) por uma dialética abrangente bem mais ampla que envolve o feminino: a "vida".

Bibliografia

Agostinho. *An Augustine Reader*. Com uma introdução de J. J. O'Meara. Garden City, Nova York: Modern Library, 1950.

_____. *Basic Writings of Saint Augustine*; editado por W. J. Oates. 2 vols. Nova York: Random House, 1948.

_____. *The City of God;* traduzido por M. Dods. Nova York: Modern Library, 1950.

_____. *The Confessions*; traduzido por J. K. Ryan. Garden City, Nova York: Doubleday, 1960.

_____. *Works*; editado por M. Dods. Edimburgo: Clark, 1871-77.

Aristóteles. *The Complete Works of Aristotle: The Revised Oxford Translation*; editado por J. Barnes. 2 vols. Princeton: Princeton University Press, 1984.

Armitage, Angus. *Copernicus, The Founder of Modern Astronomy*. Nova York. Thomas Yoseloff, 1957.

Armstrong, A.H.(ed.). *The Cambridge History of Later Greek and Early Medieval Philosophy*. Cambridge: Cambridge University Press, 1967.

Bacon, Francis. *Advancement of Learning; Novum Organum; The New Atlantis*; em *Great Books of the Western World*. vol. 30. Chicago: Encyclopaedia Britannica, 1952.

Bainton, Roland. *The Reformation of the Sixteenth Century*. Boston: Beacon Press, 1985.

Barbour, Ian. *Myths, Models, and Paradigms: A Comparative Study in Science and Religion*. Nova York: Harper & Row, 1974.

Barfield, Owen. "Coleridge's Philosophical Lectures". *Towards*, 3, 2, 1989: 27-30.

_____. *Saving the Appearances: A Study in Idolatry*. 2ª ed. Middletown, Connecticut: Wesleyan University Press, 1988.

Barnett, Lincoln. *The Universe and Dr. Einstein*; ed. rev. Nova York: William Morrow, 1972.

Barnhart, Bruno. "Monastic Wisdom and the World of Today". *Monastic Studies* 16, 1985: 111-138.

_____. "The Sophia Hypothesis". Documento apresentado no simpósio *The Feminine Wisdom Traditions and Creation Spirituality in Christianitye*; na conferência *Gaia Consciousness: The Goddess and the Living Earth*, no California Institute of Integral Studies. San Francisco, abril de 1988.

Barzun, Jacques. *Classic, Romantic, and Modern*. Chicago: University of Chicago Press, 1975.

_____. *Darwin, Marx, Wagner: Critique of a Heritage*; 2ª ed. Chicago: University of Chicago Press, 1981.

Bate, William Jackson. "The Crisis in English Studies". *Harvard Magazine,* setembro-outubro de 1982: 46-53.

Bateson, Gregory. *Mind and Nature: A Necessary Unity.* Nova York: Dutton, 1979.

_____. *Steps to an Ecology of Mind.* Nova York: Ballantine, 1972.

Baudelaire, Charles. *Les Fleurs du Mal;* traduzido para o inglês por F. Duke. Charlottesville: University Press of Virginia, 1961.

Baynes, Kenneth, James Bohman, Thomas McCarthy; eds. *After Philosophy: End or Transformation?* Cambridge: MIT Press, 1987.

Beauvoir, Simone de. *The Second Sex;* traduzido para o inglês e editado por H. M. Parshley. Nov York: Alfred A. Knopf, 1953.

Beckett, Samuel. *Endgame.* Nova York: Grove Press, 1958.

_____. *Waiting for Godot.* Nova York: Grove Press, 1954.

Bellah, Robert N. *Beyond Belief: Essays on Religion in a Post-Traditional World.* Nova York: Harper & Row, 1970.

Benz, Ernst Wilhelm. *The Eastern Orthodox Church: Its Thought and Life*; traduzido por R. Winston and C. Winston. Garden City, Nova York: Doubleday, 1963.

_____. *Evolution and Christian Hope: Man's Concept of the Future from the Early Fathers to Teilhard de Chardin*; traduzido por H.G. Frank. Garden City, Nova York: Doubleday, 1968.

Bergson, Henri. *Creative Evolution*; traduzido por A. Mitchell. Nova York: Modern Library, 1944.

Berkeley, George. *The Principles of Human Knowledge*; em *Great Books of the Western World.* vol. 35. Chicago: Encyclopaedia Britannica, 1952.

Bernstein, Richard Jr. (ed.). *Habermas and Modernity.* Cambridge: MIT Press, 1985.

_____. "Metaphysics, Critique, Utopia". *Review of Metaphysics,* 42, 1988: 255-273.

Bible. Versão autorizada do rei James. Wheaton, Illinois: Tyndale House, 1981.

_____. *The New Oxford Annotated Bible with the Apocrypha*; ed. ampliada. Versão revisada *standard*; editada por H. G. May e B. M. Metzger. Nova York: Oxford University Press, 1977.

Blake, William. *The Poetry and Prose of William Blake;* editada por D.V. Erdman. Comentado por H. Bloom. Garden City, Nova York: Doubleday, 1970.

Boas, George. *Dominante Themes of Modern Philosophy: A History.* Nova York: Ronald, 1975.

Boécio. *The Consolation of Philosophy*; traduzido para o inglês por R. Green. Indianápolis: Bobbs-Merrill, 1962.

Bohm, David. *Wholeness and the Implicate Order*. Londres: Routledge & Kegan Paul, 1980.

Bohr, Niels. *Atomic Physics and the Description of Nature*. Cambridge: Cambridge University Press, 1934.

Bonner, Gerald. "The Spirituality of St. Augustine and Its Influence on Western Mysticism". *Sobornost* 4, 2, 1982: 143-162.

Bornkamm, Gunther. *Jesus of Nazareth*; traduzido para o inglês por I. McLuskey e F. McLuskey com J. M. Robinson. Nova York: Harper & Row, 1975.

Bouyer, Louis. *The Spirituality of the New Testament and the Fathers*; traduzido para o inglês por M. P. Ryan. Nova York: Seabury, 1982.

Bridgman, P. W. *The Logic of Modern Physics*. Nova York: Macmillan, 1946.

Brodrick, James. *The Life and Work of Blessed Robert Francis Cardinal Bellarmine, S.J.* 2 vols. Londres: Longmans, Green, 1950.

Brome, Vincent. *Jung: Man and Myth*. Nova York: Atheneum, 1978.

Bronowski, Jacob e Bruce Mazlish. *The Western Intellectual Tradition: From Leonardo to Hegel*. Nova York: Harper & Row, 1960.

Brown, Norman O. *Love's Body*. Nova York: Random House, 1968.

Brown, Raymond E. *Biblical Reflections on Crises Facing the Church*. Nova York: Paulist Press, 1975.

Burckhardt, Jacob. *The Civilization of Renaissance in Italy*. Traduzido para o inglês por S. G. C. Middlemore. Nova York: Harper Torchbook, 1958.

Burnaby, J. *Amor Dei: A Study on the Religion of St. Augustine*. Londres: Hodder & Stoughton, 1938.

Butterfield, Herbert. *The Origins of Modern Science, 1300-1800*; ed. rev. Nova York: Free Press, 1965.

_____. *Writings on Christianity and History*; editado por C. T. McIntyre. Oxford: Oxford University Press, 1979.

Byron, George Gordon. *Lord Byron: Selected Letters and Journals*; editado por L. A. Marchand. Cambridge: Harvard University Press, 1982.

Campbell, Joseph. *The Hero with a Thousand Faces*; 2ª ed. Princeton: Princeton University Press, 1968.

_____. *The Masks of God*. Vol. 3, *Occidental Mythology*. Nova York: Viking, 1964.

Camus, Albert. *The Myth of Sisyphus and Other Essays*; traduzido para o inglês por J. O'Brien. Nova York: Random House, 1959.

———. *The Stranger*; traduzido para o inglês por S. Gilbert. Nova York: Random House, 1954.

Capra, Fritjof. *The Tao of Physics: An Exploration of the Parallels Between Modern Physics and Eastern Mysticism.* Berkeley: Shambhala, 1975.

_____. *The Turning Point: Science, Society, and the Rising Culture.* Nova York: Simon and Schuster, 1982.

Carnap, Rudolf. "The Rejection of Metaphysics"; em *20th Century Philosophy: The Analytic Tradition,* editado por M. Weitz. Nova York: Free Press.

Caspar Max. *Kepler*; traduzido para o inglês e editado por C. D. Hellman. Londres: Abelard-Schuman, 1959.

Cassirer, Ernst. *The Philosophy of Symbolic Forms*; traduzido para o inglês por R. Manheim. 3 vols. Nova Haven: Yale University Press, 1955-57.

Castiglione Baldesar. *The Book of the Courtier*; traduzido para o inglês por G. Bull. Baltimore: Penguin, 1976.

Cellini, Benvenuto. *The Autobiography of Benvenuto Cellini*; traduzido para o inglês por J. A. Symonds. Nova York: Modern Library, 1985.

Chadwick, Henry. *Early Christian Thought and the Classical Tradition: Studies in Justin, Clement and Origen.* Oxford: Oxford University Press, 1966.

Chenu, M.D. *Nature, Man and Society in the Twelfth Century: Essays on New Theological Perspectives in the Latin West*; editado e traduzido para o inglês por J. Taylor e L. K. Little. Chicago: University of Chicago Press, 1983.

_____. *Toward understanding Saint Thomas.* Traduzido para o inglês por A. M. Landry e D. Hughes. Chicago: University of Chicago Press, 1964.

Chodorow, Nancy J. *Feminism and Psychoanalytic Theory.* Nova Haven: Yale University Press, 1989.

_____. *The Reproduction of Mothering: Psychoanalysis and the Sociology of Gender.* Berkeley: University of California Press, 1978.

Chroust, Anton-Hermann. *Aristotle: New Light on His Life and Some of His Lost Works.* 2 vols. Notre Dame: University of Notre Dame Press, 1973.

Cicero, Marcus Tullius. *The Basic Works of Cicero*; editado por M. Hadas. Nova York: Modern Library, 1951.

_____. *De Natura Deorum; Academica.* Com tradução inglesa de H. Rackham. Cambridge: Harvard University Press, 1972.

Clemente de Alexandria. *The Exhortation to the Heathen*; em *The Ante-Nicene Fathers,* editado por A. Roberts e J. Donaldson, vol. 2. Grand Rapids, Michigan: Wm. B. Eerdmans, 1967.

Cohen, I.B. *Revolution in Science.* Cambridge: Harvard University Press, 1985.

Coleridge, Samuel Taylor. *The Portable Coleridge*; editado por I.A. Richards. Nova York: Viking, 1950.

Colorado Pam. "Bridging Native and Western Science". *Convergence* 21, 2/3, 1988: 49-68.

Comte, Auguste. *Introduction to Positive Philosophy*; editado por F. Ferre. Indianápolis: Bobbs-Merrill, 1970.

Condorcet, Antoine-Nicolas, Marquês de. *Sketch for a Historical Picture of the Progress of the Human Mind*; traduzido para o inglês por J. Barraclough. Westport, Connecticut: Hyperion, 1979.

Copernicus, Nicolaus. *On the Revolutious of the Heavenly Spheres;* traduzido por C. G. Wallis; em *Great Books of the Western World*, vol. 16. Chicago: Encyclopaedia Britannica, 1952.

_____. *Three Copernican Treatises: The Commentariolus od Copernicus, the Letter against Werner, the Narratio Prima of Rheticus*; traduzido, com uma introdução de E. Rosen. Nova York: Columbia University Press, 1939.

Cornford, F. M. *Plato's Cosmology*. Londres: Routledge, 1966.

Curry, Patrick. *Prophecy and Power: Astrology in Early Modern England*. Princeton: Princeton University Press, 1989.

Cutler, Donald R., ed. *The Religious Situation: 1968*. Boston: Beacon Press, 1968.

Dante. *The Banquet*; traduzido para o inglês por K. Hillard. Londres: Routledge & Kegan Paul, 1889.

_____. *The Divine Comedy;* traduzido para o inglês por C.S. Singleton. 3 vols. Princeton: Princeton University Press, 1973-75.

Danto, Arthur C. *The Philosophical Disenfranchisement of Art*. Nova York: Columbia University Press, 1986.

Darwin, Charles. *The Descent of Man and Selection in Relation to Sex*. Princeton: Princeton University Press, 1981.

_____. *The Origin of Species*. Nova York: Dutton, Everyman's University Library, 6ª ed. (1882), 1971.

De Beer, Sir Gavin. *Charles Darwin: A Scientific Biography*. Garden City, Nova York: Doubleday, 1965.

Derrida, Jacques. *Margins of Philosophy;* traduzido para o inglês por A. Bass. Chicago: University of Chicago Press, 1982.

_____. *Writing and Difference*. Traduzido para o inglês por Tipi A. Bass. Chicago: University of Chicago Press, 1978.

Descartes, René. *The Philosophical Works of Descartes*; traduzido para o inglês por E. S. Haldane e G. R. T. Ross. 2 vols. Nova York: Dover, 1955.

Dewey, John. *Experience and Nature*, ed. rev. La Salle, Ill.: Open Court, 1971.

_____. *The Quest for Certainty: A Study of the Relation of Knowledge and Action*. Nova York: Miston, Balch, 1929.

Dijksterhuis, E.J. *The Mechanization of the World Picture: Pythagoras to Newton*; traduzido para o inglês por C. Dikshoorn. Princeton: Princeton University Press, 1986.

Dodds, E.R. *The Ancient Concept of Progress.* Oxford: Clarendon Press, 1973.

_____. *The Greeks and the Irrational.* Berkeley: University of California Press, 1951.

_____. *Pagan and Christian in an Age of Anxiety: Some Aspects of Religious Experience from Marcus Aurelius to Constantine.* Nova York: Norton, 1970.

Dostoyevski, Fyodor. *The Brothers Karamazov*; traduzido para o inglês por C. Garnett. Nova York: Modern Library, 1933.

_____. *Crime and Punishment*; traduzido para o inglês por C. Garnett. Nova York: Modern Library, 1950.

_____. *Notes from Underground*; editado e traduzido para o inglês por M. Katz. Nova York: Norton, 1989.

Dreyer, J.L.E. *A History of Astronomy from Thales to Kepler*; 2ª ed. Nova York: Dover, 1953.

Duhem, Pierre. *To Save the Phenomena: An Essay on the Idea of Physical Theory from Plato to Galileo*; traduzido para o inglês por E. Doland e C. Maschler. Chicago: University of Chicago Press, 1969.

Eckhart, Mestre. *The Essential Sermons, Commentaries, Treatises, and Defense*; traduzido para o inglês, com uma introdução, por E. Colledge e B. McGinn. Nova York: Paulist Press, 1981.

Eckman, Barbara. "Jung, Hegel, and the Subjective Universe". Dallas: Spring Publications, 1986: 88-89.

Edinger, Edward F. *Ego and Archetype: Individuation and the Religious Function of the Psyche.* Baltimore: Penguim, 1973.

Edwards, Jonathan. *Apocaliptic Writings.* Em *The Works of Jonathan Edwards*, vol. 5; editado por S. J. Stein. Nova Haven: Yale University Press, 1977.

Einstein, Albert. *The Meaning of Relativity*; 5ª ed. Princeton: Princeton University Press, 1956.

_____. *Relativity: The Special and the General Theory*; traduzido para o inglês por R. W. Lawson. Nova York: Crown, 1961.

Eliade, Mircea. *Cosmos and History: The Myth of the Eternal Return*; traduzido para o inglês por W. R. Trask. Nova York: Harper & Row, 1954.

Eliot, T. S. *Complete Poems and Plays.* Nova York: Harcourt, Brace & World, 1971.

Emerson, Ralph Waldo. *The Collected Works.* 4 vols; editado por A. R. Ferguson *et al.* Cambridge: Harvard University Press, 1979-87

Engelsman, Joan Chamberlain. *The Feminine Dimension of the Divine.* Wilmette, Illinois: Chiron, 1987.

Erasmo. *The Epistles of Erasmus*; traduzido para o inglês por F. M. Nichols. Londres: Longmans, Green, 1901.

Erikson, Erik. *Childhood and Society;* 2ª ed. Nova York: Norton, 1950.

Euripides. Peças existentes em cinco volumes de *The Complete Greek Tragedies*, editado por D. Grene e R. Lattimore. Chicago: University of Chicago Press, 1955-59.

Evans, Donald. "Can We Know Spiritual Reality?" *Commonweal*, 13 de julho de 1984.

Fairbairn, W. R. D. *An Object-Relations Theory of the Personality*. Nova York: Basic Books, 1952.

Fenichel, Otto. *The Psychoanalytic Theory of Neurosis*. Nova York: Norton, 1945.

Ferenczi, Sandor. *Thalassa: A Theory of Genitality*; traduzido para o inglês por H. A. Bunker. Nova York: Norton, 1968.

Ferguson, W. K. *et al. Renaissance: Six Essays*. Nova York: Harper Torchbook, 1962.

Feyerabend, Paul. *Against Method: Outline of an Anarchistic Theory of Knowledge*; ed. rev. Londres: Verso, 1988.

———. *Science in a Free Society*. Londres: Verso, 1978.

Ficino, Marsilio. *The Book of Life*; traduzido para o inglês por C. Boer. Irving. Texas: Spring Publications, 1980.

———. *The Letters of Marsilio Ficino*. Traduzido para o inglês por membros do Departamento de Línguas da School of Economic Science, Londres. 2 vols. Prefácio de P. O. Kristeller. Londres: Shepheard-Walwyn, 1975.

———. *Platonic Theology;* trechos selecionados, traduzido para o inglês por J. L. Burroughs. *Journal of the History of Ideas*, 5, 2 (1944): 227-239.

Findlay, J.N. *Ascent to the Absolute*. Londres: Allen and Unwin, 1970.

———. *Hegel: A Re-examination*. Nova York: Humanities Press, 1958.

Finley, John H. *Four Stages of Greek Thought*. Stanford: Stanford University Press, 1966.

Foucault, Michel. *The Archaeology of Knowledge;* traduzido para o inglês por A. M. Sheridan Smith. Londres: Tavistock, 1972.

———. *Power/Knowledge: Selected Interviews and Other Writings*; editado por C. Gordon. Nova York: Pantheon, 1980.

Fox, Robin Lane. *Pagans and Christians*. Nova York: Alfred A. Knopf, 1987.

Frank, Francine Wattman e Paula A. Treichler. *Language, Gender, and Professional Writing*. Nova York: Modern Language Association, 1989.

Freeman, Kathleen (ed. e trad.). *Ancilla to the Pre-Socratic Philosophers: A Complete Translation of the Fragments*. Cambridge: Harvard University Press, 1983.

Freud, Anna. *The Ego and the Mechanisms of Defense;* ed. rev. Nova York: International Universities Press, 1966.

Freud, Sigmund. *The Standard Edition of the Complete Works of Sigmund Freud*; editado por J. Strachey. 21 vols. Nova York: Hogarth, 1955-61.

Fromm, Erich. *The Dogma of Christ and Other Essays on Religion, Psychology, and Culture*. Nova York: Holt, Rinehart & Winston, 1963.

Gadamer, Hans Georg. *Truth and Method*. Traduzido para o inglês por G. Barden e J. Cumming. Nova York: Seabury, 1970.

Galbraith, John Kenneth. *The New Industrial State*. 4ª ed. Boston: Houghton Mifflin, 1985.

Galilei, Galileo. *Dialogue Concerning the Two Chief World Systems — Ptolemaic and Copernican*. Traduzido para o inglês por S. Drake. Berkeley: University of California Press, 1953.

_____. *Discoveries and Opinions of Galileo*. Traduzido para o inglês por S. Drake. Nova York: Doubleday, 1957.

_____. *Sidereus Nuncius, or, The Sidereal Messenger*; traduzido para o inglês, com uma introdução, por A. van Helden. Chicago: University of Chicago Press, 1989.

_____. *Two New Sciences*. Traduzido para o inglês por S. Drake. Madison: University of Wisconsin Press, 1974.

Garin, Eugenio. *Italian Humanism*. Traduzido para o inglês por P. Munz. Oxford: Blackwell, 1965.

Garraty, John A., e Peter Gay, eds. *The Columbia History of the World*. Nova York: Harper & Row, 1972.

Geertz, Clifford. "From the Native Point of View: On the Nature of Anthropological Understanding". Em *Interpretive Social Science: A Reader*, editado por P. Rabinow e W. M. Sullivan. Berkeley: University of California Press, 1979.

Gellner, Ernest. *The Legitimation of Belief*. Cambridge: Cambridge University Press, 1975.

Geymonat, Ludovico. *Galileo Galilei: A Biography and Inquiry into His Philosophy of Science*. Traduzido para o inglês por S. Drake. Nova York: McGraw-Hill, 1965.

Gibbon, Edward. *The Decline and Fall of the Roman Empire*. 3 vols. Nova York: Modern Library, 1977.

Gilkey, Langdon. *Religion and the Scientific Future: Reflections on Myth, Science, and Theology*. Nova York: Harper & Row, 1970.

Gilligan, Carol. *In a Different Voice: Psychological Theory and Women's Development*. Cambridge: Harvard University Press, 1982.

Gilson, Etienne. *The Christian Philosophy of St. Thomas Aquinas*; traduzido por L. K. Shook. Nova York: Random House, 1956.

_____. *History of Christian Philosophy in the Middle Ages*. Nova York: Random House, 1955.

Gimbutas, Marija. *The Goddesses and Gods of Old Europe, 6500-3500 B.C.. Myths and Cult Images*; ed. rev. Berkeley: University of California Press, 1982.

_____. *The Language of the Goddess: Unearthing the Hidden Symbols of Western Civilization.* San Francisco: Harper & Row, 1989.

Gingerich, Owen. "From Copernicus to Kepler: Heliocentrism as Model and as Reality." *Proceedings of the American Philosophical Society* 117, 1973: 513-522.

_____. "Johannes Kepler and the New Astronomy." *Quarterly Journal of the Royal Astronomical Society,* 13, 1972: 346-373.

Gleick, James. *Chaos: Making a New Science.* Nova York: Viking, 1988.

Goethe, Johann Wolfgang von. *Faust Parts One and Two*; traduzido por G. M. Priest; em *Great Books of the Western World*, vol. 47. Chicago: Encyclopaedia Britannica, 1952.

Gombrich, E.H. *Art and Illusion: A Study in the Psychology of Pictorial Representation*; 2ª ed. rev. Princeton: Princeton University Press, 1961.

Graves, Robert. *The Greek Myths.* 2 vols; ed. rev. Nova York: Penguin, 1960.

Grenet, Paul. *Thomism.* Traduzido para o inglês por J. F. Ross. Nova York: Harper & Row, 1967.

Grof, Stanislav. *Beyond the Brain: Birth, Death, and Transcendence in Psychotherapy.* Albany: State University of New York Press, 1985.

_____. *LSD Psychotherapy.* Pomona, Califórnia: Hunter House, 1980.

_____. *Realms of the Human Unconscious: Observations from LSD Research.* Nova York: Viking, 1975.

Grube, Georges M.A. *Plato's Thought.* Boston: Beacon Press, 1958.

Gusdorf, Georges. *Speaking.* Traduzido para o inglês, com uma introdução, por P. T. Brockelman. Evanston, Illinois: Northwestern University Press, 1965.

Guthrie, W. K. C. *The Greek Philosophers: From Thales to Aristotle.* Nova York: Harper Torchbook, 1960.

_____. *A History of Greek Philosophy.* 6 vols. Cambridge: Cambridge University Press, 1962-81

Habermas, Jurgen. *Knowledge and Human Interests.* Traduzido para o inglês por J. J. Shapiro. Boston: Beacon Press, 1971.

Hall, Nor. *The Moon and the Virgin: Reflections on the Archetypal Feminine.* Nova York: Harper & Row, 1980.

Hanson, N.R. *Patterns of Discovery: An Inquiry into Conceptual Foundations of Science.* Cambridge: Cambridge University Press, 1958.

Harding, Sandra. "Is Gender a Variable in Conceptions of Rationality?" *Dialectica,* 36, 1982: 225-242.

Harrison, Jane Ellen. *Prolegomena to the Study of Greek Religion,* 3ª ed. Cambridge: Cambridge University Press, 1922.

Hayman, Ronald. *Nietzsche: A Critical Life.* Nova York: Oxford University Press, 1980.

Heath, Sir Thomas L. *Aristarchus of Samos: The Ancient Copernicus.* Oxford: Clarendon Press, 1913.

Hegel, G. W. F. *Early Theological Writings.* Traduzido para o inglês por T. M. Knox, com uma introdução e fragmentos traduzidos por R. Kroner. Filadélfia: University of Pennsylvania Press, 1971.

_____. *The Essential Writings.* Editado por F.G. Weiss. Nova York: Harper & Row, 1974.

_____. *Introduction to the Lectures on the History of Philosophy.* Traduzido para o inglês por T. M. Knox e A. V. Miller. Oxford: Oxford University Press, 1987.

_____. *The Phenomenology of Spirit.* Traduzido para o inglês por A. V. Miller. Oxford: Oxford University Press, 1977.

_____. *Philosophy of Mind.* Traduzido para o inglês por W. Wallace, com *Zusätze* no texto de Boumann, traduzido por A.V. Miller. Oxford: Clarendon Press, 1971.

_____. *Reason in History.* Traduzido para o inglês por R. S. Hartman. Indianápolis: Bobbs-Merrill, 1953.

_____. *A Razão na História.* Tradução de B. Sidou. São Paulo: Editora Moraes, 1989.

Heidegger, Martin. *Being and Time.* Traduzido por J. Macquarrie e E. Robinson. Nova York: Harper & Row, 1962.

_____. "'Only a God Can Save Us': The Spiegel Interview (1966)." Traduzido para o inglês por W. J. Richardson, em *Heidegger: The Man and the Thinker*, editado por T. Sheehan. Chicago: Precedent, 1981.

Heilbroner, Robert *The Worldly Philosophers.* Nova York: Simon and Schuster, 1980.

Heisenberg, Werner. *Physics and Philosophy: The Revolution in Modern Physics.* Nova York: Harper & Row, 1962.

Herbert Nick. *Quantum Reality: Beyond the New Physics.* Garden City, Nova York: Doubleday, 1985.

Herder, Johann Gottfried. *Reflections on the Philosophy of the History of Mankind.* Condensado, com uma introdução de F. E. Manuel. Chicago: University of Chicago Press, 1968.

Hesíodo. *The Works and Days; Theogony; The Shield of Heracles.* Traduzido para o inglês por R. Lattimore. Ann Arbor: University of Michigan Press, 1959.

Hesse, Mary. *Revolutions and Reconstructions in the Philosophy of Science.* Bloomington: Indiana University Press, 1980.

Hill, Christopher. *The World Turned Upside Down: Radical Ideas During the English Revolution.* Nova York: Viking, 1972.

Hillman, James. "Anima Mundi: The Return of the Soul to the World." Dallas: Spring Publications, 1982: 71-93.

_____. *Re-Visioning Psychology.* Nova York: Harper & Row, 1975.

Hollingdale, R.J. *Nietzsche: The Man and His Philosophy.* Baton Rouge: Louisiana State University Press, 1965.

Homero. *The Iliad.* Traduzido para o inglês por Robert Fitzgerald. Garden City, Nova York: Doubleday, 1974.

_____. *The Odyssey.* Traduzido para o inglês por Robert Fitzgerald. Garden City, Nova York: Doubleday, 1961.

Hugh de Saint-Victor. *Didascalicon: A Medieval Guide to the Arts.* Traduzido para o inglês, com introdução por J. Taylor. Nova York: Columbia University Press, 1961.

Hume, David. *An Enquiry Concerning Human Understanding.* Em *Great Books of the Western World*, vol. 35. Chicago: Encyclopaedia Britannica, 1952.

_____. *A Treatise of Human Nature*; editado por L.A. Selby-Bigge. Oxford: Clarendon, 1967.

Huxley, Aldous. *The Doors of Perception.* Nova York: Harper & Row, 1970.

Irineus. *Against Heresies.* Em *The Ante-Nicene Fathers*, editado por A. Roberts e J. Donaldson, vol. 1. Grand Rapids, Michigan: Wm. B. Eerdmans, 1967.

Jackson, Thimothy. "The Theory and Practice of Discomfort: Richard Rorty and Pragmatism." *The Thomist*, 51, 2, 1987: 270-298.

Jaeger, Werner. *Aristotle: Fundamentals of the History of His Development.* Traduzido para o inglês por R. Robinson. Nova York: Oxford University Press, 1948.

James, Henry. *The Art of Criticism: Henry James on the Theory and Practice of Fiction.* Editado por W. Veeder e S. Griffin. Chicago: University of Chicago Press, 1986.

James, William. *A Pluralistic Universe.* Cambridge: Harvard University Press, 1977.

_____. *Pragmatism and the Meaning of Truth.* Cambridge: Harvard University Press, 1978.

_____. *The Principles of Psychology*, 2 vols. Cambridge: Harvard University Press, 1981.

_____. *Varieties of Religious Experience.* Cambridge: Harvard University Press, 1985.

_____. *The Will to Believe.* Cambridge: Harvard University Press, 1979.

Janson, H. W. *History of Art*, 3ª ed. Nova York: Abrams, 1986.

Jeans, Sir James. *Physics and Philosophy.* Nova York: Macmillan, 1943.

João da Cruz, São. *Dark Night of the Soul.* Traduzido e editado por E. Allison Peers. Garden City, Nova York: Image Books, 1959.

Jones, Ernest. *The Life and Work of Sigmund Freud.* 3 vols. Nova York: Basic Books, 1953-57.

Jung, Carl G. *The Collected Works of Carl Gustav Jung.* 20 vols; traduzido para o inglês por R. F. C. Hull; editado por H. Read, M. Fordham, G. Adler e W. McGuire. Bollingen, Série XX. Princeton: Princeton University Press, 1953-79.

_____. *Memories, Dreams, Reflections*; ed. rev. gravada e editada por A. Jaffe, traduzido para o inglês por R. Winston e C. Winston. Nova York: Pantheon, 1973.

Kafka, Franz. *The Complete Stories*; editado por N. N. Glatzer. Nova York: Schocken, 1971.

_____. *The Trial.* Traduzido para o inglês por W. Muir e E. Muir, revisado por E. M. Butler. Nova York: Modern Library, 1964.

Kant, Immanuel. *Critique of Practical Reason.* Traduzido para o inglês por L. W. Beck. Nova York: Bobbs-Merrill, 1956.

_____. *Critique of Pure Reason.* Traduzido para o inglês por N. K. Smith. Londres: Macmillan, 1968.

_____. *Religion Within the Limits of Reason Alone.* 2ª ed.; traduzido para o inglês por T. M. Greene e H. H. Hudson. La Salle, Illinois: Open Court, 1960.

Keats, John. *Poems.* 5ª ed. editada, com introdução por E. De Selincourt. Londres: Methuen, 1961.

Keepin, William. *Some Deeper Implications of Chaos Theory.* Draft. San Francisco: California Institute of Integral Studies, 1990.

Keller, Evelyn Fox. *A Feeling for the Organism: The Life and Work of Barbara McClintock.* San Francisco: Freeman, 1983.

_____. *Reflections on Gender and Science.* Nova Haven: Yale University Press, 1985.

Kempis, Thomas à. *The Immitation of Christ.* Traduzido para o inglês por L. Sherley-Price. Harmondsworth, Inglaterra: Penguin, 1952.

Kepler, Johannes. *The Harmonies of the World* (V), e *Epitome of Copernican Astronomy* (IV e V). Traduzido por C. G. Wallis, em *Great Books of the Western World*, vol 16. Chicago: Encyclopaedia Britannica, 1952.

_____. "On the More Certain Fundamentals of Astrology." Prefácio e notas J. B. Brackenridge, traduzido para o inglês por M. A. Rossi. *Proceedings of the American Philosophical Society* 123, 2, 1979: 85-116.

Kirk, Geoffrey S. *The Songs of Homer*. Cambridge: Cambridge University Press, 1962.

Kirk, G.S. e J. E. Raven, eds. *The Presocratic Philosophers: A Critical History with a Selection of Texts*. Cambridge: Cambridge University Press, 1957.

Koyré, Alexandre. *The Astronomical Revolution: Copernicus, Kepler, Borelli*; traduzido para o inglês por R. E. W. Maddison. Ithaca: Cornell University Press, 1973.

_____. *From the Closed World to the Infinite Universe*. Baltimore: Johns Hopkins University Press, 1968.

Kubrin, David. "Newton's Inside Out: Magic, Class Struggle, and the Rise of Mechanism in the West", em *The Analytic Spirit*, editado por H. Woolf. Ithaca: Cornell University Press, 1980.

Kuhn, Thomas S. *The Copernican Revolution: Planetary Astronomy and the Development of Western Thought*. Cambridge: Harvard University Press, 1957.

_____. *The Structure of Scientific Revolutions*, 2ª ed. Chicago: University of Chicago Press, 1970.

Laing, R.D. *The Divided Self*. Nova York: Penguin, 1965.

_____. *The Politics of Experience*. Harmodsworth, Inglaterra: Penguin, 1967.

Lakatos, Imre e Alan Musgrave, eds. *Criticism and the Growth of Knowledge*. Cambridge: Cambridge University Press, 1974.

Landes, David S. *A Revolution in Time: Clocks and the Making of the Modern World*. Cambridge: Harvard University Press, 1983.

Lasch, Christopher. *The Culture of Narcissism: American Life in an Age of Diminishing Expectations*. Nova York: Norton, 1979.

Leff, Gordon. *The Dissolution of the Medieval Outlook: An Essay on Intellectual and Spiritual Change in the Fourteenth Century*. Nova York: Harper & Row, 1976.

Leonardo da Vinci. *Leonardo da Vinci;* editado por G. Nicodemi *et al*. Nova York: Reynal, associada a William Morrow, 1956.

Letwin, Shirley R. *Pursuit of Certainty*. Cambridge: Cambridge University Press, 1965.

Levi, Albert William. *Philosophy and the Modern World*. Chicago: University of Chicago Press, 1977.

Lévi-Strauss, Claude. *Structural Anthropology*; traduzido para o inglês por C. Jacobson e B. G. Schoepf. Nova York: Doubleday, 1967.

Locke, John. *An Essay Concerning Human Understanding*, em *Great Books of the Western World*, vol. 35. Chicago: Encyclopaedia Britannica, 1952.

Lovejoy, Arthur O. *The Great Chain of Being: A Study of the History of an Idea*. Cambridge: Harvard University Press, 1936.

Lovelock, James. *Gaia: A New Look at Life on Earth.* Oxford: Oxford University Press, 1979.

Lucrécio. *De Rerum Natura*; editado por C. Bailey. 3 vols. Oxford: Oxford University Press, 1979.

Lutero, Martinho. *The Bondage of Will;* traduzido para o inglês por H. Cole, com as correções de H. Atherton. Grand Rapids, Michigan: Wm. B. Eerdmans, 1931.

_____. *Martin Luther's Basic Theological Writings*; editado por T. F. Lull. Mineápolis: Fortress Press, 1989.

Lyotard, Jean-François. *The Postmodern Condition: A Report on Knowledge*; traduzido para o inglês por G. Bennington e B. Massumi. Mineápolis: University of Minnesota Press, 1984.

Maquiavel, Nicolau. *The Prince*; traduzido para o inglês por H. C. Mansfield, Jr. Chicago: University of Chicago Press, 1985.

Magee, Bryan. *Karl Popper.* Nova York: Viking, 1973.

Marcuse, Herbert. *Eros and Civilization: A Philosophical Inquiry into Freud.* Boston: Beacon, 1974.

Marx, Karl. *Capital*; traduzido para o inglês por S. Moore e E. Aveling. 3 vols. Moscou: Foreign Languages Publishing House, 1954-62.

_____. *The Communist Manifesto*; editado por A. J. Taylor. Baltimore: Penguin, 1968.

_____. *Economic and Philosophical Manuscripts*, em *The Marx-Engels Reader*, editado por R. C. Tucker. Nova York: Norton, 1972.

McDermott, John J. *The Culture of Experience: Essays in the American Grain.* Nova York: New York University Press, 1976.

McDermott, Robert A. "Toward a Modern Spiritual Cognition". *Revision* 12, Verão de 1989: 29-33.

McInerny, Ralph. *St. Thomas Aquinas.* Notre Dame: Notre Dame University Press, 1982.

McKibben, Bill. *The End of Nature.* Nova York: Random House, 1989.

McNeill, William H. *The Rise of the West: A History of the Human Community.* Chicago: University of Chicago Press, 1963.

Melville, Herman. *Moby-Dick, or the Whale.* Berkeley: University of California Press, 1981.

Merchant, Carolyn. *The Death of Nature: Women, Ecology, and Scientific Revolution.* San Francisco: Harper & Row, 1980.

Merton, Thomas. "The Self of Modern Man and the New Christian Consciousness", em *Zen and the Birds of Appetite*, 15-32. Nova York: New Directions, 1968.

Michelangelo. *The Complete Works of Michelangelo*; editado por M. Salmi *et al.* Nova York: Reynal, associado a William Morrow, 1965.

Miller, David L. *The New Polytheism*, 2ª ed. Dallas: Spring Publications, 1981.

Miller, Jean Baker, ed. *Psychoanalysis and Women*. Nova York: Penguin, 1973.

Milton, John. *Areopagitica and Other Prose Writings*; editado por W. Haller. Nova York: Book League of America, 1929.

Moltman, Jürgen D. *The Theology of Hope: On the Ground and the Implications a Christian Eschatology*; traduzido para o inglês por J. W. Leitch. Nova York: Harper & Row, 1976.

Monod, Jacques. *Chance and Necessity: An Essay on the Natural Philosophy of Modern Biology*; traduzido por A. Wainhouse. Nova York: Random House, 1972.

Montaigne, Michel de. *The Complete Essays*; traduzido para o inglês por D. M. Frame. Stanford: Stanford University Press, 1958.

Morgan, Elaine. *The Descent of Woman*. Londres: Souvenir, 1972.

Mumford, Lewis. *The Myth of the Machine*, 2 vols. Nova York: Harcourt, Brace & World, 1967-70.

Nehamas, Alexander. *Nietzsche: Life as Literature*. Cambridge: Harvard University Press, 1985.

Neugebauer, O. *The Exact Sciences in Antiquity*, 2ª ed. Providence: Brown University Press, 1957.

Newton, Isaac. *Philosophiae Naturalis Principia Mathematica*, 3ª ed. (1726), com diversos textos reunidos por A. Koyré, I. B. Cohen e A. Whitman. 2 vols. Cambridge: Harvard University Press, 1972.

_____. *The Opticks*. 4ª ed. Nova York: Dover, 1952.

Nietzsche, Friedrich. *Basic Writings of Nietzsche*; editado e traduzido para o inglês por W. Kaufman. Nova York: Modern Library, 1968.

_____. *The Gay Science*; traduzido para o inglês por W. Kaufman. Nova York: Random House, 1974.

_____. *Thus Spoke Zarathustra.*; traduzido para o inglês, com uma introdução, por R. J. Hollingdale. Nova York: Penguin, 1969.

Ockham, William of. *Ockham's Theory of Propositions*, parte II da *Summa Logicae*; traduzido para o inglês por A. J. Freddoso e H. Schuurman, com uma introdução de A. J. Freddoso. Notre Dame: University of Notre Dame, 1980

_____. *Ockham's Theory of Terms*. Parte I do *Summa Logicae;* traduzido, com uma introdução, por M. J. Loux. Notre Dame: University of Notre Dame Press, 1975

O'Meara, John J. *The Young Augustine.* Nova York: Alba House, 1965.

Orígenes. *Contra Celsum*; traduzido para o inglês por H. Chadwick. Cambridge: Cambridge University Press, 1980.

Ovídio. *Metamorfoses*; editado por E. J. Kenney. Oxford: Oxford University Press, 1986.

Pagels, Elaine. *The Gnostic Gospels.* Nova York: Random House, 1979.

Pagels, Heinz R. *The Cosmic Code: Quantum Physics as the Language of Nature.* Nova York: Simon & Schuster, 1982.

Palmer, R. R. e Joel Colton. *A History of the Modern World*, 5ª ed. Nova York: Alfred A. Knopf, 1978.

Panofsky, Erwin. *Renaissance and Renascences in Western Art.* Nova York: Harper & Row, 1969.

Pascal, Blaise. *Pensées*; traduzido para o inglês, com uma introdução, por A. J. Krailsheimer. Harmondsworth, Inglaterra: Penguin, 1966.

Pauli, Wolfgang. "The Influence of Archetypal Ideas on the Scientific Theories of Kepler"; traduzido por P. Silz, em C. G. Jung e W. Pauli, *The Interpretation of Nature and the Psyche.* Nova York: Pantheon, 1955.

Pelikan, Jaroslav. *The Christian Tradition: A History of the Development of Doctrine.* 5 vols. Chicago: University of Chicago Press, 1971-89.

Perls, Fritz. *Gestalt Therapy Verbatim.* Nova York: Bantam, 1976.

Petrarch, Francesco. *Petrarch, the First Modern Scholar and Man of Letters: A Selection From His Correspondence*, 2ª ed., rev. e ampliada; traduzido por J. H. Robinson e H. W. Rolfe. Nova York: Greenwood, 1969.

Piaget, Jean. *The Child's Conception of the World*; traduzido por J. Tomlinson e A. Tomlinson. Londres: Routledge & Kegan Paul, 1960.

Pico della Mirandola, Giovanni. "The Dignity of Man", em *The Portable Renaissance Reader*; editado por J. B. Ross e M. M. McLaughlin. Nova York: Penguin, 1977.

Pieper, Josef. *St. Thomas Aquinas*; traduzido para o inglês por D. MacLaren. Nova York: Sheed & Ward, 1948.

_____. *Scholasticism: Personalities and Problems of Medieval Philosophy*; traduzido para o inglês por R. Winston e C. Winston. Nova York: Pantheon, 1960.

Pindar. *The Odes of Pindar*; traduzido para o inglês por R. Lattimore. Chicago: University of Chicago Press, 1976.

Platão. *The Collected Dialogues*; editado por E. Hamilton e H. Cairns. Princeton: Princeton University Press, 1961.

_____. *Philebus and Epinomis*; traduzido para o inglês por A. E. Taylor, com uma introdução de R. Klibansky. Londres: Thomas Nelson, 1956.

Plotinus. *The Enneads*; traduzido para o inglês por S. MacKenna, 3ª ed. rev. ed., por B. S. Page. Introdução de P. Henry. Londres: Faber and Faber, 1962.

Plutarco. *Lives*; traduzido para o inglês por J. Dryden. Nova York: Modern Library, 1967.

Polanyi, Michael. *Personal Knowledge*. Nova York: Harper & Row, 1964.

Pope, Alexander. *The Poetical Works of Alexander Pope;* editado por A. W. Ward. Londres: Macmillan, 1924.

Popper, Karl R. *Conjectures and Refutations: The Growth of Scientific Knowledge*. Nova York: Harper Torchbook, 1968.

———. *The Logic of Scientific Discovery;* ed. rev. Nova York: Harper & Row, 1968.

Prabhu, Joseph. "Blessing the Bathwater", em "On Deconstructing Theology: A Symposium". *Journal of the American Academy of Religion*, 54, 3, 1987: 534-543.

Prigogine, Ilya. *From Being to Becoming: Time and Complexity in the Physical Sciences*. San Francisco: Freeman, 1980.

Ptolomeu. *The Almagest;* traduzido para o inglês por R. C. Taliaferro; em *Great Books of the Western World*, vol. 16. Chicago: Encyclopaedia Britannica, 1952.

———. *The Tetrabiblos;* traduzido para o inglês por J. M. Ashmand. North Hollywood, Califórnia: Symbols and Signs, 1976.

Quine, W. V. *From a Logical Point of View*, 2ª ed. Nova York: Harper & Row, 1961.

Rahner, Karl. *Hearers of the Word*; traduzido para o inglês por M. Richards. Montreal: Palm, 1969.

———. *Theological Investigations*. Vol. 13, *Theology, Anthropology, Christology*; traduzido para o inglês por D. Bourke. Nova York: Seabury, 1975.

Raine, Kathleen. *Blake and Tradition*. Princeton: Princeton University Press, 1968.

Randall, John Herman. *The Making of the Modern Mind*. Nova York: Columbia University Press, 1976.

Rank, Otto. *The Trauma of Birth*. Nova York: Harcourt Brace, 1929.

Raphael. *The Complete Work of Raphael*; editado por M. Salmi *et al.* Nova York: Harrison House, 1969.

Rattansi, P. M. "The Intellectual Origins of the Royal Society." *Notes and Records of the Royal Society of London*, 23, 1968: 129-143.

Ravetz, Jerome R. *Scientific Knowledge and Its Social Problems*. Londres: Oxford University Press, 1971.

Redondi, Pietro. *Galileo: Heretic*; traduzido para o inglês por R. Rosenthal. Princeton: Princeton University Press, 1987.

Reich, Wilhelm. *Character Analysis*. Nova York: Noonday, 1949.

Rilke, Rainer Maria. *Duino Elegies*; traduzido para o inglês por C. F. MacIntyre. Berkeley: University of California Press, 1961.

Ronan, Colin A. *Galileo*. Nova York: G. P. Putnam's Sons, 1974.

Rorty, Richard. *Philosophy and the Mirror of Nature*. Princeton: Princeton University Press, 1979.

Rosen, Edward. *Copernicus and the Scientific Revolution*. Malabar, Flórida: Krieger Publications, 1984.

Ross, J. B. e M. M. McLaughlin, eds. *The Portable Renaissance Reader*; ed. rev. Nova York: Penguin, 1977.

Ross, Sir William David. *Aristotle*, 5ª ed. Nova York: Methuen, 1964.

_____. *Plato's Theory of Ideas*. Londres: Oxford University Press, 1971.

Roszak, Theodore. *The Making of a Counter Culture*. Nova York: Doubleday, 1969.

Rothberg, Donald. "Philosophical Foundations of Transpersonal Psychology." *Journal of Transpersonal Psychology*, 18, 1, 1986: 1-34.

Rouner, Leroy S., ed. *On Nature*. Notre Dame: University of Notre Dame Press, 1984.

Rousseau, Jean-Jacques. *Confessions*; traduzido para o inglês por J. M. Cohen. Baltimore: Penguin, 1953.

_____. *Émile, or Treatise of Education*; traduzido para o inglês por B. Foxley. Nova York: Dutton, 1955.

Ruether, Rosemary Radford, ed. *Religion and Sexism: Images of Woman in the Jewish and Christian Traditions*. Nova York: Simon & Schuster, 1974.

_____. *Sexism and God-Talk: Towar a Feminist Theology*. Boston: Beacon, 1983.

Rufus, W. Carl. "Kepler as an Astronomer", em *The History of Science Society, Johannes Kepler: A Tercentenary Commemoration of His Life and Work*. Baltimore: Williams and Wilkins, 1931.

Rupp, E. Gordon. *Luther's Progress to the Diet of Worms, 1521*. Nova York: Harper & Row, 1964.

Russell, Bertrand. *The Basic Writings of Bertrand Russell*; editado por R. E. Egner e L. E. Dennon. Nova York: Simon and Schuster, 1967.

_____. *A History of Western Philosophy*. Nova York: Simon and Schuster, 1945.

_____. *Why I Am Not a Christian and Other Essays on Religion and Related Subjects*. Nova York: Simon and Schuster, 1967.

Salinger, J. D. *Franny and Zooey*. Boston: Little, Brown, 1961.

Samuels, Andrew. *Jung and the Post-Jungians*. Londres: Routledge & Kegan Paul, 1985.

Santillana, Giorgio de. *The Crime of Galileo.* Chicago: University of Chicago Press, 1955.

Sarton, George. *Introduction to the History of Science.* 5 vols. Huntington, Nova York: Krieger, 1975.

Sartre, Jean-Paul. *Being and Nothingness: A Phenomenological Essay on Ontology*; traduzido para o inglês, com uma introdução, por H. E. Barnes. Nova York: Citadel Press, 1956.

_____. *Existentialism and Humanism*; traduzido para o inglês por P. Mairet. Londres: Methuen, 1948.

_____. *Nausea;* traduzido para o inglês por Lloyd Alexander. Nova York: New Directions, 1959.

_____. *No Exit & The Flies;* traduzido para o inglês por S. Gilbert. Nova York: Alfred A. Knopf, 1946.

Schilpp, P. A., ed. *Albert Einstein: Philosopher-Scientist.* Nova York: Tudor, 1951.

_____. ed. *The Philosophy of Karl Popper.* 2 vols. La Salle, Illinois: Open Court, 1974.

Scott, Joan Wallach. *Gender and the Politics of History.* Nova York: Columbia University Press, 1988.

Sextus Empiricus. *Scepticism, Man and God: Selections from the Major Writings*; traduzido para o inglês por S. Etheridge, editado por P. P. Hallie. Middletown, Connecticut: Wesleyan University Press, 1964.

Shakespeare, William. *The Complete Works of Shakespeare.* Texto da edição de Cambridge, editado por W. A. Wright. Garden City, Nova York: Doubleday, 1936.

Sheehan, Thomas, ed. *Heidegger: The Mand and the Thinker.* Chicago: Precedent, 1981.

Sheldrake, Rupert. *A New Science of Life: The Hypothesis of Formative Causation.* Los Angeles: Tarcher, 1981.

Shelley, Percy Bysshe. *Prometheus Unbound*; editado por L. J. Zillman. New Haven: Yale University Press, 1968.

Sherrard, Philip. "The Christian Understanding of Man." Sobornost, 7, 5, 1977: 329-343.

Skinner, B. F. *Beyond Freedom and Dignity.* Nova York: Bantam, 1972.

Skinner, Quentin, ed. *The Return of Grand Theory in the Human Science.* Cambridge: Cambridge University Press, 1985.

Smith, Adam. *An Inquiry into the Nature and Causes of the Wealth of Nations*; editado, com uma introdução, por E. Cannan. Nova York: Modern Library, 1937.

Smith, Huston. *Beyond the Post-Modern Mind*; ed. rev. Wheaton, Illinois: Quest, 1989.

Snow, C. P. *Two Cultures and the Scientific Revolution.* Cambridge: Cambridge University Press, 1959.

Sófocles. Peças em dois volumes de *The Complete Greek Tragedies*; editado por D. Grene e R. Lattimore. Chicago: University of Chicago Press, 1954-57.

Spengler, Oswald. *The Decline of the West*; traduzido para o inglês por C. F. Atkinson. 2 vols. Nova York: Alfred A. Knopf, 1945.

Spretnak, Charlene. *Lost Goddesses of Early Greece.* Boston: Beacon Press, 1984.

Squire, Aelred. "The Doctrine of the Image in the De Veritate of St. Thomas." *Dominican Studies*, 4, 1951: 164-177.

Stein, Murray e Robert L. Moore, eds. *Jung's Challenge to Contemporary Religion*. Wilmette, Illinois: Chiron, 1987.

Steiner, Rudolf. *The Essential Steiner*; editado, com uma introdução, por Robert A. McDermott. San Francisco: Harper & Row, 1984.

_____. *The Riddles of Philosophy.* Spring Valley, Nova York: Anthroposofic Press, 1973.

_____. *A Theory of Knowledge Based on Goethe's World Conception*; traduzido para o inglês por O. Wannamaker. Spring Valley, Nova York: Anthroposophic Press, 1968.

Stendhal, Kristen. *Meanings: The Bible as Document and Guide.* Filadélfia· Fortress Press, 1984.

Sukenick, Ronald. *The Death of the Novel and Other Stories.* Nova York: Dial, 1969.

Taylor, A. E. *Socrates: The Man and His Thought.* Garden City, Nova York: Doubleday, 1954.

Teilhard de Chardin, Pierre. *The Phenomenon of Man;* traduzido para o inglês por B. Wall, com uma introdução de Julian Huxley. Nova York: Harper & Row, 1959.

Tester, S. J. *A History of Western Astrology.* Woodbridge, Suffolk: Boydell, 1987·

Thomas, Keith. *Religion and the Decline of Magic.* Nova York: Scribner, 1986.

Thorndike, Lynn. *A History of Magic and Experimental Science.* 8 vols. Nova York: Columbia University Press, 1923-58.

Tolstói, Leo. *Anna Karenina*; traduzido para o inglês por C. Garnett. Nova York: Modern Library, 1935.

_____. *The Death of Ivan Ilyich*; traduzido para o inglês por L. Solotaroff. Nova York: Bantam, 1981.

_____. *The Kingdom of God Is Within You*; traduzido para o inglês por C. Garnett. Lincoln: University of Nebraska Press, 1984.

_____. *War and Peace*; traduzido para o inglês por C. Garnett. Nova York: Modern Library, 1931.

Tomlin, E. W. F. *The Western Philosophers*. Nova York: Harper & Row, 1957.

Tomás de Aquino. *An Aquinas Reader*. Com introdução de Mary T. Clark; ed. Garden City. Nova York: Doubleday, 1972.

_____. *Basic Writtings of St. Thomas Aquinas*; editado por A. C. Pegis. 2 vols. Nova York: Random House, 1945.

_____. *Summa Theologica*; traduzido para o inglês pelos padres dominicanos ingleses. 3 vols. Nova York: Benziger, 1947-48.

Torrance, Thomas F. *Theological Science*. Londres: Oxford University Press, 1978.

Toulmin, Stephen. *Human Understanding: The Collective Use and Evolution of Concepts*. Princeton: Princeton University Press, 1972.

Toynbee, Arnold J. *A Study of History*; condensação dos vols. I-VI, por D.C. Somervell. Nova York: Oxford University Press, 1947.

Vasari, Giorgio. *Lives of the Most Eminent, Painters, Sculptors, and Architects*; traduzido para o inglês por J. Foster. Londres: George Bell's Sons, 1890.

Virgílio. *A Eneida*; traduzido para o inglês por Robert Fitzgerald. Nova York: Random House, 1983.

Vlastos, Gregory. *Platonic Studies*. Princeton: Princeton University Press, 1973.

Voltaire. *Philosophical Letters;* traduzido para o inglês por E. Dilworth. Indianápolis: Bobbs-Merrill, 1961.

Voogd, Stephanie de. "C.G. Jung: Psychologist of the Future, 'Philosopher' of the Past." Nova York e Zurique: Spring Publications, 1977: 175-182.

Vrooman, J. R. *René Descartes: A Biography*. Nova York: G. P. Putnam's Sons, 1970.

Walsh, William H. *Metaphysics*. Nova York: Harcourt, Brace & World, 1966.

Watts, Alan. *Beyond Theology*. Nova York: Pantheon, 1964.

_____. *Psychotherapy East and West*. Nova York: Pantheon, 1961.

Weber, Max. *The Protestant Ethic and the Spirit of Capitalism*; traduzido para o inglês por Talcott Parsons. Nova York: Charles Scribner's Sons, 1958.

Weinberg, Steven. *The Firts Three Minutes: A Modern View of the Origin of the Universe*. Nova York: Basic Books, 1988.

Weinstein, Donald e Rudolph M. Bell. *Saints and Society: The Two Worlds of Western Christendom, 1000 to 1700*. Chicago: University of Chicago Press, 1986.

Wellmer, Albrecht. "On the Dialectic of Modernism and Postmodernism." *Praxis International* 4, 1985: 337-362.

Westfall, Richard S. *Force in Newton's Physics: The Science of Dynamics in the Seventeenth Century.* Nova York: American Elsevier, 1971.

White, Lynn. "The Historical Roots of Our Ecologic Crisis." *Science* 155, 1967: 1.203-1.207.

Whitehead, Alfred North. *Process and Reality*; ed. corrigida; editado por D. R. Griffin e D. W. Sherburne. Nova York: Free Press, 1978.

_____. *Science and the Modern World.* Nova York: Macmillan, 1925.

Whitehead, Alfred North e Bertrand Russell. *Principia Mathematica.* 3 vols. Cambridge: Cambridge University Press, 1927.

Whitfield, J. H. *Petrarch and the Renascence.* Nova York: Haskell House, 1969 (nova tiragem da edição de 1943).

Whorf, Benjamin Lee. *Language, Thought, and Reality: Selected Writings of Benjamin Lee Whorf*; editado por J. B. Carroll. Cambridge: MIT Press, 1956.

Whyte, Lancelot Law. *The Unconscious Before Freud.* Nova York: Basic Books, 1960.

Wilkinson, Elizabeth M. e Leonard A. Willoughby. *Goethe, Poet and Thinker.* Nova York: Barnes & Noble, 1962.

Wind, Edgar. *Pagan Mysteries in the Renaissance.* Ed. rev. e aumentada. Nova York: Norton, 1968.

Wittgenstein, Ludwig. *Philosophical Investigations*; traduzido para o inglês por G. E. M. Anscombe, 3ª ed. Nova York: Macmillan, 1968.

_____. *Tractatus Logico-Philosophicus*; traduzido para o inglês por D. F. Pears e B. F. McGuinness, com uma introdução de Bertrand Russell. Londres: Routledge & Kegan Paul, 1961.

Wollstonecraft, Mary. *Vindication of the Rights of Woman*; editado por M. Kramick. Nova York: Viking Penguin, 1978.

Wordsworth, William. *Poetical Works*; ed. rev.; editado por T. Hutchinson e E. De Selincourt. Oxford: Oxford University Press, 1950.

Wordsworth, William, e Samuel Taylor Coleridge. *Lyrical Ballads, 1798.* 2ª ed.; editado por W. J. Owen. Oxford: Oxford University Press, 1969.

Yates, Frances A. *Giordano Bruno and the Hermetic Tradition.* Londres: Routledge, 1964.

Yeats, William Buther. *The Collected Poems.* London: Macmillan, 1952.

_____. *A Vision.* Nova York: Macmillan, 1956.

Obras de Referência

Bullock, Alan, e R.B. Woodings, eds. *20th Century Culture: A Biographical Companion.* Nova York: Harper & Row, 1983.

Edwards, Paul, ed. *The Encyclopedia of Philosophy.* 8 vols. Nova York: Macmillan, 1967.

Encyclopaedia Britannica, 15ª ed. 30 vols. Chicago: Encyclopaedia Britannica, 1977.

Flew, Antony, ed. *A Dictionary of Philosophy,* 2ª ed. Nova York: St. Martin's, 1984.

Gillispie, C.C., ed. *Dictionary of Scientific Biography.* 16 vols. Nova York: Charles Scribner's Sons, 1970.

Harvey, Sir Paul, ed. *The Oxford Companion to Classical Literature.* Oxford: Clarendon Press, 1974.

Kinder, Hermann, e Werner Hilgemann. *The Anchor Atlas of World History;* traduzido para o inglês por E. A. Menze. 2 vols. Garden City, Nova York: Doubleday, 1974.

Liddell, H. G. e R. Scott. *A Greek-English Lexicon,* 9ª ed. Oxford: Clarendon Press, 1968.

Oxford English Dictionary; ed. compacta. 2 vols. Oxford: Oxford University Press, 1971.

Rahner, Karl *et al.*, eds. *Sacramentum Mundi: An Encyclopedia of Theology.* 6 vols. Nova York: Herder and Herder, 1968.

Trager, James, ed. *The People's Chronology.* Nova York: Holt, Rinehart and Winston, 1979.

Wiener, Philip P., ed. *Dictionary of the History of Ideas.* 5 vols. Nova York: Charles Scribner's Sons, 1973.

Índice

Agradecimentos

O projeto de escrever este livro tornou-me devedor de muitas pessoas, a quem desejo agradecer apropriadamente, como não poderia deixar de ser. Dedico enorme gratidão aos seguintes homens e mulheres que leram os originais na íntegra, em alguns casos mais de uma vez, e contribuíram com inestimáveis comentários críticos: Stanislav Grof, Bruno Barnhart, Robert McDermott, Joseph Campbell, Huston Smith, David L. Miller, Cathie Brettschneider, Deane Juhan, Charles Harvey, Renn Butler, Bruce Newell, William Keepin e Margaret Garigan.

Quero agradecer ainda a várias pessoas que leram e avaliaram trechos específicos dos originais, nos diversos estágios de sua elaboração, entre elas James Hillman, Robert Bellah, Fritjof Capra, Frank Barr, William Webb, Gordon Tappan, Aelred Squire, William Birmingham, Roger Walsh, John Mack e Joseph Prabhu. Também agradeço a uma leitora muito especial e importante — Heather Malcolm Tarnas, minha esposa —, por todos os longos anos dedicados à elaboração e confecção desta obra, cujo rigoroso e meticuloso olhar crítico, bem como seu sensível julgamento editorial, influenciaram profundamente o seu resultado final.

Uma significativa quantidade e diversidade de conceitos recolhidos, em livros, teses acadêmicas, artigos, entrevistas e documentos pesou muito na concepção e concretização deste trabalho. Nesse sentido, entendo que a Bibliografia aqui apresentada procura listar parte de meus débitos intelectuais, porém citações especiais — por justiça — devem ser feitas à contribuição relevante de acadêmicos e especialistas como: W. K. C. Guthrie, M. D. Chenu, Josef Pieper, Ernst Wilhelm Benz, Herbert Butterfield, William McNeill, Robert Bellah e Thomas Kuhn — para nomear apenas alguns dos que tiveram acentuada importância neste projeto. Além disso, um elenco considerável de pessoas colaborou diretamente para tornar real este livro, e quero aqui penhoradamente apresentar meus agradecimentos pelas inúmeras e estimulantes discussões com Stanislav Grof, Bruno Barnhart, James Hillman, Robert McDermott, Deane Juhan, Huston Smith, Joseph Campbell e Gregory Bateson.

Evidentemente, a publicação deste livro deve-se muito a meus agentes literários Frederick Hill e Bonnie Nadell; a Robert Wyatt e Teri Henry, da *Ballantine Books*; a Peter Guzzardi, Margaret Garigan, James Walsh e John Michel, da *Harmony Books*; e a Bokara Legendre por ter dado início ao processo em si. Sou muito grato pelo prestimoso suporte financeiro articulado por Joan Reddish, Arthur Young, Bokara Legendre, Christopher Bird e Philip Delevett, bem como aos membros das famílias Tarnas e Malcolm, que me possibilitaram dedicar o necessário tempo para pesquisar e escrever.

Meu trabalho foi também acentuadamente auxiliado por Michael Murphy, Richard Price, Albert Hofmann, Anne Armstrong, Roger Newell, Jay Ogilvy, pelo *Institute for the Study of Consciousness* e pela *Princeton University Press.* Um convite formulado por Laurance S. Rockefeller permitiu-me participar, durante três anos, do *Esalen Project for Revisioning Philosophy*, um programa de conferências com filósofos diletantes, teólogos e cientistas.

As preciosas e estimulantes discussões que ocorreram no decorrer do evento tiveram um papel decisivo nesta tentativa de narrar, de forma coerente e articulada, a história intelectual e espiritual do Ocidente: nesse particular, especial destaque devo conferir ao tema que serviu de Epílogo ao livro, apresentado pela primeira vez na conferência "A Filosofia e o Futuro do Homem", na Universidade de Cambridge, em agosto de 1989.

Estes agradecimentos seriam incompletos se não registrassem a mais profunda gratidão ao papel desempenhado pela minha formação no *Esalen Institute,* onde vivi entre 1974 e 1984; pela Harvard University, onde oermaneci de 1968 a 1972; e pelos professores jesuítas de minha juventude. De certa forma, este livro pode ser considerado como uma síntese — ou um corolário — das diversas influências intelectuais recebidas dessas entidades do ensino. Espero que esta obra possa ser vista como um ato de gratidão a cada uma dessas pessoas e também ser dedicada aos muitos homens e mulheres que partilharam comigo os seus conhecimentos e sua incomparável lucidez.

Quero ainda agradecer penhoradamente ao clima, ao cenário e ao ambiente da Big Sur, na costa do Pacífico, que me acolheram, abrigaram, e energizaram a minha inspiração durante todos os anos em que trabalhei neste livro.

Por fim, devo toda a gratidão a meus pais, a minha esposa e a meus filhos. Sem sua compreensão, paciência e suporte afetivo, esta obra não teria vindo à luz. Sou eternamente grato a cada um deles.

Impresso no Brasil pelo
Sistema Cameron da Divisão Gráfica da
DISTRIBUIDORA RECORD DE SERVIÇOS DE IMPRENSA S.A.
Rua Argentina 171 – Rio de Janeiro, RJ – 20921-380 – Tel.: 585-2000